LE FRANÇAIS D'AUJOURD'HUI EN 90 LEÇONS

Paru au Livre de Poche :

Guide pratique de conversation français-anglais
Guide pratique de conversation English-French

La collection « Bilingue » a publié les meilleurs auteurs : Lewis Carroll, Erskine Caldwell, Chesterton, Joseph Conrad, E. M. Forster, Graham Greene, Aldous Huxley, Rudyard Kipling, Jack London, Katherine Mansfield, O. Heny, Edgar Poe, Jonathan Swift, etc.

La collection « Lire en français » (pour lecteurs francophones) a publié un recueil de nouvelles françaises contemporaines : *Echo répondez* et, de Guy de Maupassant : *Pierrot et autres nouvelles* et *Madame Baptiste.*

LES LANGUES MODERNES

LE FRANÇAIS D'AUJOURD'HUI EN 90 LEÇONS

THE FRENCH LANGUAGE OF TODAY IN 90 LESSONS

For the English-Speaking World

Christine Guyot-Clément, Docteur en linguistique,

Pierre Le Fort, Docteur en littérature

and

Steve Harding

Enregistrements sur cassettes

Le Livre de Poche

SOMMAIRE

Groupe 1 : Identité et caractérisation personnelle
Identification and personal characterization

*Objectifs : Apprendre à se présenter soi-même ou à présenter d'autres personnes : identité, profession, rapports de parenté, caractère.
*Objectives: Learn how to introduce yourself or to introduce other people: identity, professions, relationships and personalities.

Groupe 2 : Maison et foyer
Home and family life

*Objectifs : Soutenir une conversation sur les conditions d'habitation ; donner des précisions sur son logement et sur le type d'habitation ; faire les courses ; parler de son emploi du temps.
*Objectives: Learn how to hold a conversation about everyday life; give details about your home or your type of accommodation; go shopping and talk about your activities.

Groupe 3 : Environnement géographique
Some local surroundings

*Objectifs : Donner et demander des informations sur l'environnement géographique et climatique.
*Objectives: Learn how to give information and to enquire about the climate and the environment.

Groupe 4 : Voyages et déplacements
Travelling

*Objectifs : S'informer ou donner des informations à propos des aspects des voyages ; décrire un itinéraire, des moyens de transport, des horaires.
*Objectives: Learn how to make enquiries or to give information about travelling; describe a trip, ways of travelling and time tables.

Groupe 5 : Le gîte et le couvert
Board and lodging

*Objectifs : Demander et comprendre les informations permettant de se loger à l'hôtel, de manger au restaurant ; lire un menu ; commander un repas ; découvrir le savoir-vivre français.
*Objectives: Learn how to ask and to understand information about staying at a hotel, eating at a restaurant, reading a menu, ordering a meal and discovering the French savoir-faire (French behaviour).

Groupe 6 : Loisirs, Mode, Achats
Leisure time, Fashion and Shopping

*Objectifs : Faire des achats divers ; essayer et choisir un vêtement ; acheter et vendre ; parler de la mode.
*Objectives: Learn how to purchase things; to choose and try on clothes; to buy and sell; to talk about fashion.

Groupe 7 : Entreprises et Services Publics
Companies and Public Utilities

*Objectifs : Comprendre les relations commerciales au sein d'une P.M.E. (petite et moyenne entreprise) ; comprendre les services publics (hôpital, pompiers, téléphone, télévision).
*Objectives: Learn how to understand commercial relations within a small or medium-sized company; how to understand Public Utilities (hospitals, fire brigades, telephones, television).

Groupe 8 : Tourisme, Sports, Technologies
Tourism, Sports and Technologies

*Objectifs : Commenter la pratique d'un sport ; choisir un lieu de vacances ; découvrir les technologies nouvelles.
*Objectives: Learn how to comment on sporting activities; how to choose a holiday-place and to discover new technologies.

Groupe 9 : Textes authentiques
Genuine texts

Présentation

I. Plan de l'ouvrage

■ **90 leçons réparties en 9 groupes :**

— **Groupe 1** (leçons 1 à 9) : 9 leçons sur **les éléments de base**.

— **Groupes 2 à 8** (leçons 10 à 79) : 7 groupes de 10 leçons **d'approfondissement**.

— **Groupe 9** (leçons 80 à 90) : 11 **textes authentiques**.

■ **8 tests de révision à la fin de chaque groupe** (1 à 8).

■ **1 mémento grammatical.**

■ **1 index des notions grammaticales abordées** (avec renvoi à la première apparition).

■ **1 index lexical** (avec renvoi à la première apparition).

■ **Le corrigé des exercices.**

■ **La transcription phonétique des 7 premières leçons** et une initiation à la prononciation du français.

Cette méthode de français vous permettra de découvrir :

• **La langue de la communication**. Dès la première leçon, vous utiliserez les trois niveaux de langue :

— **la langue orale**, c'est-à-dire la langue parlée, quotidienne, parfois familière ;

— **la langue standard**, qui sert de référence pour la compréhension grammaticale et la pratique de la langue ;

— **la langue soignée**, celle qui est employée dans les situations de la vie professionnelle.

Mais aussi :

• **la langue écrite**, à travers :

— des portraits
— des faire-part
— des lettres
— des textes publicitaires
— des conseils
— des articles de journal

Contents

I. How the book is organised

■ **It consists of 90 lessons divided into 9 groups:**
— **Group 1** (lessons 1 to 9): 9 lessons on the **basic structures** of French;
— **Group 2 to 8** (lessons 10 to 79): 7 groups of 10 lessons to help you **to practise and to perfect** your French;
— **Group 9** (lessons 80 to 90): 11 **authentic texts**.

■ **8 revision tests at the end of each group** (1 to 8).

■ **1 grammatical compendium.**

■ **1 index of the grammatical points studied** (with reference to the first use of each point).

■ **1 vocabulary index** (with reference to the first use of each word).

■ **Key.**

■ **Phonetic transcription of the first 7 lessons** and an introduction to French pronunciation.

This French method will enable you to get to know:
• **A communicative approach to the language**. Right from the very first lesson you will use the different "varieties" of the language:
— **Oral French**, in other words, spoken, everyday and from time to time colloquial French;
— **Standard French**, which will be used for grammatical comprehension and as a means of practising the language;
— **Formal French**, which is used in the professional world.

But also:
• **Written French**, through such documents as:

— portraits
— invitations
— letters
— advertising texts
— words of advice
— newspaper articles

— des extraits de textes authentiques (à partir de la leçon 80 ; ces textes font écho aux thèmes du premier groupe et vous proposent une découverte de divers genres : critique, poésie, chanson, théâtre, roman, etc.).

II. Descriptif d'une leçon

Chaque leçon comprend quatre pages :

— **1ère page (gauche)** : texte en français (les passages **en gras** mettent l'accent sur les structures qui vont être travaillées ; le chiffre renvoie aux remarques d'ordre pratique ; le signe * renvoie aux notes d'information culturelle liées au thème de la leçon).

— **2e page (droite)** : traduction du texte.

— **la 3e page et la 4e page** forment un ensemble :

• page de gauche : **la « compréhension »** vous explique les structures grammaticales de la langue, selon une planification progressive.

• page de droite : **la « pratique »** vous permet d'appliquer dans des exercices ce que vous venez d'apprendre (le corrigé figure en fin de volume).

Les exemples-supports de la compréhension et de la pratique (en regard) appartiennent au texte de la leçon.

Pour une meilleure assimilation, les structures travaillées sont réemployées en écho dans les leçons suivantes.

III. Méthode de travail

Découverte

Avec les cassettes :

• Ecoutez la leçon plusieurs fois (livre fermé).

• Ecoutez en suivant le texte.

— extracts from genuine texts (as from lesson 80, these texts go over the themes already studied in the first group and will give you an insight into the many different aspects of the language such as reviews, poetry, songs, theater and novels, etc.).

II. The description of a lesson

Each lesson consists of four pages:

— **The 1st page (left)**: a text in French (the words **in bold** put emphasis on the structures which will be worked on, the figures refer to the remarks explaining the usage of a word or an expression, the sign * refers to the notes outlining the cultural information which relates to the theme of the lesson).

— **The 2nd page (right)**: a translation of the text.

— **The 3rd and 4th pages** go together:

• the page on the left: **"comprehension"** gives you an explanation of the grammatical structures of the language, and follow a progressive planning.

• the page on the right: **"practice"** will allow you, with the help of the exercises, to put into practice what you have just learnt (the key is at the end of the book).

The examples, which are extracted from the lesson previously studied, will assist you in understanding the comprehension and written exercises.

In order to assimilate the language better, the structures worked on are repeated in the following lessons.

III. How to use the book

Introduction

With the cassettes:

• Listen to the lesson several times (with your book closed).

• Listen to the cassette and read the text at the same time.

Avec le livre (et les cassettes) :

• Lecture silencieuse globale de la leçon en français.

• Lecture phrase par phrase (+ notes *). Si la compréhension n'est pas immédiate, référez-vous à la traduction en page de droite.

• Lecture à voix haute (pour les 7 premières leçons, suivre la transcription phonétique).

• Découverte de la note *.

Compréhension

Conseils :

• Travaillez la compréhension et la pratique point par point (chaque structure avec l'exercice correspondant).

• A la fin de ce travail, relisez le texte de la leçon.

• Avant d'aborder une nouvelle leçon, vérifiez que vous avez bien assimilé l'ensemble de la leçon précédemment étudiée : par exemple, refaites les exercices et relisez le texte.

• Nous vous conseillons une imprégnation quotidienne de 30 minutes environ.

• La traduction des textes n'est pas une traduction littéraire ; elle est là pour vous aider. Certaines tournures du français sont conservées littéralement pour faciliter votre compréhension en parallèle.

IV. Comment prononcer le français

Pour ne pas surcharger le corps des leçons, nous avons pris le parti de regrouper les aspects phonétiques en annexe (en début de volume). Les 7 premières leçons sont transcrites en API (Alphabet phonétique international) et seront pour vous l'occasion de vous familiariser avec les règles de prononciation et d'intonation.

Les cassettes (enregistrement intégral des 90 leçons) vous mettent en contact avec la réalité sonore de la langue, complément indispensable de votre apprentissage.

With the book (and the cassettes):

- Carry out a silent reading of the text in French.
- Read the text sentence by sentence (+ notes *). If you do not understand the text straight away, refer to the translation on the right-hand page.
- Read the text out loud (for the first 7 lessons, refer to the phonetic transcription).
- Refer to the cultural notes *.

Comprehension

Advice:

- Work on the comprehension and language acquisition ("Pratique") point by point (each grammatical structure and its corresponding exercise).
- After having completed these exercises, read the text again.
- Before studying a new lesson, make sure that you have completely assimilated the previous one: you may need to reread the text and do the exercises again.
- We advise you to maintain a daily study routine of about 30 minutes.
- The translation of each text is not a literary translation but only a guide line. Certain French turn of phrases have been maintained literally in order for you to have a parallel understanding of the text.

IV. How to pronounce French

To avoid putting too many elements on the same page of each lesson, we decided to regroup all the phonetic aspects into the annex (at the beginning of the book). The first 7 lessons have been transcribed into IPA (the International Phonetic Alphabet) and they will enable you to familiarize yourselves with the rules relating to pronunciation and intonation.

The cassettes (an unabridged recording of the 90 lessons) will bring you into contact with the real sound of French, which is absolutely necessary for your language learning.

Phonetics, Pronunciation, Spelling

WRITTEN ALPHABET

There are **26 different letters** in French. Here is the written alphabet:

6 vowels:	a e i o u y
20 consonants:	b c d f g h j k l m n p q r s t v w x z

PHONETIC ALPHABET

In French, there are **36 distinctive sounds** which form all the words of the oral language: these are the phonemes.
Each phoneme can be written in different ways. For example, the phoneme:

[ɛ] père
air
vert

The international phonetic alphabet (A.P.I.) is used as an official transcription which can be found in all dictionaries.

VOWELS

oral

lit	[i]	rôle	[o]
été	[e]	cou	[u]
père	[ɛ]	rue	[y]
pas	[a]	heureux	[ø]
âge	[ɑ]	le / petit	[ə]
corps	[ɔ]	fleur	[œ]

nasal

fin	[ɛ̃]	bon / ton	[ɔ̃]
an / temps	[ɑ̃]	un	[œ̃]

CONSONANTS

unvoiced		voiced	
pas	[p]	bon	[b]
tête	[t]	dans	[d]
calcul	[k]	gamin	[g]
fin	[f]	vin	[v]
sens	[s]	zéro	[z]
chat	[ʃ]	jouer	[ʒ]
langue	[l]		
rue	[r]	par	[r]
mère	[m]		
non	[n]		
agneau / montagne	[ɲ]		

SEMICONSONANTS

fille	[j]
ouest	[w]
nuit	[ɥ]

FREQUENCY OF THE LETTERS USED

The letters the most frequently used

The letter E is used the most:

*it has three possible pronunciations:
[ə] le
[e] les
[ɛ] terre

*it obliges the pronunciation of the preceding consonant without being pronounced itself:
petit [pəti] petite [pətit]

*it is the usual ending for the feminine:
un étudiant une étudiant**e**

The letter S has two possible pronunciations:
[s] E**s**pagne [z] Bré**s**il

*it is the usual ending for the plural:
le livre / le**s** livre**s**

□ les [le] : the - **S** - modifies the pronunciation of the - **E** - but it is not pronounced.

Frequent letters

L and R

*these letters are often doubled:
ville / terre

*they often form a group with the letters B C D F G P T V:
bras / **cl**asse / **dr**oite / **Fr**ance / **gr**and / **pl**ace / **tr**ain / **vr**ai / **bl**eu

*- R - is the usual ending of the infinitive:
aime**r** / fini**r** / avoi**r**

The letter N

*this letter is often doubled:
a**nn**ée / bo**nn**e

*it goes with the letters A E I O U in order to form nasal vowels:
an / gam**in** / n**on** / **en**f**an**t / **un**

The letter T

*this letter is often doubled:
ce**tt**e / le**tt**re

*it has two pronunciations:

[t] tu	[ty]
[s] nation	[nasjɔ̃]
nationalité	[nasjɔnalite]

Letters moderately used

B, D, F, P and M

*F [f] always has the same pronunciation:
femme [fam] / fils [fis]

*M [m] is sometimes used to compose nasal vowels:
madame [madam] / homme [ɔm]
≠ champion [ʃɑ̃pjɔ̃] / nombre [nɔ̃br]

*P always has the same pronunciation except in the PH group → [f]: photo [fɔtɔ]

C and G

*these letters each have two pronunciations:

C	[s] cette	[sɛt]
	[k] carotte	[karɔt]
G	[ʒ] généreux	[ʒenerø]
	[g] gamin	[gamɛ̃]

Letters very seldom used

J and V → jouer [ʒue] / vivre [vivr]

The letter H

*is **never** pronounced
*goes with C → CH [ʃ] chat [ʃa]
P → PH [f] photo [fɔtɔ]
T → TH [t] thé [te]

The letter Q

*is often found in small grammatical words
Q + U = [k]:
qui / que / quoi / quand / quel

The letter Y

*is pronounced [i] or [j] or [ij]:
il y a [ilija]
∘ pays = pai + is [pei]

X and Z

*X is either pronounced [ks]: excès [ɛksɛ]
or [gz]: examen [ɛgzamɛ̃]

Very rare letters

K and W
*have come from other languages:
kiwi parking

Phonetic transcription of the first seven lessons

Lesson 1

Qui êtes-vous?
[ki ɛt vu]

— **Bonjour, madame, mademoiselle, monsieur.**
[bɔ̃ʒur madam madmwazɛl məsjø]
— **Vous êtes française?**
[vu zɛt frɑ̃sɛz]
— **Non, je suis anglaise.**
[nɔ̃ ʒə sɥi zɑ̃glɛz]
— **Vous habitez à Paris?**
[vu zabite a pari]
— **Non, j'habite à Londres mais je travaille à Paris.**
[nɔ̃ ʒɑbit a lɔ̃dr mɛ ʒə travaj a pari]
— **Qu'est-ce que vous faites?**
[kɛskə vu fɛt]
— **Je suis journaliste. Et vous?**
[ʒə sɥi ʒurnalist e vu]
— **Moi, j'habite à Marseille. Je suis informaticien.**
[mwa ʒabit a marsɛj ʒə sɥi zɛ̃fɔrmatisjɛ̃]
— **Et vous, mademoiselle?**
[e vu madmwazɛl]

— **Je suis espagnole.**
[ʒə sɥi zɛspaɲɔl]
— **Qu'est-ce que vous faites?**
[kɛskə vu fɛt]
— **Je suis styliste... enfin étudiante styliste!.. à Madrid.**
[ʒə sɥi stilist ɑ̃fɛ̃ etydjɑ̃t stilist a madrid]
— **Café?**
[kafe]
— **Non, merci.**
[nɔ̃ mɛrsi]
— **Thé?**
[te]
— **Oui, s'il vous plaît.**
[wi sil vu plɛ]
— **Au revoir, madame, mademoiselle, monsieur.**
[ɔrvwar madam madmwazɛl məsjø]

*We write (m**on**sieur) but we pronounce [məsjø]

Comments

1) The liaison
Vou**s ê**tes [vu **z**ɛt]
Je sui**s a**nglaise [ʒə sɥi **z**ɑ̃glɛz]
Vou**s ha**bitez [vu **z**abite]
Je sui**s e**spagnole [ʒə sɥi **z**ɛspaɲɔl]
Je sui**s in**formaticien [ʒə syi **z**ɛ̃formatisjɛ̃]

Notice the « **z** » liaison of the « **s** » before vowels (and even before the « **h** » in **habitez**).

2) The feminine
Je suis anglai**se** [ɑ̃glɛ**z**]
Je suis étudian**te** [etydjɑ̃**t**]
Vous êtes françai**se** [frɑ̃sɛ**z**]

Notice that these adjectives in the feminine end with a voiced consonant.
In most cases, the written consonant which ends masculine adjectives is not pronounced:
il est anglais [ɑ̃glɛ] / elle est anglaise [ɑ̃glɛ**z**]
il est français [frɑ̃sɛ] / elle est française [frɑ̃sɛ**z**]
il est étudiant [etydjɑ̃] / elle est étudiante [etydjɑ̃**t**]

*Exception:
il est espagnol [ɛspaɲɔl] / elle est espagnole [ɛspaɲɔl]

3) The intonation of interrogative sentences:
a) There are three types of intonation:
— the non-intonating tone which characterizes non stressed syllables of the same rhythmic group;
— the falling tone which indicates an order or stresses the end of a sentence;
— the rising tone which indicates emotion or a pause in the sentence and can also indicate a question:
— Café ?
— Vous habitez à Paris ?
— Et vous, mademoiselle ?

4) The "silent 'e'":
The - **e** - before consonants is maintained and is pronounced [ə]:
Je travaille [ʒə travaj]
The - **e** - before vowel (or the silent - **h** -) is often omitted:
Je + écoute → J'écoute
Je + ouvre → J'ouvre
Je + habite → J'habite
However, the written - **e** - is always retained (but not pronounced) with the - **elle** - pronoun:
Elle + écoute → Elle écoute
Often the written - **e** - is not pronounced in the spoken language:
la petite fille [la ptit fij]
In most cases, it is pronounced after a group of two consonants:
Qu'est-ce que vous faites ? [kɛskə vu fɛt]
Generally, it is not pronounced before two consonants or less.
It is not pronounced at the end of a rhythmic group as well, therefore not at the end of a sentence:
J'habite à Marseille [ʒabit a marsɛj]

5) Notice:
madem**oi**selle [madmwazɛl] / au rev**oir** [ɔrvwar]
- **oi** - = [wa]

Alain Prost : Premier grand prix disputé le cinq juillet mille
[alɛ̃ prɔst prəmje grɑ̃ pri dispyte lə sɛ̃k ʒyijɛ mil]
neuf cent quatre-vingt-un sur le circuit de Dijon (France).
[nœf sɑ̃ katrəvɛ̃ œ̃ syr lə sirkɥi də diʒɔ̃ frɑ̃s]
En mille neuf cent quatre-vingt-dix, sur cent cinquante-huit
[ɑ̃ mil nœf sɑ̃ katrə vɛ̃ dis syr sɑ̃ sɛ̃kɑ̃tɥi]
grands prix disputés, quarante-trois victoires :
[grɑ̃ pri dispyte karɑ̃tətrwa viktwar]
une en Allemagne ; deux en Australie ; trois en Autriche ;
[yn ɑ̃ nalmaɲ dø ɑ̃n ɔstrali trwa ɑ̃ notriʃ]
deux en Belgique ; six au Brésil ; une en Espagne ; une aux
[dø ɑ̃ bɛlʒik sis o brezil yn ɑ̃n ɛspaɲ yn o]
États-Unis ; cinq en France ; quatre en Grande-Bretagne ;
[zetazyni sɛ̃kɑ̃frɑ̃s katrɑ̃ grɑ̃d brətaɲ]
deux en Hollande ; trois en Italie ; deux au Mexique ; quatre à
[dø ɑ̃ ɔlɑ̃d trwa ɑ̃n itali dø o mɛksik katra]
Monaco ; trois au Portugal...
[mɔnako trwa o pɔrtygal]

Comments

1) « **en** » + vowel = [ɑ̃n] + vowel.
Notice the liaison in the following examples:
en Espagne [ɑ̃**n** ɛspaɲ]
en Autriche [ɑ̃**n** otriʃ]
en Italie [ɑ̃**n** itali]

The « **n** » liaison is compulsory.

*Pay attention to:
en Hollande [ɑ̃ ɔlɑ̃d]

In the case of the aspirated « **h** » (called « **aspiré** » but not voiced) there is no liaison. Also for:
en Hongrie [ɑ̃ ɔ̃gri]

2) « **aux** » + vowel = [oz] + vowel. Example:
aux États-Unis [o zetazyni]

3) The sound [ɲ] is often written « **gn** ». Examples:
Allemagne [almaɲ]
Grande-Bretagne [grɑ̃d brətaɲ]
Espagne [ɛspaɲ]

Qui est-ce ?
[kiɛs]

Son nom est dans tous les aéroports.
[sɔ̃ nɔ̃ ɛ dɑ̃ tu lez aeropɔr]
Elle est née à Saumur (France), le dix-neuf août mille huit
[ɛl ɛ ne a somyr frɑ̃s lə diz nœf u mil ɥi]
cent quatre-vingt-trois.
[sɑ̃ katrə vɛ̃ trwa]
Elle s'appelle Gabrielle Bonheur.
[ɛl sapɛl gabriɛl bɔnœr]
En mille neuf cent dix, elle commence à faire des chapeaux
[ɑ̃ mil nœf sɑ̃ dis ɛl kɔmɑ̃s a fɛr de ʃapo]
pour les belles femmes à Chantilly et à Longchamp.
[pur le bɛl fam a ʃɑ̃tiji e a lɔ̃ʃɑ̃]
En mille neuf cent dix-neuf, elle ouvre sa maison de
[ɑ̃ mil nœf sɑ̃ diz nœf ɛl uvrə sa mɛzɔ̃ də]
couture, rue Cambon à Paris. Elle crée le fameux « tailleur »
[kutyr ry kɑ̃bɔ̃ a pari ɛl kre lə famø tajœr]
et le premier costume de sport.
[e lə prəmje kɔstym dəspɔr]
En mille neuf cent vingt-cinq, elle lance le parfum « N° 5 ».
[ɑ̃ mil nœf sɑ̃ vɛ̃t sɛ̃k ɛl lɑ̃s lə parfœ̃ nymero sɛ̃k]
En mille neuf cent trente-six, elle dirige une grande maison
[ɑ̃ mil nœf sɑ̃ trɑ̃t sis ɛl diriʒ yn grɑ̃d mɛzɔ̃]
de couture : quatre mille employés travaillent pour elle.
[də kutyr katra mil ɑ̃plwaje travaj pur ɛl]
Elle travaille jusqu'à l'âge de quatre vingt-quatre ans. Elle
[ɛl travaj ʒyska laʒ də katrə vɛ̃ katr ɑ̃ ɛl]
meurt à Paris un dimanche, le dix janvier mille neuf cent
[mœr a pari œ̃ dimɑ̃ʃ lə di ʒɑ̃vje mil nœf sɑ̃]
soixante et onze.
[swasɑ̃t e ɔ̃z]
— Qui est-ce ? — Elle s'appelle... Coco Chanel.
[kiɛs ɛl sapɛl koko ʃanɛl]

Comments

1) The letter « s »

tous les aéroports

You will notice that you do not hear the « s » in « **tous** » which is placed before a consonant; but you here the « **z** » liaison of « **s** » before vowels. Other examples:

tou**s les a**mis [tu lez ami] / le**s p**arents [le parã]
me**s e**nfants [me zãfã] / me**s p**etit**s-e**nfants [me pti zãfã]

Rule:

When the « **s** » of plural nouns is before consonants it is not pronounced:

	[le parã]	les parents
	[le prɔfɛsœr]	les professeurs
[e]	[le fij]	les filles
	[le pilɔt]	les pilotes
	[le ləsɔ̃]	les leçons

When the « s » is before vowels (or the silent « **h** »), you will hear « **z** » because of the liaison:

	[lez ami]	les amis
	[lez etydjã]	les étudiants
[ez]	[lez ãfã]	les enfants
	[lez istwar]	les histoires
	[lez ɔm]	les hommes

You will often come into contact with this type of liaison:

les amis / des amis / mes amis / quels amis /
ses amis / tes amis...

Qui es-tu?
[kiɛ ty]

— **Bonjour, Gavroche. Tu vas bien?**
[bɔ̃ʒur gavrɔʃ ty va bjɛ̃]
— **Oui, ça va.**
[wi sa va]
— **Mais à 10 heures du matin, tu n'es pas en classe?**
[mɛ a diz œr dy matɛ̃ ty nɛ paz ɑ̃ klas]
— **Non. Y a pas d'école aujourd'hui: le maître est absent. Y a**
[nɔ̃ ja pa dekɔl oʒurdɥi lə mɛtr ɛt absɑ̃ ja]
une réunion dans le quartier... pour les barricades.
[yn reynjɔ̃ dɑ̃l kartje pur le barikad]
— **T'aimes pas l'école, Gavroche?**
[tɛm pa lekɔl gavrɔʃ]
— **Si, j'aime bien. Le maître est gentil.**
[si ʒɛm bjɛ̃ lə mɛtr ɛ ʒɑ̃ti]
— **Qu'est-ce que tu aimes surtout?**
[k ɛs kə ty ɛm syrtu]
— **J'aime le calcul, j'aime beaucoup ça; mais je déteste écrire:**
[ʒɛm lə kalkyl ʒɛm bocu sa mɛ ʒə detɛste ekrir]
c'est fatigant!
[sɛ fatigɑ̃]
— **Tu joues aussi?**
[ty ʒu osi]
— **Oui, dans la rue. Avec mes voisins, les garçons, je joue à**
[wi dɑ̃ la ry avɛk me vwazɛ̃ le garsɔ̃ ʒə ʒua]
cache-cache et aux billes, l'été.
[kaʃkaʃ e o bij lete]
— **Qu'est-ce que tu fais encore?**
[kɛskə ty fɛ ɑ̃kɔr]
— **J'adore chanter, sauter, danser... bouger, quoi!**
[ʒadɔr ʃɑ̃te sote dɑ̃se buʒe kwa]

Comments

1) The forms of colloquial French:
— T'aimes pas... → — Tu n'aimes pas...
— Y a pas d'école. → — Il n'y a pas d'école.
— Y a une réunion. → — Il y a une réunion.

The « **u** » of « **tu** » and the negation « **n'** » are omitted in very informal French (refer to the comprehension page).

2) The group « **ille** »:
« **-ille** » is either pronounced:
[ij] → billes [bij]
or [il] → ville [vil]

3) « **gentil** »
In the masculine the « **l** » is not pronounced:
il est gentil [il ɛ ʒɑ̃ti]
But in the feminine form:
elle est gentille [ɛl ɛ ʒɑ̃tij]

4) Notice:
The final « **r** » final which is the ending of **-er** verbs is not pronounced and « **er** » → [e]:
chanter [ʃɑ̃te] / sauter [sote]
danser [dɑ̃se] / bouger [buʒe]

Lesson 5

Portrait d'une chanteuse
[pɔrtrɛ dyn ʃãtøz]

Édith Piaf est née à Belleville, le dix-neuf décembre mille
[edit pjaf ɛ ne a bɛlvil lə diz nœf desãbr mil]
neuf cent quinze. Son père est acrobate de rue. Petite fille,
[nœf sã kɛ̃z sɔ̃ pɛr ɛt akrɔbat də ry pətit fij]
elle chante, avant le spectacle, des chansons sentimentales et
[ɛl ʃãt avã lə spɛktakl de ʃãsɔ̃ sãtimãtale]
réalistes. En mille neuf cent trente-cinq, elle commence sa
[realist ã mil nœf sã trãt sɛ̃k ɛl kɔmãs sa]
carrière personnelle.
[karjɛr pɛrsɔnɛl]
Sur scène, elle est petite, très petite. Elle mesure un mètre
[syr sɛn ɛl ɛ pətit trɛ pətit ɛl məzyr œ̃ mɛtr]
quarante-sept. Ses yeux et ses lèvres ont une expression
[karãt sɛt sez jø e se lɛvr ɔ̃t yn ɛksprɛsjɔ̃]
intense. Son corps est maigre, presque squelettique. Mais de
[ɛ̃tãs sɔ̃ kɔr ɛ mɛgr prɛskə skələtik mɛ də]
ce corps frêle sort une voix extraordinaire. Elle est vraie,
[sə kɔr frɛl sɔr yn vwa ɛkstraɔrdinɛr ɛl ɛ vrɛ]
naturelle : elle est la « môme Piaf ».
[natyrɛl ɛl ɛ la mom pjaf]
Édith Piaf est une femme généreuse et autoritaire. Elle
[edit pjaf ɛt yn fam ʒenerøz e otoritɛr ɛl]
chante Paris, la rue, les hommes et les amours difficiles...
[ʃãt pari la ry lez ɔm e lez amur difisil]
Sa silhouette est immortalisée dans cette image : sa petite
[sa siluɛt ɛt imɔrtalize dã sɛt imaʒ sa ptit]
robe noire, ses deux mains blanches terriblement expressives
[rɔb nwar se dø mɛ̃ blãʃ tɛribləmãt ɛkspresiv]
et sa voix inoubliable !
[e sa vwa inubliabl]

Comments

1) Notice the use of nasal vowels:
   [ã] chanteuse
   [õ] son
   [ã] sentimentale
   [ã] en 1935
   [ɛ̃] [ã] intense

2) Spelling:
corps [kɔr]

Here is a word which is written with five letters but only three phonemes are heard!

Lesson 6

Portrait d'un acteur de cinéma
[pɔrtrɛ dœ̃n aktœr də sinema]

Jean Gabin
[ʒɑ̃ gabɛ̃]

Une gueule de copain, un front droit et inquiet, des yeux
[yn gœl də kɔpɛ̃ œ̃ frɔ̃ drwa e ɛ̃kjɛ dez jø]
d'un bleu formidable, un sourire séducteur, des cheveux
[dœ̃ blø fɔrmidabl œ̃ surir sedyktœr de ʃəvø]
sagement coiffés« : Jean Gabin — en mille neuf cent trente-
[saʒmɑ̃ kwafe ʒɑ̃ gabɛ̃ ɑ̃ mil nœf sɑ̃ trɑ̃t]
huit — a vingt-six ans. Il joue dans « Quai des brumes »; il dit
[yit a vɛ̃t siz ɑ̃ il ʒu dɑ̃ ke de brym il di]
à l'actrice Michèle Morgan cette phrase devenue célèbre:
[a laktris miʃɛl mɔrgɑ̃ sɛt fraz dəvny selɛbr]
« T'as de beaux yeux, tu sais! ».
[ta d bo zjø ty sɛ]
Il est immédiatement sympathique aux yeux du public. Ses
[il ɛt imedjatmɑ̃ sɛ̃patik o zjø dy pyblik se]
rôles: gangster ou père de famille, truand ou amoureux.
[rol gɑ̃gstɛr u pɛr də famij tryɑ̃ u amurø]
Le public se retrouve en lui: homme tendre et fraternel,
[lə pyblik sə rətruv ɑ̃ lɥi ɔm tɑ̃dre e fratɛrnɛl]
« copain » d'usine ou de bistrot. Jacques Prévert appelle Gabin
[kɔpɛ̃ dyzin u də bistro ʒak prevɛr apɛl gabɛ̃]
« le gentleman de la périphérie ». Il a un franc-parler, un
[lə dʒɛ̃tləman də la periferi il a œ̃ frɑ̃ parle œ̃]
humour « à la française ».
[nymur a la frɑ̃sɛz]

Comments

1) Notice the difference in pronunciation of:
un [œ̃] / une [yn]
un front [œ̃ frɔ̃] / une gueule [yn gœl]

2) Liaison:
un + vowel (or silent « h ») → [œ̃n]
un acteur [œ̃ naktœr] / un humour [œ̃ nymur]

3) Notice:
*before a voiced consonant, the « **eu** » is pronounced [œ]
acteur [aktœr]
gueule [gœl]
séducteur [sedyktœr]

*at the end of a word or before non-voiced consonants the « **eu** » is pronounced [ø]
bleu / bleus [blø]
yeux [jø]
cheveux [ʃəvø]

Lesson 7

Que faites-vous?
[kə fɛt vu]

En visite à la Fondation Cousteau
[ã vizit a la fɔ̃dasjɔ̃ kusto]

— **Quand vous êtes, avec votre fils, à bord de la Calypso, que**
[kã vuz ɛt avɛk vɔtrə fis a bɔr də la kalipso kə]
faites-vous?
[fɛt vu]
— **Avec l'équipe et Jean-Michel, je fais de la plongée sous-**
[avɛk lekipe e ʒã miʃɛl ʒə fɛ də la plɔ̃ʒe su]
marine, du cinéma, de la recherche. J'étudie la vie sous-marine
[marin dy sinema də la rəʃɛrʃ ʒe tydi la vi su marin]
— **Et ça, qu'est-ce que c'est?**
[e sa kɛskə sɛ]
— **Ça, c'est le nouveau système de plongée autonome (pour**
[sa sɛ lə nuvo sistɛm də plɔ̃ʒe otonom pur]
rester très longtemps sous l'eau).
[rɛste trɛ lɔ̃tã su lo]
— **Quelle est, actuellement, votre nouvelle mission?**
[kɛl ɛ aktyɛlmã vɔtr nuvɛl misjɔ̃]
— **C'est l'Antarctique. La Fondation...**
[sɛ lãtartik la fɔ̃dasjɔ̃]
— **A propos: la Fondation Cousteau, qu'est-ce que c'est**
[a propo la fɔ̃dasjɔ̃ kusto kɛskə sɛ]
exactement?
[ɛgzaktəmã]
— **C'est un groupe d'hommes et de femmes: ils veulent**
[sɛt œ̃ grup dɔm e də fam il vœl]
protéger et préserver les ressources du monde. Ce sont des
[prɔteʒe e prezɛrve le rəsurs dy mɔ̃d sə sɔ̃ de]
écologistes actifs. Ils font du bon travail... bénévole! Pour
[zekɔlɔʒist aktif il fɔ̃ dy bɔ̃ travaj benevɔl pur]
nous, actuellement, l'Antarctique c'est la priorité absolue. Je
[nu aktyɛlmã lãtartik sɛ la priorite absɔly ʒə]
veux donner de l'espoir aux jeunes générations. Ce continent
[vø dɔne də lɛspwar o ʒœn ʒenerasjã sə kɔ̃tinã]
doit rester pour toujours une terre de science et de paix!
[dwa rɛste pur tuʒur yn tɛr də sjãs e də pɛ]

Comments

1) Spelling:

*fils [fis]
*longtemps [lɔ̃tɑ̃]
*paix [pɛ]

Once again, there are several written consonants which are not pronounced!

2) N. B.:

*the spelling of a very common expression:
qu'est-ce que c'est ? [kɛskəsɛ]

LE FRANÇAIS D'AUJOURD'HUI
EN 90 LEÇONS

THE FRENCH LANGUAGE OF TODAY
IN 90 LESSONS

Leçon

1

Qui êtes-vous ? 1

Premiers contacts (dans l'avion)

L'hôtesse — Bonjour madame. Bonjour mademoiselle. Bonjour[1] monsieur.
Marc — Vous êtes française ?
Ann — Non, je suis anglaise[2].
Marc — Vous habitez à Paris ?
Ann — Non, j'habite à Londres mais je travaille à Paris.
Marc — Qu'est-ce que vous faites[3] ?
Ann — Je suis journaliste. Et vous ?
Marc — Moi[4], j'habite à Marseille. Je suis informaticien.
Marc — Et vous, mademoiselle ?
Rocio — Je suis espagnole.
Marc — Qu'est-ce que vous faites ?
Rocio — Je suis styliste... enfin étudiante-styliste !... à Madrid.
L'hôtesse — Café ?
Ann — Non merci.
L'hôtesse — Thé ?
Ann — Oui, s'il vous plaît.

L'hôtesse — Au revoir, madame. Au revoir, mademoiselle. Au revoir, monsieur[5].

---

1. **Bonjour !** *: learn how to say hello to someone. In France, one says* **« bonjour »** *(good morning and good afternoon) until about 5 pm; after 5 pm, you usually say* **bonsoir** *(good evening).* **Bonne nuit** *(good night) is said just before going to bed. When you leave someone, you say:* **au revoir** *(goodbye).*

2. **je suis anglaise** *(***anglais** *[masculine] /* **anglaise** *[feminine]) : the adjective agrees with the noun to which it relates (This will be studied in lesson 5). Likewise with:* **français / française / espagnol / espagnole**.

Lesson

1

Who are you?

First contact
(in the aircraft)

The stewardess — Good morning Madam. Good morning (Miss). Good morning Sir.
Marc — Are you French?
Ann — No, I'm English.
Marc — Do you live in Paris?
Ann — No, I live in London, but I work in Paris.

Marc — What do you do?
Ann — I'm a journalist. And what about you?
Marc — I live in Marseilles. I'm a computer scientist.

Marc — And what about you (young lady)?
Rocio — I'm Spanish.
Marc — What do you do?
Rocio — I'm a designer... well, a student designer in Madrid.
The stewardess — Coffee?
Ann — No thank you.
The stewardess — Tea?
Ann — Yes please.

The stewardess — Goodbye Madame. Goodbye (Miss[6]). Goodbye Sir.

---

3. **Qu'est-ce que vous faites?** *: notice the interrogative form* ***qu'est-ce que*** *which will be studied later.*

4. **Moi, j'habite à Marseille** *:* ***moi*** *in this case, is used to insist on the person:* ***Moi, je.... Et vous, vous...***

5. **Au revoir, mademoiselle** *: nowadays, is only generally used when speaking to teenagers.*

6. **Miss** *: to show translation only!*

Vous êtes française?

■ Learn how to ask someone his nationality and vice versa:

— **Vous êtes française?**
— **Non, je suis anglaise.**

• Here are the subject pronouns and the forms of the verb **être** in the present tense:

Je suis	Nous sommes
Tu es	Vous êtes
Il est / Elle est	Ils sont / Elles sont

• The pronoun **vous** is used:
a) when speaking to several persons;
b) as a polite form when speaking to a person you do not know very well.

Vous habitez à Paris?

■ Learn how to ask someone where he lives and vice versa:

spoken language:	— **Vous habitez où?**
standard language:	— **Où est-ce que vous habitez?**
formal language:	— **Où habitez-vous?**

• Using **est-ce que...?** enables you to keep the order **subject-verb.** According to the situation, any question can be asked in three different ways.

■ All verbs in **-er** form have the same conjugation endings. Examples: **habiter / travailler**. Forms:

J'habite	**Je travaille**
Tu habit**es**	**Tu travailles**
Il/Elle habite	**Il/Elle travaille**
Nous habit**ons**	**Nous travaillons**
Vous habit**ez**	**Vous travaillez**
Ils/Elles habit**ent**	**Ils/Elles travaillent**

• Before vowels or h-, **je → j'**
• Note the preposition before the name of a town:
— **J'habite à Marseille.**

Qu'est-ce que vous faites?

■ Learn to ask someone his profession and vice versa. Common questions and answers are:

— Qu'est-ce que **vous faites**?
— **Je suis** journaliste / styliste /...

• Forms of the verb **faire**:

Je fais	Nous faisons
Tu fais	Vous faites
Il/Elle fait	Ils/Elles font

Non, je suis anglaise

A. ☐ *Complete the little dialogue below and choose the correct form of the adjectives in brackets:*

— Vous ... française ?
— Oui, ... française.
— Et vous monsieur, vous ... argentin ?
— Non, ... (espagnol / espagnole).
— Et ... madame, ... américaine ?
— Non, ... (anglais / anglaise).
— Et ... mademoiselle, ... ?
— Oui, ... (espagnol / espagnole).

J'habite à Marseille

B. ☐ *Find the question or the answer:*

— ... est-ce que ... ?
— J'habite ... New-York.
— Vous habitez ... ?
— ... à Paris.
— Et ..., ...-vous ?
— Moi, ... (give the name of the town you are living in).

Je suis journaliste

C. ☐ *Complete:*

— ... ?
— Je ... journaliste.
— Et ..., ... ?
— Moi, ... styliste.
— Et ... monsieur, vous ... informaticien ? — Oui, ...

Leçon
2

Qui êtes-vous ? (2)

(dans l'avion)

CARTE DE DEBARQUEMENT	
Nom :	Prost
Prénom :	Alain
Nationalité :	Française
Date de naissance :	24 février 1955
Profession :	Pilote de formule 1
Domicile :	12, route du Lac, Genève. Suisse

Alain Prost : Premier grand prix disputé le 5.7.1981 (le cinq juillet mille neuf cent quatre vingt-un)[1] sur le circuit de Dijon (France).
En 1990[2], sur 158 (cent cinquante-huit) grands prix disputés, 43 (quarante-trois) victoires :
1 (une) en Allemagne ; 2 (deux) en Australie ; 3 (trois) en Autriche ; 2 en Belgique ; 6 (six) au Brésil ; 1 en Espagne ; 1 aux Etats-Unis ; 5 (cinq) en France ; 4 (quatre) en Grande-Bretagne ; 2 en Hollande ; 3 en Italie ; 2 au Mexique ; 4 à Monaco ; 3 au Portugal[3]...

---

1. ***5.7.1981*** *: the usual order to write down a date is: day / month / year. Learn the names of the months:* ***janvier*** *(January),* ***février, mars, avril, mai, juin, juillet, août, septembre, octobre, novembre, décembre.***

Lesson

2

Who are you? (2)

(in the aircraft)

LANDING CARD	
Name:	Prost
First name:	Alain
Nationality:	French
Date of birth:	24 February, 1955
Profession:	Formula One driver (Racing driver)
Address:	12, route du Lac, Geneva. Switzerland

Alain Prost: His First Grand Prix took place on the 5th of July, 1981, on the Dijon circuit in France.

In 1990, out of 158 grand prix races, Prost had 43 victories:
1 in Germany; two in Australia, three in Austria; 2 in Belgium; six in Brazil; 1 in Spain; 1 in the United States; 5 in France; 4 in Great Britain; 2 in Holland; 3 in Italy; 2 in Mexico; 4 in Monaco; 3 in Portugal...

---

2. **En 1990** : *there are two ways of naming the year:*
a) *1990 : mille neuf cent quatre vingt-dix ;*
b) *1990 : dix neuf cent quatre vingt-dix.*

3. **...3 au Portugal** : *with the help of the guide, learn how to say figures and numbers.*
Pick out the French spelling for these countries (other countries will be studied in lesson 10). Familiarize yourself with the various constructions : **au** *Portugal (m.),* **en** *France (f.),* **aux** *États-Unis (m.pl.),* **à** *Monaco (when referring to a city).*

COMPREHENSION

Nom (de famille) : Prost

■ Learn to ask someone who he is and to say who you are.

Question: spoken l. — **Vous vous appelez comment ?**
standard l. — **Comment est-ce que vous vous appelez ?**
formal l. — **Comment vous appelez-vous ?**
Answer: — **Je m'appelle Alain Prost.**

- In common use, first names always come before family names (it is important to note that a first name basis is less common in France than in most English speaking countries).
- **s'appeler** is a verb in **-er** form (cf. l. 1) but it has a double conjugation pronoun. Forms:

Je m'appelle — **Nous nous appelons**
Tu t'appelles — **Vous vous appelez**
Il/Elle s'appelle — **Ils/Elles s'appellent**

Date de naissance : ...

■ How to ask someone his date of birth (three forms):

Question: — **Vous êtes né quand ?**
— **Quand est-ce que vous êtes né ?**
— **Quand êtes-vous né ?**
And also: — **Quelle est votre date de naissance ?**

quel = interrogative adjective, agreement with the noun: **la date (f.)** = **quelle... ?** :

	masculin	féminin
singulier	quel... ?	quelle... ?
pluriel	quels... ?	quelles... ?

■ How to ask about someone's age or to give yours (three forms):

Question: — **Vous avez quel âge ?**
— **Quel âge est-ce que vous avez ?**
— **Quel âge avez-vous ?**
Answer: — **J'ai 34 (trente-quatre) ans.**

- To ask this question you have to use the verb **avoir**. Forms:

J'ai — Tu as — Il/Elle a
Nous avons — Vous avez — Ils/Elles ont

Domicile : ...

■ How to ask for someone's address or to give yours (remember lesson 1):

— **Où habitez-vous ?**
— **J'habite 12 (douze) route du Lac.**

You can also say: — **Quelle est votre adresse ?**

- **votre âge / votre adresse** : **votre** corresponds to **vous**.

PRATIQUE

Prénom : Alain

A. □ *Complete using the verb **s'appeler** in the correct form:*
— Comment est-ce que . . . ?
— Je . . . Alain Prost.
— Et . . . mademoiselle, . . . comment ?
— Moi, . . . Rocio.
— Et . . ., comment . . .- . . . ?
— . . ., . . . (give your name).

... 24 (vingt-quatre) février 1955

B. □ *Rewrite the following questions and replace **tu** with **vous** (polite form) and then answer:*
— Comment t'appelles-tu ? → — Comment . . . ?
— . . . Alain.
— Quel âge as-tu ? → — Quel . . . ?
— . . . 34 (trente-quatre) ans.
— Où habites-tu ? → — Où . . . ?
— . . . à Genève.

C. □ *Use **quel** in the correct form:*
— Tu habites . . . ville (fém.) ?
— Vous faites . . . exercices (masc. plur.) ?
— . . . sport (masc. sing.) faites-vous ?
— Il travaille . . . leçons (fém. plur.) ?

... 12, route du Lac, Genève

D. □ *Rewrite the questions in the way shown:*
— *Comment vous appelez-vous ?* (nom : masc.) →
— *Quel est votre nom ?*
— Où habitez-vous ? (domicile : masc.)
— Qu'est-ce que vous faites ? (profession : fém.)
— Quand êtes-vous né ? (date de naissance : fém.)

Leçon

3 Qui est-ce ?

Son nom est dans tous les aéroports[1].

Elle est née à Saumur (France), le 19 (dix-neuf) août 1883 (mille huit cent quatre vingt-trois).

Elle s'appelle Gabrielle-Bonheur.

En 1910 (mille neuf cent dix)[2], elle commence à faire des chapeaux pour les belles femmes à Chantilly et à Longchamp[3].

En 1919 (mille neuf cent dix-neuf), elle ouvre sa maison de couture, rue Cambon à Paris. Elle crée le fameux « tailleur » et le premier costume de sport.

En 1925 (mille neuf cent vingt-cinq), elle lance le parfum « N° 5 ».

En 1936 (mille neuf cent trente-six), elle dirige une grande maison de couture : 4 000 (quatre mille) employés travaillent pour elle.

Elle travaille jusqu'à l'âge de 84 (quatre vingt-quatre) ans. Elle meurt à Paris un dimanche[4], le 10 (dix) janvier 1971 (mille neuf cent soixante et onze).

— Qui est-ce[5] ? — Elle s'appelle... Coco Chanel.

---

1. **les aéroports**. *Learn the definite articles:*

	singulier	pluriel
masculin	**le** tailleur	**les** chapeaux
féminin	**la** maison	**les** femmes

• *Before vowels or mute h-:* **le / la → l'** ; *ex.:* **l'***amie /* **l'h***omme ; -s is the common plural mark for nouns:*
le costume → **les** *costume***s** */ la femme →* **les** *femme***s**

2. **En 1910** *: to specify a year, use the preposition* **en**.

Lesson **3**

Who is it?

Her name is in all airports.

She was born in Saumur France on the 19th of August, 1883.

Her name's Gabrielle-Bonheur.

In 1910, she began making hats for the elegant ladies of Chantilly and Longchamp.

In 1919, she opened her own dress-making business, in Cambon street, Paris. She created the famous « lady's suit » and the first sports costume.

In 1925, she brought out the « N° 5 » perfume.

In 1936, she managed a large clothing store: 4 000 employees worked for her.

She worked until the age of 84. She died in Paris on the 10th of January 1971, on a Sunday.

— Who is it? — Her name's... Coco Chanel.

---

3. **Chantilly et Longchamp** *are high society racecourses on the outskirts of Paris.*

4. **un dimanche** : *learn the days of the week:* **lundi** *(Monday),* **mardi, mercredi, jeudi, vendredi, samedi, dimanche.**

5. **Qui est-ce ?** : ***qui*** *? is the interrogative pronoun for persons (this form will be practised in lesson 7).*

* **Coco Chanel** : *why Coco? At the age of 20, Gabrielle was still living in the provinces. In Moulins, she sang in a* ***café-concert (un « beuglant »*** *= a honky-tonk café). She used to sing a song which the public was very fond of («* ***(Qui qu'a vu Coco dans le Trocadéro ?*** *» something like: « Who has heard of Coco at the Trocadéro ?* »*). Wanting an encore, the public used to yell: « Coco, Coco ! »... The nickname has stayed with her.*

COMPREHENSION

Now, you will learn how to introduce a woman, using the pronoun of the third person singular: **elle**.

Identité

Question:	spoken l.	— **Elle s'appelle comment?**
	standard l.	— **Comment est-ce qu'elle s'appelle?**
	formal l.	— **Comment s'appelle-t-elle?**

• Note that: a) **que + elle / il = qu'elle / qu'il**
→ **est-ce qu'elle / est-ce qu'il**
b) for phonetic reasons:
s'appelle + elle / il ...s'appelle-**t**-elle ? / ...s'appelle-**t**-il ?

Answer:	— **Elle s'appelle Coco Chanel.**

Nationalité

— **Elle est française**.

• the adjective **français** agrees with the subject pronoun.

Date de naissance

Question:	spoken l.	— **Elle est née quand?**
	standard l.	— **Quand est-ce qu'elle est née?**
	formal l.	— **Quand est-elle née?**

• né is an adjective. It agrees with the subject: **elle → née**

Answer:	— **Elle est née le 19.8.1883.**

• Note the use of the article le for the date.

Lieu de naissance

Question:	spoken l.	— **Elle est née où?**
	standard l.	— **Où est-ce qu'elle est née?**
	formal l.	— **Où est-elle née?**
Answer:		— **Elle est née en France à Saumur.**

Profession

Question:	standard l.	— **Qu'est-ce qu'elle fait?**
	formal l.	— **Que fait-elle?**
Answer:		— **Elle dirige une maison de couture.**

Adresse

Adresse professionnelle : 29, rue Cambon Paris 1er.

Question:	spoken l.	— **Elle travaille où?**
	standard l.	— **Où est-ce qu'elle travaille?**
	formal l.	— **Où travaille-t-elle?**
Answer:		— **Elle travaille rue Cambon.**

PRATIQUE

Your turn to present Marc Dumont. This time, you will have to use the subject pronoun of the third person singular: il.

Identité : Marc Dumont

A. ☐ Question (3 forms): 1) — Il s'appelle ... ?
2) — ...
3) — ...
Answer: — ...

Nationalité : française

B. ☐ — Il ...
• la nationalité (fém.) → française / Marc = masc.

Date de naissance : 12 octobre 1946

C. ☐ Question (3 forms): 1) — ...
2) — ...
3) — ...
Answer: — ...

Lieu de naissance : Toulouse (France)

D. ☐ Question (3 forms): 1) — ...
2) — ...
3) — ...
Answer: — ...

Profession : informaticien

E. ☐ Question (2 forms): 1) — ...
2) — ...
Answer: — ...

Adresse (personnelle) : 5, rue du Port, Marseille.

• use the verb habiter
F. ☐ Question (3 forms): 1) — ...
2) — ...
3) — ...
Answer: — ...

Leçon

4

Qui es-tu ?

Interview imaginaire de Gavroche*
le 2 juin 1832, à Paris.

Louise — Bonjour, Gavroche. **Tu vas bien**[1] ?
Gavroche — Oui, ça va.
L. — Mais à 10 heures du matin[2], **tu n'es pas** en classe ?
G. — Non. **Y a pas** d'école aujourd'hui : le maître est absent. **Y a** une réunion dans le quartier... pour les barricades.
L. — **T'aimes pas** l'école, Gavroche ?
G. — Si, **j'aime bien**. Le maître est gentil.
L. — Qu'est-ce que **tu aimes** surtout ?
G. — **J'aime** le calcul, **j'aime beaucoup** ça ; mais **je déteste** écrire : c'est fatigant !
L. — **Tu joues** aussi ?
G. — Oui, dans la rue. Avec mes voisins, les garçons, je joue à cache-cache et aux billes, l'été.
L. — Qu'est-ce que **tu fais** encore ?
G. — **J'adore** chanter, sauter, danser... bouger, quoi !

---

1. ***Tu vas bien ?** : aller is a verb in the -er form; it is the only irregular verb of this group. Forms:*

je vais	*tu vas*	*il/elle va*
nous allons	*vous allez*	*ils/elles vont*

*As for **aller bien**, see the **Compréhension** on the page 50.*

2. ***à 10 heures du matin** : learn how to ask and to say what time it is:*
*— **Quelle heure est-il ?** — **Il est...***

*a) — 10.00 : **dix heures***
*b) — 10.15 : **dix h. et quart***
*c) — 10.30 : **dix h. et demie***
*d) — 10.45 : **onze h. moins le quart***
*e) — 10.05 : **dix h. cinq***
*f) — 10.10 : **dix h. dix***
*g) — 10.20 : **dix h. vingt***
*h) — 10.25 : **dix h. vingt-cinq***
*i) — 10.35 : **onze h. moins vingt-cinq***
*j) — 10.40 : **onze h. moins vingt***
*k) — 10.50 : **onze h. moins dix***
*l) — 10.55 : **onze h. moins cinq***

Lesson

4

Who are you?

Imaginary interview with Gavroche,
June the 2nd 1832, in Paris.

L. — Good morning, Gavroche, are you well?
G. — Yes, I'm fine.
L. — But at 10 o'clock in the morning, haven't you got school?
G. — There's no school today; the master's away, he's got a meeting in the neighbourhood... for the barricades.
L. — Don't ya' like school, Gavroche?
G. — Yeah, I like it. The master's very nice.
L. — What do you like above all?
G. — I like arithmetic, I like it a lot but I hate writing... it's tiring.
L. — Do you have fun as well?
G. — Yes, I do: in the street with my neighbours, my mates, I play hide-and-seek and marbles in summer.
L. — What else do you do?
G. — I really like singing, jumping, dancing, and moving about... you know what I mean!

— **10.15** : *in everyday use:* ***Il est dix heures et quart (du matin)/il est dix heures et quart (du soir).*** *Official time:* ***Il est dix heures quinze/il est vingt-deux heures quinze.***

— **14.00** : *in everyday use:* ***Il est deux heures de l'après-midi*** *; official time:* ***Il est quatorze heures.***

* **Gavroche**, *a character in Victor Hugo's* Les Misérables, *is an eight-year-old little boy who was shot dead on the barricades by the National Guards during the Republican Insurrection of June 1832. Victor Hugo (1802-1885) wrote: « The barricade trembled, he was still singing. He was not a child, he was not a man, he was a strange pixie. »*

COMPREHENSION

Bonjour, Gavroche ; tu vas bien ?

■ Louise says **tu** to Gavroche (she uses **le pronom de la 2e personne du singulier : elle tutoie Gavroche**). One says **tu** to a younger person or to close relations (family and friends); in a more formal social situation, **vous** is the expected form of address. Examples:

in the street — **Pardon, vous avez** l'heure, s'il **vous** plaît ?
to a friend — **Pierre, tu as** l'heure (s'il te plaît) ?

A 10 heures, tu n'es pas en classe ?

■ Notice the negation **...ne...pas...** which frames the verb.
- **ne** becomes **n'** before a vowel. Examples:
  — **Elle n'est pas là ? / Il n'aime pas ça. / Vous n'allez pas en classe ?**
- Notice the oral form:
  — **Ya pas d'école aujourd'hui. = Il n'y a pas d'école aujourd'hui.**

Very often, in spoken language, **il** and **ne** disappear; this leads to the oral form quoted: **Ya... / Ya pas....** Examples:

— **Il y a une réunion ?** → — **Ya une réunion ?**
— **Non, il n'y a pas de réunion.** → — **Non, ya pas de réunion.**

■ There is also: — **T'aimes pas l'école ?** — **Tu n'aimes pas l'école ?** The **-u** from **tu** disappears before the initial vowel of the next word. Examples: — **T'aimes pas ça ? / T'es bien ? / T'aimes ça ?**

J'aime le calcul...

■ To show one's likings or preferences, one uses the following expressions (verbe [+ adverbe] + infinitive [or substantive]):

j'aime... (+)
j'aime bien... (++)
j'aime beaucoup... (+++)
j'adore... (++++)

je n'aime pas beaucoup... (–)
je n'aime pas... (– –)
je n'aime pas du tout... (– – –)
je déteste... (– – – –)

Tu vas bien ?

■ In this case, the verb is: **aller bien**. Examples:
a) — **Bonjour madame, vous allez bien ? / Bonjour tu vas bien ?**
b) — **Bonjour monsieur, comment allez-vous ?**

- This question does not really concern one's health; it has a general character. One is used to answering: a) — **Oui, merci.** / b) — **Bien, merci.**
- Very often, in everyday life, the pronoun **tu** is replaced by the neutral pronoun **ça**; example: — **Comment ça va ? / — Ça va ? — Ça va bien, merci** ; **ça** is the customary oral form for **cela**.

Qu'est-ce que tu aimes surtout ?

A. ☐ *Read lesson 4 again and pick out the verbs conjugated « à la deuxième personne du singulier » :*
— Tu ... — Tu ... etc.

Y a une réunion dans le quartier

B. ☐ *Donnez la forme « écrite » des phrases suivantes :*
(Give the « written » form of the following sentences)
— T'es pas à l'école ?
— Ya pas de classe ce matin.
— T'aimes ce livre ?
— T'aimes beaucoup ça ?

... mais je déteste écrire

C. ☐ *Relisez le texte de la leçon 4 et répondez aux questions (Read lesson 4 again and answer the questions) :*
— Qu'est-ce que Gavroche aime beaucoup ?
— Qu'est-ce qu'il n'aime pas du tout ?
— Qu'est-ce qu'il aime bien ?
— Qu'est-ce qu'il déteste ?
— Qu'est-ce qu'il adore ?

Bonjour, Gavroche ; ça va ?

D. ☐ *Learn how to say « Bonjour... » :*
1. à votre femme (wife)
2. à votre mari (husband)
3. à votre patron (boss)
4. à votre ami(e) (friend)
5. à votre père (father)
6. à votre mère (mother)
7. à un inconnu (stranger)

Leçon

5 Portrait d'une chanteuse

Édith Piaf

Édith Piaf* est née à Belleville, le 19 décembre 1915. Son père est acrobate de rue. **Petite fille**, elle chante, avant le spectacle, des chansons sentimentales et réalistes. En 1935, elle commence **sa** carrière personnelle.

Sur scène, elle est **petite**, très petite. Elle mesure 1 mètre 47. **Ses** yeux et **ses** lèvres ont une expression intense. **Son** corps est maigre, presque squelettique. Mais de **ce** corps frêle sort une voix extraordinaire. Elle est vraie, naturelle : elle est la « môme* Piaf** ».

Édith Piaf est une femme généreuse et autoritaire. Elle chante Paris, la rue, les hommes et les amours difficiles...

Sa silhouette est immortalisée dans **cette** image : **sa** petite robe noire, **ses** deux mains blanches terriblement expressives et **sa** voix inoubliable !

---

* **la môme** *is a popular word to refer to a child; an other word is* un(e) gamin(e).

** **un piaf** *is a colloquialism for a sparrow. At the beginning of the century, there were still a lot of birds in the suburbs (like Belleville, to the north of Paris).*

Lesson

5

The Portrait of a Singer

Édith Piaf

Édith Piaf was born in Belleville on the 19th of December, 1915. Her father was a street acrobat. As a small girl, she used to sing sentimental and realist songs before the show. In 1935, she began her own career.

On stage, she was tiny, really tiny. She was 1 metre 47. Her eyes and her lips had an intense expression. She was skinny, nearly a skeleton. But out of the frail body came an extraordinary voice. She was real and natural: she was the "Piaf kid".

Édith Piaf was a generous authoritive woman. She sang about Paris, about everyday life, about men and difficult love affairs...

Her silhouette has won ever-lasting fame in the image of: a little black dress, two little hands terribly expressive and an unforgettable voice!

---

* **Édith Piaf** *died at the age of 48. Her last years were marked by a hopeless fight against illness and death. Her life was talked about so much that she became a legend. Her best songs remain:* **Non, je ne regrette rien, Milord, Mon légionnaire**. *She symbolized a typical French way of singing, popular and, above all, Parisian: a local's song (Belleville, Ménilmontant).*

Petite fille, elle chante

■ The adjective corresponds to the noun it qualifies:
un petit garçon [**pron.** : **pti**] / **une petite fille** [**pron.** : **ptit**]
Rule: **Feminine adjectives always end with an -e.**
a) **the pronunciation changes: petit / petite // grand / grande**
b) the pronunciation does not change: **noir / noire // vrai / vraie**
c) -e + change of the final consonant: **expressif / expressive // généreux / généreuse // naturel / naturelle // blanc / blanche**
d) When the adjective already ends with an e in the masculine, the form remains the same in the feminine:
réaliste // intense // frêle // extraordinaire // autoritaire.

ce corps frêle...

■ When you wish to point someone or something out (by designation or speaking), use demonstrative adjectives.
- **Remarquez** (Note): before a masculine noun beginning with a vowel: **ce → cet : cet** ami

	masculin	**féminin**
singulier	ce corps	cette chanteuse
	cet ami	cette amie
pluriel	ces exercices	ces chansons

sa carrière personnelle

■ Les adjectifs possessifs :

Edith Piaf a **une** carrière :	c'est **sa** carrière.
Elle a **un** corps :	c'est **son** corps.
Elle a **des** yeux :	ce sont **ses** yeux.
Elle a **des** lèvres :	ce sont **ses** lèvres.

- **Edith Piaf : ◀ S) + (ON ▶ le corps**
  — **Pierre** chante **sa chanson.**
  Pierre : ◀ S) + (A ▶ la chanson
- BE CAREFUL: you can see that the possessive adjective is composed of two parts:
  the **initial consonant** indicates the **possessor** / the **rest** indicates the possessed **"object"** (thing or person).
- When the feminine noun in the singular begins with a vowel : **sa, son** for phonetic reasons ; exemple:
  une enfance → son enfance / une école → son école

Elle est vraie, naturelle

A. □ *Mettez au féminin (Put into the feminine):*

un petit chien noir → une ... chienne ...
un célèbre chanteur français → une ... chanteuse ...
un homme généreux et naturel → une femme ... et ...

cette image...

B. □ *Donnez les démonstratifs (Give the demonstrative adjectives):*

— Regardez ... quartier (m.), ... rue (f.), ... école (f.), ... personnes (f.p.) : ... endroit (m.), c'est le Belleville de Piaf !
— ... leçon (f.) et ... exercice (m.) sont faciles (easy).
— Gavroche ? ... enfant (m.) est célèbre !

ses deux mains blanches...

	objet masc.	**objet fém.**
singulier	son travail	sa carrière
pluriel	ses amis	ses chansons

C. □ *Complétez avec les **adjectifs possessifs** (Complete using possessive adjectives):*

— Dans ... chansons (f.p.), **Léo Ferré*** chante ... vie (f.), ... amours (f.p.), ... enfance (f.) et ... révolte (f.). Ecoutez ... poème (m.) sur ... amie Piaf (f.) !
— Sur scène, Piaf a ... petite robe noire ; elle chante avec ... corps (m.), ... mains (f.p.) et ... yeux (m.p.). Avec ... voix (f.) inoubliable, elle chante ... rue (f.), ... ville (f.), ... passions (f.p.), ... amis (m.p.).

* **Léo Ferré** : chanteur français contemporain.

Leçon

6 Portrait d'un acteur de cinéma

*Jean Gabin**.

« **Une** gueule de copain[1], **un** front droit et inquiet, **des** yeux **d'un** bleu formidable, **un** sourire séducteur[2], **des** cheveux **sagement** coiffés » : Jean Gabin — en 1938 — a 26 ans. Il joue dans « Quai des brumes » ; il dit à **l'actrice** Michèle Morgan cette phrase devenue célèbre : « T'as de beaux yeux, tu sais ! ».

Il est **immédiatement** sympathique aux yeux du public. Ses rôles : gangster ou père de famille, truand ou amoureux.

Le public se retrouve en lui : **homme** tendre et fraternel, « copain » d'usine ou de bistrot. Jacques Prévert** appelle Gabin « le gentleman de la périphérie »[3]. Il a **un** franc-parler[4], **un** humour « à la française ».

---

1. **une gueule de copain** : *slang for tête (copain = ami). On dit : T'as une bonne gueule = tu es sympa. Il a une sale gueule = he doesn't seem very sympa.*
2. **un sourire séducteur** : *séducteur can be an adjective (in this text) or a noun: un séducteur.*
3. **la périphérie** = *la banlieue parisienne (Parisian suburbs).*
4. **un franc-parler** = *outspokenness; he speaks his mind/he is outspoken.*

Lesson 6

The Portrait of a Film Actor

Jean Gabin.

"A friendly face, a straight and worried forehead, wonderful blue eyes, a seducing smile, and sensibly combed hair": Jean Gabin —in 1938— was 26. He acted in "Quai des brumes". He said this phrase, which has now become famous, to the actress Michèle Morgan: "Ya'got beautiful eyes, you know!"

Audiences immediately liked him. His roles: gangsters, a family man, villains or lovers.

Audiences empathized with him: a tender and brotherly man, a factory or bistrot buddy. Jacques Prévert called Gabin the gentleman of the "periphery". He spoke his mind, had a sense of humour and was wise "in the French way".

---

* *Like Édith Piaf,* ***Jean Gabin*** *represents the typical working-class of French people. He had acted in more than a hundred pictures, for example:* **Quai des brumes** *(1938 by Marcel Carné).*

** ***Jacques Prévert****, poet and dialoguist (for example,* **Les Enfants du paradis** *by Marcel Carné) had written poems in a simple and everyday language. He was inspired by the poor people of Paris: those from the suburbs and on the outskirts of Paris (cf. l. 86).*

Une gueule de copain

■ **L'article indéfini** indicates that the noun does not specifically designate an object (it is question of one or several objects of the same category).

	masculin	**féminin**
singulier	un	une
pluriel	des	des

Un acteur de cinéma populaire

■ Le genre des noms:

a) The masc./fem. opposition between nouns is often similar to the one between adjectives (addition of an -e, possible modification of the final consonant):
un étudiant / une étudiante // un ami / une amie

b) The nouns ending with an -e in the masc. keep the same form (except for the article): **un élève / une élève**.

- Note also: **un enfant / une enfant**

c) For nouns ending in **-eur**:
-teur -trice: **acteur / actrice // séducteur / séductrice**
-eur -euse: **chanteur / chanteuse // joueur / joueuse**

d) Sometimes nouns are completely different:
un homme / une femme // un garçon / une fille

e) Some nouns have no feminine: **un professeur / un médecin** (if necessary, you may say: **un médecin-femme**; but, most of the time, the context makes it obvious).

Des cheveux sagement coiffés

■ **sagement** is an adverb and, as such, is an invariable word.

- Many adverbs are formed in this way:

féminin des adjectifs + ment:

***généreux**	→ **généreuse**	→ **généreusement**
***naturel**	→ **naturelle**	→ **naturellement**
***terrible**		→ **terriblement**

PRATIQUE

Un sourire séducteur

A. ☐ *Here is a list of nouns:*

(f.s.)	**(m.s.)**	**(f.p).**	**(m.pl.)**
tête (head)	front (forehead)	dents (teeth)	cheveux
bouche (mouth)	nez (nose)	lèvres (lips)	yeux
joue (cheek)	cou (neck)	oreilles (ears)	

And here are some adjectives:

beau / belle	grand(e) (tall)	petit(e)
blond(e) (fair)	brun(e) (dark)	large (broad / wide)
long(ue)	blanc(he)	rouge (red)

Avec ces éléments, faites un portrait (Using these elements, write a portrait):

— Il / elle **est** . . . / — Il / elle **a** . . .

L'actrice Michèle Morgan

B. ☐ *Give the feminine of the following words:*

un joueur
un séducteur
un médecin
un homme
un étudiant
un enfant
un professeur

Il est immédiatement sympathique

C. ☐ *Here are 4 adjectives:*

terrible / généreux / naturel / immédiat

With each one, form the adverb in -ment form and complete the following sentences:

— Elle chante . . . .
— Il joue . . . .
— Il est . . . sympathique.
— Piaf a deux mains . . . expressives.

Leçon

7

Que faites-vous ?

En visite à la Fondation Cousteau

La journaliste anglaise — Quand vous êtes, avec votre fils, à bord de la Calypso*, **que faites-vous ?**

Le Commandant Cousteau — Avec l'équipe et Jean-Michel, je fais **de la plongée sous-marine, du cinéma, de la recherche**. J'étudie la vie sous-marine.

La journaliste — **Et ça, qu'est-ce que c'est ?**

Cousteau — Ça, **c'est le nouveau système** de plongée autonome** (pour rester très longtemps sous l'eau).

La journaliste — Quelle est, actuellement, votre nouvelle mission ?

Cousteau — **C'est l'Antarctique.** La Fondation...

La journaliste — A propos : **la Fondation Cousteau*****, **qu'est-ce que c'est** exactement ?

Cousteau — **C'est un groupe** d'hommes et de femmes : ils veulent protéger et préserver[1] les ressources du monde. **Ce sont des écologistes** actifs. Ils font du bon travail... bénévole !

Pour nous, actuellement, l'Antarctique **c'est la priorité** absolue. Je veux donner de l'espoir aux jeunes générations. Ce continent doit rester pour toujours une terre de science et de paix !

---

* **Ils veulent protéger :** *the verb* **vouloir** *is followed in this case by an other verb in the infinitive. Further on in the text, you have also:* « **ils veulent protéger...** ». *The verb* **vouloir** *can also be followed by a noun:* **Vous voulez du café ? Non merci.**

■ *Here is the present tense of* **vouloir**:

je veux	*tu veux*	*il/elle veut*
nous voulons	*vous voulez*	*ils/elles veulent*

Lesson
7

What do you do?

A visit to the Cousteau Foundation

The English journalist — When you are with your son on board the Calypso, what do you do?
Captain Cousteau — With the team and Jean-Michel, I go diving; I film and do research work. I study underwater life.

The journalist — And what about this? What is it?
Cousteau — What, that? It's the new system for solo diving (used for staying a long time under water).

The journalist — What is your present mission?

Cousteau — It's the Antarctic. The Foundation...
The journalist — Incidentally, the Cousteau Foundation, what is it exactly?
Cousteau — It's a group of men and women: they want to protect and safeguard the world's natural resources. They are active ecologists. They do a very good job... unpaid!
As far as we are concerned, the Antarctic has top priority. I want to leave some hope for younger generations. This continent must always remain a land of science and peace.

---

* ***La Calypso*** *is the name of Cousteau's ship for oceanographical research. It has been crossing oceans for more than 30 years, from the Red Sea to the Antarctic, from the Mediterranean to the Pacific.*
** *This new system is an aqualung (**un scaphandre** autonome) which enables you to dive as deep as 3000 meters (1000 feet) below sea level.*
*** ***La Fondation Cousteau*** *groups people together who are eager to combat against environmental disturbances. You will hear more of its work at the end of the book (lesson 87).*

Et ça, qu'est-ce que c'est?

■ Observez: for persons (it is the same question for any kind of answer):

— **Qui est-ce?** — C'est Alain Prost.
— C'est Coco Chanel.
— **Ce sont** les Cousteau (le père et le fils).
— **Ce sont** des écologistes.

For things (it is the same question for any kind of answer):

— **Qu'est-ce que c'est?** — C'est la Calypso.
— C'est un film de Gabin.
— **Ce sont** des chansons de Piaf.

• Note the form of insistance: — **Et ça, qu'est-ce que c'est?**

Que faites-vous?

■ In lesson 1, you learnt how to ask the question:
— **Qu'est-ce que vous faites?** to ask someone his profession.
The verb **être** is used in the answer: — Je suis...

• The same question has a second meaning. It enables you to ask someone about his present activities:
Question:
standard l. — Qu'est-ce que vous faites?
formal l. — Que faites-vous?
Answer: — Je fais de la recherche.

• In the 3d person:
— **Que fait-il?** / — **Qu'est-ce qu'il fait?**
— **Il fait de la plongée.**
— **Que fait-elle?** / — **Qu'est-ce qu'elle fait?**
— **Elle fait des chapeaux.**

Je fais du cinéma

■ **du** cinéma / **de la** plongée
L'article partitif refers to an uncountable quantity or to a part of a thing **(du café)**. As such, l'**article partitif** has no plural form:

	masculin	**féminin**
singulier	du cinéma	de la plongée
devant voyelle	de l'espoir	de l'eau

■ **There is no real translation in English** (except some):
— Tu veux **du** café? → — Would you like (some) coffee?

• Before a vowel or a mute h **du / de la** → **de l'**

PRATIQUE

La Fondation Cousteau, qu'est-ce que c'est?

A. ☐ *Ask the questions:*

— . . . ? — C'est Edith Piaf.
— . . . ? — C'est la Calypso.
— . . . ? — Ce sont des chapeaux de Chanel.
— . . . ? — C'est l'équipe de Cousteau.
— . . . ? — C'est une chanson de Piaf.
— . . . ? — C'est Jean Gabin.

Qu'est-ce que vous faites?

B. ☐ *Posez les questions (Ask the questions):*

— . . . ? — Il est pilote.
— . . . ? — Elle crée des chapeaux.
— . . . ? — Je fais de la recherche.
— . . . ? — Nous sommes chanteurs.
— . . . ? — Ils sont acteurs.

Il fait de la recherche

C. ☐ *Complete using « l'article partitif »:*

— Il est chercheur: il fait . . . recherche (f.) mais aussi . . . cinéma (m.).
— Elle fait . . . couture (f.).
— Ils sont musiciens: ils font . . . musique (f.).
— Il est pilote: il fait . . . sport (m.).
— Elle chante bien: elle a . . . talent (m.); elle veut donner . . . espoir (m.) au public et elle gagne . . . argent (m.) avec ses chansons.

Leçon

8 Les termes de parenté (1)

Voici un faire-part[1] de mariage :

> Monsieur et Madame Jacques Damont
> Monsieur et Madame Augustin Dubec
> Monsieur et Madame Philippe Damont
>
> ont l'honneur de vous faire part du mariage de Mademoiselle Catherine Damont, leur petite-fille et fille, avec* le commandant Marc de Carbet[2]
>
> et vous prient d'assister ou de vous unir d'intention à la messe** qui sera célébrée par le Père Jean de Carbet le samedi 22 septembre 1990 à 15 heures 30 en l'église Notre-Dame de Versailles.
>
> 19, rue des Alouettes 75020 Paris[3]
> 11, rue de la Garde 92210 Saint-Cloud
> 6, avenue Louis Hausmann 78000 Versailles

---

1. **Un faire-part** : *this compound noun imparts an important event in one's life. A* **faire-part** *is sent on the occasion of a birth, a marriage or a death.*

2. **La famille de Carbet** : *the noble origin of a family is often shown through the particle* **de**.

3. **75020 Paris** : *this five numeral number is* **le code postal** *(zip code). The first two numerals indicate* **le département** *(75 = La Seine) ; the three last ones, the administrative importance of the city* **(000 = préfecture)**. *In the case of Paris and of some big cities, the first 0 is followed by the number of the district* **(020 = le 20e arrondissement de Paris, Belleville)**.

Lesson

8

Terms for relations (1)

Here is a wedding invitation:

Mr and Mrs Jacques Damont
Mr and Mrs Augustin Dubec
Mr and Mrs Philippe Damont
are happy to announce the marriage of their granddaughter and daughter to Major Març de Carbet

and request the pleasure of your company at the wedding which will be celebrated by Father Jean de Carbet on Saturday the 22nd of September 1990, at 3.30 pm at the church of Notre-Dame de Versailles or thank you for being present in thought.

...
...
...

* *Notez: le verbe* ***se marier avec qq'n****: «Je me marie avec Marc.»*
** *Couples wanting to get married in a church must first be married at the town hall* ***(le mariage civil)****.*

■ Here is Catherine's family:

Ses PARENTS :		Ses GRANDS-PARENTS MATERNELS :
Philippe Damont : **son PÈRE**	Catherine	M. Dubec : **son GRAND-PÈRE**
Mme Ph. Damont : **sa MÈRE**		Mme Dubec : **sa GRAND-MÈRE**

• Catherine est la **femme** (standard l.) / **l'épouse** (formal l.) **de Marc** ; Marc est le **mari** (standard l.) / **l'époux** (formal l.) **de Catherine.**

Monsieur et madame Dubec marient leur petite-fille

■ Observez : — Ils ont une fille : c'est **leur** fille.
— Mes voisins ont trois filles : ce sont **leurs** filles.
— M. et Mme de Carbet ont un fils : c'est **leur** fils.

leur(s) = adjectif possessif de la troisième personne du pluriel :
ils / elles ◀ **L** + **EUR(S)** ▶ un / une / des...

	« objet » singulier	« objet » pluriel
ils / elles 3 P P	leur	leurs

• The possesive adjective remains the same with feminine or masculine « objects ».

M. et Mme de Carbet sont les beaux-parents de Catherine

■ Les beaux-parents (le beau-père et la belle-mère) de Catherine sont les parents de Marc ; elle est leur **belle-fille.**
— Marc est le **gendre** des parents de Catherine.
— Catherine est la **petite-fille** de M. et Mme Dubec.

• In a family context, adjectives like **beau / grand / petit** lose their usual meaning and only mark a degree of relationship.

Ses BEAUX-PARENTS		Ses GRANDS-PARENTS PATERNELS :
M. de Carbet : **son BEAU-PÈRE**	Catherine	M. Jacques Damont : **son GRAND-PÈRE**
Mme de Carbet : **sa BELLE-MÈRE**		Mme J. Damont : **sa GRAND-MÈRE**

A. ☐ *Donnez les termes de parenté (Give the terms for relations) :*
— Augustin Dubec, qui est-ce ? — C'est
— Mme J. Damont, qui est-ce ?
— M. et Mme Dubec, qui est-ce ?
— Comment s'appellent les beaux-parents de Marc ?

M. et Mme Philippe Damont marient leur fille

B. ☐ *Complete with the appropriate possessive adjective:*
— Marc et Catherine invitent ... amis à ... mariage.
— M. et Mme Damont aiment beaucoup Marc, ... gendre.
— M. et Mme de Carbet marient ... fils avec Catherine.
— Les Carbet et les Damont marient ... enfants à l'église de Versailles.

M. et Mme Dubec sont les grands-parents de Catherine

C. ☐ *Find the correct terms for relations:*
— Marc est le ... de Catherine ; il est aussi le ... de M. et Mme Philippe Damont.
— Catherine est la ... de M. et Mme de Carbet : c'est la ... de Marc.
— Mme de Carbet est la ... de Catherine et M. Ph. Damont est le ... de Marc.

Leçon 9

Claire et Rachid (2)

Voici un carton d'invitation à la réception de mariage[1] de Claire et Rachid.

Madame André Louis	Madame Abdel Rahman Ali

vous invitent à la réception donnée
au château de Chennevières
pour fêter le mariage de
CLAIRE et RACHID

le samedi 11 mai 1991
à partir de 18 heures.
Route du Château
Chennevières-sur-Marne 94430

R.S.V.P[2] : 12, avenue de la Marne Viroflay 78220
14, rue des Lilas La Varenne 94210

La mère de la mariée et la mère du marié invitent[3] toute **leur** famille et **leurs** amis à fêter le mariage de **leurs** enfants.
Claire a 22 ans. Elle a deux frères et une petite sœur de 8 ans. Son père a trois frères et deux sœurs : ce sont les oncles et tantes de Claire. **Ils viennent de Belgique au mariage** de Claire avec **leurs** enfants : ce sont les cousins et les cousines de Claire ; ils sont très contents de venir : ils adorent danser.
Rachid est « beur »* ; c'est-à-dire que ses parents sont Maghrébins **(ils viennent du Maghreb)** mais ils habitent en France. Rachid est né en France : il est donc Français par sa naissance. Il a 24 ans. Rachid et Claire travaillent à l'université de Créteil. Ils s'aiment[4] et veulent avoir des enfants.

---

1. **la réception de mariage** : *verbe se marier : Claire et Rachid se marient ; épouser : Claire épouse Rachid et Rachid épouse Claire.*
2. **R.S.V.P.** = *Répondez s'il vous plaît.*

Lesson

9

Claire and Rachid (2)

Here is an invitation to Claire and Rachid's wedding reception.

Mrs André Louis Mrs Abdel Rahman Ali

request the pleasure of your company
at the wedding reception held
at the Chateau de Chennevières,
to celebrate the marriage of Claire and Rachid

on Saturday the 11th of May 1991;
from 6.00 pm onwards

...

...

...

...

The mother of the bride and the mother of the groom are inviting all their family and friends to celebrate their children's wedding.

Claire is 22. She has two brothers and a little eight-year old sister. Her father has three brothers and two sisters: they are Claire's aunties and uncles. They are coming from Belgium to the wedding with their children: they are Claire's cousins. They are looking forward to it: they love dancing.

Rachid is "beur", that is to say that his parents come from Maghreb but they live in France. Rachid was born in France: therefore, he is French by birth. He is 24 years old. They work at the University of Créteil. They love each other and want to start a family.

---

3. **ils invitent leur famille à fêter...** *: note the construction:* ***inviter*** **qqn** *à faire qqch.*

4. **ils s'aiment** *: verbe s'aimer. Like the verb* **se marier**, *the pronoun* **se** *refers both to Claire and Rachid.*

* *This type of* **mariage mixte** *(between two social/religious communities) represent 8% of the marriages in France.*

COMPREHENSION

Elle a deux frères et une petite sœur

■ petite sœur : petit shows the age ratio. She is 8 and Claire's younger sister (la cadette).

Learn:
- — le fils (son) — la fille (daughter)
- — l'oncle (uncle) — la tante (aunt)
- — le cousin (cousin) — la cousine (cousin)

Ses oncles et ses tantes

■ Adjectifs possessifs :

	Obj.masc.sing.	Obj.fém.sing.	Obj.pluriel
JE	mon	ma	mes
TU	ton	ta	tes
IL / ELLE	son	sa	ses
NOUS	notre	notre	nos
VOUS	votre	votre	vos

- **ma → mon / ta → ton** before a feminine beginning with a vowel: **une** université → **mon** université, **ton** université.

... au mariage de Claire

■ Learn the construction: **préposition à + article défini** :

à + le = **au**	**le** mariage → je vais **au** mariage de Claire
à + la = **à la**	**la** réception → vous allez **à la** réception
à + les = **aux**	**les** fiançailles (engagement) → tu vas **aux** fiançailles de Chloé
à + l' = **à l'**	**l'**université → ils vont **à l'**université

Ils viennent du Maghreb

■ Country names usually have an article: **le Maroc / la Tunisie / l'Algérie** (fém.) / **l'Ouganda** (masc.) / **les États-Unis** (masc.pl.) / **les Philippines** (fém.pl.).

- With the verb **venir de**, here is the construction:

	le	la	l'	les
venir	**du** Maroc	**de** Tunisie	**d'**Algérie	**des** Etats-Unis

- **de + la = de // de + l' = d'.**
- Some country names have no article:
  Madagascar → — **Elle vient de Madagascar.**

PRATIQUE

Son père a trois frères et deux sœurs

A. ☐ *Give the terms of relations and the possessive adjectives:*
— Voici le frère de mon père. — C'est . . .
— Voici la sœur de ta mère.
— Voici la fille de la sœur de notre mère.
— Voici le fils du frère de ton père.

Nous invitons notre famille

B. ☐ *Give the possessive adjectives:*
— Nous invitons . . . amis de la faculté et . . . famille à fêter . . . mariage.
— Tu invites aussi . . . oncles et . . . tantes?
— Oui : . . . tante maternelle, . . . deux oncles et . . . enfants.
— Vous invitez . . . cousins?
— J'invite . . . famille, . . . amis, . . . grand-mère, . . . oncle Pierre et . . . femme.

Ses amis vont à la réception

C. ☐ *Complete using* ***aller + preposition à*** *in the correct form:*
— Les parents de Rachid . . . mariage de leur fils.
— Claire et Rachid . . . université de Créteil.
— Nous . . . réception (fém.). — Et vous . . . église?
— Non, les mariés . . . seulement . . . mairie (fém.).

Ils viennent de Belgique

D. ☐ *Answer using the verb* ***venir de*** *and the correct prepositional form:*

— D'où es-tu? — Je viens . . . Philippines (f.pl.).
— D'où êtes-vous? — Nous . . . Irlande (fém.).
— D'où est-il? — Il . . . Comores (pl.).
— D'où sont-elles? — Elles . . . Finlande (fém.).
— D'où es-tu? — Je . . . Japon (masc.).
— D'où est-elle? — Elle . . . Malte (no article).
— D'où sont-ils? — Ils . . . Grande-Bretagne (fém.).

Tests : Première série
(leçons 1 à 9)

For each sentence, tick off the right answer.

1. — Où ... ?

a) □ vous vous habitez
b) □ vous habitez
c) □ est-ce que habitez-vous
d) □ habitez-vous

2. — Elle est ...

a) □ français
b) □ la nationalité française
c) □ française
d) □ la française

3. — Je ... Alain.

a) □ s'appelle
b) □ m'appelles
c) □ m'appelle
d) □ m'appele

4. — Il ... 26 ans.

a) □ a
b) □ est
c) □ se fait
d) □ est de

5. — Elle est née ... 1950.

a) □ en 10 février
b) □ le 10 février
c) □ 10 février
d) □ le 10e février

6. — ... ? — Ce sont les Bartet.

a) □ Qu'est-ce
b) □ Qu'est-ce que c'est
c) □ Qui sont-ce
d) □ Qui est-ce

7. — Bonjour, vous ... ?

a) □ allez beaucoup
b) □ allez bien
c) □ allez
d) □ ça va

8. — Moi, j'aime ... chanter.

a) □ de
b) □ bien de
c) □ beaucoup
d) □ le

9. — Voilà ... école.

a) □ se
b) □ sa
c) □ son
d) □ s'

10. — Nous faisons ... exercice.

a) □ cet
b) □ cette
c) □ ce
d) □ le

11. — Marie est ... sympathique.

a) □ beaucoup
b) □ du tout
c) □ vraiment
d) □ très bien

12. — Elle est . . .

a) ☐ professeuse
b) ☐ professoresse
c) ☐ professeure
d) ☐ professeur

13. — Cousteau fait de la . . .

a) ☐ cinéma
b) ☐ plongée
c) ☐ recherches
d) ☐ écologie

14. — La Fondation . . . protéger la nature.

a) ☐ veut
b) ☐ est
c) ☐ travaille
d) ☐ font

15. — Claire . . . Rachid.

a) ☐ se marie
b) ☐ marie
c) ☐ épouse
d) ☐ s'épouse

16. — Ce sont les parents de Claire ?
— Oui, ce sont . . . parents.

a) ☐ leur
b) ☐ leurs
c) ☐ son
d) ☐ ses

17. — D'où êtes-vous ? — Je viens . . .

a) ☐ de l'Espagne
b) ☐ d'Italie

c) □ de la Suisse
d) □ le Portugal

18. — Nous travaillons . . . université.

a) □ à l'
b) □ l'
c) □ à la
d) □ dans la

19. — Qu'est-ce que vous faites? — Je . . . pilote.

a) □ suis
b) □ fais
c) □ travaille
d) □ vais

20. — Le frère de mon père, c'est mon . . .

a) □ cousin
b) □ beau-père
c) □ oncle
d) □ gendre

RÉPONSES

1 - d	2 - c	3 - c	4 - a
5 - b	6 - d	7 - b	8 - c
9 - c	10 - a	11 - c	12 - d
13 - b	14 - a	15 - c	16 - d
17 - b	18 - a	19 - a	20 - c

Leçon

10 « Partir c'est mourir un peu. »

— Irène, vous êtes chanteuse[1] ; et vous êtes grecque*.

— Oui, **j'habite Athènes**.
— Pourquoi êtes-vous à Paris en ce moment ?
— Je dois recevoir un prix pour mon nouveau disque.
— Vous parlez très bien **français**. **Est-ce que** vous venez souvent ici ?
— **Depuis 25 ans**, je viens **tous les ans**, deux ou trois fois dans l'année[2]. Je ne veux pas **vivre à** Paris mais je passe ici quelques semaines **tous les six mois** ; après, Athènes me manque et je rentre. Mais Paris, c'est aussi chez moi et j'aime mon petit appartement.
— Où habitez-vous dans Paris[3] ?
— **Depuis toujours, j'habite dans** le Quartier Latin. Pour moi, **vivre** à Paris **c'est habiter** le 5e ou le 6e arrondissement[4].
D'ailleurs, les restaurants grecs s'installent très souvent dans ce quartier. Les étudiants aiment la cuisine[5] de mon pays : c'est un peu les vacances, quand il pleut sur Paris... Le ciel et le soleil grecs viennent, eux aussi, visiter Paris !

---

1. **chanteuse** : *un* **chanteur** */ une* **chanteuse** *; cf. l. 6.*
2. **dans l'année** : *the distinction between* « **un an** » *and* « **une année** » *is tricky; note the different uses.*
3. **dans Paris** : *— Vous habitez* **à** *Paris ? — Oui. — Et* **dans** *Paris ? — Le 6e.*
4. **le 5e ou le 6e** : *to know how to form ordinal numbers, see lesson 13. Parisians merely say:* ***j'habite le 5e***.
Arrondissements de Paris : *circled like the shell of a snail, there are 20 districts (from the 1st to the 20th) around The Louvre (the heart of the capital).*
5. **la cuisine** : *this word also means the kitchen* ***(aller dans la cuisine)****, the cooking itself* ***(faire la cuisine)*** *or the typical recipes of a country or a region* ***(aimer la cuisine grecque)****.*

Lesson

10 « Leaving is like dying a little. »

— Irène, you are a singer and you are Greek, aren't you?
— Yes, I live in Athens.
— Why are you living in Paris at the moment?
— I am due to receive an award for my new record.
— You speak French very well. Do you come here often?
— I have been coming here two or three times a year for 25 years. I do not want to live in Paris but I spend a few weeks here every six months; and then, after a while, I miss Athens so I go home. But I also feel at home in Paris and I like my small apartment.
— Where do you live in Paris?
— I have only ever lived in the Latin Quarter. As far as I'm concerned, to live in Paris is only living in the 5th or 6th arrondissement.
Not only that, Greek restaurants often open up in this area. Students like food from my country: it's like holiday time, when it rains in Paris... The Greek sun and sky also come and visit Paris!

---

* *Learn how to say in French* ***the twelve countries of the EEC (Communauté Economique Européenne)*** *and their inhabitants; Europe of 1992:*
— **L'Allemagne**: *un(e) Allemand(e)* — **La Belgique**: *un(e) Belge* — **Le Danemark**: *un(e) Danois(e)* — **L'Espagne**: *un(e) Espagnol(e)* — **La France**: *un(e) Français(e)* — **La Grande-Bretagne**: *un(e) Anglais(e)* [**l'Angleterre**] + *un(e) Écossais(e)* [**l'Écosse**] + *un(e) Gallois(e)* [**le Pays de Galles**] + *un(e) Irlandais(e) du Nord* [**l'Irlande du Nord**] — **La Grèce**: *un(e) Grec(que)* — **La Hollande**: *un(e) Hollandais(e)* — **L'Irlande**: *un(e) Irlandais(e)* — **L'Italie**: *un(e) Italien(ne)* — **Le Luxembourg**: *un(e) Luxembourgeois(e)* — **Le Portugal**: *un(e) Portugais(e)*
• *Some capitals have a French spelling:* ***Londres, Bruxelles, Athènes, Rome, Lisbonne.***

J'habite Athènes

■ Observe :

Irène vit à Athènes / elle habite Athènes / elle habite à Athènes.

The verb **vivre** takes a preposition; the verb **habiter** can also take a preposition or not. Be careful: **vivre à** (for cities or masculine country names), **vivre dans** (for districts or streets), **vivre sur** (for boulevards, avenues, squares, embankments and for a few other places), etc.

Est-ce que vous venez souvent ici ?

■ Remember the three direct question forms in French:

a) — **Vous venez souvent ici ?** spoken language
b) — **Est-ce que vous venez souvent ici ?** standard language
c) — **Venez-vous souvent ici ?** written language

The form **est-ce que** is a little difficult to write down, but easy to say; and moreover you do not have to change the order: subject / verb.

Vivre à Paris c'est habiter le 5e

■ Notice this construction often used with proverb type sentences:

1er verbe (à l'infinitif) + c'est + 2e verbe (à l'infinitif)

Depuis 25 ans, je viens tous les ans

■ Observe :

Premier séjour d'Irène à Paris : 1967.
Entretien (aujourd'hui) : 1992.
Durée : 25 ans → Irène vient à Paris depuis 25 ans.

Je viens tous les ans

■ Observe : 1966, 1967, 1968, 1969,... = **tous les ans ;**
1966, 1968, 1970, 1972,... = **tous les deux ans ;**
9h, 10h, 11h, 12h,... = **toutes les heures ;**
9h, 12h, 15h, 18h,... = **toutes les trois heures.**

J'habite dans le Quartier Latin

A. □ *Model: — Elle vit à Paris?*
— Oui, elle habite Paris / elle habite à Paris.

— Elle vit dans le Quartier Latin? — Oui, elle ...
— Vous vivez au (= à + le) Portugal? — Oui, ...
— Tu vis dans le 6ᵉ arrondissement? — Oui, ...
— Ils vivent sur la Côte d'Azur? — ...

Est-ce que vous êtes grecque?

B. □ *Ask the 3 possible questions:*

— ...? — Oui, elle écrit beaucoup.
— (Tu) ...? — Non, je ne voyage pas souvent.
— ...? — Oui, ils viennent chaque année.
— ...? — Oui, nous habitons toujours Paris.

Partir c'est mourir un peu!

C. □ *Put the elements together in order to make proverbs (in the following way X c'est Y):*

Vivre	c'est	faire
Dire	c'est	pouvoir
Vouloir	c'est	croire
Voir	c'est	choisir

Depuis toujours, j'habite dans le 6ᵉ

D. □ *Use **depuis** and put the verb into the present tense:*

— Création de la CEE: 1957/1992. — La CEE (exister) ...
— Premier disque: 1976/1992. — Elle (chanter) ...
— Départ pour le tour du monde: 1990/1992. — Ils (voyager) ...
à vous: — Achat de la méthode: — Je (apprendre le français)

Je passe ici tous les six mois.

E. □ *Exprimez la fréquence (Express the frequency):*

— Lundi, mercredi, vendredi: — Il vient ici...
— 1ʳᵉ, 4ᵉ, 7ᵉ, 10ᵉ... semaine: — Elle nous écrit...
— juin, juillet, août, septembre: — Il y a un bateau...

Leçon

11

« Vivre c'est aimer. »

— Comment[1] **se passe** votre journée à Paris ?
— Tous les matins, dès que **je me lève, je me prépare** un café. Je le bois près de la fenêtre : j'aime beaucoup voir Paris qui se réveille. **J'ai besoin d'**entendre la ville qui[2] bouge...

Ensuite, je sors et **je me promène** un peu dans le quartier*. **Chaque jour** c'est différent et **à chaque heure**, la ville change. Le matin[3], l'air est léger, et la lumière est douce. Alors, moi aussi, **je me sens** légère et **j'ai** toujours **envie de** sourire.

Avant de rentrer, habituellement je reprends un café à la terrasse d'un bistrot** et je sens Paris autour de moi comme un animal heureux, un grand chat qui ronronne de bonheur.

---

1. **Comment... ?** = *de quelle façon ; get used to pronouncing two syllables (and do not be mistaken with* **comme***).*
2. **la ville qui bouge** *: elle entend* **la ville / la ville** *bouge → elle entend* **la ville qui** *bouge. An other example: voir Paris / Paris se réveille = voir Paris* **qui** *se réveille.*
3. **Le matin** = *« tous les matins » (idem : « le soir », « le samedi »...) ≠ ce matin (aujourd'hui).*

* **Le Quartier Latin (5e et 6e)** *: developed in the vicinity of the Sorbonne (1253) and is the student area. There are lots of publishers and booksellers around Boulevard Saint-Michel (the famous* **Boul'Mich***). But also, a lot of little restaurants, cafés, and nightclubs. In May 1968, the Latin Quarter was the (epi)centre of the student revolution. Paris is a collection of* **villages***, each one has a typical atmosphere and is dedicated to a special kind of activity.*

« Living is loving. »

— How do you spend your days in Paris?
— Every morning, as soon as I get up, I make myself coffee. I drink it near the window: I love watching Paris wake up. I need to hear the city moving about...

Then, I go out for a walk in the neighbourhood. Each day is different and the city changes every hour. In the morning, the air is light, and the light is soft. So I also feel light and feel like smiling.

Before going home, I normally have a second coffee at a side-walk café and Paris seems all around me like a happy animal, and like a big cat purring to its heart's content.

** **Une institution : le café**. *A place to go for breakfast, drinks, after-dinner parties, etc.. at any time, for any old reason.*
— **Le bistro(t)** : *a little café and, more often than not, a restaurant serving* **« la cuisine du patron »**.
— **Le bar-tabac** : *a place to buy cigarettes, stamps, a lotto ticket and PMU (a bet on horse-racing) cards while drinking* **un petit noir** *(a black coffee),* **un crème** *(a white coffee) or* **un demi** *(a tap beer).*
— **La brasserie** : *originally, only beer used to be served in this kind of place. Nowadays, it is a well-established* **café-restaurant** *(especially for those who like sauerkraut or a hearty home-cooked meal).*
— **La terrasse de café** : *a place to see people and to be seen! Such as:* **Les deux Magots, Le Fouquet's, Le Café de la Paix.**

Chaque jour c'est différent

■ **Chaque jour**, c'est différent = **tous les jours** c'est différent (every day, without any exception).
You cannot use **chaque** to express an alternation; cf. l. 10: **tous les trois jours**. Notice that **chaque** is a distributive adjective requiring the singular.

Je me prépare un café

■ Elle prépare un café pour qui ? pour elle-même → **elle se prépare un café** (elle = se).
Autre exemple : **Marc et Luc se téléphonent** (= Marc téléphone à Luc et Luc téléphone à Marc).
Observe : **je me** lave ; **tu te** réveilles ; **il / elle se** prépare ; **nous nous** téléphonons ; **vous vous** levez tard ; **ils / elles se** promènent souvent.
• The infinitive form of je me lave is **se** laver ; but:
— J'écris avant de **me** coucher.

Avant de rentrer, je reprends un café

■ Observe : — Elle reprend un café et puis elle rentre ?
— Oui, elle rentre mais avant, elle reprend un café. Elle reprend un café **avant de rentrer**.
When the same person performs two consecutive actions (A then B), one can use the following construction:
avant de B (à l'infinitif), A / A avant de B (à l'infinitif).

J'ai envie de sourire

■ Observe : Elle est heureuse ; elle désire sourire
→ **elle a envie de sourire.**
• We also say:
avoir besoin de... (to need), **avoir peur de...** (to be afraid of)

A chaque heure, la ville change

A. □ *Replace* ***toutes (tous) les...*** *with* ***chaque****:*

— Le docteur est là **tous les jours** de 9h à midi. → Il est là . . .
— Cette revue paraît **toutes les semaines**, le mercredi. → Elle . . .
— **Tous les matins**, elle écrit un peu. → Elle . . .
— Nous nous téléphonons **tous les mois**. → Nous . . .

Je me promène un peu dans le quartier

B. □ **à vous** *: Read lessons 10 and 11 again and try to find out what is said about the following:*

— des restaurants grecs (l. 10) ;
— de Paris (l. 11) ; and what Irène is experiencing in Paris (l. 11). Rewrite the verbs in the third person singular (**elle se...**).

Avant de travailler, je me promène un peu

C. □ *Répondez (Answer):*

— Il se prépare **puis** il sort ? — Oui, il se . . .
— Vous réservez une place **puis** vous prenez le train ? — Oui, nous . . .
— Tu te prépares un café **puis** tu te laves ? — Oui, . . .
— Elle cherche le numéro **et puis** elle téléphone ? — Oui, . . .
à vous : / répondre / / réfléchir /

J'ai besoin d'entendre la ville

D. □ *Choose between* ***avoir besoin de, avoir peur de, avoir envie de*** *and then construct a full sentence:*

— Tu es fatigué (se reposer) → Tu as . . .
— Il a chaud (ouvrir la fenêtre)
— Elle reste chez elle (sortir la nuit)
— J'ai faim (se préparer un sandwich)

Leçon

12 Une chanteuse grecque à Paris

— Alors, vous aimez votre appartement* parisien ?
— Oui beaucoup. Oh ! il n'est **pas très** grand.
— Il a **combien de** pièces ?
— Il a deux pièces. Elles donnent sur[1] la rue et elles sont vraiment **très** claires (le couloir, par contre, n'est **pas très** clair). Ma chambre (c'est aussi mon bureau) et le salon avec une belle fenêtre. Il y a aussi une cheminée, une vraie ! Un feu de bois[2], c'est **très** agréable le soir.
— Et il y a **beaucoup de** bruit ?
— C'est souvent **assez** bruyant. A Paris, à Athènes, et dans **beaucoup de** capitales, il y a **trop de** voitures. La rue est **trop** étroite et le quartier **très** touristique : on n'a jamais **assez de** place pour se garer[3]. D'ailleurs, à Paris, j'ai peur de conduire et je vis **sans** voiture...
...Vous n'êtes pas libre ce soir ?
— Si.
— Alors, je vous attends chez moi pour l'apéritif, au coin du feu.
— Volontiers. C'est à quel étage ?
— C'est au **quatrième** étage, **première** porte à gauche.
— **Sans** ascenseur, bien sûr ?

---

1. **donner sur...** = *les fenêtres de la pièce s'ouvrent sur la rue (they look out onto the street); autre exemple : — L'appartement est calme : il donne sur la cour.*
2. **un feu de bois** : *only this word le bois (= wood) means: a) material (une table de/en bois) ; b) firewood (une cheminée à bois) ; c) a little forest (le Bois de Boulogne à Paris).*
3. **se garer** : *French people often refer to themselves when speaking about their car :* Je suis garé dans la rue. = *ma voiture est garée dans la rue.*

* *Different types of urban housing :*
— **La chambre de bonne** *(ou d'étudiant) : usually a cheap, and not very comfortable kind of accommodation; but in some much sought-after districts, the rent may reach exorbitant prices.*

Lesson
12

A Greek Singer in Paris

— So, you like your apartment in Paris?
— Yes, very much. Oh! It isn't very big.
— How many rooms has it got?
— It has two rooms: my bedroom which is also my study and the lounge which has a lovely window. They look out onto the street and they are very light on the other hand, the corridor isn't very bright. There is a fire place as well. A real one! A wood fire is very pleasant in the evening.
— And is there a lot of noise?
— It's often fairly noisy. In Paris, Athens, and in a lot of capital cities, there are too many cars. The streets are too narrow and the area is very popular with tourists. We never have any room to park. By the way, I am afraid of driving in Paris, and I live here without a car...
...Are you free this evening?
— Yes, I am.
— Then, I'd like you to come to my place for a drink, by the fireside.
— I'd love to. Which floor are you on?
— On the fourth floor, first door on the left.

— Needless to say: there is no lift?

— ***L'atelier (d'artiste)***: *some are still used by painters or sculptors; but many non-artists are prepared to pay a high price for them!*
— ***L'appartement***: *is classified according to the number of rooms (the kitchen and the bathroom are not counted as rooms): F3, F4, etc.*
— **Le HLM** *means low-rent housing.*
— ***L'hôtel particulier***: *luxurious and aristocratic mansions (nowadays, frequently divided into several flats). In Paris, the most beautiful examples are located in* « **Le Marais** » *and in the 7th arrdt.*

La rue est trop étroite

■ Observez ces deux contextes (Notice the difference between the following sentences):

a) — Tu viens avec nous au cinéma ?
— Je suis **très** fatigué **mais** je viens.

b) — Tu viens avec nous au cinéma ?
— Je suis **trop** fatigué : je **ne** viens **pas**.

Vous avez combien de pièces ?

Observe : — **combien de + nom** (sans article !)
— **beaucoup de + nom** (sans article !)
— **trop de + nom** (sans article !)
— **assez de + nom** (sans article !)

• The noun can be in the plural (a number of...) or in the singular (a quantity of....)

C'est au quatrième étage

■ To form ordinal numbers:
— nombre + ième.

Example: huit + ième = **huitième** ;
• quatr(e) + ième = **quatrième**
Same construction for all numbers which end with an -e;
• un : a) — « **premier / première** » ;
b) — un + ième = **unième** (exemple : vingt et unième).
• cinq + ième = **cinquième** ; neuf + ième = **neuvième**.

C'est souvent assez bruyant

■ — C'est assez bruyant ? — Ce n'est pas très calme !
assez + adjectif = ne ... pas très + **adjectif.**

Sans ascenseur, bien sûr !

— **Avec un** ascenseur ? — Non, **sans ascenseur** (without article).

Les deux pièces sont très claires

A. ☐ *Choisissez **très** ou **trop** selon le contexte (according to the context):*
— L'appartement est ... petit : je ne le loue pas.
— Ce café est ... fort : ça me réveille.
— Je ne peux pas dormir : les voisins sont ... bruyants.
— A Paris, le matin, l'air est ... léger.
à vous : 2 contextes : / rue étroite / / ma voiture / / passer /.

Il y a trop de voitures

B. ☐ *Model: — Oh ! cette pièce est **très claire**.*
*— Oui, il y a **beaucoup de** lumière.*
— Il est **très** riche ? — Oui, il gagne ... (argent).
— La rue est **trop** bruyante. — C'est vrai, il y a ... (bruit).
— Ma chambre est **trop** petite : je n'ai pas ... (place).
à vous : / restaurants grecs / / Quartier Latin / (cf. l. 10)

La première porte à gauche

C. ☐ *Répondez ou complétez (Answer or complete) :*
— Quelle leçon travaillez-vous ? — La ... (23).
— A quel étage habite-t-elle ? — Au ... (4).
— Le Quartier Latin est dans le ... (5 et 6) arrondissements.

D. ☐ *Complétez :*
— On appelle le cinéma le ... art.
— « A » est la ... lettre de l'alphabet ; et « U » la ...
— La ... symphonie de Beethoven est aussi la dernière.

Le couloir n'est pas très clair

E. ☐ *Model : — Le couloir **n'est pas très** clair.*
*— Il est **assez** sombre.*
— L'appartement **n'est pas très** grand ! — C'est vrai, il est ...
— Oh ! cette valise **n'est pas très** légère. — En effet, ... (lourd).
— Il fait **assez** froid. — Oui, ... (chaud).
— Et le café grec : il est **assez** léger ? — Oui, ... (fort).

A Paris, je vis sans voiture

F. ☐ *Répondez négativement (Answer negatively) :*
— **Avec une** salle de bains, votre chambre ? — Non, ...
— C'est un appartement **avec une** terrasse ? — Non, ...
— Il prend sa voiture pour venir ? — Non, il vient ...

Leçon

13 Le salon d'Irène

Nous sommes dans le salon parisien d'Irène. Une très belle table de campagne occupe l'espace devant la fenêtre.

— Qu'est-ce que vous voulez boire : un kir* ou bien un « ouzo » grec[1] ?
— Ça ressemble au pastis* français, n'est-ce pas ?
— C'est **moins fort**, je crois, mais c'est **plus parfumé que** le pastis.
— **J'aime mieux** un kir, mais sans glace. Merci...
... Vous écrivez vos chansons sur cette table ?
— Non. **Je préfère** travailler dans ma chambre. De toute façon, j'écris **moins bien** ici **qu'**à Athènes. Là-bas, il y a peut-être **moins de tentations** mais il y a **plus de lumière**. Et, pour les Grecs, la lumière est **aussi importante que** la vie. A Paris, **j'aime mieux** traduire mes chansons.
— Vous traduisez vous-même vos chansons ?
— Oui. J'ai **autant de plaisir** avec la traduction **qu'**avec l'écriture. Le grec est ma langue maternelle mais le français est ma langue... fraternelle ! D'ailleurs, mes amis trouvent que la traduction est **meilleure que** l'original.
— Et vous êtes d'accord ?
— Moi ? Depuis toujours **je préfère** le disque suivant. Le troisième disque est fini : il est **moins beau et moins excitant que** le nouveau, le disque dans ma tête !

---

1. **Le grec** : *capital letters are not used in this case, but only when referring to nationalities: Les Grecs sont* ***accueillants****.*

* *At home, in a café or a restaurant, the French like to enjoy an* **apéritif** *before having lunch or dinner. Here are a few of the favourites:*

— **Le pastis**: *an alcoholic beverage, flavoured with aniseed and diluted with water; a symbol of Southern France.*

— **Le pineau des Charentes**: *a mixture of brandy and freshly crushed grapes, made in the western part of France.*

Lesson
13 Irene's living-room

Here we are in Irène's living-room in Paris. A very beautiful country table takes up a space in front of the window.

— What would you like to drink: a kir or a Greek "ouzo"?

— That's similar to French pastis, isn't it?

— I don't think it is as strong, but it has more fragrance than pastis.

— I'd rather have a kir, but without ice; thank you...

...Do you write at this table?

— No. I prefer to work in my bedroom. Anyway, I don't write as well here as I do in Athens. Perhaps there is less temptation to go out, but there is more light. And for Greeks, light is just as important as life. In Paris, I'd rather translate my songs.

— Are you translating your songs yourself?

— Yes, I get just as much pleasure from translating as I do from writing. Greek is my mother tongue, but French is my fraternal language! Moreover, my friends find that the translation is better than the original.

— And do you agree?

— Who, me? I always prefer the next record. The third record is finished: it is less exciting and less appealing than the new one, which is in my head.

---

*— **Le kir**: a mixture of white wine and blackcurrant liqueur. It is named after its "inventor": a canon in Dijon, the capital of Burgundy. If you mix rosé instead of white wine it is called **un Chenonceaux**; red wine, **un Bourguignon**; and Champagne: **un Kir royal**!*

*— **Le Guignolet**: red wine with cherry liqueur.*

Of course, you can just serve Champagne on its own in a flute glass.

*« **A votre santé !** » (To your health!)*

L'ouzo est moins fort que le pastis

■ Observez : — L'ouzo c'est fort ? — Oui, mais **moins fort que** le pastis (or: — Le pastis est **plus fort que** l'ouzo).

- There are three degrees of comparison:
  +: **plus** / adjectif / **que...**
  —: **moins** / adjectif / **que...**
  =: **aussi** / adjectif / **que...**

J'aime mieux un kir

■ Observez : — Il n'aime pas l'ouzo ? — Si, mais il **préfère** le kir ;
— il **aime mieux** le kir **(que l'ouzo)**.

The adverb bien has three degrees of comparison:
—: **moins bien** : J'écris moins bien ici qu'à Athènes.
=: **aussi bien** : Elle parle aussi bien le français que le grec.
+: **mieux** : Elle aime mieux sa chambre que le salon.

aimer mieux = préférer can be followed by an infinitive (the subject is then the same for both):
Il aime mieux prendre un kir.

La traduction est meilleure que l'original

■ The adjective bon has also got an irregular comparatif +:
—: **moins bon** ;
=: **aussi bon** ;
+: **meilleur**

- Note that meilleur is an adjective: thus it has got feminine and plural forms: **meilleure / meilleur(e)s**.

A Athènes, il y a moins de tentations...

■ One can compare quantities (expressed by nouns in the singular or in the plural) in the following way:
+: **plus de** : / nom / **sans article** :
Nous avons plus de place que vous.
—: **moins de** / nom / **sans article** :
Elle a moins de livres que toi.
=: **autant de** / nom / **sans article** :
Tu as autant d'argent qu'elle.

L'ouzo est plus parfumé que le pastis

A. ☐ *Compare the following elements. **L'ouzo** (+)/**le pastis** (—): **parfumé** (cf. the above example)*
— Le vin (—)/Le whisky (+): **fort.** — Le vin est .../Le whisky est ...
— La leçon 10 (—)/La leçon 23 (+): **difficile.**
— La ville (+)/La campagne (—): **bruyant.**
— Le roman (=)/Le film =: **bon.**
— Ma chambre (=)/Ta chambre (=): **beau.**

J'aime mieux traduire mes chansons

B. ☐ *Answer according to your choice (using **aimer mieux**):*
— Qu'est-ce que tu préfères: le café ou le thé? — J'aime ...
— Qu'est-ce qu'elle préfère: lire ou écrire? — Elle ...
— Qu'est-ce que vous préférez: la salle ou la terrasse? — Nous ...
— Qu'est-ce qu'ils préfèrent: la voiture ou le train?
— Qu'est-ce que tu préfères: habiter le 5e ou le 8e?
— Qu'est-ce que les enfants préfèrent: travailler ou s'amuser?

Son nouveau disque est meilleur que l'autre

C. ☐ *Answer using the **comparatif** of **bon**:*
— Cet apéritif est **moins bon que** le kir. — C'est vrai, le kir est ...
— Le film est **moins bon que** le livre. — C'est vrai, ...
— Ces chocolats sont **moins bons que** les glaces.
— Cette place est **moins bonne que** l'autre.

... mais il y a plus de lumière qu'à Paris!

D. ☐ *Répondez suivant le degré indiqué (Answer according to the comparatives in brackets):*
— Il y a des îles en Grèce; et en France? (—) — En France, il y a moins ...
— Il y a du trafic à Paris; et à Athènes? (+) — A Athènes, il y a ...
— Il y a des mots nouveaux dans cette leçon; et dans la leçon suivante? (=)
— Il y a de la place dans la salle; et à la terrasse? (—)
— Il y a de l'espace dans le salon; et dans la chambre? (=).

Leçon

14 Vivre à la campagne

Après 10 ans passés en Afrique, Mme D. et son mari, professeurs à l'Université de Chambéry, s'installent dans un petit village de 150 habitants : Ayn en Savoie (73).

— Mme D., depuis trois ans, vous vivez dans cette petite commune ; **parce que** c'est un choix ?
— Mon mari et moi, nous travaillons tous les jours à l'Université de Chambéry à 27 km d'Ayn. **On met trente minutes** en voiture pour **y** aller. Nous avons choisi cette maison **parce que** nous avons l'impression d'être en vacances toute l'année. Pour nous, c'est formidable de vivre à la campagne et de travailler en ville.
— Votre maison est très isolée, ce n'est pas un inconvénient ?
— De fait, on se trouve à 800 mètres d'altitude et nos voisins les plus proches sont à un quart d'heure en voiture ou une demi-heure à pied... Mais nous aimons la vue splendide sur la Chartreuse*. Nos enfants et nos amis de Paris peuvent venir **s'y** reposer, loin du bruit, en pleine campagne : les vaches sont dans le pré à côté...

---

* ***La Chartreuse*** *is a mountain range overlooking the valley from Chambéry to Grenoble. It is known as the* ***Préalpes*** *massif, in the heart of which stands the famous monastery (****La Grande Chartreuse****) founded in 1084 by Saint Bruno.*

The monks still practise the very strict rules advocated by Saint Benoît. They make a mountain flower-based liqueur, ***la Chartreuse*** *which has a lovely green colour.*

Lesson

14

Country Living

After having spent 10 years in Africa, Mrs D. and her husband, professors at the University of Chambéry, have moved into a small village of 150 inhabitants: Ayen in Savoie (73).

— Mrs D., so you have been living in this little rural district for three years; was it your choice?

— My husband and I work every day at the University of Chambéry, 27 km from Ayen. It takes us 30 minutes to go there by car. We chose this house because we have the impression that we are on holiday all year round. It's lovely to live in the country and work in town.

— Your house is very isolated, is that an inconvenience?

— In actual fact, we are 800 meters up and our closest neighbours are a quarter of an hour's drive away or half an hour's walk... But we love the splendid view over Chartreuse. Our children and our friends can get away from the noise and come and relax here, in the heart of the country: the cows are in the neighbouring fields.

On met 30 minutes en voiture

■ Observez : — Mon mari et moi, **nous travaillons...**
on met 30 minutes...
→ On = Nous

On often means **nous**, that is to say **lui et moi / eux et moi / toi et moi / vous et moi.**

- **on** is a singular collective pronoun: the verb that follows is always in the third person singular.
- **on** is always a subject:
  — Nous travaillons → On travaille.
  — Nous mettons 30' → On met 30'.
- But: — **Pour nous**, c'est formidable.

On met 30 minutes pour y aller

■ Observez : — Vous mettez 30' pour aller **à Chambéry** ?
— Oui, on met 30' pour **y** aller. → y = à Chambéry

- — Vos enfants peuvent venir se reposer **chez vous** ?
  — Oui, ils peuvent venir s'**y** reposer. → y = chez nous / chez vous, etc.

y = there replaces the name of a place introduced by **à, en, dans...**

- In the expression **il y a** the y is not to be taken into account: it does not replace anything.
- **chez... = dans la maison de.... : chez les Martin = dans la maison des Martin.**

Nous avons choisi cette maison parce que nous avons l'impression d'être en vacances

■ Observez : — **Pourquoi** aimez-vous cette maison ?
— **Parce que** nous avons l'impression d'être en vacances.

parce que... expresses the reason or the cause of that choice.

- In a full sentence, **parce que** is placed in the second part of the sentence.
- Note that **pourquoi** is written in one word / **parce que** in two words.

Nous travaillons à l'université

A. ☐ *Employez (Use)* ***on*** *ou* ***nous****:*
— Toi et moi, ... allons à Grenoble.
— Mes enfants et moi, ... va se baigner au lac.
— Pour ..., c'est agréable de vivre à la campagne.
— Mon mari et moi, ... avons choisi cette maison.
— Lui et moi, ... aime bien cette maison.

Nos amis peuvent s'y reposer

B. ☐ *Répondez en utilisant (Answer using)* ***y****:*
— Tu vas **à l'université** ? — Oui j'... vais cet après-midi.
— Vous allez **chez lui** ? — Non, nous n'... allons pas aujourd'hui.
— Tu prends ta voiture **à Chambéry** ? — Oui, pour ... aller plus vite.
— Vous allez souvent **chez les Martin** ? — Nous ... allons une ou deux fois par mois.
— Vous ... allez en voiture ou en train ? — Nous ... allons en TGV*.
*TGV = Train à Grande Vitesse ; it takes 2 h. for the TGV Paris-Lyon to cover 420 km.

Vous vivez ici parce que c'est votre choix

C. ☐ *Répondez en donnant une raison (Answer and give a reason):*
— Pourquoi Mme D. aime-t-elle sa maison ? — Elle aime ...
— Pourquoi apprenez-vous le français ? — ...
— Pourquoi M. et Mme D. ont-ils choisi cette maison ? — Ils ...

D. ☐ *Faites une phrase avec les éléments suivants (Formulate a sentence using the following elements):*
— / Elle est fatiguée / elle travaille beaucoup /
— / Il apprend le français / il vient en France /
— / Tu vis à la campagne / tu n'aimes pas le bruit /

Leçon

15 Une maison ancienne

— Pouvez-vous me décrire votre maison ?
— Oui, avec plaisir. C'est une maison entièrement de plain-pied ; c'est à dire que toutes les pièces d'habitation sont au rez-de-chaussée. Elle est exposée plein sud[1]. **Ce qui est** très agréable, **c'est** la terrasse parce qu'on mange **dehors** et aussi parce qu'on va directement **dans** le jardin.
— Quelle est sa superficie ?
— C'est une **grande** maison : il y a une salle de séjour de 40 m² une cuisine bien équipée, quatre chambres ainsi qu'une salle de bains et les toilettes. Chaque chambre fait à peu près 12 m². Mais il y a aussi un grenier **immense** (200 m²)... nous pensons l'aménager plus tard. Le terrain **autour de** la maison fait plus de 2000 m² ; **à côté de** la maison, il y a un **petit** bois et **en contrebas** un pré avec un noyer*.
— Comment vous chauffez-vous ? L'hiver est froid en Savoie.
— Nous avons le chauffage au gaz mais ce qui est très beau c'est la **grande** cheminée dans le séjour : on fait des feux de bois splendides... et des grillades comme autrefois.
— Elle n'est pas **récente**, cette maison ?
— Non, bien sûr. A l'origine, avant d'être une maison c'est une bergerie. Mais, en 1967, elle est transformée en habitation.
— Combien est-ce que vous avez acheté cette maison ?
— Plus de 500 000 francs, il y a 5 ans. Mais, en plus, 150 000 francs de travaux pour le chauffage, le carrelage, le survitrage pour bien isoler la maison du froid. Maintenant, elle est confortable : chaude en hiver et fraîche en été... le bonheur !

---

1. **plein sud** : *do not mistake* **plein** *(***plein sud** *= facing South) for* **plain** *(***de plain-pied** *= at street-level).*

Lesson

15

An Old House

— Can you describe your house?
— Yes, I'd love to. It is a house entirely built at street-level, in other words all the rooms are on the ground floor. It faces South. What is really pleasant, is the terrace because we can eat outdoors and also because we can go straight out into the garden.
— What is the surface area?
— It is a big house. There is a living-room of 40 square meters, a well-equiped kitchen, four bedrooms as well as a bathroom and toilet. Each room is about 12 square meters in size. But, there is also a large attic (200 sq.m.)... we're thinking about fitting it out later. The section around the house is more than 2000 square meters. Next to the house there is a small forest and down below a meadow with a walnut tree.
— What sort of heating do you have? Winter is cold in Savoie.
— We have gas heating but what is very nice, is the large fireplace in the living-room. We make wonderful wood fires... and do grills like in the past.

— It isn't a very modern house, is it?
— Of course, not. Originally, before being a house, it was a sheepfold. But, in 1967, it was converted into a house.

— How much did you buy the house for?
— For more than 500 000 francs five years ago, and an extra 150 000 francs for the heating, tiling and double-glazing in order to isolate the house from the cold. It is now quite cosy: warm in winter and cool in summer... what a great life!

---

* ***Le noyer*** *(the walnut-tree): a tall tree, whose fruit is called* ***la noix****. Its almond gives an exquisite edible oil. Thanks to the reputation of the walnuts from Grenoble, there is an important local production. The wood, a very tough one, is used as furniture material. In colloquial French, a not very bright person is said to be* ***une noix (c'est une noix)*** *or* ***pauvre noix !*** *= silly fool!*

Ce qui est très agréable, c'est la terrasse

■ Observez : — La terrasse, **surtout**, est très agréable.
→ — **Ce qui est** très agréable, **c'est** la terrasse.

Ce qui est + adjectif, c'est + nom

This construction is used to help qualify a noun.

• You can also use it to qualify an infinitive; ex:

— Ce qui est fatigant, **c'est de** traduire la chanson.

Ce qui est + adjectif, c'est de + infinitif

A côté de la maison, il y a un petit bois

■ Learn the following « prépositions de lieu » :

à côté du pré (beside) — **autour de** la maison (around)
derrière la maison (behind) — **devant** la cheminée (in front of)
sur l'arbre (on) — **sous** le noyer (under)
dans le salon (in) — **hors de** la maison (out of)
en haut du pré (at the top of) — **en bas du** pré (at the bottom of)

• Here is a way of replacing a preposition and a noun:

— L'hiver, vous mangez **dans la maison** ?
— Oui, nous mangeons **dedans** ; mais l'été, nous mangeons **dehors**.

Une maison récente

■ Learn a few adjectives and their opposites:

une voiture **récente** — une maison **ancienne**
un **petit** bois — un **grand** pré
un salon **confortable** — un lit **inconfortable**
une terrasse **agréable** — un bruit **désagréable**
un grenier **immense** — une chambre **minuscule**
une cuisine **pratique (commode)** — un chauffage **malcommode**

Ce qui est très beau, c'est la cheminée

A. □ *Mettez en valeur (Accentuate the adjective):*
— Le jardin, surtout, est agréable. → — Ce qui est ...
— Le grenier, surtout, est immense.
— Le chauffage au gaz est très pratique.
— Le paysage est vraiment magnifique.

□ *(Accentuate the infinitive):*
— **Vivre** à la campagne, c'est formidable.
— **Prendre** un café à la terrasse, c'est amusant.
— **Travailler** dans le bruit, c'est fatigant.

Le terrain autour de la maison

B. □ *Répondez :*
— Qu'est-ce qu'il y a à côté de la maison ? — A côté ...
— Et en contrebas ?
— Et en haut de la maison ?
— Devant la maison ?
— Et dans le séjour ?

Une maison ancienne

C. □ *Apprenez à dire le contraire (Learn how to put into the opposite sense):*
— Cette maison n'est pas moderne ? — Non, elle est ...
— Votre jardin est immense ? — Non, il est ...
— Votre studio est grand ? — ...
— Une maison de plain-pied, c'est malcommode ? — Pas du tout ! c'est très ...

D. □ *Définissez un usage (Complete with an appropriate adjective):*
— Avoir un jardin, c'est ...
— Le chauffage au gaz, c'est ...
— Une maison bien chauffée, c'est ...
— Avoir une terrasse, c'est ...

Leçon

16 Une journée en juillet

Mme D. tient son journal. Elle l'appelle « Lettres à moi-même ». Voici un extrait de ce journal :

— Chaque matin, dès que je me réveille, j'ouvre la fenêtre et je vois un paysage immense : au fond, là-bas, la chaîne de la Chartreuse ; plus près, en bas, les champs et le clocher de l'église d'Ayn ; et à côté de la maison, le pré et les vaches... tranquilles.

Je vais dans la cuisine et je prépare le petit déjeuner* : café **pour moi** — mon mari, **lui**, prend du thé — du beurre et de la confiture[1] faite à la maison, beaucoup de tartines de pain grillé.

Nous sommes en juillet ; il fait chaud et beau ; nous allons prendre le petit-déjeuner dehors, sur la terrasse. Les oiseaux chantent, le chat, **lui**, joue avec un lézard. Le soleil est là, mais pas trop fort : il n'est que 9 heures du matin... Une sorte de paix, de bonheur m'habite : la journée commence bien.

Ce soir, nous avons les Dumas à dîner ; ils viennent avec les Labrousse[2]. On **va fêter** leur arrivée **chez nous** : grillades et feux de bois.

---

1. **du thé, du beurre, de la confiture** : *see lesson 7 about this kind of article.*

2. **Les Dumas / les Labrousse** : *when speaking of a family or of a couple, the French use the definite article in the plural; but the proper noun remains singular.*

* **Le petit déjeuner** ; *in France, breakfasts can vary somewhat: they may be very filling as well as very light. It all depends on whether you are pushed for time or not. The time of the year also counts (holidays or working-time). Usually, the French have white or black coffee, with sugar or without, bread (toasted or fresh), croissants or biscottes with butter and jam* **de fraises**

Lesson

16

A Day in July

Mrs D. keeps a diary. She calls it "Letters to myself". Here is an extract from this diary:

— Every morning, as soon as I wake up, I open the window and can see a huge landscape: over the back, the Chartreuse range; closer up, the fields and the tower of the Ayen church; and, next to the house, a meadow and the cows... grazing happily.

I go to the kitchen and get breakfast ready: I have coffee —and my husband tea —with butter and homemade jam on toast.

It is July; the weather is hot and beautiful and we are going to have our breakfast outside, on the terrace. The birds are singing and as for the cat, he is playing with a lizard. The sun is out but it is not too hot: it is only 9 o'clock in the morning... A feeling of peace and happiness is dwelling over me: the day is getting off to a good start.

This evening, we are having the Dumas for dinner; they are coming with the Labrousses. We are going to have a party in their honour: we are having grills on the wood fire.

---

*(strawberries), **d'abricots** (apricots), **de myrtilles** (bilberries), **de framboises** (raspberries), **de mûres** (blackberries),.. or honey. No cooked breakfast; some do indulge, but it is not a habit. The second most popular beverage —after coffee —is tea (or chocolate, mostly for children). From time to time, those who are health conscious have fresh fruit juice or yoghurt. When the whole family is present, breakfast is served in the dining-room. Otherwise, everybody gets their own from the kitchen when they feel like it.*

Café pour moi

■ Observez :
— **Café pour moi ; mon mari, lui, il prend du thé.**
→ — **M. et Mme D. déjeunent :**
elle, elle prend du café ; lui, il prend du thé.

The **toniques** pronouns **moi / toi / lui / elle / nous / vous / eux / elles** are used:
In front of the subject pronoun to insist on somebody:
— **Lui, il reste ; moi, je pars.**
* after prepositions;
— **pour lui / chez eux / avec moi / sans elle / derrière vous etc.**

• **Forms:**

	singulier	pluriel
1P	moi	nous
2P	toi	vous
3P	lui / elle	eux / elles

Ce soir, nous avons les Dumas à dîner

■ The present tense can be used to express a habit. For example, in the text:
Je me réveille / j'ouvre la fenêtre / je vois... etc.

• Whereas:
— **Ce soir, nous avons les Dumas à dîner.**

The present tense does not express the same thing. In this case, the action will take place later on, therefore the present tense describes an immediate future [**futur proche**] (and usually an action or a state that one hopes for: the present tense brings the future closer).
— **Ce soir, nous allons fêter leur arrivée. =**
— **Ce soir, nous fêtons leur arrivée.**

• Formes du futur proche :
a) **verbe aller au présent + infinitif :**
— **Je vais aller au marché / — Nous allons manger.**
— **Tu vas faire la cuisine. / — Vous allez prendre le train.**
— **Il va partir. / — Elles vont faire du tennis.**
b) **verbe au présent :**
— **Elle arrive ce soir.**

Mon mari, lui, prend du thé

A. ☐ *Complete with « toniques » pronouns:*

— ... j'habite en ville ; ... tu habites à la campagne.
— Et ..., vous habitez où ? — ..., nous vivons à Paris.
— Et les Dumas ? — ..., ils vivent aussi à Paris.
— Je vais à Chambéry. Tu viens avec ... ?
— Les D. vivent à Ayn ..., ils aiment la campagne ; ..., je n'aime pas ça.
— ..., il prend du thé ; ma sœur, ..., prend du café.
— ..., ils aiment le foot ; ..., elles préfèrent le tennis.
— Chez ..., elle fait tout.
— ..., je pars ; et ..., vous restez ?

Nous allons fêter leur arrivée

B. ☐ *Use the « présent d'habitude »:*

— Le matin, je (se réveiller) .... Je (se lever) ... Je (aller) ... dans la salle de bains et je (se laver) ... Ensuite, quand il (faire) ... beau, je (prendre) ... mon petit déjeuner sur la terrasse et je (lire) ... le journal.

C. ☐ *Use the « futur proche »:*

— Ce soir, la lune est belle ; demain, il (faire) ... beau.
— Ce matin, je travaille ; mais cet après-midi, je (aller) ... à Chambéry.
— Demain : les vacances ! Nous (partir) ... au Canada.
— Cet après-midi, elle (prendre) ... la voiture pour faire des courses.
— Qu'est-ce que tu fais ce soir ? — Je (sortir) ... avec Grégoire.
— Ce matin, nous (déjeuner) ... sur la terrasse.

Leçon

17 Sur la terrasse

La sœur de Madame D. vient passer quelques jours de vacances à Ayn. Elle, elle habite à Paris. Leurs vies ne se ressemblent pas.
— Dis-moi : tous les matins, tu prends ton petit déjeuner sur la terrasse ?
— Oui, bien sûr ; l'été, il fait chaud : c'est agréable. Jean et moi, nous **le** prenons ensemble.
— Tu prépares le petit déjeuner chaque matin ?
— Oui, je **le** prépare. Jean, lui, fait le repas de midi. C'est une habitude entre nous.
— Il fait toujours le repas de midi ?
— Non ; quand il est à l'université, il ne **le** fait pas, bien sûr. Quand je suis seule, souvent, je **ne** fais **pas de** cuisine : un morceau de fromage et **du** pain, ça me suffit !
— Les vaches, elles, sont toujours dehors ?
— L'été, oui. Mais l'hiver, elles sont à l'étable. Le fermier **les** sort au mois de mai quand il commence à faire assez chaud et que l'herbe est bonne pour elles.
— Tu vas souvent à Chambéry ?
— J'y vais pour mes cours à la Fac'* et pour faire les courses. J'achète l'alimentation pour deux semaines. Faire un gros marché une fois tous les 15 jours, c'est plus pratique ; avec le congélateur, c'est possible.
— Qu'est-ce que tu achètes ?
— Tout... : **des** conserves, **du** café, **du** thé, **du** lait** UHT ; l'épicerie, les produits d'entretien ; **de la** viande. Mais je **n'**achète **jamais de** légumes et presque **pas de** fruits parce que nos voisins nous en donne : ils sont bien meilleurs !
— Oui, bien sûr. Vivre à la campagne, c'est un vrai plaisir.

---

* **à la Fac'** : *abbreviation for* **à la faculté**. *The French, and especially the young, are fond of such shortened forms:* **le ciné(ma) / la disco(thèque) / le foot(ball)**.

** **Le lait** : *In France, one can find all sorts of milk. Here are some of the most common:*

— **le lait cru** *(straight from the cow): unpasteurized milk (no longer available, except directly from a farm). It has to be boiled to be conserved*

Lesson

17

On the Terrace

Mrs D.'s sister has come to spend a few days in Ayn. She lives in Paris. They live completely different lives.

— Tell me, do you have your breakfast every morning on the terrace?
— Yes, of course, in summer it's warm and most pleasant. Jean and I have it together.
— Do you prepare breakfast every morning?
— Yes I do. Jean gets lunch ready. We've made a habit of doing it that way.
— So does he always get lunch?
— No, not when he's at university of course. When I'm on my own, I don't cook: a piece of cheese and bread is all I need.
— Are the cows always outside?
— Yes, in summer. But in winter they stay in the cowshed. The farmer lets them out in May, when it starts to get warm enough and the grass is ready for them.
— Do you go to Chambéry often?
— I go there for my lectures at the faculty and to do my shopping. I buy groceries for two weeks. Stocking up once every two weeks is more practical and having a deep freeze makes it possible.
— What do you buy?
— Everything: canned food, coffee, tea, condensed milk, groceries, cleaning products, and meat. But I never buy vegetables, and hardly ever fruit, because our neighbours give us some. They are much fresher.
— Living in the country is quite a treat!.. that's for sure.

— ***le lait frais non pasteurisé*** *is sold in plastic bottles at a supermarket (dairy) (similar to fresh milk);*

— ***le lait UHT*** *(treated at very high temperatures) keeps for a few months.*

Among preserved milk, there is a choice of:

— ***le lait entier*** *(full cream milk);* ***le lait demi-écrémé*** *(half-skim milk);* ***le lait écrémé*** *(skimmed-milk). All these types often come in cartons* ***(briques)****.*

Le petit déjeuner ? Je le prépare

■ Observez : — Chaque matin, tu prépares **le petit déjeuner** ?
— Oui, je **le** prépare.

Madame D. prépare quoi ? Le petit déjeuner.

The answer to the question **quoi** ? is called **complément d'objet direct** (direct = without any preposition): le COD.

- In her answer, Mrs D. does not repeat **le petit déjeuner**; the COD is replaced by a pronoun (in this case **masculin singulier**):
  — Je **le** prépare.
- The COD can also be a person:
  — Tu invites **tes amis** ? — Oui, je **les** invite. (inviter qui ?)
- Before a verb beginning with a vowel: **le / la → l'.**
  — Tu appelles Mme D. ? — D'accord : je **l'**appelle.

	masculin		féminin
sing.	le	l'(devant voyelle)	la
plur.	les		les

- The COD pronoun is put just in front of the verb. In a negative sentence:
  sujet + nég.1 + pronom COD + verbe + nég.2
  — Tu fais le repas de midi ? — Non, je ne le fais pas.

... du café, de la viande...

■ Remember: before an uncountable quantity, you have to use:

du with the masculine (**du café / du thé / du lait**)
de la with the feminine (**de la viande / de la salade**)
de l' with the masc. or fem. beginning with a vowel or a mute h (**de l'eau minérale / de l'huile**)

- This **partitif** article has no plural form. The article **des** is an indefinite plural form (= **quelques**): **des conserves.**

Je n'achète jamais de légumes

■ In the negative form, partitive and indefinite articles become **de**:

du... → pas de... Il ne prend pas de vin.
de la... → jamais de... Elle n'achète jamais de salade.
de l'... → presque pas d'... Tu ne bois presque pas d'eau.
des... → plus de... Je ne mange plus de fruits.

Nous le prenons ensemble

A. ☐ *Relisez le texte et répondez aux questions (Read the text again and answer the questions):*

— Madame D. fait souvent **le repas de midi** ? — Non, elle ...
— Ils font **les courses** tous les jours ?
— Mme D. achète aussi **les légumes** ?
— Ils aiment **cette vie à la campagne** ?

B. ☐ *Répondez aux questions en employant le pronom COD (Answer the questions using the COD pronoun):*

— Pour les courses, tu prends **la voiture** ? — Non, je ne ...
— Vous prenez le petit déjeuner dehors ? — Oui, ...
— De votre maison, vous voyez la Chartreuse ? — Oui, ...
— Les enfants : vous aimez les fruits des bois ? — Oui, on ...
— Tu aimes cette confiture ? — Non, ... : elle est trop sucrée.

Du pain, ça me suffit

C. ☐ *Voici une liste de courses (Here is a shopping list):*

salade (f.)	beurre (m.)	épinards (m.pl.)
carottes (f.pl.)	riz (m.)	huile (f.)
oranges (f.pl.)	poivre (m.)	sel (m.)
œufs (m.pl.)	pain (m.)	pommes de terre (f.pl.)
confiture (f.)	eau minérale (f.)	

Maintenant, faites votre marché (Now go to the market):
— *Je vais au supermarché et j'achète ... / ... / ... / ... etc.*

... et presque pas de fruits

D. ☐ *Continuez en employant l'article partitif ou indéfini négatif (Finish the following sentences using partitive or indefinite articles):*

— Je n'aime pas le vin ; je ne prends jamais ...
— Elle n'aime pas la bière ? — Non, elle ne boit pas ...
— Il n'aime pas la viande ; il ne mange presque jamais ...
— Tu n'aimes pas les fruits ; alors, n'achète pas ...
— Vous aimez les œufs ? — Oui, mais nous ne mangeons jamais ... au petit déjeuner.
— Ils aiment le whisky ? — Oui, mais ils ne prennent pas ... avant le déjeuner.

Leçon

18 Chez le marchand de légumes

M. et Mme D. vont à Novalaise (commune de 2000 habitants) à 15 minutes en voiture de chez eux.
— Bonjour, monsieur.
— Vous désirez ?
— Je vais prendre un kilo de carottes et 3 kilos de pommes de terre.
— Et avec ça ?
— Des oignons : **donnez-m'en une livre** ; et deux têtes d'ail.
— Ça sera tout ?
— Oui.
— Vous ne voulez pas de tomates ? Elles sont belles : regardez ; et pas chères !
— Non merci, je n'**en** prends pas : j'ai des voisins qui m'**en** donnent ; elles sont aussi délicieuses.
— Ah bon, je comprends. Alors, goûtez un peu le raisin, vous allez voir !
— **Il y en a** déjà ?... C'est vrai : il est bon. **Donnez-m'en un kilo**.
— C'est tout ?
— Oui, cette fois, ça va comme ça. Merci.
— Alors, en tout, ça fait 45 francs.
— Désolé, je n'ai pas de monnaie ; je n'ai qu'un billet de 200 F.
— Ce n'est pas grave : j'ai la monnaie.

Mme D. dit à son mari :
— On prend du pain ? **Il n'y en a plus** à la maison et les enfants arrivent ce soir pour le week end.
— Je prends 2 baguettes et un pain* ?
— Oui, achète aussi des croissants. **Prends-en 8** pour le petit déjeuner : ils les adorent !

---

* ***Le pain*** *: Even if the French do not eat as much bread as they did, bread is an important part of a daily meal. Bread of all types and shapes can be found. The most popular of all, a "loaf" is simply called* ***un pain****. You can also buy half a loaf, called* ***un bâtard****.* ***La baguette*** *(a long narrow loaf), lightly or well-baked, is more popular in towns. Being so thin, it goes stale quickly. That is the reason why it is less eaten in the country.*

Lesson

18 At the Greengrocer's

Mr and Mrs D. are going to Novalaise a rural district of 2000 inhabitants, 15 minutes' drive from their home.
— Good morning, sir.
— What would you like?
— I'll have a kilo of carrots and 3 kilos of potatoes please.

— Anything else?
— Give me a pound of onions and two cloves of garlic.

— Will that be all?
— Yes, thank you.
— Don't you want some tomatoes? They're beautiful look; and not expensive!
— No, thank you. I won't have any: I have some neighbours who give me some and they are just as nice.
— Oh really, I quite understand. Well, taste the grapes, then!
— Have you got some already?.. Quite true: they're very nice. Give me a kilo.
— Is that all?
— Yes, that will do for this time. Thank you.
— So, that comes to 45 F, in all.
— I'm sorry, I haven't got any change. I only have a 200 franc note.
— No problem: I've got change.

Mrs D. says to her husband:
— We'd better get some bread, there isn't any left at home and the children are arriving tonight for the weekend.
— Shall I get two small loaves and a large loaf?
— Yes, buy some croissants as well. Get 8 for breakfast: they love them!

Here are some other kinds of bread: ***le pain de seigle*** *(rye-bread);* ***le pain au son*** *(bran-bread);* ***le pain aux cinq céréales; le pain complet*** *(wholemeal bread);* ***le pain de campagne*** *(farmhouse-bread). And, of course, in any bakery, you will find* ***les croissants, les brioches, les pains au chocolat*** *(chocolate-buns),* ***les palmiers.***

Des tomates ? Je n'en prends pas

■ Expression de la quantité :

— Vous voulez **des tomates** ?

— Non merci, je n'**en** prends pas.

Mme D. ne prend pas de tomates (cf. l. 7 : **article indéfini négatif**).

In this example, the COD is an indefinite quantity; the equivalent pronoun is **en**.

• It is the same thing for partitive articles; ex:

— Tu veux **du café** ?

— Oui, j'**en** veux bien / — Non, je **n'en** veux **pas**.

• As for the indefinite article in the singular:

a) — Tu achètes un gros pain ? — D'accord : j'**en** achète **un**.
un(e) → **Positif** : en ... un(e)

b) — Tu veux un livre ? — Non merci, je **n'en** veux **pas**.
un(e) → **Négatif** : n'en ... pas

c) — Tu veux un gâteau ? — Non ! j'**en** veux **deux** !
un(e) → **Correctif** : en ... 2 / 3

• This **correctif** can be a number, a unit of measure (**un kilo / 2 litres, etc.**), a specific quantity (**une tranche, 2 morceaux / 3 boîtes, etc.**) or something non specified (**un peu / beaucoup, etc.**); ex:

— Du raisin ? j'**en** veux **un kilo**. / — Du café ? J'**en** prends **un peu**. / — Des croissants ? j'**en** achète **8**. / — Du gâteau ? J'**en** veux **un gros morceau**.

Du pain ? Il n'y en a plus

■ Notice the place of the pronoun **en** in the expression **il y a**.

— Des fruits ? **Il y en a** encore.

— Du café ? **Il n'y en a plus**.

Des oignons : donnez-m'en une livre

■ Here is the construction of **en** in the imperative:

— Donnez-moi un kilo de raisin. → — **Donnez-m'en un kilo**.

• In the positive imperative, pronouns are placed after the verb; the form **moi + en** becomes **m'en**

• In the negative imperative, pronouns remain before the verb:

— Tu veux du café ?

— Oui donne-**m'en**, mais **ne m'en** donne **pas** trop.

Les légumes ? Des voisins m'en donnent

A. □ *Répondez (Answer):*

— Je te donne du thé ? → (une tasse) — Oui, j'. . . veux bien . . .
— Combien de sucres ? → (deux) — J'. . . prends . . .
— Encore un peu de confiture ? → (assez) — Non merci, j'. . . ai . . .
— Vous voulez du pain ? → (une tranche) — J'. . . veux bien . . .
— Vous avez des cigarettes ? → (deux paquets) — Oui, j'. . . ai encore . . .
— Je vous donne du vin ? → (une bouteille) — Volontiers : nous . . . prenons . . .
— Un whisky ? — Non, merci, je n'. . . bois jamais.

Du raisin ! Il y en a déjà ?

B. □ *Continuez:*

— Achète des œufs : il n'y . . . plus.
— N'achète pas de vin : il . . . encore.
— Prends des allumettes : il . . . plus du tout.
— Achète de la salade : . . . plus dans le jardin.
— Ne prends pas de pain : . . . encore deux.

Des croissants ? Prends-en huit

C. □ *Répondez à l'impératif positif en utilisant le pronom en (Answer in the positive imperative using the pronoun en):*

— Combien de carottes ? — Donnez-m'. . . un kilo.
— Combien de tomates ? — Donnez-. . . une livre.
— Combien d'ail ? — Donnez-. . . deux têtes.
— Du raisin aussi ? — Oui, donnez-. . . une grappe.

Leçon

19 Une mère de famille

Interview sur son lieu de travail d'une mère de famille ; elle est employée à mi-temps dans une administration. Parisienne, mariée à un employé de banque, elle habite dans le 5e arrondissement.

— Bonjour Marina. Il est 9 heures du matin ; qu'est-ce que vous faites de votre journée ?
— **Je viens de conduire** ma plus jeune fille à l'école*. L'école commence à 8 heures pour ma fille aînée ; mais pour Catherine, la plus petite, elle commence à 9 heures. Elle, **je peux la conduire** à l'école parce que mon lieu de travail est tout près. **Je viens d'arriver** au bureau et **je vais y travailler** jusqu'à 13 heures.

— Vous êtes libre l'après-midi ?
— Oui. Tous mes après-midi sont libres **puisque** je travaille à mi-temps[1]. Quelquefois, je fais des heures en plus l'après-midi, mais c'est rare.
— Vous êtes contente de cet emploi du temps ?
— Oui, très. Je l'ai choisi pour être disponible pour mes filles.
— Qu'est-ce que vous faites l'après-midi ?
— En général, je range un peu la maison, puis je fais la vaisselle du petit déjeuner ; je mets le linge à laver dans la machine et...
— ... **puisque** vous êtes libre, vous allez chercher votre fille Catherine à l'école ?
— Oui, **j'aime bien la prendre**[2] à la sortie. Nous remontons la rue Mouffetard** et parfois je fais les courses avec elle (quand elle n'a pas son cours de danse).

---

*1. **je travaille à mi-temps** = 20h. par semaine ; à plein temps = 39h. par semaine ; à quart temps = 10h. par semaine.*

*2. **j'aime bien la prendre** : the verb **prendre** is used in a lot of contexts; for example: **prendre un café / prendre le train / prendre note = écrire**.*

* **L'école** : *In France, children have to go to school till the age of sixteen. There are three levels:* **la maternelle** *(nursery school) for children from 2 and a half to 5 or 6 years old. They learn how to read and write, while playing,singing or drawing.* **L'école primaire** *(primary school): children*

Lesson

19

A Family Mother

An interview at work with a mother of three children. She works part-time in an office. She is Parisian, married to a bank employee and lives in the 5th "arrondissement".

— Hello Marina! It's nine o'clock. What do you do during the day?
— I have just driven my youngest daughter to school. School starts at 8 o'clock but for Catherine, the youngest, it starts at 9 o'clock. I can drive her to school because my work is nearby. I've just arrived at the office and I'm going to work until 1 pm.

— Are you free in the afternoons?
— Yes, all my afternoons are free as I work part-time. Sometimes I work overtime in the afternoon, but it's fairly rare.
— Are you happy with your hours?
— Yes, very much so. I chose them in order to be free for my children.
— What do you do in the afternoon?
— In general, I tidy the house, do the breakfast dishes; I put the washing through the washing machine and...

— ... Since you are free, do you go and fetch your daughter Catherine from school?
— Yes, I like to pick her up from the school exit. We walk up the rue Mouffetard and sometimes I do my shopping with her, when she doesn't have a dancing lesson.

---

from 6 to 11 years old are taught the basics and they learn how to live in groups. **Le collège** *(secondary school): from 11 to at least 16. Teenagers choose a particular series in order to further their knowledge of the various subjects previously studied. During this time, they learn a second and third language and sometimes a dead language.*

** **La rue Mouffetard** *is one of the oldest streets in Paris. Starting from the hill* **(la montagne)**, *it ends up around* **les Gobelins**. *It was originally a street for the locals, but it has become very popular. In spite of this, it has kept a certain country-atmosphere thanks to its greengrocers, poulterers and fishmongers.*

Je viens de conduire ma fille à l'école

■ Observez :

— Il est 9 heures du matin ; l'école commence à 9 heures. Marina a accompagné sa fille à l'école à 9 heures moins le quart. Elle dit :

— **Je viens de** conduire ma fille à l'école.

- When one speaks about a past event very close to the time of speaking, the following construction is used:

venir (au présent) + de + verbe à l'infinitif

- In this case, the verb **venir** has no meaning of movement nor origin.
- do not make the mistake: **Il vient de Madrid (mouvement)** for: **Il vient de téléphoner de Madrid (passé récent).**

Exemples :

— **Je viens de téléphoner / — Tu viens de lire la leçon /**
— **Il vient de partir / — Nous venons d'arriver /**
— **Vous venez d'écouter un concert /**
— **Elles viennent de sortir.**

- This past action is never used in negative sentences.

Mes après-midi sont libres puisque je travaille à mi-temps

■ Observez :

— **Marina travaille à mi-temps (nous le savons) ; alors, elle est libre l'après-midi.**
— **Mes après-midi sont libres puisque je travaille à mi-temps.**

puisque explains a cause already known by the speaker.

- Therefore, this cause can be placed either at the beginning or at the end of the sentence; ex:

— **Je ne sors pas puisqu'il pleut.**
— **Puisqu'il pleut, je ne sors pas.**

Ma fille ? J'aime la prendre à la sortie

■ Observez : — Marina aime **prendre sa fille** à l'école ?
— Oui, elle aime **la prendre**.

- Generally speaking, pronouns are linked to their verb. So, in constructions like **verbe conjugué + verbe à l'infinitif**, pronouns remain just before the infinitive; ex:

— Elle va aller à Londres ? — Oui, elle **va y aller**.
— Où est Pierre ? — **Je viens de le voir**.
— Vous aimez boire du lait ? — Moi ?, je **déteste en boire** !
— Tu peux faire les courses ? — Oui, je **veux bien les faire**.

Je viens d'arriver au bureau

A. □ *Complétez au « passé récent » (Complete in the « passé récent »):*
— Elle ne parle pas bien français : elle ... arriver à Paris !
— Attention à la peinture (paint) ! : nous ... de peindre (to paint) la porte !
— Tu arrives trop tard : Paul ... sortir.
— On attend le prochain train ? Le train de 11 h 15 ... quitter la gare.
— Et vos deux filles ? — Elles ... partir pour l'école.
— Vous ... traduire votre album ?

Puisque vous êtes libre, vous allez la chercher

B. □ *Insistez sur la cause en unissant les éléments (Combine the following elements emphasizing the cause):*
— / il est mexicain / il parle espagnol /
— / j'écoute encore la cassette / je ne comprends pas bien /
— / vous arrêtez / vous êtes fatiguée /
— / il n'y a plus de pain / j'en achète /
— / ils vont se marier / ils s'aiment /

Le bureau ? Je vais y travailler jusqu'à 13 h

C. □ *Answer using pronouns:*
— Marina aime faire **ses courses** rue Mouffetard ? — Oui, elle aime ...
— Catherine aime aller **à l'école** ? — Non, elle déteste ...
— M. et Mme D. préfèrent vivre **à la campagne** ? — Oui, ils ...
— Les enfants D. aiment manger **des croissants** ? — Ils adorent ...
— M. D. va aller **à l'université** ce matin ? — Oui, il ...
— Ils viennent d'inviter **leurs amis** ? — Oui, ils ...
— Mme X. peut accompagner **ma fille** ? — Oui, elle ...

Tests : Deuxième série
(leçons 10 à 19)

For each sentence, tick off the right answer.

1. — Patrick vit aussi ... mon quartier.

a) □ à
b) □ au
c) □ dans
d) □ sur

2. — Le bus passe ... 10 minutes.

a) □ toutes
b) □ toutes les
c) □ chaque
d) □ par

3. — Avant ... partir, elle ferme la porte.

a) □ de
b) □ de se
c) □ se
d) □ (/)

4. — Les enfants ... à 8 heures.

a) □ couchent
b) □ se couchent
c) □ ils se couchent
d) □ vous couchez

5. — Je pars en vacances : je suis ... content.

a) □ trop
b) □ beaucoup
c) □ beaucoup de
d) □ très

6. — Je prends mon café sans ... sucre.

a) ☐ du
b) ☐ (/)
c) ☐ le
d) ☐ d'un

7. — Jacques est ... gentil que sa femme.

a) ☐ autant
b) ☐ autant de
c) ☐ aussi
d) ☐ mieux

8. — Tu aimes ... rentrer maintenant?

a) ☐ mieux
b) ☐ bien de
c) ☐ mieux de
d) ☐ meilleur

9. — En France, ... aime bien le vin.

a) ☐ les gens
b) ☐ on
c) ☐ ils
d) ☐ nous

10. — Le cinéma? Nous ... allons ce soir.

a) ☐ (/)
b) ☐ lui
c) ☐ nous y
d) ☐ y

11. — ... agréable, c'est le calme.

a) ☐ C'est
b) ☐ Ce qui est
c) ☐ Il est
d) ☐ Le mieux

12. — Le passeport est dans mon sac ? — Oui, . . .

a) □ dans
b) □ il est
c) □ il y est
d) □ dedans

13. — Ils restent chez . . . pour les vacances.

a) □ ils
b) □ eux
c) □ leur maison
d) □ leur

14. — Nous . . . visiter le musée d'Orsay.

a) □ allons
b) □ allons pour
c) □ allons à
d) □ sommes

15. — Et votre voyage ? — Nous . . . préparons.

a) □ en
b) □ le
c) □ se
d) □ (/)

16. — D'accord ! J'achète . . . eau minérale.

a) □ du
b) □ de la
c) □ de l'
d) □ d'

17. — Vous voulez des gâteaux ? — Oui, . . .

a) □ donnez-les
b) □ donnez-nous
c) □ donnez-moi
d) □ donnez-m'en

18. — . . . de pain ? — Je veux bien, merci.

a) □ Une pièce
b) □ Encore
c) □ Un morceau
d) □ Assez

19. — . . . il est américain, . . . il parle anglais.

a) □ (/) / puisqu'
b) □ Puisqu' / (/)
c) □ Parce qu' / (/)
d) □ (/) / parce qu'

20. — Où est Marc ? — Je . . . voir.

a) □ viens de le
b) □ viens de
c) □ viens
d) □ viens du

RÉPONSES

1 - c	2 - b	3 - a	4 - b
5 - d	6 - b	7 - c	8 - a
9 - b	10 - d	11 - b	12 - d
13 - b	14 - a	15 - b	16 - c
17 - d	18 - c	19 - b	20 - a

Leçon

20 Un maire de campagne (1)

— Monsieur le maire[1], vous avez accepté de[2] nous parler de Saint-Georges*, votre commune**.
— Volontiers. **Il s'agit d'**une commune rurale dans une région assez pauvre. Nos richesses sont agricoles et touristiques.
— Quel type d'agriculture pratique-t-on?
— Les Causses*** sont de grandes tables calcaires **qui sont coupées par** de profonds canyons ou gorges. Le calcaire est une roche **qui** « boit » l'eau; d'autre part, **pendant** plusieurs mois, il ne pleut pas. Puisque la terre est très pauvre, la grande culture est impossible. Mais c'est un pays **qui** est merveilleux pour l'élevage des moutons.
— C'est vrai: on en voit beaucoup. On les élève pour la viande?
— Bien sûr. L'agneau est excellent: sa viande **est parfumée par** l'herbe sauvage de la montagne. Il y a aussi la laine. Et surtout, on récolte le lait des brebis.
— On l'utilise pour fabriquer du fromage?
— En effet. Nous sommes très fiers de notre fromage — il s'agit du fameux Roquefort **qui est appelé**, dans le pays des 400 fromages, « le Roi des fromages »!

---

1. **Monsieur le maire**: *take notice of how to speak to a person who has a title (id.: Monsieur le Président / Monsieur l'Ambassadeur...).*
2. **vous avez accepté de parler...**: *notice the construction:* ***accepter de faire qqch.*** *(but:* ***accepter qqch.****).*
* **Saint-Georges**: *travelling around France, you will be amazed by the great number of towns and villages named after a saint: from the name of a universal holy patron* ***(Saint-Jean-de-Luz, Sainte-Mère-l'Église)*** *to the name of a local saint —genuine or legendary —****(Saint-Meloir-des-Ondes, Saint-Aygulf)****.*

Lesson

20

A Country Mayor (1)

— Sir, you have accepted to talk to us about your country borough, Saint-Georges.
— Yes, with pleasure. It is a rural district in a fairly poor region. Our resources are based on agriculture and tourism.
— What type of farming do you practise?
— Les Causses are large limestone tablelands which are separated by deep canyons or gorges. Limestone is a rock which "drinks" water; moreover, it doesn't rain for several months. As the soil is very deprived of water, large-scale farming is impossible. But it is a marvellous area for breeding sheep.

— That's true: there are an awful lot of them around here. Do you breed them for their meat?
— Naturally. The lamb is excellent. It's meat is fragranced by the wild mountain grass. There is also the wool. And we especially collect ewe's milk.
— Do you use it to make cheese?
— Yes indeed. We are very proud of our cheese —the famous Roquefort which is called, in the country of 400 cheeses, "the King of Cheeses"!

** **la commune** *is the smallest territorial subdivision run by a mayor, a deputy mayor and a town council. There are about 36000* **communes** *in Metropolitan France.*

*** **La région des Causses** *: in the secondary era, the deep valleys of the* **Massif Central** *were invaded by the sea. A huge gulf was created in which, for millions of years, marnas (a mixture made of clay and chalk) and limestones (coming from shells or fish and mollusc skeletons) settled, as high as a thousand meters. In the tertiary era, the* **Massif Central** *was toppled by the same enormous fold which caused the Pyrenees and the Alps to rise; the* **Causses** *were smashed into pieces alongside numerous faults. Waters of the rivers would follow these natural slopes, forming deep canyons through large arid plateaux.*

Il s'agit d'une commune rurale

■ Observez :

a) — Il parle de Saint-Georges ; **il s'agit d'**une commune rurale.
b) — Nous fabriquons du fromage ; **il s'agit du** fameux Roquefort.
c) — De quel élevage s'agit-il ? — **Il s'agit de** l'élevage des moutons.

Pendant plusieurs mois, il ne pleut pas

■ The question is: **pendant combien de temps ?**
This phrase expresses duration in general:

— **Chaque** année, **pendant** six mois, il ne pleut pas.
— Vous travaillez **chaque** leçon **pendant** quelques heures.

Le calcaire est une roche qui boit l'eau

■ Observez : — Le calcaire est une roche. **Cette roche** boit l'eau.
" " . **Elle** boit l'eau.
" " **qui** boit l'eau.

— Saint-Georges est un village. **Ce village** est pauvre.
" " . **Il** est pauvre.
" " **qui** est pauvre.

— On élève des agneaux. **Ces agneaux** ont une viande excellente.
" " . **Ils** ont une viande excellente.
" " **qui** ont une viande excellente.

QUI (relative pronoun) = SUJET INVARIABLE (same form in the masc., fem. and plural).

Les Causses sont coupés par des gorges

■ Active : Des gorges **(1)** / coupent **(2)** / les Causses **(3)**.
Passive : Les Causses **(a)** / **sont coupés (b)** / **par** des gorges **(c)**.

In a full passive form:

(3) ▶ **(a)**
(2) ▶ **(b)** être + agreed participle
(1) ▶ **par (c)** the **agent** = the action doer

Le Roquefort est appelé « le roi des fromages »

■ Observez : There is no agent used in this case. It means that the subject of the active form is very general or obvious.

— Le Roquefort / **est appelé** le roi des fromages /
→ — **On** / appelle / le Roquefort le roi des fromages.

De quelle région s'agit-il ? Il s'agit des Causses

A. ☐ *Thanks to what you have learnt in l. 20, answer the following questions:*

— Le Roquefort est un fromage de vache ? — Non, il s'agit . . .
— Les Causses sont une région riche ? — Non, il . . .
— Quelle est la roche qui « boit » l'eau ? — Il . . .
— De quel maire s'agit-il ? — . . .

Pendant la journée, le maire travaille dans sa ferme

B. ☐ *Transformez :*

— Ici, le soleil brille de mai à octobre. → Il brille . . . mois.
— Chaque jour, il se promène de 3 h à 5 h. → Il se . . .
— L'été, elle invite ses enfants en juillet et en août. → Ils viennent . . .
— Il ne boit jamais de vin quand il mange. → Il ne . . . le repas.

Voici la commune qui s'appelle Saint-Georges

C. ☐ *Transform according to the model on the left page:*

— Nous faisons un exercice. Cet exercice est facile. — Nous faisons . . .
— Il habite les Causses. Les Causses sont une région calcaire. — Il . . .
— C'est une terre pauvre. Cette terre n'a pas de belles cultures. — . . .
— On élève des brebis. Ces brebis donnent un lait excellent. — . . .
— Voici M. Fageolle. M. Fageolle est le maire du village. — . . .

Sa viande est parfumée par l'herbe sauvage

D. ☐ *1) Put into the active form (Mettez à la forme active):*

— Sa viande est parfumée par l'herbe sauvage. → — L'herbe sauvage . . .
— L'eau de pluie est bue (v. **boire**) par le calcaire. → — Le calcaire . . .
— La commune est dirigée par le maire.

☐ *2) Put into the passive form (Mettez à la forme passive):*

— Une rivière traverse le village. → — Le village . . .
— Roquefort fabrique ce fameux fromage.
— La pluie oublie cette région.

☐ *3) According to the case, give the active or passive form:*

— On élève les agneaux pour la viande.
— Le lait est récolté tous les jours.
— La laine des moutons est coupée entre mars et avril.
— On exporte le Roquefort dans le monde entier.

Leçon

21 Un maire de campagne (2)

— L'autre richesse de cette région, vous venez de le dire, c'est celle du tourisme ?
— Oui. Notre département* est **celui des** grands espaces. Beaucoup de touristes, qui aiment la vie saine et simple, viennent **en Lozère**. Ils découvrent des paysages grandioses à cheval ou en kayak[1] à pied ou en barque pour **ceux qui** sont moins sportifs !.
— Mais en hiver ?
— **Il fait doux. Ceux qui** pratiquent le ski[2] de fond vont dans le nord du département ou **dans le Cantal**. Au printemps — qui arrive tard —, les Causses sont couverts de fleurs[3].
— En été, le climat est très agréable, non ?
— C'est vrai : **il fait chaud et sec**. Pendant la journée, **il fait** facilement **25°**. Mais à 1000 mètres d'altitude, les nuits sont fraîches. **S'il fait** trop chaud, **vous pouvez** toujours explorer de nombreuses grottes**, puisqu'il y en a des dizaines, ou nager dans les rivières au fond des gorges.
— Et pour la nuit (**si on n'aime pas** aller à l'hôtel) ?

— **Vous pouvez** habiter dans une ferme***. Ou, **si vous aimez** la vie sauvage, **vous pouvez** dormir sous la tente. Mais attention aux moutons[4] qui peuvent venir manger vos chaussettes !

---

1. **à cheval ou en kayak** : *the preposition changes according to the kind of transport; so, we say:* ***à pied / à cheval / à bicyclette / à moto****; but:* ***en voiture / en barque / en bateau / en avion****.*

2. **pratiquer le ski** : *notice these two constructions:* ***faire du ski / pratiquer le ski*** *(= in a more intensive way); example:* ***faire de la natation*** *verb* ***nager*** *or* ***pratiquer la natation****.*

3. **Les Causses sont couverts de fleurs** : *this is a passive sentence;* ***de fleurs*** *is the agent =* ***par des fleurs****.*

4. **attention aux moutons** : *on dit : (faire) attention à qq'n ou à qqch..*

* **Les départements** : *administrative divisions placed under the authority of a prefect. There are 96 departments in metropolitan France circa each one 2150 square miles in area, on average. They are named after a*

Lesson

21

A Country Mayor (2)

— So, as you've just said, the other resource of this area is tourism?
— Yes. Our region is renowned for its open spaces. Lots of tourists who like a very simple, healthy life come to Lozère. They discover the great countryside on horse-back or by kayak (on foot or by small boats for those who are less sportsmanlike!).
— What about in winter?
— The weather's mild. Those who practise cross-country skiing (langlauf) go to the north of the region or into the Cantal area. In spring, which always comes late, les Causses are covered with flowers.
— I suppose the weather is very pleasant in summer.
— Quite true: it's very hot and dry. During the day, it gets up to 25° easily. But at an altitude of 1000 metres, the nights are very cool. If it's too hot, you can always explore the many caves (as there are lots of them) or swim in the rivers at the bottom of the gorges.

— And what about in the evening (if one doesn't want to stay in a hotel)?
— You are able to live on a farm. Or if you like wild life you can sleep in a tent. But watch out for the sheep which may come and eat your socks!

---

*river — **La Creuse** —, a mountain — **La Lozère, Le Cantal** —, or a geographic situation — **Les Côtes d'Armor**.*

** ***Les grottes des Causses**: an endless number of natural chasms, caves or underground galleries were created, the thickness of the chalky tables were gradually eaten away by rain waters. The most famous cave, one of the wonders of the world, is known as **L'aven Armand**: more than 400 stalagmites (some, 30 meters in height) ornament this **hall** in which Notre-Dame de Paris could easily be enclosed.*

*** ***L'accueil à la ferme** (staying on a farm): a homely way of discovering **La France profonde** (France in its essence). Fitted-out rural houses (and, usually nicely furnished by local artisans) can be rented weekly. You live, in complete independence, benefeting from the lifestyle of a farm; you may enjoy farm products and chat with the farmers; you might even, at times, eat with them... and travel through the country at your own pace.*

Beaucoup de touristes viennent en Lozère

■ Observez : construction des noms de départements :

a) — **La** Lozère (more than one phonic syllable) → aller **en** Lozère ;
b) — **La** Vienne (one phonic syllable) → habiter **dans la** Vienne ;
c) — **Le** Cantal → passer **dans le** Cantal ;
d) — **L'**Eure → arriver **dans l'**Eure ;
e) — **Les** Landes → vivre **dans les** Landes ;
• f) — (l'île de) La Réunion (D.O.M.) : aller **à La** Réunion.

Ce département est celui des grands espaces

■ Observez :

— Ce département est **le département des** grands espaces.
— **Ce département** est **celui des** grands espaces.
fém. sing. : — **Cette ferme** est **celle du** maire
masc. pl. : — **Quels fromages** ? — **Ceux des** Causses
fém. pl. : — **Quelles gorges** ? — **Celles du** Tarn

Ceux qui pratiquent le ski vont dans le Cantal

■ Observez :

— Il y a **les gens qui** pratiquent le ski.
— Il y a **ceux qui** ne le pratiquent pas.
In this case, ceux qui is employed directly; the implied term is general or obvious = les gens qui.

Si vous aimez la vie sauvage, vous pouvez dormir sous la tente

■ Observez :

— Vous aimez la vie sauvage ?...
Alors, vous pouvez dormir sous la tente.
— **Si vous aimez** la vie sauvage, **vous pouvez dormir** sous la tente.
Si + verb in the present, (pouvoir) in the present + infinitive
Using this formulation, a **general possibility** is indicated.
• Si + il(s) = **s'il(s)** / si + elle(s) = si elle(s) / si + on = si on.

En été, il fait chaud et sec

■ Observez :

+28° : **il fait chaud** ; +19° : **il fait bon** ;
+14° : **il fait frais** ; +8° : **il fait froid** ;
— 2° : **il fait très froid / il fait glacial.**

— il ne pleut pas : **il fait sec** — le soleil brille : **il fait beau** ;
— il pleut : **il fait mauvais / il fait humide.**

Ils vont dans le Cantal

A. ☐ *Répondez :*

— Il habite l'Oise ? — Oui, il vit . . .
— Elle habite les Vosges ? — Oui, elle vit . . .
— Vous habitez le Cher ? — Oui, nous . . .
— Elles habitent la Loire (1 syll.) ? — Oui, . . .
— Tu habites la Moselle ? — Oui, . . .
— Ils habitent la Marne (1 syll.) ? — Oui, . . .
— Elle habite la Guyane ? — Oui, . . .

Ce village est celui du maire

B. ☐ *Complétez :*

— Vous cherchez un hôtel ? je vous conseille . . . de La Poste.
— Je n'aime pas ces fleurs ; je préfère . . . (le) jardin.
— Une vie saine ? . . . la montagne.
— Je n'achète pas de légumes ; . . . (le) voisin sont meilleurs !

Ceux qui sont sportifs font du kayak

C. ☐ *Complete this advertising text:*

— . . . sont sportifs, . . . aiment la vie sauvage, . . . font du cheval, . . . préfèrent l'exploration des grottes, . . . cherchent des paysages grandioses : la Lozère est leur pays !

Si on n'aime pas l'hôtel, on peut habiter dans une ferme

D. ☐ *Développez grâce au petit contexte (Develop with the help of the context):*

— Les enfants ont trop chaud ? (nager dans le Tarn) → S'ils ont . . .
— Tu pratiques le ski de fond ? (aller dans le Cantal) → Si tu . . .
— Vous ne comprenez pas ? (regarder le corrigé) → Si vous . . .
à vous : / faire chaud / / explorer les grottes /

Il fait facilement 25° C

E. ☐ *A votre tour, décrivez le climat de votre région (Now you describe the climate of your region):*

— En été, il fait . . .
— (automne), . . .
— (hiver), . . .
— (printemps), . . .

Leçon

22 Fermiers du Causse (1)

Nous sommes chez les B., fermiers sur le Causse de Sauveterre[1]. Nous sommes assis **autour d**'une grande table, celle de la « salle commune[2] ».

— Madame, **vous avez toujours habité**[3] dans cette ferme ?

— Je viens d'un petit village, **tout près d**'ici. Mais **du côté de** mon mari[4], c'est la sixième génération qui vit dans cette maison.

— La ferme, elle-même, est beaucoup plus ancienne, n'est-ce pas ? **Au-dessus de** la porte, **j'ai vu**[5] une date : « 1705 ».

— C'est exact. Il s'agit de bâtiments du XVIIIe siècle[6]. Les gens de l'époque **ont construit** la ferme **tout** en pierre, de la cave au toit ; puisque, en effet, il n'y a presque pas d'arbres sur le Causse mais on en plante.

— Vous utilisez l'ensemble des bâtiments ?

— **Nous avons restauré** la petite maison, **derrière** la vieille bergerie qui ne sert plus. Elle est louée à ceux qui veulent par l'Office régional du Tourisme.

— Et ça marche, « l'accueil à la ferme » ?

— Les touristes viennent quelquefois de très loin. L'année dernière, **nous avons eu** des Belges et des Danois. En 1985, **nous avons reçu** des Canadiens français* : **ils ont adoré**[7] la région et ils nous écrivent encore !

---

1. **le Causse de Sauveterre** : *the North part of* **Les Causses**.
2. **la salle commune** : *on this type of farm, the main room is at the same time a reception room, a dining room and a kitchen: a nice place to meet everyone and chat!*
3. **vous avez toujours habité** : *all the verbs in* **-er** *form have a participle ending in* **-é**; *examples:* **habiter → habité / restaurer → restauré**.
4. **du côté de mon mari** = *dans la famille de mon mari*.
5. **j'ai vu** : *remember the following participles:* **voir → vu / construire → construit / recevoir → reçu / avoir → eu**.
6. **XVIIIe siècle** : *notice that we say* **le dix-huitième siècle**, *but* **Louis XIV (quatorze)** *or* **Henri III (trois)**.
7. **ils ont adoré** : *the French commonly use the verb* **adorer** *to say that they are very fond of something.*

Lesson

22 Farmers from the Causses (1)

We are now at the B's..., Causse de Sauveterre farmers, in Lozère. We are sitting around a large table, which is the living-room table.
— Madam, have you always lived on this farm?
— I come from a small village not far from here. But from my husband's side, it's the sixth generation which lives in this house.
— The farm, itself, is a lot older though, isn't it? Above the door, I noticed a date: « 1705 ».

— You're quite right. The buildings in question are of the 18th century. The people of that time built the farm entirely from stone from the basement to the roof; as, in fact, there are almost no trees on the Causse but we are planting some.
— Do you use all the buildings?
— We have restored the little house, behind the old sheep pen which is not used any more. It is rented out to anybody interested by the local tourist office.
— And farm-stays, are they going well?
— Tourists sometimes come from a long way. Last year we had some Belgians and some Danes. In 1985, we welcomed some French Canadians. They loved the region and still write to us!

---

* **L'Amérique francophone** : *there is, of course, the province of Québec (in Canada): French and English are official languages in Federal affairs; French is also the official language in the D.O.M. (Overseas French Departments:* **Guadeloupe, Martinique** *and* **Guyane***), in* **Haïti** *(where Creole is spoken) and in* **Saint-Pierre et Miquelon**. *But did you know that a lot of French speakers live in many islands of the West Indies* **(les Antilles***):* **la Grenade, Sainte-Lucie, Saint-Vincent** *(in competition with English),* **Saint-Martin** *(in competition with Dutch)? In the States, there is of course Louisiana (where cajun is spoken) but also New-England (Canadian émigrés); the coasts of California and Oregon accommodate colonies of French speakers. In Mexico, descendants of French émigrés live in the State of Vera Cruz and on the High Plateaux. There is even a village of French wine growers in the South of Chile!*

Nous sommes assis autour de la table

■ You already know many **place** prepositions **à, en, dans, sur, etc.**: they suppose **contact** with the object or the place in question. When there is no full contact, but a close vicinity between the two, the composed preposition uses **de**:

— **sur** (on) → **au-dessus de** (above)
— **sous** (under) → **au-dessous de** (below)
— **contre** (against) → **près de** (near) / **à côté de** (next to) / ≠ **loin de** (far from) /
— **dans** (in) → **au fond de (at the bottom of)** / **à l'intérieur de** (inside of)

Ils ont construit la ferme en pierre

■ — **Qui construit la ferme? — Les gens du XVIIIe siècle.**
If it is a question of a precise action in the past, the verb is then composed of two elements (the verb **avoir** in the present + the verb participle —already learnt in the lessons on passive sentences).
Now, let us look at the value of this new tense: the action of **construire la ferme** is considered as being completed: from the beginning to the end of the construction. Other examples:

— **Hier soir, j'ai mangé un sandwich.**
— **En 1980, nous avons reçu des Canadiens.**

passé ... [ils ont construit] ... présent ... futur

So, from now on, when you come across a new verb, always learn its participle (for the verbs in **-er** form always **-é**).
Exemple de conjugaison:
j'ai vu / tu as mangé / elle a construit / nous avons eu / vous avez reçu / ils ont habité.

On a construit la ferme tout en pierre

■ — **La ferme est construite complètement en pierre?**
— **Oui, tout en pierre.**

In this case, **tout** is an adverb (and thus, as a rule, invariable).
This adverb can also modify an adjective; example:

— **Il fait beau: le ciel est tout bleu.**

or a place preposition = **extrêmement**:

— **Il habite tout près d'ici.**
— **Le ciel est tout bleu (= il n'y a pas de nuages).**
— **Le ciel est très bleu (sa couleur est intense).**

Il y a une date au-dessus de la porte

A. □ *Répondez en précisant (Answer more precisely):*

— La cave est sous la salle commune ? — Elle est . . . (**au-dessous**).
— La maison est contre la bergerie ? — Elle . . . (**près**).
— La route passe dans les gorges ? — . . . (**fond**).
— On peut se promener dans la grotte ? — Oui, on peut . . . (**intérieur**).

J'ai vu une date

B. □ *Read this little text: it is a part of the postcard Françoise sends to her friends whilst on holiday. Then, rewrite it beginning with: «* ***Hier,...*** *» (participles of verbs which are not in the* ***-er*** *form, are indicated):*

— « Nous **arrêtons** la voiture près de la rivière. Les enfants **sautent** dans l'eau et **nagent** ; ils **trouvent** l'eau très bonne. Jean **explore** une petite grotte. Puis on **installe** le pique-nique. Toute la famille **mange** de bon appétit. Nous **pensons** à vous quand nous **coupons** le Roquefort ! Après le repas, nous **dormons** (dormi) une heure, sous les arbres. Ensuite, je **propose** une promenade. Vers 5 heures, nous **retrouvons** la voiture. Il **fait** (fait) beau toute la journée, mais le soir, il y **a** (eu) quelques gouttes de pluie... »
— « Hier, nous avons...

Un petit village, tout près d'ici

C. □ *Transformez en renforçant, grâce à* ***tout*** *(Transform and reinforce):*

— En montagne, les maisons sont souvent **en bois** → Elles sont souvent . . .
— Marc est vraiment **jeune** → Il est vraiment . . .
— L'hôtel est **contre** la Poste.
— Ce vieux monsieur est toujours **seul**.
— Le Tarn passe **au fond** des gorges.

Leçon

23

Fermiers du Causse (2)

L'ensemble des bâtiments forme un tout petit village. Nous avons demandé à Monsieur B. de[1] nous expliquer **à quoi ils servent**.

— Vous voyez cette petite construction, en face de[2] la maison principale, il s'agit du four à pain.

— Et il est encore utilisé ?

— Non. La camionnette du boulanger passe tous les jours. On ne **se sert** plus[3] **de** ce four. Mais je l'ai gardé **comme** souvenir. A droite de la cour, c'est l'ancienne bergerie. Elle nous **sert de** garage pour les tracteurs et de remise pour les machines agricoles.

— Et la nouvelle bergerie : pouvez-vous me montrer où elle se trouve ?

— En bas de la colline. Si on veut, elle peut abriter 600 brebis. En 1980[4], on a installé une salle de traite tout automatique. La même année, notre fils a construit sa propre maison à côté de chez nous. **C'est lui qui** dirige la ferme, maintenant* ; moi, j'ai pris ma retraite !

— Vraiment ? ?

— Non, bien sûr ! Ma femme et moi, nous l'aidons : pendant l'été, **c'est moi qui** emmène les brebis manger dans la montagne. Je travaille **comme** berger.

— Vous allez loin de la ferme ?

— Oui, mais comme on dit : loin des yeux, près du cœur** !

---

1. **nous avons demandé de...** : *do not mistake this form for:* **demander** *si (ex. : je te demande si tu viens. = poser une question ;* **demander de + infinitif** = *indirect imperative.*

2. **en face de** : *here is an other example of composed prepositions (see the previous lesson; and further on in this dialogue:* **à droite de / en bas de / à côté de / loin de***).*

3. **on ne se sert plus de ce four** : *observez : — Vous utilisez* **encore** *ce four ? — Non, nous* **n'utilisons plus** *ce four.*

4. **En 1980** : *learn how to express dates. Here, there are two examples:* **a) — mille neuf cent quatre-vingt ; b) — dix neuf cent quatre-vingt**. *In fact, there is a third way:* **c) — En 80.**

* **Population rurale** : *in France, like in the whole of Europe, the rural drift is continuing. In 1846, three quarters of the population lived on agriculture; in 1926, half of it; and in 1956, a fourth of it. Today, the*

Lesson

23 Farmers from the Causse (2)

Together, the buildings form a tiny wee village. We asked Mr B. to explain to us what they are used for.

— You see this little construction, in front of the main house: it is a bread oven.
— Is it still used?
— No. The bread van comes around every day. We don't use the oven anymore. But I have kept it as a souvenir. To the right of the courtyard, you can see the old sheep pen. We use it as a garage for the tractors and a shed for the farming machines.

— And the new sheep pen: could you show me where it is?

— It's at the bottom of the hill. If we want, it can accomodate up to 600 ewes. In 1980, we built a milking shed, entirely automatic. The same year, our son built his own house next to ours. He's the one who runs the farm now; I've retired.

— Really??
— Of course not! My wife and I help him: in summer, I herd the ewes to the mountains to graze. I work as a shepherd.

— Do you go far away from the farm?
— Yes, but like the old saying: distance makes the heart grow fonder!

---

real rural population represents less than 8% of the working population. 52% of the farm managers are more than 50 years old. What is the cause of such a situation?: a better standard of living and welfare benefits in cities, intensive industrialization and mechanization in the country.

** **Some proverbs**: *Mr B. proves that proverbs and sayings are a very living part of the language. Here are a few, relating to family:*
— **Tel père, tel fils**. *(Like father like son.)*
— **A père avare, fils prodigue**. *(In contradiction with the former!: A penny-pinching father is a penny-spending son.)*
— **Dis-moi qui tu aimes et je te dirai qui tu es**. *(Tell me who you love and I'll tell you who you are.)*
— **Qui se ressemble s'assemble**. *(People who are alike gather together = Birds of a feather flock together.)*

Monsieur B. nous explique à quoi ils servent

■ Observez : — Ces bâtiments, **à quoi servent-ils ?**
— Nous demandons **à quoi ils servent.**
— Il nous explique **à quoi ils servent.**

In the last two sentences, the question is introduced by a verb **demander / expliquer**: the order PRONOM / SUJET / VERBE is normal, and the (?) disappears.

C'est lui qui dirige la ferme

■ Observez : — Qui dirige la ferme ? c'est le fils ?
— Oui, **c'est lui qui** dirige la ferme.

C'est lui qui = il (this is a way of insisting on the subject).
Sometimes, this construction is used to show an opposition:
— Qui dirige ici ? Toi ou moi ? — **C'est moi qui** dirige !

Forms: c'est moi qui = je / c'est toi qui = tu / c'est lui qui = il / c'est elle qui = elle / c'est nous qui = nous / c'est vous qui = vous / Ce sont eux qui = ils / ce sont elles qui = elles.

• **C'est moi qui suis le maire. = je suis**
The verb agrees with the subject.

Je travaille comme berger

■ Observez : — Monsieur B. est berger ?
— Non, mais il fait le travail d'un berger. →
— Il travaille **comme** berger (no article !).

La bergerie nous sert de garage

■ Observez :

a) **servir de** : — La bergerie est utilisée comme garage =
Elle **sert de** garage **(qqch sert de qqch)**

b) **se servir de** : — On utilise ce four =
On **se sert de** ce four **(qqn se sert de qqch)**

c) **servir** : — Je vous donne le Roquefort =
Je vous **sers** le Roquefort **(qqn sert qqch à qqn)** (in a restaurant or a shop: — On vous sert ?)

d) **servir à faire** : — Cette machine est utilisée pour couper l'herbe = Cette machine **sert à** couper l'herbe **(qqch sert à faire qqch)**.

Monsieur B. nous dit comment il travaille

A. ☐ *Répondez :*
— Les brebis, **où sont-elles** ? — Je vais vous dire où . . .
— L'ancienne bergerie, **à quoi sert-elle** ? — Je vais vous expliquer . . .
— Le Roquefort, **comment le fabrique-t-on** ? — Il va vous montrer . . .
— Les touristes, **pourquoi viennent-ils ici** ? — Je peux t'apprendre . . .

C'est moi qui emmène les brebis

B. ☐ *Répondez :*
— Qui emmène les brebis ? Monsieur B. ? — Oui, c'est . . .
— Qui nous parle de Saint-Georges ? Le maire ? — Oui, c'est . . .
— Qui écrit encore aux B. ? Les Canadiens ? — Oui, . . .
— Qui a construit cette nouvelle maison ? Vous ? — Oui, . . .

Je l'ai gardé comme souvenir

C. ☐ *Complétez :*
— La bergerie ne sert plus ; on l'utilise . . . garage.
— Il a pris du fromage . . . dessert.
— Les gorges du Tarn sont très connues . . . site touristique.
— En été, mon fils travaille . . . garagiste.
— Edith Piaf est célèbre . . . chanteuse.

On ne se sert plus de ce four

D. ☐ *Répondez (using the different meanings of* **servir** *):*
— Je vous donne le vin ? — Oui, vous pouvez me . . .
— Vous utilisez la cheminée ? — Oui, je . . .
— Le tracteur est utilisé pour travailler la terre ? — Oui, le tracteur . . .
— Sa chambre est utilisée comme bureau ? — Oui, sa chambre . . .

Leçon

24 Fermiers du Causse (3)

— Tenez[1], mon fils vient d'arriver. C'est lui qui vous **montrera** la nouvelle bergerie. Si vous voulez, vous apprendrez comment elle marche.
(Avec Jean-Marie, nous descendons la colline vers[2] les **grands** bâtiments **agricoles**, en bas de la colline).
— Dites-moi, ces brebis, vous les élevez seulement pour le lait ?
— Surtout pour le lait ; et les agneaux comme viande pour la boucherie. La laine ne rapporte plus. **Pendant des années, on a tondu** les bêtes pour payer le berger ; maintenant, la tonte paie tout juste le tondeur !...
...Regardez, voilà la salle de traite.
— Entièrement automatique ?
— Pratiquement. **Pendant des siècles, on a collecté** le lait à la main. Notre vie a bien changé. Actuellement[3], la bergerie, on y vient deux fois par jour : vers 5 heures du matin et le soir. Le lait, celui du matin, est enfermé dans ces conteneurs[4] réfrigérés. Je **repasserai** ici à 19 heures, j'y **resterai** deux heures et j'en[5] **sortirai** vers 21 heures.
— Tout ce lait **partira** dans l'Aveyron ?
— A Roquefort, oui. **Si le lait est** assez riche, **les prix monteront**. Et **si on a** de bonnes brebis laitières, **elles fourniront** chacune à peu près 1 litre 1/4 par jour. Mais en automne, les brebis ne **donneront** plus[6] : et on se sert de 10 litres de lait pour faire un Roquefort*.

---

1. **Tenez** : *do not analyze this word; it is just here to catch one's attention.*
2. **vers les bâtiments** : *a) vers = en direction de ; b) vers 5 heures du matin = à environ 5 heures (a little before or after).*
3. **Actuellement** = *en ce moment. A faux-ami for English speakers!: actually = en fait.*
4. **des conteneurs** : *here is the French form for English* « containers ».
5. **j'en sortirai** : *Remember: je vais à la bergerie → j'y vais / je suis à la bergerie → j'y suis. Now: je* **sors de** la bergerie → ***j'en sors.***

Lesson

24

Causse Farmers (3)

— Ah, my son has just arrived. He'll show you the new sheep pen. If you're interested, you'll get to know how it works.
(We went down with Jean-Marie towards the large farm buildings, at the bottom of the hill).
— Tell me, do you just breed the ewes for milk?

— Mostly for milk; but the lambs for their meat. Wool doesn't bring in a profit any more. For years, we sheared the animals to pay the shepherd; now the fleece hardly pays the shearer!...
...Look!, here is the milking shed.
— Entirely automatic?
— Practically. For centuries we collected milk by hand. Our life has changed somewhat. At present, we come here to the sheep pen twice a day: about 5 o'clock in the morning and in the evening. The morning milk is kept in refrigerated containers. I then come back at 7 pm, stay for two hours and leave at about 9 pm.

— Does all the milk go to Aveyron?
— To Roquefort, yes. If the milk is rich enough, the price goes up; and if we have good milkers, they give about 1 and a 1/4 litres per day. But in autumn, the ewes don't produce any more; and we need 10 litres of milk to make a single block of Roquefort.

An other example: Les Causses ? Nous ***en venons*** *: c'est magnifique !*

6. **les brebis ne donneront plus** : *the verb is employed without a complement (obviously:* ***du lait****).*

* **Le pays des 400 fromages** : *it is a tradition to say that, in France, one may eat a different cheese every day of the year (in fact, there are over 400 different cheeses). Some restaurants propose an all-cheese menu (serving from the mildest one —* ***Port-Salut*** *for example —to the strongest one —a fearsome Corsican goat's milk cheese). De Gaulle, quoting Winston Churchill, used to say: "A country with 400 cheeses is an ungovernable country"!*

Il vous montrera la bergerie

■ The verb is in the future tense.

Formation : **infinitif + verbe avoir au présent** (for the three persons in the sing. and for the 3d in the plural):

montrer + ai → je montrerai / + as → tu montreras /
montrer + a → il / elle montrera / + ont → **ils / elles montreront**;

For the 1st and the 2d persons in the plural:

montrer + ons → nous montrerons / + ez → vous montrerez.

• Phonetic rule: the **e** of the infinitive becomes a mute **e**.

Autres exemples : **sortir → je sortirai / prendr(e) → il prendra.**

Pendant des siècles, on a collecté le lait à la main

■ You know that:

pendant + nom, verbe au présent = general duration.

In this sentence, the verb is in the **passé composé** : it is a question of a limited duration in the past (which can be specified: **Pendant trois siècles,...**).

Si le lait est riche, les prix monteront

■ Observez :

Si + verbe au présent, verbe au futur

You already know:

si + verbe au présent, pouvoir (au présent) = possibility.

The new construction shows **probability, an illustration in the future of a common truth**:

Habitude : — Quand le lait est riche, les prix montent.
Illustration : — **Si le lait est riche** — et c'est probable : alors **les prix monteront.**

Les grands bâtiments agricoles

■ Initiation to the placing of adjectives:

— agricole is **objective**: it is placed **after the noun**;
— grand is **subjective** (or **relative**): it is **in front of the noun.**

Exemple :

— **public** (objective) / **joli** (subjective) :
— **C'est un joli** jardin **public.**

• The first adjective can have an adverb: **très grand / assez joli** ; but the second one cannot!

Le lait partira à Roquefort

A. ☐ *Répondez au futur (Answer in the future):*
— Il passe tous les jours à midi ; alors demain ? — Demain, il . . .
— Elle sort tous les soirs à 18h ; alors ce soir ?
— Vous partez tous les étés ; alors l'été prochain ?
— Tu prends ta voiture tous les matins ; alors demain matin ?
— Ses parents l'aident tous les jours ; alors demain ?

Si c'est une bonne brebis, elle donnera 1 litre 1/4 de lait

B. ☐ *Transform a common truth into a probability in the future:*
— Quand mes amis viennent en Lozère, ils habitent à la ferme. Alors
→ S'ils viennent . . .
— Quand tu pars en voyage, tu nous écris des cartes postales.
Alors → Si tu . . .
— Quand il fait beau, vous descendez dans les gorges.
— Quand il pleut, elle reste à la maison.

Une bonne brebis laitière

C. ☐ *Place correctly the adjectives on the correct side of the noun:*
— Un ciel (bleu / beau) → Un . . .
— Mon ami (cher / canadien).
— Un fromage (célèbre / régional).
— Une route (touristique / agréable).
— Une bergerie (lozérienne / ancienne).

Pendant des années, on a tondu les moutons

D. ☐ *Using **pendant** make sentences relating to the past:*
Modèle : / 8 mois / les brebis / donner / du lait /
→ Pendant huit mois, les brebis ont donné du lait.
— / 3 semaines / je / voyager / dans la région.
— / des années / nous / utiliser / l'ancienne bergerie.
— / les mois d'été / M. B. / emmener / les brebis dans la montagne.

Leçon

25 Cordon (1)

Jean-Paul B., architecte au pays du Mont-Blanc, est né en Savoie. Homme de terrain, il tente de préserver toute la richesse d'un vrai milieu montagnard vivant. Il vit à Cordon, village de 600 habitants à 900 m d'altitude, face au Mont-Blanc*.

— Vous avez écrit un livre sur le village de Cordon. J'aimerai parler avec vous de cette vie montagnarde[1] d'avant les sports d'hiver.

— La vie **était** très différente de celle d'aujourd'hui[2]. Pendant l'hiver, les gens **restaient** à la maison. Il y **avait** beaucoup de neige. Il **faisait** très froid; un vieux m'a raconté qu'une fois il y **avait** moins 35° ! Tout **était** gelé. Ils **sortaient** pour aller à l'église ou pour aller « à la veillée »[3] chez les uns ou chez les autres. Il n'y **avait** pas encore les machines qui servent à déneiger. Les gens **faisaient** des petits travaux... mais la neige n'**était** pas une occasion de travailler comme maintenant !

— La vie **était** dure ! Est-ce que les jeunes **quittaient** le pays ?

— Oui. Ceux qui **allaient** s'embaucher à Paris, **trouvaient** du travail comme ramoneurs[4]. Ils « **montaient** »[5] à Paris pour l'hiver et souvent **revenaient** à Cordon pour faire la moisson, en août ou septembre. **C'étaient** des gens courageux et **c'étaient** aussi de bons marcheurs infatigables. Ils **faisaient** souvent la route à pied pour économiser leur argent.

---

1. **cette vie montagnarde** = *à la montagne.* / *la vie campagnarde* = *à la campagne.* / ! *la vie en ville* = *la vie* ***citadine****.*

2. **la vie d'aujourd'hui** ≠ *la vie* ***d'avant*** / *la vie* ***d'autrefois****.*

3. **à la veillée** : *in the past, there was no electricity, no central heating, no television, no radio. In the evenings, mountain dwellers used to get together by the fireside, and tell stories. Pedlars talked about what they had seen in other alpine valleys. They sang in their own language too.*

Lesson

25

Cordon (1)

Jean-Paul B., an architect from the Mont-Blanc area was born in Savoie. A man with a practical background, he tries to preserve the real wealth of a lively mountain environment. He lives in Cordon, a village of 600 inhabitants and at an altitude of 900 m in front of Mont-Blanc.

— I'd like you to talk to me about mountain life prior to winter sports.

— Life was a lot different to nowadays. During winter, people stayed at home. There was a lot of snow. It was very cold; an old man once told me that it had been minus 35°! Everything had frozen over. People only went out to go to church or to other people's places for evening gatherings. There were still no machines to clear away the snow. The people did little jobs... but the snow did not bring in work as it does now!

— Life was difficult! Did young people leave the area?

— Yes. Those who went to Paris were taken on as chimney sweepers. They went up to Paris for winter and often came back to Cordon to harvest in August or September. They were brave and could walk for miles. They often used to do the whole journey on foot in order to economize.

---

4. **les ramoneurs** : *in the olden days, a lot of Savoyards came to Paris to do chimney-sweeping in coal-heated buildings.*

5. **ils - montaient - à Paris :** *When provincials come to work in the capital, they say* **on monte à Paris**, *although the city is not high up! Paris is in the northern part of France and rural drift often took place from the South.*

* **The range of the Alps** *is towered over by* **Mont-Blanc**, *reaching its highest point at 4807 m. This summit was conquered as early as 1786! The whole massif stays a privileged ground for high-level climbing. In summer, the guides from* **Chamonix** *are the finest initiators to this sport which is not without risk. In winter, ski lifts enable people to reach some summits, to go downhill or to do cross-country skiing like through the* **Vallée Blanche**.

Avant ? La vie était très différente de celle d'aujourd'hui

■ To describe former conditions, located but not limited in the past, you have to use the imperfect:
— Avant, les montagnards **restaient** chez eux... il y **avait** beaucoup de neige... la vie **était** dure... les jeunes **quittaient** le pays... ils « **montaient** » à Paris...

• To form the imperfect: use the root of the verb in the 1st person plural in the present and add the specific endings:
rester / nous rest(ons) → je rest**ais**, tu rest**ais**,
il / elle rest**ait**, nous rest**ions**,
vous rest**iez**, ils / elles rest**aient**.

• For all verbs except one, this structure is regular:
finir / nous finiss(ons) → je finiss**ais**... nous finiss**ions**;
sortir / nous sort(ons) → je sort**ais**... nous sort**ions**.

• Only the verb **être** has an irregular form:
être → j'**étais**... nous **étions**.

La neige n'était pas une occasion de travailler...

■ Observez : — **Avant**, il y **avait** déjà de la neige ;
mais **aujourd'hui** elle **donne** du travail aux gens.

In this case, the connection is developed between:
l'imparfait (le passé) / le présent (l'actuel) ; ex. :
— Avant, je ne buvais pas de vin ; maintenant, j'en bois comme les Français.
— Avant, vous ne lisiez pas le français ; maintenant vous le comprenez.

• In the imperfect, note the spelling of **commencer** and of **manger** :
— nous commen**çons** → je commen**çais** ;
— nous man**geons** → je man**geais**.

C'étaient des gens courageux

■ Observez : — C'**était** une vie difficile.
— C'**étaient** des gens courageux.

The **c'** is neutral; but the verb, in this case, agrees with the following noun complement. Examples in the present tense:
— **C'est une belle région.**
— Ce **sont de belles montagnes**.

Les gens restaient à la maison

A. ☐ *Mettez les verbes du texte suivant à l'imparfait (Put the verbs into the imperfect):*

— Il n'y **a** pas d'électricité ; on **s'éclaire** à la bougie. On **se couche** tôt et on **profite** de la lumière du jour : on **se lève** tôt ! Les gens n'**ont** pas la télévision : ils **se réunissent** le soir autour du feu. Ils **parlent** ; ils **se racontent** des histoires ; ils **chantent** et **mangent** ensemble.
On ne **connaît** pas le téléphone mais on **va** dans les foires : tout le monde **se retrouve** et **se donne** des nouvelles des uns et des autres.

... comme elle est maintenant

B. ☐ *Marquez le rapport passé/actuel (Show the connection between the past and the present):*

— Avant, je (fumer) . . . ; maintenant, je (ne plus fumer) . . .
— Avant, elle (faire du sport) . . . ; maintenant, elle (ne plus en faire) . . .
— Avant, nous (ne pas parler) . . . français ; maintenant, nous le (parler) . . . un peu.
— Avant, vous (regarder) . . . beaucoup la télévision ; maintenant, vous (ne plus la regarder) . . .

C'étaient aussi de bons marcheurs infatigables

C. ☐ *Choose the appropriate elements and put them together:*

La Savoie :

— c'est	de belles montagnes
— ce sont	une vie difficile
— c'était	le paradis des skieurs
— c'étaient	les jeux Olympiques d'hiver de 1992
— c'est	les veillées au coin du feu
— ce sont	une région de grand tourisme.

Exemple : — La Savoie, c'est le paradis des skieurs.

Leçon

26 Cordon (2)

— Les jeunes allaient uniquement à Paris?
— Non, ils allaient aussi beaucoup s'embaucher sur les chantiers en Italie. Ils traversaient la montagne; de l'autre côté, c'est l'Italie. Ils étaient manœuvres ou maçons. C'étaient surtout les garçons qui partaient. Les filles, elles, ne sortaient pas de la région: elles s'embauchaient dans les fermes de la vallée. Pendant des années, **certains** de ces Savoyards ont même été en Amérique et ont fait fortune.
— Et maintenant?
— **Depuis les années 60, depuis que les sports d'hiver ont commencé** à devenir populaires, **les jeunes restent** au pays.
— Que font-ils?
— Ils connaissent bien la montagne et **depuis qu'ils sont nés** (ou presque!), **ils font du ski**. Ce sont eux qui sont moniteurs ou monitrices de ski*. Ou bien, s'ils n'aiment pas ça, ils travailleront dans l'hôtellerie.
— Dites-moi si le tourisme est important à Cordon?
— Très! Regardez la vue: la chaîne du Mont-Blanc devant vos yeux, c'est le plus beau panorama du monde, non? Les touristes viennent du monde entier: Japonais, Américains, Suédois, Allemands... **Certains** reviennent tous les ans: ce sont les habitués. Tenez, récemment, j'ai rencontré un couple d'Allemands: ils veulent faire construire un chalet à Cordon. A Megève, à 15 km d'ici, il y a au moins une centaine de chalets qui appartiennent à des étrangers!
La Savoie est à la fois[1] profondément enracinée dans ses traditions et aussi très ouverte au monde extérieur: une belle province française à caractère international!

---

1. **à la fois / et (aussi)** = *d'une part / et d'autre part. Examples: — Il est à la fois architecte et aussi montagnard. / — Elle est à la fois calme et dynamique.*
* **Le ski en France**: *You can practise three different kinds of skiing:*

Lesson

26

Cordon (2)

— Did young people only go to Paris?
— No, they also used to go and work on building sites in Italy. They used to cross the mountain as Italy is just on the other side. They used to be building labourers. Those who left were mostly boys. Girls didn't leave the region, but they used to work on farms in the valley. For years, certain Savoyards even went to America and made a lot of money.

— And what about now?
— Since the sixties, since winter sports started to become popular, young people stay in the region.

— What do they do?
— They know the mountain very well and ever since they were born (or just about), they have skied. So they are skiing instructors. Otherwise, if they don't like this job, they work in the hotel business.
— Tell me if tourism is important in Cordon?
— Very much so! Look at the view: the chain of Mont-Blanc before your eyes, the most beautiful panorama in the world, don't you think? Tourists come from all over the world: Japanese, Americans, Swedes and Germans... Some come back every year: they are the regulars. As a matter of fact recently I met a German couple: they want to have a chalet built in Cordon. In Megève, 15 km from here, there are about a hundred chalets which belong to foreigners!
Savoie is on the one hand deeply entrenched in its traditions and on the other hand is very open to the outside world: a beautiful French province with international character.

— **le ski de fond ou ski nordique** *(cross-country skiing): it is especially provided on medium height mountains like the* ***Vosges****, the* ***Jura*** *or the* ***Massif Central****; but now practised as well in the Alps or the Pyrenees.*
— **le ski alpin** *(Alpine-skiing): winter sports resorts are mainly located in the Alps, the oldest one being* ***Megève****.* ***Albertville*** *is going to be the capital city of the 1992 Winter Olympic Games.*
— **le ski de randonnée** *: cross-country runs require a good high-mountain knowledge. The crossing from* ***Chamonix*** *to Zermatt (Switzerland) is one of the most famous.*

Depuis les années 60...

■ To point out the duration of a present reality, use:

depuis + expression de temps

The preceding or following verb is in the **present**:

— **Il fait du ski depuis 10 ans.**
— **Depuis un mois, vous apprenez le français.**
— **Depuis toujours, il vit en Savoie.**

• The corresponding question is:

— **Depuis combien de temps?**

Depuis que les sports d'hiver ont commencé à devenir populaires, les jeunes restent au pays

• The original event can be a verb; then, the construction is:

depuis que + verbe au passé composé verbe au présent

— **Elle pleure depuis qu'il est parti.**
— **Depuis qu'ils sont rentrés, les enfants regardent la télévision.**

• The corresponding question is:

— **Depuis quand?**

■ If one wants to indicate that two realities began at the same time and are both still occurring, one has to use:

depuis que + verbe au présent verbe au présent

— **Je travaille depuis que les enfants dorment.**
— **Depuis qu'elle vit en Savoie, elle fait du ski tous les dimanches.**

• The corresponding question is:

— **Depuis combien de temps?**

Certains de ces Savoyards ont même été en Amérique

■ When you want to express an indefinite number of people or things, you can use the **pronom** indéfini:

masc: **certains**; / fém.: **certaines**

• and you can combine it with: masc. / fém.: **d'autres**

— **Nous allons aux sports d'hiver:**
certains en voiture; **d'autres** en train.

• **certains** can also be an **adjectif**:

— **Certains enfants** aiment le sport; **d'autres enfants** préfèrent la lecture.

... les jeunes restent au pays

A. □ *Bâtissez des phrases à l'aide des éléments suivants (Build up sentences using the following elements):*
— (je) / faire du ski / 15 ans /
— (nous) / habiter Marseille / notre mariage /
— (ils) / se connaître / leur enfance /
— (vous) / être en vacances / ce matin /

Depuis qu'ils sont nés, ils font du ski

B. □ *Mettez les verbes aux temps corrects (passé composé / présent) (Put the verb in brackets into the correct tense):*
— Depuis que nous (acheter) ... ce livre, nous (apprendre) ... le français.
— Depuis qu'elle l'(voir) ... elle l'(aimer) ...
— Depuis qu'il (partir) ... il nous (envoyer) ... une carte chaque semaine.

C. □ *Mettez les verbes au présent (Put the verb into the present):*
— Depuis que je (être) ... en vacances, je (lire) ... beaucoup.
— Depuis qu'ils (habiter) ... la Savoie, ils (faire) ... du sport.
— Depuis qu'elle (être) ... à Paris, elle (traduire) ... ses chansons.

Certains reviennent tous les ans

D. □ *Complétez avec **certain(e)s / d'autres**:*
— ... restaient au pays ; ... quittaient leur famille pour trouver du travail ailleurs.
— Il y a beaucoup de bonnes émissions à la télévision ; mais ... sont plus intéressantes que ...
— Attention à ces fruits : ... sont mauvais !
— Dans le village, toutes les filles travaillent : ... sont monitrices de ski, ... travaillent dans les hôtels.

Leçon

27

Cordon (3)

— Vous qui habitez toute l'année à Cordon, quels conseils nous donnerez-vous si nous voulons profiter au maximum d'une semaine de sports d'hiver dans les Alpes?
— J'ai envie de vous dire: **venez** à Cordon en février / mars. C'est **la meilleure saison** parce que ce sont les mois **les plus enneigés**. On a souvent jusqu'à 1 m 50, 2 mètres de neige au village, **au-dessous de** 1 000 mètres. Alors, vous pensez bien qu'**au-dessus de** 2 000 mètres, **au sommet des** pistes, la neige est merveilleuse.
— Mais je me demande s'il ne fait pas trop froid.
— Si[1], la nuit. Mais pendant la journée, surtout vers la fin du mois, le soleil brille et chauffe beaucoup: **faites** attention aux coups de soleil! Et la neige, à cette période de l'année est vraiment[2] **la meilleure**. On peut skier partout; on peut même faire du hors-piste... pas pour les débutants, bien sûr!
— Pour les amateurs de ski alpin de haut niveau, où faut-il aller?
— A Cordon, les pistes sont belles mais pas très difficiles. Le mieux, pour ceux qui adorent la descente, c'est d'aller sur les pistes des Grands Montets, à Chamonix: certaines ont une pente très forte! Mais **la piste la plus longue** se trouve à l'Alpe-d'Huez: elle fait 16 km!
— Et si j'aime un peu l'aventure?
— Alors, **prenez** le téléphérique de l'Aiguille du Midi (3 800 m!)* pour faire la descente à ski de la Vallée Blanche — mais accompagné par un bon guide professionnel! Si vous ne voulez pas faire la queue, **levez-vous** à cinq heures du matin: vous n'attendrez pas et la neige, au petit matin, est meilleure; plus tard, il y a le risque d'avoir une neige trop molle **au bas des** pistes.

---

1. ***il ne fait pas trop froid? Si!***: *when you want to answer positively to a negative question, you have to say: — Si. Example: —* ***Tu ne veux pas venir? — Si, je viens.***
2. **vraiment la meilleure**: vraiment *emphasizes the superlative.*

Cordon (3)

— For someone who lives all year round in Cordon, what advice can you give in order to make the most of a week's (winter sports) holiday in the Alps?
— I can't help but tell you to come to Cordon in February or March. It's the best season because these are the snowiest months. We often have as much as 1 m 50 or 2 m of snow in the village, which is below a 1000 meters. Therefore, you can well imagine that the snow at the top of the ski runs, above 2000 meters up, is wonderful.
— But I wonder if it isn't too cold.
— At night, yes. But during the day, especially towards the end of the month, the sun shines and can really burn: you must watch out for sunburn! And the snow at this time of the year is really the best. You can ski everywhere; you can even do some off-piste skiing... but not for the beginners of course!
— Where should top-level amateurs of Alpine skiing go?

— In Cordon, the pistes are beautiful but not very difficult. The best choice for those who love downhill skiing is to go on the pistes of « Les Grands Montets » in Chamonix: some have incredible slopes; but the longest piste is at « l'Alpe-d'Huez » which is 16 km long.
— And what about if I like a little bit of adventure?
— Well, take the cable-car to « l'Aiguille du Midi » (3800 m!) and then go down the « Vallée Blanche » on skis, but make sure you're accompanied by a good professional guide. If you don't want to queue up, get up at five o'clock in the morning: you won't have to wait and the early morning snow is better. Later in the day, the snow at the bottom of the pistes has the chance of being too mushy.

---

* ***A word about skiing****: at any wintersports resort, you will find the following equipment:* **un téléski** *: a ski lift, a ski tow;* **un télésiège** *: a chairlift;* **une télécabine** *: a gondola holding 3 or 4 people;* **un téléphérique** *: a cable-car holding about 30 or 50 people. The runs are* **damées** *(= packed down): every evening, the runs are prepared by the teams of the resort, and opened in the morning by skiers in charge.*

COMPREHENSION

La piste la plus longue se trouve à l'Alpe-d'Huez

■ Observe the way how to form a « **superlatif** »:

masc. sing.: — Voici **l'homme le plus fort** du monde.
fém. sing.: — Et voici **la femme la plus belle** du monde.
masc. pl.: — **Les skieurs les plus entraînés**...
fém. pl.: — **Les pistes les plus enneigées**...

- Some adjectives have an irregular « **superlatif** »; notably the adjective **bon** used an awful lot:
  - — C'est **le meilleur** vin. ou: c'est **le vin le meilleur.**
  - — C'est **la meilleure** solution.
  - — Ce sont **les meilleurs** fruits.
  - — Ce sont **les meilleures** pistes.
- Notice that the adjective **mauvais** has two **superlatifs**: the first one, regular: **le plus mauvais**, etc.; the second one, irregular (and mostly used in emotional statements):
  - — **le pire** moment / **la pire** solution / **les pires** difficultés.

Prenez le téléphérique de l'Aiguille du Midi

■ Formation de l'impératif:
this is the present form of the indicative without a subject.

— tu fais → fais! — Fais ton travail!
— nous faisons → faisons! — Faisons du ski!
— vous faites → faites! — Faites moins de bruit!

- Be careful: there is **no** s in the 2d person sing. of verbs in **-er** form:
  - — tu écoutes → — Ecoute! / — tu vas → — Va!
- With reflexive verbs, the **pronom complément** remains but is placed **behind the verb**:
  - — tu **te lèves** — **Lève-toi**!
  - — nous **nous levons** — **Levons-nous**!
  - — vous **vous levez** — **Levez-vous**!
- One can also express the imperative with:

  demander de + infinitif:
  - — Viens! → Je te demande de venir.
  - — Levez-vous! → Je vous demande de vous lever.

... 2 mètres de neige en dessous de 1000 mètres...

■ Remember lesson 22:

— sur la table ≠ sous la table
— sur les pistes ≠ hors des pistes
— au-dessus de 1500 mètres ≠ au-dessous de 1 500 mètres
— au sommet des pistes ≠ en bas des pistes

Février-mars : c'est la meilleure saison

A. ☐ *Complétez ces questions au superlatif (Complete these questions using the superlative):*

(élevé) — Quelle est la montagne de France ... ?
(enneigé) — Quelle est la période de l'année ... ?
(bon) — Où se trouvent les pistes ... ?
(sportif) — Quel est le ski ... ?
(bon) — Quelle est ... saison pour faire du ski ?
(long) — Quelle est la piste ... ?
(ancien) — Quelle est la station de sports d'hiver ... ?

Now, try to answer these questions or refer to the texts and notes of the previous lessons:

— En France, la montagne ... etc.

Levez-vous à cinq heures du matin

B. ☐ *Formez l'impératif « direct »:*

— Je vous demande de venir vite.
— Je te demande d'apporter tes skis.
— Je te demande d'acheter du pain.
— Je vous demande faire la queue.
— Je te demande de te coucher tout de suite.
— Je te demande de prendre les places.

... au-dessus de 2 000 mètres, au sommet des pistes...

C. ☐ *Complétez selon le sens (Complete according to the meaning):*

— J'habite au 5e étage ; ... chez moi, au 6e, il y a une terrasse. Et ... au 4e, j'ai des voisins très sympathiques.
— En montagne, ... 1500 mètres, il n'y a plus d'arbres : ce sont les alpages.
— Cette année, au mois d'août, il y avait encore de la neige ... 2500 mètres : c'est extraordinaire !
— Où est mon livre ? — Regarde : il est là, ... la télévision.

Leçon

28 Conseils aux skieurs

Si vous voulez venir en France pour les sports d'hiver, **venez** en décembre, janvier, février, mars : ce sont les meilleurs mois. En avril, la neige commence à fondre en basse altitude.
Si vous aimez le soleil et la neige, **allez** dans les Alpes du Sud ou dans les Pyrénées.
Si vous aimez les hauts sommets, les pistes « noires »* **allez** à l'Alpe-d'Huez ou à Morzine.
Si vous aimez le ski de randonnée, **allez** dans la région de Chamonix, etc...
Si vous voulez faire du ski[1] de fond, **réservez** une chambre d'hôtel dans certains coins du Jura, de Savoie ou du Massif Central.
Si vous voulez faire garder vos enfants quand vous faites du ski, **venez** aux Menuires : des garderies très bien organisées vous attendent.
Faites votre choix, puis téléphonez pour réserver votre hôtel ou votre chambre chez l'habitant... Hiver comme été[2], plusieurs solutions[3] d'hébergement sont à votre disposition : hôtels, pensions, appartements ou chalets en location, logements chez l'habitant.
Vous pouvez aussi **venir** en caravane : dans beaucoup de stations, des parkings aménagés vous accueillent.
N'oubliez pas votre carte de crédit ! Pour le reste, vous trouverez tout sur place : **vous pouvez louer** les skis et les chaussures sur place. Apportez votre appareil-photo ou votre camescope pour repartir avec des images pleines de neige, de soleil et de bonne humeur !

---

1. **faire du ski de fond** : → *J'aime* **le** *ski ; je fais* **du** *ski / Elle aime* **la** *danse ; elle fait* **de la** *danse / Il aime* **les** *randonnées ; il fait* **des** *randonnées.*
2. **Hiver comme été** = *aussi bien l'hiver que l'été.*
3. **plusieurs solutions** : *plusieurs = slightly more than quelques.*

* **Les pistes** : *the degree of difficulty of each run is characterized by a particular colour:*

Lesson

28

Words of Advice to Skiers

If you want to come to France for a winter sports holiday, come in December, January, February or in March: these are the best months. In April, the snow starts to melt at low altitudes.
If you like the sun and snow, go to the Southern Alps or the Pyrenees.
If you like high mountain tops or « black » pistes, go to l'Alpe-d'Huez or to Morzine.
If you like cross-country skiing, go to the Chamonix region, etc..
If you like ski touring, book a room in a hotel somewhere in the Jura, Savoie or Massif Central regions.

If you want someone to look after your children when skiing, come to les Menuires, well organized day nurseries will attend to your needs.
Make your choice, then telephone and reserve your hotel or your room with local people in their own home. In Summer as in winter, several accommodation possibilities are available: hotels, bed and board, apartments, chalets to rent, or board with local people.
You can come by caravan: parking facilities have been set up in many resorts.
Don't forget your credit card! Everything else you'll find right here. You can hire skis and ski boots. Make sure you bring your camera or your video-camera so as to leave with lots of pictures of snow, sun and happy memories!

— **les pistes bleues** : *ce sont les pistes les plus faciles (blue runs are the easiest);*
— **les pistes vertes** : *ce sont des pistes faciles (green runs are easy);*
— **les pistes rouges** : *ce sont des pistes de difficulté moyenne (red runs are of an average difficulty);*
— **les pistes noires** : *ce sont les pistes les plus difficiles. Black runs are the most difficult, with steep slopes called « walls » (« murs »). Even though, according to the resort and altitude, some black runs are far more difficult than others.*

Si vous aimez le soleil, allez dans les Alpes du Sud

■ Suggestion can be expressed by: assumption + advice:

Si + présent impératif

Exemples :

— **Si vous aimez la neige, venez en février.**
— **Si vous ne voulez pas faire la queue, levez-vous à cinq heures.**

N'oubliez pas...

■ In the previous lesson, you learnt the positive imperative. Here is the negative imperative:

tu ne viens pas → — **Ne viens pas !**
tu ne te lèves pas tout de suite → — **Ne te lève pas tout de suite !**
nous ne faisons pas de bruit → — **Ne faisons pas de bruit !**
vous ne partez pas → — **Ne partez pas !**

• An other possible expression:

interdire de + verbe

Ex. : — **Ne sors pas !** → — **Je t'interdis de sortir.**

Vous pouvez venir en caravane

■ The verb **pouvoir** is always followed by an infinitive:

— **Nous pouvons apprendre le ski avec un moniteur.**

• The verb **vouloir** is often followed by an infinitive:

— **Il veut essayer une piste noire.**

Si vous aimez les pistes noires, allez à l'Alpe-d'Huez

A. □ *Reformulate this advertisement promoting the Alps:*
?/il faut + infinitif → Si + présent impératif:

— Vous aimez la montagne ?
Il faut venir en Savoie.
— Vous voulez faire du ski ?
Il faut choisir nos stations.
— Vous êtes bon skieur ?
Il faut skier à Chamonix.
— Vous n'aimez pas la foule ?
Il faut penser à Cordon.
— Vous détestez la neige ?
Il faut découvrir la montagne l'été.
— Vous avez envie d'aventure ?
Il faut faire la Vallée Blanche.

... votre carte de crédit !

B. □ *Formez l'impératif direct négatif:*

— Je t'interdis de sortir des pistes !
— Je vous interdis d'aller sur une piste noire !
— Je vous interdis de fumer dans le téléphérique !
— Je t'interdis de prendre ce livre !
— Je vous interdis de vous garer là !

Vous pouvez louer les skis

C. □ *Que pouvez-vous ou voulez-vous faire ? What can you do or what do you want to do?:*

— Aller aux sports d'hiver ? — Oui, je ...
— Parler français ?
— Faire du ski alpin ?
— Descendre la Vallée Blanche ?
— Venir en été en Savoie ?

Leçon

29 Une lettre de vacances

Chers amis,

Je profite de cette semaine de vacances de Pâques **(celles que je préfère)**, pour reprendre contact avec vous. En effet, la vie « dingue »[1] de Lyon ne me laisse pas assez de temps pour écrire. Ici, tout est différent. Le petit village de Vesc*, groupé autour de son clocher, me plaît. **Depuis que nous avons quitté Lyon[2], je respire mieux[3].**

Les enfants sont calmes. Ils m'appellent sans cesse pour dire : « **Regarde, maman !** » : et c'est un cheval dans un pré ; « **Ecoute, maman !** » : et c'est le cri du corbeau ou de la corneille. Ils observent tout, naturellement.

La maison que nous louons pour la semaine est au centre du village. Elle est en pierre du pays, très étroite, tout en hauteur[4]. C'est l'escalier que les enfants préfèrent ; ils jouent sur les marches : ils le montent et le descendent... Bien sûr, à Lyon, ils ne connaissent que l'ascenseur[5] !

Au début, il faisait encore assez froid mais **depuis que le soleil a décidé de se montrer, il fait doux** et c'est très agréable de se promener.

Les enfants et moi nous vous embrassons très tendrement. A bientôt.

---

1. **la vie « dingue »** *(col.) =* ***la vie folle****. Everyday life in Lyon is hectic.*
2. **nous avons quitté Lyon** *:* ***quitter*** *= to leave (see l. 31).*
3. **je respire mieux** *:* ***respirer*** *has two meanings: a) to breathe; b) to get one's breath.*
4. **tout en hauteur** *:* ***tout*** *is an adverb =* ***complètement****.*
5. **ils ne connaissent que l'ascenseur** *:* ***ne que*** *=* ***seulement*** *(see l. 34).*

Lesson

29

A Holiday Letter

Dear friends,

I thought I'd make the most of these Easter holidays (which I prefer most) to get in touch with you again. In actual fact, the very hectic lifestyle in Lyon doesn't leave me much time for writing. Everything is different here. I love the little village Vesc, which surrounds the church tower. Since we left Lyon, I can breathe again.

The children are behaving themselves. They keep calling me all the time to say: "Look, Mum !" and there's a horse in a meadow; "Listen, Mum !" and it's the twitter of the crow or the raven. They naturally notice everything.
The house we have rented for the week is in the center of the village. It's made of local stone, and is very narrow and high. The children like the staircase the most. They run up and down the stairs all day... Of course, in Lyon, they're used to the lift!

At first, it was still quite cold but since the sun has decided to come out, it's mild and very pleasant to go for walks.

The children and I send all our love. See you soon.

---

* ***Vesc*** *is a little village in* ***la Drôme*** *(in the South East of France). The regional capital is Valence and we say:* ***A Valence, le Midi commence*** *(= The South starts at Valence). It is a region of medium mountains (foothills of the Alps) and wide valleys. Olives from Nyons, nougat from Montélimar, red and white wines (the sparkling* ***clairette de Die*** *and* ***Côtes-du-Rhône****), lavender from the Baronnies, fruits and vegetables make this region a pleasant place to live in. The Vercors massif welcomes ski touring lovers in winter and climbers in summer.*

Depuis que nous sommes arrivés, je « respire » mieux

■ Remember lesson 26:
To mark the origin of a present reality, one uses:
depuis que + passé composé présent; ex:
— Depuis que le soleil a disparu, il fait froid.
• Do not forget that **depuis + nom** has the same value:
— Depuis le coucher du soleil, il fait froid.

Regarde, maman!

■ Remember lesson 27:
With verbs ending in -er, the imperative in the 2d person singular loses the s, distinguishing element of the indicative; ex:
— tu manges → — **Mange moins vite!**
— tu écoutes → — **Ecoute, maman!**
— tu regardes → — **Regarde par ici!**
• **aller** is a verb in **-er** form;
even if its ending is a, it follows the same rule:
— tu vas → — **Va vite chercher du pain!**
• Some imperatives are used without having an "order" meaning, but are used to express surprise, encouragerment, etc. and the subject has no value at all:
— **Tiens!** voilà les Dupont. (**= surprise**)
Allons! Mange vite! (allons = **encouragement**; note the combination of 1PP and 2PS)

La maison que nous louons est au centre du village

■ Observe:
— Nous louons une maison. **Elle est au centre du village.**
— Nous louons une maison **qui est au centre du village.**
You already know how to use the relative subject pronoun: **maison** is the subject of **est**. But maison is also the COD of **louer (louer quoi? = la maison)**:
La maison, **nous la louons**, est au centre du village.
— La maison **que nous louons** est au centre du village.
• The relative pronoun **que** is invariable it remains the same in the feminine and/or in the plural, for people or things:
— la ville **que** j'aime / les vacances **que** je **préfère** /
les filles **que** je connais / les livres **que** je lis.

Depuis que le soleil a décidé de se montrer, il fait doux

A. ☐ *Employez **depuis que**:*
— Il a écrit : elle est heureuse.
— Elle a appelé : je suis moins inquiet.
— Nous nous sommes installés : les enfants s'amusent.
— Les enfants sont partis : je me repose.

B. ☐ *Now, transform the previous sentences using **depuis** + **nom** instead of depuis que:*
— Depuis sa ...

Ecoute, maman !

C. ☐ *Form the imperative in the 2d person singular:*
— Téléphoner demain.
— Travailler plus vite.
— Marcher lentement.
— Se lever tôt.
— Admirer la vue.

Les vacances de Pâques, celles que je préfère

D. ☐ *Choose **qui** or **que**:*
— L'appartement ... j'ai trouvé est petit.
— Les arbres ... sont devant la maison sont en fleurs.
— Les films ... j'aime, ce sont les films d'aventure.
— Prenez la piste ... je vous montre et ne prenez pas la piste ... est à droite !
— Regarde l'oiseau ... passe et écoute le vent ... souffle dans les arbres.
— La ville ... nous visitons est magnifique.

Tests : Troisième série
(leçons 20 à 29)

For each sentence, tick off the right answer.

1. — ... une maison ancienne.
   a) ☐ Elle est
   b) ☐ Il s'agit d'
   c) ☐ C'est d'
   d) ☐ Elle agit d'

2. — Cette marque ... dans le monde entier.
   a) ☐ exporte
   b) ☐ est exportée
   c) ☐ a exporté
   d) ☐ est exporté

3. — Quelle route prends-tu ? — ... à droite.
   a) ☐ Celle de
   b) ☐ C'est
   c) ☐ Celle qui est
   d) ☐ Elle est

4. — En été, ... chaud.
   a) ☐ il est
   b) ☐ le temps fait
   c) ☐ il fait
   d) ☐ le temps c'est

5. — Le grenier est ... de ma chambre.
   a) ☐ au-dessous de
   b) ☐ sur
   c) ☐ au-dessus
   d) ☐ au-dessous

6. — Hier soir, ... avec les Bérard.

a) ☐ j'ai dîné
b) ☐ je dîne
c) ☐ je viens de dîner
d) ☐ je vais dîner

7. — Je ne sais pas quand ...

a) ☐ vient-elle
b) ☐ elle vient
c) ☐ est-ce qu'elle vient
d) ☐ vient

8. — C'est ... qui sers le vin.

a) ☐ lui
b) ☐ toi
c) ☐ elle
d) ☐ tu

9. — Si Pierre ..., nous ... au théâtre.

a) ☐ viendra / irons
b) ☐ viendra / allons
c) ☐ va venir / irons
d) ☐ vient / irons

10. — Nous avons vu un ... film ...

a) ☐ comique / bon
b) ☐ mieux / comique
c) ☐ bon / comique
d) ☐ comique / nouveau

11. — Quand ... petit, ... à la campagne.

a) ☐ j'étais / j'ai habité
b) ☐ j'ai été / j'ai habité
c) ☐ j'ai été / j'habitais
d) ☐ j'étais / j'habitais

12. — Avant, ... beaucoup de fermiers.

a) □ il était
b) □ il y avait
c) □ c'était
d) □ c'étaient

13. — Elle travaille dans cet hôtel ... 5 ans.

a) □ pendant
b) □ il y a
c) □ depuis
d) □ ça fait

14. — Ces enfants vont à la mer ; ... autres à la montagne.

a) □ des
b) □ (/)
c) □ l'
d) □ d'

15. — « L'Étoile » est ... hôtel de la ville.

a) □ le mieux
b) □ le meilleur
c) □ très bon
d) □ meilleur

16. — Si tu ... le soleil, ... à Nice.

a) □ aimes / vas
b) □ aime / va
c) □ aimes / va
d) □ vas aimer / tu vas

17. — Je veux ... le français.

a) □ que je parle bien
b) □ parler bien
c) □ de parler bien
d) □ que je parlerai bien

18. — Je vous demande ...

a) □ de faire cette lettre
b) □ faire cette lettre
c) □ que vous faites cette lettre
d) □ à faire ce travail

19. — Ils n'ont pas le modèle ... j'aime.

a) □ qui
b) □ que
c) □ (/)
d) □ ce que

20. — Depuis qu'elle ... ses études, elle voyage.

a) □ finit
b) □ finissait
c) □ a fini
d) □ vient de finir

RÉPONSES

1 - b	2 - b	3 - c	4 - c
5 - c	6 - a	7 - b	8 - b
9 - d	10 - c	11 - d	12 - b
13 - c	14 - d	15 - b	16 - c
17 - b	18 - a	19 - b	20 - c

Leçon

30 La vie d'un mannequin (1)

— Eh bien, Marilka, j'ai de la chance de te trouver ! Tu[1] n'es pas souvent chez toi !
— C'est vrai. Je viens de rentrer et je repars demain.

— En somme, tu vis toujours avec une valise à la main ?
— Presque. La vie de mannequin[2] n'est pas aussi drôle que les gens **le** pensent.
— D'où[3] viens-tu ?
— **J'étais au Maroc**, dans le Sud[4] marocain ; j'ai passé deux jours en France et je vais **aux Seychelles***. **Il faut chercher** le soleil dans les pays **où** il brille le plus.

— Les photographes ne veulent pas perdre une minute ?
— Ils ne **le** peuvent pas : le plus petit retard coûte cher. **Nous devons profiter** au maximum du voyage. Mais **il faut prévoir** les problèmes. Depuis que, **au Maroc, nous avons dû passer** une journée à l'hôtel **à cause d'**une pluie brutale, les gens de l'équipe sont furieux !
— Mais toi, tu étais ravie ?
— Bien sûr. Poser pour des photos, c'est très fatigant[5]. Et puis, **je voulais connaître** Tahnaout (une ville superbe au pied de l'Atlas) et la cuisine marocaine. J'adore découvrir les plats les moins connus des pays où je travaille.
— Et les plus bizarres ?
— Quelquefois ! Mais **je dois faire attention... à cause de** ma ligne !

---

1. *Notice the use of* **tu (le tutoiement)***: in this text people are close friends.*
2. **la vie de mannequin** *: for the gender of professions, see lesson 10.*
3. **D'où viens-tu ?** *: see l. 24:* ***venir de quelque part / sortir de quelque part (— D'où sortez-vous ? — Du bureau.)***
4. **dans le Sud marocain** *: the choice of a preposition is the same for regions and for* ***les départements*** *(see l. 21).*
5. **Poser, c'est fatigant** *: in this type of construction, see l. 10.*

* **La francophonie en Afrique** *: here is a list of the African countries where French is the language for education, administration and/or culture:*

Lesson

30 The Life of a Model (1)

— Well, Marilka, I'm lucky to find you in! You aren't home very often!
— That's true. I've just come in and I'm going away again tomorrow.
— In a nutshell, you always live out of a suitcase?
— Just about. The life of a model isn't as glamourous as what people think.
— Where have you just been?
— I was in Marocco, in South Marocco; I've just spent two days in France and I'm going to the Seychelles. You have to look for the sun in the countries where it shines the most.

— Photographers don't want to lose a minute, do they?
— No, they can't: the slightest delay costs a lot. We have to make the most of the trip. But you have to allow for problems. Since we had to spend a day at the hotel in Marocco because of sudden rain, the guys in the team are furious!
— But you were delighted, weren't you?
— Of course. Posing for photos is very tiring. And besides, I wanted to get to know Tahnaout a superb town at the foot of the Atlas Mountains and Maroccan food. I love discovering rare dishes from the countries I work in.
— And what about the most unusual?
— Sometimes! But I must be careful... because of my figure!

Le Bénin; Le Burundi; La République Centrafricaine; Le Congo; La Côte-d'Ivoire; Djibouti; Le Gabon; La Guinée; Le Burkina; Le Mali; Le Niger; La Réunion D.O.M.; Le Rwanda; Le Sénégal; Le Tchad; Le Togo; Le Zaïre.

En Algérie, au Maroc, en Mauritanie et en Tunisie: *French, together with Arabic, is the official language. In Madagascar, along with Malagasy. In short, in* ***les îles Maurice, Rodrigues et Seychelles,*** *along with English.*
Moreover, French speakers can be found in Durban (île Maurice). Some African English-speaking countries have imposed French as a compulsory language.

COMPREHENSION

Ce n'est pas aussi drôle que les gens le pensent

■ Observez : — Les gens pensent **que la vie de mannequin est drôle?**
— Oui, ils **le** pensent.

In this case, the COD pronoun is **neutral** (invariable) and replaces a whole proposition. Ex. :

— Marilka dit **que sa vie est fatigante** ? — Oui, elle **le** dit.

- This proposition can be an infinitive; ex :
  — Ils ne peuvent pas **perdre une minute**?
  — Non, ils ne **le** peuvent pas.

J'étais au Maroc

■ Observez : — Elle connaît **le** Maroc : elle a travaillé **au** Maroc.
— **Les** Seychelles ? — Elle part demain **aux** Seychelles.

	Pays : **Le...**	Pays : **Les...**	Pays : **La.../L'...**
aller / vivre	**au** Maroc **au** Japon	**aux** Seychelles **aux** Antilles	**en** France **en** Allemagne

Ils cherchent le soleil dans les pays où il brille

■ Observez :

— Ils cherchent le soleil dans **des** pays. Le soleil **y** brille.
— Ils cherchent le soleil dans **les** pays **où** il brille.

The invariable relative pronoun **où** links two informations together and replaces an adverbial phrase of place in the second proposition.

Il faut prévoir les problèmes

■ Observez : — Il faut prévoir les problèmes : **qui** doit les prévoir ? Les gens de l'équipe. The subject is obvious (or general; ex. : **Il faut travailler pour vivre**).

- ≠ **Je** dois prévoir les problèmes : in this example, the subject is specified.

Je dois faire attention à cause de ma ligne

■ C'est agréable de « faire attention », de ne pas trop manger ? Non, bien sûr ! Mais « la ligne », c'est important pour un mannequin. The expression **à cause de** indicates that the **cause is negative or indifferent**; a simple reason; ex.:

— A cause **des** vacances, il y a beaucoup de monde dans la région.

- Remember: de + le = du / de + les = des.

PRATIQUE

Ils ne le peuvent pas

A. ☐ *Répondez :*

— Tu crois qu'elle part aux Seychelles ? — Oui, je . . .
— Il pense que les sports d'hiver sont populaires ? — Oui, il . . .
— Vous vouliez acheter une maison à la campagne ? — Oui, nous . . .
— Il faut répondre à cette lettre ? — Oui, il . . .
— Ils écrivent qu'ils ont adoré la région ? — Oui, ils . . .

Je vais aux Seychelles

B. ☐ *Répondez :*

— Tu connais le Portugal ? — Oui, j'ai habité . . .
— Elle connaît les Antilles ? — Oui, elle a habité . . .
— Vous connaissez l'Argentine ? — Oui, nous . . .

C. ☐ *Cherchez le bon article (Find the correct article):*

— Je vais souvent aux Philippines ; j'aime beaucoup . . .
— Nous allons chaque été en Grèce ; nous aimons beaucoup . . .
— Ils vont souvent au Canada ; ils aiment beaucoup. . .

Je découvre les plats des pays où je travaille

D. ☐ *Transformez :*

— Athènes ? / Irène y habite. / → — C'est la ville . . .
— Le Maroc ? / Marilka y a travaillé. / → — C'est un pays . . .
— La Savoie ? / On y pratique le ski alpin. / → — C'est une région . . .
— La Chartreuse ? / Mme D. y a une maison. / → — C'est l'endroit . . .

Je dois faire attention

E. ☐ *Répondez et précisez :*

— Il faut répondre à cette lettre ! — Moi aussi ? — Bien sûr, tu dois . . .
— Il faut rentrer tout de suite ! — Nous aussi ? — Bien sûr, . . .
— Il faut finir le plat ! — Lui aussi ? — Bien sûr, . . .
— Il faut préparer le déjeuner ! — Elles aussi ? — Bien sûr, . . .

A cause de la pluie, nous avons dû rester à l'hôtel

F. ☐ *Transformez :*

— Il ne prend pas de vacances (parce qu'il travaille) à cause de . . .
— Elle reste chez elle (parce qu'il neige) . . .
— Ils travaillent au Maroc (parce que le soleil y brille) . . .
— Je suis fatigué (parce que j'ai voyagé) . . .
— Ferme la fenêtre (parce qu'il y a du bruit) . . .

Leçon

31 La vie d'un mannequin (2)

— Quand **tu as quitté ton pays**, le Danemark, c'était à cause de la mode parisienne ? Tu voulais être mannequin ?
— Non. Je **ne** connaissais **rien** à la haute couture*. Au Danemark, je faisais des études de français et je travaillais sur[1] Rimbaud. J'ai pensé : « Si je veux vraiment comprendre un poète français, **il faut que j'habite** en France. » Mais j'ai dû abandonner mes études et chercher du travail.
— **Tu as quitté la littérature** pour la mode : tu ne regrettes rien ?
— Parfois. Mannequin, c'est un métier très dur ! Si **l'agence veut que je pose...**
— **...il faut que tu acceptes** ?
— Oui : je dois accepter. Mes amis sont souvent un peu jaloux : ils désirent aller dans ces pays lointains où je vais ; et moi, **je souhaite** souvent **qu'ils voyagent** à ma place ! **Il faut que je passe** des heures en avion[2], **que je m'habitue** au décalage horaire, **que je me lève** tôt, **que je me couche** tard, **que je me maquille** sous un soleil de plomb[3], **que je change** vingt fois **de** modèle, **que je trouve** cinquante poses différentes. Et je dois en plus supporter la mauvaise humeur assez fréquente des photographes.
— Mais le résultat est bon : tu es magnifique sur ces photos !
— Pourtant, dès que je le peux, **je change de** vêtements et je retrouve avec plaisir mon vieux denim[4] et un pull tout usé !

---

1. **travailler sur Rimbaud** : *we say:* **travailler sur un sujet**.
2. **en avion** : *for prepositions in this case, see lesson 31.*
3. **sous un soleil de plomb** : *an image giving an idea of density and excessive weight. We also say:* **avoir les jambes de plomb** *(= legs like lead);* **un sommeil de plomb** *(= a deep sleep);* **un ciel de plomb** *(= a stormy sky).*
4. **mon vieux denim** : *did you know that these American jeans have a French origin: "(casual trousers made of cotton fabric)* **de Nîmes**" *(a city in the South of France, renowned for its weaving)?*

Lesson

31

The Life of a Model (2)

— When you left your country, Denmark, was it because of the Paris fashion. Did you want to be a model?

— No, I didn't. I knew nothing about top fashion. In Denmark, I was studying French and doing research work on Rimbaud. I thought: "If I really wanted to understand a French poet, I had to live in France". But I had to give up my studies and look for work.
— So you dropped literature for fashion: don't you have any regrets?
— Sometimes. Being a model is a very hard job. If the agency wants me to pose...
— ...Do you have to accept?
— Yes, I certainly do. My friends are often a little jealous. They would like to go to the far off countries I go to; and I often wish that they could travel in my place! I have to spend hours in aircrafts, get used to time changes, get up early, go to bed late, put my make-up on under the blazing sun, change designs twenty times and find fifty different poses. And I often have to put up with the bad moods of photographers.

— But the outcome is really something: you look terrific in these photos!
— Nevertheless, as soon as I can, I change clothes and love to get into my old denims and a worn-out pullover!

---

* **La haute couture** *: the present notion of* ***haute couture*** *first appeared in the XXth century: Paul Poiret finally "brought into view a woman's silhouette" and presented his fashion parades abroad. The famous* ***tailleur*** *was created by* ***Coco Chanel*** *at the end of the First World war. In 1947, the* ***"new Christian Dior look"*** *appeared: slim waist and accentuated shoulders. In the 60s,* ***Courrèges*** *imposed synthetic materials and the mini-lenght fashion. Nowadays, the* ***couturiers*** *append the maker's label on bags and table sets, etc. Paris, the capital of fashion, attracts many* ***couturiers*** *from abroad* ***(Azzedine Alaïa, Kenzo,...)*** *and arouses a new generation of creators* ***(Jean-Paul Gaultier, Thierry Mugler,*** *etc.)*

Tu as quitté ton pays, le Danemark

■ Observez : — **Marilka a voulu partir de son pays ?**
— **Oui, elle a quitté son pays.**

The verb **quitter** needs no preposition. It often means a departure for good.
Other meanings: a) to leave a person for a while or for ever: **elle a quitté son mari.** b) to give up an activity or a way of life: **il a quitté son poste.**
Notice also: **au téléphone** : — **Ne quittez pas !** = Hold the line!

Il faut que j'habite en France

■ You have learnt: **il faut** + **infinitif** to show an obligation of general nature. When it is question of a personal necessity, one uses: **il faut que** + **verbe conjugué.** In this case, the verb takes the **subjunctive** a new -and very important -mood. In the three persons singular and in the third person plural, with verbs in **-er** form, the endings are the same as the present tense:

— **Il faut que j'habite (= je dois...) / que tu habites (= tu dois...) / qu'il habite (= il doit...) / qu'elles habitent (= elles doivent...).**

L'agence veut que je pose

■ Il faut que shows an obligation of outside authority. **Vouloir / souhaiter / désirer** show a personal desire. When one says: **je veux voyager, tu souhaites partir**, etc., the implied subject of the infinitive is the same as the subject of the conjugated verb. **If the subjects are different**, we say:

— **Je veux que tu voyages. / — Tu souhaites que je commence. /**
— **On désire qu'elle pose. / etc.** → **que + verbe au subjonctif**

Je ne connaissais rien à la haute couture

■ Observez : — **Marilka connaît quelque chose à la haute couture ?**
— **Non, elle ne connaît rien à la haute couture.**

• with the infinitive:

— **Tu veux manger quelque chose ?**
— **Non merci, je ne veux rien manger.**

Je change vingt fois de modèle

■ **Notez bien la construction : changer de. Marilka met chaque fois un autre modèle** (changer **le** modèle = changer **un élément — quelque chose — du modèle**). Ex. :

— **Tiens ! tu as une nouvelle voiture.**
— **Oui, j'ai changé de voiture.**

• The noun is always used **without an article.**

PRATIQUE

Quitter la littérature pour la mode

A. □ *Complete using the correct forms of the verb **quitter**:*

— Il n'y avait plus de travail, les jeunes ... la région.
— Tu n'es plus dans la bonne direction ; tu as dû ... la route.
— Le matin, je ... la maison à 8 heures pour aller au bureau.
— Cet été, ... la mer ! : venez en Savoie !
— Marilka ... les photographes pour visiter Tahnaout.

Il faut que tu acceptes

B. □ *Answer using **il faut que...**:*

— Je dois arrêter de fumer ? — Oui, il faut que tu ...
— Elle doit terminer son travail ? — Oui, il faut qu'elle ...
— Les jeunes doivent quitter la région ? — Oui, il faut ...
— Le fermier doit collecter le lait ? — Oui, ...
— Les Canadiens doivent rentrer chez eux ? — Oui, ...

Je souhaite qu'ils voyagent à ma place

C. □ *Answer using **vouloir, désirer, souhaiter**:*

— Tu acceptes ! A cause de l'agence ? — Oui, l'agence veut que ...
— Elle quite son poste ! A cause de son mari ? — Oui, il désire ...
— L'hôtel ferme déjà ! A cause du directeur ? — Oui, ...
— Le skieur tourne à droite ! A cause du guide ? — Oui, ...
— Je me maquille ! A cause du photographe ? — Oui, ...

Tu ne regrettes rien ?

D. □ *Answer negatively:*

— Vous prenez quelque chose ? — Non merci, nous ne ...
— Elle veut acheter quelque chose ? — Non, elle ...
— Tu comprends quelque chose à cela ? — Non, je ...
— Tu veux manger quelque chose ? — Non, à cause de ma ligne, ...

Dès que je peux, je change de vêtements

E. □ *Answer using **changer de** in the* « passé composé » :

— Tiens : il n'a plus la même adresse ? — Non, il a changé ...
— On ne vous voit plus dans le quartier ! — Nous avons ...
— Oh ! Elle a une nouvelle coiffure ! — En effet, elle ...
— Tu fumes des cigarettes brunes maintenant ? — Exact ! j'...

Leçon

32 Géologues français au Népal (1)

Grenoble, mois de juin

— Cette expédition au Népal, ce n'est pas la première pour vous ?
— Non, ce **sera** la quinzième[1]. Mais cette fois-ci[2], nous changerons de formule : il y **aura** beaucoup de chercheurs : géologues, ethnologues, médecins...
— Quand partirez-vous ? Vous le savez déjà ?
— Nous quitterons la France en octobre. Mais **pendant quatre mois**, nous **aurons** beaucoup de problèmes **à régler**. Il **faudra que nous obtenions** les visas ; demain, j'**irai** à l'ambassade. Nous **ferons** aussi les vaccinations recommandées. Pour les billets d'avion, je ne fais rien maintenant : on[3] **verra** plus tard. Les responsables du C.N.R.S.* **devront** d'abord nous donner l'argent de la mission.
— Il faut toujours **que vous partiez** à cette époque de l'année ?
— Oui. A cause de la mousson. Il faut **que nous montions** très haut, dans des endroits où la pluie et les avalanches sont terribles. Mais, normalement, nous **aurons** beau temps **pendant trois mois**.
— Vous avez parlé de médecins-chercheurs ?
— En effet. Ils viennent étudier la médecine traditionnelle au Népal : nous **avons beaucoup de choses à apprendre** dans ce domaine. Ils **pourront** aussi étudier notre comportement en haute altitude ; et ils **seront** là pour soigner les habitants des hautes vallées de l'Himalaya. Croyez-moi[4] : ils n'**auront** pas le temps[5] de faire du tourisme !

---

1. **la 1re, la 15e** : *for ordinal numbers, see lesson 3.*
2. **cette fois-ci** *≠ cette fois-là. Ce...-ci, as a rule, shows something close by or recent in time; ce...-là something more distant.*
*Example: — **Tu préfères ce gâteau-ci ou ce gâteau-là ?***
3. **on verra plus tard** : *ici on = nous.*

Lesson

32 French Geologists in Nepal (1)

In Grenoble, in June

— This expedition to Nepal isn't the first one for you, is it?
— No, it will be the fifteenth. But this time we are changing the system: there are going to be lots of researchers, geologists, ethnologists and doctors...
— Do you already know when are you leaving?
— We are leaving France in October. But for four months, we will have a lot of problems to sort out. We have to get visas; tomorrow I'm going to the Embassy. We will also have to get the recommended vaccinations. As for the plane tickets, I'm not seeing to that for the moment: we'll see about that later. The people in charge of the C.N.R.S. will have to give us the money for the mission first.

— Do you always have to leave at this time of the year?

— Yes, because of the monsoon. We have to climb up very high, in places where the rain and avalanches are unbelievable. But we normally have good weather for three months.
— You mentioned some doctors and researchers?
— Yes that's right. They come to study traditional medicine in Nepal: we have lots of things to learn in this domain. They will also be able to study our behaviour at a high altitude and they will be there to treat the people of the upper valleys of the Himalayas. Believe me, they will not have time for sight-seeing!

---

4. **Croyez-moi!**: *this is not a real imperative, but just a kind of reinforcement* = — ***Ils n'auront vraiment pas le temps...***

5. **le temps**: *this word refers both to meteorology (weather) and to chronology (time).*

* **Le C.N.R.S.**: ***Le Centre National de la Recherche Scientifique*** *(the National Centre for Scientific Research). Being a national institution with scientific and technical vocation, it covers all basic domaines of research and has more than 1300 laboratories. 70% of the 26000 researchers work at university. Women represent a third of the work force. The annual budget amounts to 15 billion francs.*

COMPREHENSION

Il y aura beaucoup de chercheurs

■ This lesson gives you 8 irregular verbs in the future. Note well that the endings of **all the verbs** are regular; as soon as you know the root of the verb, conjugation is straight forward. Ex.:

avoir → **j'aurai**, tu **auras**, il / elle **aura**, nous **aurons**, vous **aurez**, ils / elles **auront**.

So, as from now, only the first person of each verb is given.

être → **je serai**	devoir → **je devrai**	faire → **je ferai**
aller → **j'irai**	voir → **je verrai**	pouvoir → **je pourrai**

• falloir (only in the 3d person) → **il faudra**

Nous aurons du beau temps pendant trois mois

■ You already know how to use **pendant + durée d'ordre général** (cf. l. 20); and also **pendant + passé composé** (= limited duration in the past, cf. l. 24). Here is a third construction:

pendant + nom, verbe au futur

= limited duration (precise or not) in the future.

Il faudra que nous obtenions les visas

■ Remember: **il faut que** or **il faudra que** requires the **subjunctive**. You already know how to form the 3 persons in the singular and the 3d one in the plural with verbs in -er form.
Now, what about **the 1st and the 2d persons in the plural of all verbs** except 9 irregular verbs? It is very simple: the forms are those of the « **imparfait** » cf. l. 26!

— obtenir	→ nous obtenions	→ il faut **que nous obtenions**
	→ vous obteniez	→ il faut **que vous obteniez**
— prendre	→ nous prenions	→ il faut **que nous prenions**
	→ vous preniez	→ il faut **que vous preniez**
— finir	→ nous finissions	→ il faut **que nous finissions**
	→ vous finissiez	→ il faut **que vous finissiez**
— monter	→ nous montions	→ il faut **que nous montions**
	→ vous montiez	→ il faut **que vous montiez**

Nous aurons beaucoup de problèmes à régler

■ Observez : — **Vous devrez régler beaucoup de problèmes ?**
— **Oui, nous aurons beaucoup de problèmes à régler.**

This is an other way to express obligation: **avoir + nom + à + infinitif**

Ex. : — **Nous avons beaucoup de choses à apprendre.**

Demain, j'irai à l'ambassade

A. ☐ *Rewrite the following sentences in the **futur simple** instead of the **futur proche** (verbs in darker letters):*

— Oh ! il neige. Demain, on **va pouvoir** faire du ski.
— Lundi, je **vais aller** au Maroc et je **vais voir** Marilka.
— Trois médecins **vont faire** partie de l'expédition ; ils **vont devoir** soigner les gens.
— A ce poste, vous **allez avoir** beaucoup de travail : il **va falloir** étudier tous ces textes.
— Ma femme **va être** heureuse : nous **allons pouvoir** prendre des vacances.

Pendant quatre mois, nous aurons beaucoup de problèmes à régler

B. ☐ *With the elements below, construct sentences (like in the example above). Be careful : **verbe au futur** !*

— / les vacances d'hiver / je / faire / du ski en Savoie.
— / les mois d'été / il y a / beaucoup de monde sur la côte.
— / vous / devoir / arrêter de fumer / 6 mois.
— / 10 jours / Marilka / être / aux Seychelles.

Il faut que vous partiez à cette époque ?

C. ☐ *Exercise : in the dialogue of lesson 31, use the passage : « Il faut que je passe des heures.../... que je trouve 50 poses différentes. » and rewrite it as a set of questions and answers in the following way :*

— Il faut que vous passiez . . . ? — Oui, il faut que nous passions . . .

Nous avons beaucoup de choses à apprendre

D. ☐ *Answer using the structure **avoir... à...**:*

— Marilka doit présenter beaucoup de modèles ? — Oui, elle a . . .
— Les moniteurs doivent préparer beaucoup de pistes ? — Oui, ils . . .
— Vous devez faire beaucoup d'exercices ? — Oui, nous . . .
— Tu devras soigner beaucoup de gens ? — Oui, . . .

Leçon

33 Géologues français au Népal (2)

— Imaginons que le jour du départ arrive.
— D'accord. Première étape : l'aéroport*. **Comme** nous avons un matériel énorme à emporter, **il vaut mieux que nous arrivions** très tôt à Roissy. Avant d'enregistrer[1] les bagages, nous pourrons vérifier l'ensemble : matériel scientifique, équipement de montagne, appareils-photos, pharmacie. **Comme** à Kathmandu il fera très chaud **et que**, dans l'Himalaya, ce sera la neige et le froid, il faut que nous emportions une tenue légère et des vêtements chauds.
— Vous vous arrêterez avant d'arriver à Kathmandu ?
— Nous ferons escale pendant quelques jours en Inde[2], à New-Delhi. **Grâce à** cette étape, je pourrai[3] rencontrer des universitaires indiens. Puis, nous quitterons l'Inde pour le Népal. Je retrouve toujours ce pays avec la même émotion !
Je préfère que nous cherchions tout de suite un chef-porteur (**grâce à** mes précédents voyages, je les connais bien). Nous **lui** expliquerons notre circuit et nous **lui** demanderons de trouver de bons porteurs.
— De « bons porteurs », c'est important ?
— Et comment[4] ! Nous **leur** demandons de gros efforts, nous **leur** donnons des responsabilités et nous **leur** confions le matériel. Là où nous allons, ils nous apportent leur endurance et leur connaissance de la montagne.
— En somme[5], si votre mission réussit, c'est **grâce aux** porteurs !

---

1. **avant d'enregistrer...** : *pour cette construction, voir leçon 11.*
2. **en Inde** *(l'Inde) : for prepositions before country names, see lesson 30.*
3. **je pourrai rencontrer** : *in this text there are many irregular verbs in the future learnt in the previous lesson.*
4. **Et comment !** : *emphatic exclamation =* ***oh oui ! c'est très important.***
5. **En somme** : *this expression is often a little ironic:* ***en somme, tu es content de toi ! ?***

* **Aéroports civils parisiens** : *these areas are managed by a state-controlled society offerring its services to airlines.*

Lesson

33 French Geologists in Nepal (2)

— Let's imagine the actual day of departure.
— Okay. First step: the airport. As we have bulky material to take away, it would be better if we arrived at Roissy early. Before checking in our baggage, we'll verify everything: the scientific material, the mountain equipment, the cameras and the first-aid kit. As it will be very hot in Kathmandu, and that there will be snow in the Himalayas and cold, we'll have to take light clothing and warm clothes.

— Will you stop over before arriving in Kathmandu?
— We'll stop in India for a few days, at New Delhi. Thanks to this stop over, I'll be able to meet some Indian University professors. Then we will leave India and fly to Nepal. I always experience the same feelings every time I go back to this country!
I always prefer to look for the head porter straight away thanks to former trips, I know them well. We'll explain to him our itinerary and ask him to find some good porters.

— Are good porters important?
— Not half! We ask a lot of them, we give them responsibilities and we ask them to look after the equipment. They provide us with their stamina and knowledge of the mountain in the places we go to.
— In a nutshell, if your mission is a success, it's thanks to the porters!

In the Parisian area, there are 11 aerodromes (private plane or ULM runways; heliports) and three main airports:
— **Le Bourget** *(15 km North of Paris) created in 1914. It is in the process of being transformed. It houses an "Air Museum" and holds impressive air shows every year.*
— **Orly** *(14 km South of Paris): it has been operating since 1961 and can accommodate 20 million travellers per year.*
— **Roissy-Charles de Gaulle** *(25 km North of Paris) inaugurated in 1974. Because of its modular architecture —much appreciated or hated — it is called* **la boîte** *(the box)* **de Camembert**! *It will soon be able to accommodate 50 million passengers yearly.*

Comme nous avons du matériel, nous arriverons tôt

■ Observez : — Ils arriveront tôt ; pourquoi ?
— Parce qu'ils ont du matériel.
— Comme ils ont du matériel, ils arriveront tôt.

Comme reminds us of **the cause** (often obvious or known on the part of the speaker) and it always begins the sentence. **Comparez** :

— Je reste ici **parce qu**'il pleut. I tell you why
Comme il pleut, (and you know that) je reste ici.

• A few constructions:
— Comme + présent, futur (cf. previous ex.) ;
— Comme + présent, présent — Comme il pleut, je reste ;
— Comme + futur, présent — Comme il fera froid, je ne sors pas.

• To express two causes, you have to say:
— **Comme ... (1) et que ... (2), ...**

Ex : — Comme il pleut et que j'ai froid, je rentre.

Grâce à cette étape, je rencontrerai des Indiens

■ In lesson 30 we learnt that à cause de = cause négative or a simple reason. If the **cause is positive**, you have to use **grâce à**

• à + le = au ; à + les = aux ; Ex. :
— **Grâce au** beau temps, j'ai passé d'excellentes vacances.

Il vaut mieux que nous arrivions tôt

■ Observe this parallel:

— **Il faut que... :** outside authority	/	**Il vaut mieux que...** general advice
— **Je veux que...** personal desire	/	**Je préfère que...** personal advice

The verb after préférer is a) **in the subjunctive** → different subjects; b) **in the infinitive** → same implied subject. Ex.:
— Nous préférons arriver tôt.
— Moi aussi, je préfère que vous arriviez tôt.

Nous lui expliquerons notre circuit

■ Ils expliquent quoi ? le circuit. **A qui ?** au chef-porteur.

The complement indirect (à qui ?) relates the action to the person to whom you are referring. It can be replaced by a pronoun:

1PS : Il **me** parle (= à moi) 2PS : elle **te** parle (= à toi)
3PS : Je **lui** parle a) = à Luc ; b) = à Marie
1PP : Tu **nous** parles (= à nous) 2PP : On **vous** parle (= à vous)
3PP : Je **leur** parle a) = aux porteurs ; b) = aux jeunes filles

• **Une seule forme pour le masculin et le féminin.**

Comme il fera chaud, nous emportons une tenue légère

A. ☐ *Put the following elements into the correct order and express the cause with* ***comme...:***

— / il prépare sa valise / il va partir / — Comme il va . . .
— / vous ferez escale à Paris / je vous verrai / — Comme . . .
— / je rentre dans un bistrot / j'ai faim /
— / ils auront du beau temps / c'est la fin de la mousson /
— / il y aura beaucoup de neige / je prends mes skis /

Si votre mission réussit, c'est grâce aux porteurs !

B. ☐ *Modèle :* **Sans** les porteurs, la mission ne réussira pas. →
Grâce aux porteurs, la mission réusira.

— **Sans** le Roquefort, la région n'est pas riche. / — Grâce . . .
— **Sans** mes études, je ne trouverai pas de poste. /
— **Sans** lui, elle n'est pas heureuse. /
— **Sans** notre matériel, nous ne pouvons pas travailler. /

Je préfère que nous cherchions tout de suite

C. ☐ *Answer using: a)* ***Je préfère que...*** *; b)* ***Il vaut mieux que...:***

— Je dois emporter des vêtements légers ?
— Je préfère que tu . . .
— Il vaut mieux que . . .
— Nous devons demander les visas maintenant ?
— Elle doit changer de modèle pour cette photo ?
— Ils doivent vérifier le matériel avant de partir ?
— Tu dois passer à l'ambassade cette semaine ?

Nous leur confions le matériel

D. ☐ *Answer with the* ***indirect*** *pronoun:*

— Tu téléphones **à tes parents** ? — D'accord, je . . .
— On apporte un cadeau **à Marilka** ? — Bien sûr, on . . .
— Ils écrivent souvent **à Mme F.** ? — Oui, ils . . .
— Elle confie ses problèmes **à ses filles** ? — Parfois, elle . . .
— Vous lisez une histoire **à votre fils** ? — Tous les soirs, nous . . .

Leçon

34 La mission

(Notes enregistrées grâce au magnétophone de poche)

— (vers 1 800 mètres) Depuis deux jours, nous remontons la vallée de la Seti Khola, **en suivant** le torrent. **Comme** les eaux de la rivière ont beaucoup monté, les troncs d'arbre qui servent de ponts sont glissants et dangereux. **En traversant**, il faudra faire attention : la rivière furieuse ne pardonne pas. Nous la longerons encore pendant quelques kilomètres[1] avant de changer de rive...

— (4 000 mètres) Nous avons contourné une première barrière de montagnes et nous n'avons plus qu'à grimper sur le haut-plateau ; la fantastique chaîne des Anapurnas* est là, devant nous, au fond du cirque de glace et de rochers. D'énormes nuages passent **en roulant** par dessus les crêtes.

— (4 500 mètres : au camp de base) **Comme le ciel était menaçant, nous avons décidé** de nous arrêter ici. Nous avons prévenu le « sirdar »[2] et nous lui[3] avons dit d'installer le camp. Les porteurs ont laissé leur charge et nous leur avons demandé de préparer le thé. Bientôt, **la neige tombait si fort que nous avons dû** nous abriter sous la tente.

— Ce matin, il neige toujours. Nous ne pouvons rien faire : **nous n'avons qu'à attendre**. Mais ces traces : est-ce l'Abominable Homme des neiges[4] qui est passé[5] près de nous cette nuit ?

---

1. **pendant quelques kilomètres** : *the duration is expressed in terms of distance (it takes time to climb up).*
2. **le sirdar** : *this word comes from Persian and means:* **qui est à la tête de** *(the one who leads). It refers to the head porter.*
3. **nous lui avons demandé...** : *note the place of the indirect pronoun placed before* **avoir**.
4. **L'Abominable Homme des neiges** *(also called "Yeti"): he might not only be a legend!*

Lesson

34

The Mission

Notes recorded thanks to a portable tape-recorder

— (at about 1800 meters) For two days we have been following the torrent making our way up the Seti Khola valley. As the water level has risen a lot, the tree trunks which are being used as bridges are slippery and dangerous. When crossing over, one must be careful: the raging river is relentless. We'll continue walking alongside it for a few kilometers, before changing banks...

— (at 4000 meters) We have skirted round our first mountain barrier and all we have to do is climb up to the high plateau; in front of us there is the unbelievable chain of the Anapurnas at the back of an icy and rocky cirque. Enormous clouds are rolling over the crests.

— (at 4500 meters: at base camp) As the sky was lowering, we have decided to stop here. We have notified the "sirdar" and have told him to set up camp. The porters have put the gear down and we have asked them to make the tea. Not long after that, snow fell so heavily that we had to shelter under the tents.

— This morning, it is still snowing. We can achieve nothing: all we can do is wait. But as for these tracks: did the Abominable Snowman come through here last night?

---

5. **qui est passé...** : *for this new form of* **passé composé**, *see lesson 35.*
* **Les Anapurnas** : *The Anapurna I (8091 m) was first conquered by the French: Maurice Herzog and Louis Lachenal on June 3d, 1950. It was the first world conquest of a summit more than 8000 meters high. The assault lasted 18 days. In 1980, Yves Morin, while skiing down from the top, and then hanging for hours to a rope, eventually died in the perilous passage. On September 25th, 1988, Marc Batard succeeded in climbing up Mount Everest (8848 m)* **en solo** *in less than a day (22h 24') and without any extra oxygen.*

Nous remontons la vallée, en suivant le torrent

■ Observez : a) — Comment ont-ils remonté la vallée ?
— **En suivant** le torrent. / **En longeant** la rivière.

The « gérondif » expresses the way to do sth.

b) — Quand devaient-ils faire attention ?
— **En traversant** la rivière.

The « gérondif » expresses the simultaneity of two actions.

It implies that the same subject performs both actions at the same time:
— Il lit en fumant (et il fume) / Il a lu en fumant (et il a fumé).

This invariable verbal form is based on the 1st plural person in the present tense: nous **longe**ons → en **longe**ant / nous **fais**ons → en **fais**ant.

Comme le ciel était menaçant, nous avons décidé d'arrêter

■ Observez : a) — Le ciel était menaçant ; alors ?
— Comme il était menaçant, ils ont décidé d'arrêter.

Comme + imparfait, passé composé

b) — Les eaux ont beaucoup monté ; alors ?
— Comme elles ont monté, les troncs sont glissants.

Comme + passé composé, présent

Remember: Comme expresses a well known cause and has to begin the sentence.

La neige tombait si fort que nous avons dû nous abriter

■ Observez : — La neige tombait très fort ?
— Oui, elle tombait si fort qu'ils ont dû s'abriter.
ou : — Elle tombait **tellement** fort **qu'**ils ont dû s'abriter.

... si + adj. + que ... ou : **... tellement + adj. + que ...** expresses the **consequence** of an action or a state. Ex.: — **Elle est si / tellement belle** que tout le monde la regarde.

- **With an adverb:**
  — Jean conduit **si / tellement vite que** sa femme a peur.
- **With a verb** (only: **tellement que**):
  — Il **parle tellement que** je m'endors.
- au passé composé :
  J'ai tellement mangé que j'ai mal au ventre.

Nous n'avons qu'à attendre

■ Observez : — Ils attendent ; ils peuvent faire autre chose ?
— Non, ils n'ont qu'à attendre.

... n'avoir qu'à + infinitif is not negative, but **exclusive**.

Ex. : — Tu es fatigué ? tu n'as qu'à dormir.

PRATIQUE

En traversant, nous devons faire attention

A. □ *Replace the part in darker letters by a* ***gérondif:***

— Ils parlent **et ils font la cuisine.** — Ils parlent en . . .

— Elle va revenir **et elle va faire ses courses.** — Elle va faire . . .

— **Nous arriverons à Katmandu et** nous irons à l'hôtel. — Nous . . .

— J'ai lu ta lettre **et j'ai mangé un fruit.**

Comme les eaux ont monté, les troncs sont glissants

B. □ *Express the cause using* ***comme:***

— Elle l'a quitté : il pleure. — Comme elle . . .

— J'ai fermé la fenêtre : le vent était très fort. — Comme . . .

— Philippe était malade : il a décidé de ne pas aller au bureau.

— Nous avons préparé un sandwich : nous avions faim.

— Ils avaient un mois de vacances : ils ont traversé le Canada.

Le ciel était si menaçant que nous avons arrêté

C. □ *With the following elements, construct sentences accentuating the consequence (watch your tenses!):*

— / Le son de la radio / être / fort / nous / (ne pas entendre) le téléphone /

— / Le Canada / être / grand / nous (ne visiter au futur) qu'une petite partie /

— / Hier soir / il (boire) / il (être malade) toute la nuit /

— / L'an dernier John (travailler) bien / il (réussir) tous ses examens /

Nous n'avons plus qu'à grimper sur le haut-plateau

D. □ *Suggest solutions in the way shown:*

— Il a faim ? (manger) → — **Il n'a qu'à manger !**

— Elle est en retard ? (prendre un taxi) → — Elle n'a . . .

— Il pleut ? (s'abriter) → — Nous . . . !

— Vous cherchez la bergerie ? (descendre) → — Vous . . . !

Leçon

35 Journaliste français au Japon (1)

Vincent B., reporter-radio, voyage dans le monde entier et fait des reportages « à chaud » (c'est-à-dire qu'il travaille en « couvrant » les événements sur le terrain où ils se passent).
— De quels pays où **vous êtes allé** récemment avez-vous envie de nous parler ?
— **Je suis allé** au Japon, aux Antilles, au Tchad et... en banlieue parisienne ! Vous n'avez qu'à choisir.
— Comme c'est le pays le plus éloigné de la France, je préfère que nous parlions du Japon.
— Depuis combien de temps êtes-vous revenu du Japon ?
— **Je suis revenu** du Japon il y a deux mois. **Je suis parti** là-bas avec un groupe immense de journalistes : on était 260, venus de 36 pays (avec une forte proportion de gens des pays de l'Est : des Russes, des Bulgares et même des Roumains).
— Mais pourquoi le Japon ? Et pourquoi autant de journalistes ?
— Je vais vous expliquer. **J'y suis allé parce que je fais partie** d'une association internationale, **qui a été créée** après la deuxième guerre mondiale par un Français pour rapprocher l'Est de l'Ouest. Elle regroupe des journalistes-skieurs. Tous les ans, grâce à une compétition internationale, **nous sommes allés** dans un pays différent. L'année dernière, c'était aux Etats-Unis ; cette année, c'était au Japon.
— Les 260 journalistes ont fait du ski ?
— Oui.
— Mais qui vous a invité ?
— Les Japonais ont trouvé des sponsors qui leur ont permis de nous inviter. Mais surtout, **nous avons été invités parce qu'ils sont candidats** pour les Jeux Olympiques* d'hiver de 1996 !

---

* ***Les Jeux olympiques :*** *in their modern form, they were created by the Frenchman* ***Pierre de Coubertin*** *in 1892 and in 1896 the first Games took place in Athens (1924 for the first Winter Games in* ***Chamonix****). 1896 was used as a starting point in order to establish the calendar of Games every fourth year. In 1992, they will take place in Barcelona (Spain) during summer*

Lesson

35 A French Journalist in Japan (1)

Vincent B., a radio reporter, travels all over the world and makes on-the-spot reports (in other words he covers events right where they happen).

What countries have you been to lately that you feel like talking about?
— I've been to Japan, the West Indies, Tchad and... the suburbs of Paris! All you have to do is choose.
— As it is the farthest country from France, I prefer talking about Japan.
— Well, how long is it since you got back from Japan?
— I got back from Japan two months ago. I went there with a big group of journalists. There were 260 of us from 36 countries (with a large proportion of people from the eastern world: some Russians, Bulgarians and even some Rumanians).
— But why Japan? And why so many journalists?

— I'll tell you why. I went there because I am part of an international association which was created by a Frenchman to bring eastern and western countries closer together. It reassembles journalists-skiers. Every year, thanks to an international competition, we have gone to a different country. Last year it was in the United States, this year it was in Japan.

— Did the 260 journalists go skiing?
— Yes, they did.
— But who invited you?
— The Japanese found sponsors who enabled them to invite us. But, above all, we were invited because they are candidates for the 1996 Winter Olympics.

---

*and in **Albertville** (France) during winter. Interlaced rings of 5 colours: white, yellow, black, green and red, the emblem for the Games, symbolize the five continent union and the primacy of a world-wide spirit over questions of nationalism.*

Je suis allé au Japon

■ Observez : — **Quels sont les pays où vous êtes allé récemment ?**
— **Je suis allé au Japon.**

With verbs of movement including a point of departure, arrival or passage: **aller, venir, retourner, revenir, passer, monter, descendre, partir**, the auxiliary verb in compound tenses is **être**; examples:

— **Je suis entré au Musée.** / — **Tu es sorti(e) de l'école.** / — **Il est parti pour le Tchad.** / — **Elle est revenue de Belgique.** / — **Nous sommes passé(e)s par la Savoie.** / — **Vous êtes retourné(es) dans les Cévennes.** / — **Ils sont « montés » à Paris.** / — **Elles sont « descendues » sur la Côte d'Azur.**

- The participle agrees with the subject: **Elle est allée au cinéma.**
- **je, tu** and **nous** can be masculine or feminine; **vous** can be masc. or fem., singular or plural; ex.:
  — **Marie, tu es allée aux Antilles ?**
  — **Christine et Françoise, vous êtes parties pour le Brésil ?**

Une association a été créée par un Français

■ Observez : — Un Français **sujet +** a créé **verbe +** une association. **COD.**
— Une association **sujet +** a été créée **verbe passif +** par un Français. **agent**

The passive is in a compound tense (there are three elements):

auxiliaire avoir + été + participe verbal

- **été** is invariable; the **participe verbal** agreed with the subject. Ex.:
  — **La place a été réservée.**
  — **Les fenêtres ont été ouvertes par le vent.**

Nous avons été invités parce que les Japonais sont candidats

■ Notice the connection between **présent / passé composé**:
— **Les Japonais sont candidats depuis quelques années.**
— **Ils nous ont invités le mois dernier.**
— **Ils nous ont invités parce qu'ils sont candidats.**

Autres exemples :
— **Il leur a téléphoné parce qu'il a une nouvelle à leur apprendre.**
— **Elle a mis son manteau parce qu'il fait froid.**
— **J'ai pris mon parapluie parce qu'il pleut.**

PRATIQUE

Je suis revenu du Japon

A. ☐ *Answer in the* ***passé composé****:*

— Vincent vient de revenir du Japon ? — Oui, il ... hier.
— Elle vient de rentrer du Maroc ? — Oui, elle ... la semaine dernière.
— Tu viens de passer à ton bureau ? — Oui, je ... cet après-midi.
— Les filles viennent de descendre de leur chambre ? — Oui, elles ... il y a 5 minutes.

Nous avons été invités par les Japonais

B. ☐ *Reread the cultural note about the Olympic Games and complete the following text using the* ***passé composé passif****:*

Les Jeux Olympiques ... (créer) dans leur forme moderne par Pierre de Coubertin. Ils ... (organiser) pour la première fois à Athènes en 1896. La charte olympique ... (proclamer) en 1897 pour dire clairement l'esprit des compétitions. Les cinq anneaux ... (choisir) pour représenter les cinq continents.

J'y suis allé parce que je fais partie d'une association

C. ☐ *Put together a cause in the present tense and an action in the* ***passé composé****:*

— J'... (inviter) des confrères de la radio parce qu'ils ... (faire partie) de la même association que moi.
— Il ... (prendre) l'avion parce qu'il ... (vouloir) arriver plus vite.
— Elle ... (partir) pour la Côte d'Azur parce qu'elle ... (aimer) la mer.
— Nous ... (revenir) par la Suisse parce que notre fille y ... (habiter).

Leçon

36 Un journaliste français au Japon (2)

— Combien de temps êtes-vous resté au Japon ?
— Notre séjour a duré dix-sept jours exactement.
— **Vous vous êtes** beaucoup **promené** ?
— D'abord, nous avons fait du ski à Nagano qui est une station située à 200 km de Tokyo, à deux, trois heures de train de la ville. Quand nous sommes arrivés, nous étions attendus par le maire, les personnalités, les gens de la ville et les enfants des écoles qui agitaient leur petit drapeau : « Welcome to Nagano ! » et des panneaux qui disaient : « N'oubliez pas que nous sommes candidats aux Jeux Olympiques de 1996 ! ».
... Et puis, **je me suis beaucoup promené**...
— En faisant aussi des interviews ?
— Non, pas vraiment. **Je ne suis pas allé** au Japon pour faire un reportage ; **j'y suis allé** en touriste. Je n'avais qu'à me promener. Il y a eu des rencontres avec des journalistes et des personnalités japonaises mais c'était un peu une sorte de conférence de presse planétaire. Ce n'était pas nous qui leur demandions une interview mais les Japonais qui nous interrogeaient.
— Avez-vous été frappé par **quelque chose de particulier** ?
— Oui : j'ai vu des gens si gentils, si polis, si souriants que cela a profondément changé mes habitudes d'occidental.
— Mais avez-vous vu **quelque chose de très spécial** ?
— C'est difficile en 17 jours ! Nous étions, de plus, très nombreux. De temps en temps, grâce à un ami journaliste qui parle un peu japonais, je suis sorti du groupe et là, dans les bars, nous avons bu du saké... et aussi du whisky ! Je n'ai rien vu d'exceptionnel, d'étrange. Mais j'ai vu le futur site olympique : ce n'est déjà pas mal, non ?

Lesson

36 A French Journalist in Japan (2)

— How long did you stay in Japan for?
— Our stay lasted seventeen days exactly.
— Did you walk around much?
— First we did some skiing in Nagano which is a resort situated 200 km from Tokyo, a two or three hour trip to the east of the city. When we arrived we were expected by the Mayor, personalities, local town people and school children who were waving their little flags: "Welcome to Nagano" and posters which said: "Don't forget that we are candidates for the 1996 Olympic Games!"

... After that I did a lot of sight-seeing...
— Interviewing as well?
— No, not really. I didn't go to Japan to write a report; I went there as a tourist. All I did was walk around. There were meetings with journalists and Japanese personalities but it was more or less like a world-wide press conference. We didn't do the interviewing: the Japanese asked the questions.

— Were you amazed by anything in particular?

— Yes: I saw people who were so nice, polite and smiling that it has completely changed my European habits.
— But did you see anything really special?
— It's difficult in 17 days! There were a lot of us as well. From time to time, thanks to a fellow journalist who speaks a little Japanese, I got away from the group and in the bars we drank saké and... whisky as well. I didn't see anything exceptional or strange. But I did see the future Olympic venue and even now it's not too bad!

Vous vous êtes beaucoup promené ?

■ All reflexive verbs form their **passé composé** with **être**. Ex.:

se lever — **Il s'est levé à cinq heures du matin.**
se promener — **Elle s'est promenée seule.**
se réveiller — **Je me suis réveillé(e) à 6 heures.**
se baigner — **Les enfants se sont baignés cet après-midi ?**

- In the examples above, you can notice that the participle always agrees with the subject;
- so, be careful with the pronouns **je, tu, nous et vous**:
  — **Marie, vous vous** êtes **levée** à quelle heure ?
  — **Les enfants, vous vous** êtes **levés** à quelle heure ?

Je ne suis pas allé au Japon pour faire un reportage...

■ In the **passé composé**, note the order of the elements (negation and pronouns):

sujet + ne + pronom + auxiliaire + pas + participe:

— Tu es allée au Japon ? — Non, je **n'y** suis **pas** allée.
— Elle a bu du saké ? — Non, elle **n'en** a **pas** bu.
— Tu as vu le Fuji-Yama ? — Non, je **ne l'**ai **pas** vu.
— Elle s'est promenée ? — Non, elle **ne s'**est **pas** promenée.

- We will study this further on in the method, but let's have a look at a very important aspect of the language:

Rule: the participle of a verb using the auxiliary **avoir** in compound tenses agrees with the cod pronoun placed in front of the verb. Examples:

— **La ville** de Tokyo ? Oui, je **l'**ai **visitée**.
— **Les écoliers** ? Oui, je **les** ai **photographiés**.
— **Les personnalités** ? Oui, je **les** ai **rencontrées**.

- When the COD pronoun is **en**, the agreement is considered as neutral, that is to say there is no particular ending to the participle:
  — **De la tarte** ? Oui, **j'en** ai **mangé**.

Avez-vous été frappé par quelque chose de particulier ?

■ Observe :

— **Est-ce que Vincent est frappé par des choses particulières ?**
— Est-ce que Vincent est frappé par **quelque chose de** particulier ?

The adjective following the indefinite pronouns **quelque chose** or **quelqu'un** is preceded by **de** or **d'**; examples:

— **Vincent est sympathique ?**
— **Oui, c'est quelqu'un de sympathique.**
— **Tu as une veste très à la mode !**
— **Oui, je me suis acheté quelque chose de nouveau.**

Je me suis beaucoup promené

A. □ *In the following text put the undermentioned verbs into the passé composé:*

/ se lever / se laver / se réveiller / se coiffer / s'habiller / se maquiller /

— Ce matin, Chantal ... à 7 heures. Elle ... tout de suite. Elle ... rapidement dans la salle de bains. Puis, elle ... Elle ... et elle ... légèrement parce qu'il faisait chaud.

... j'y suis allé en touriste

B. 1) □ *Answer using pronouns:*

— Tu es allé à New York? — Non, je ...
— Tes parents sont venus à Paris? — Non, ils ...
— Tu es resté longtemps à Tokyo? — Non, je ...
— Elle a parlé à son directeur? — Non, elle ...

2)
— As-tu vu les sites olympiques? — Oui, je ...
— As-tu photographié les écolières? — Oui, je ...
— As-tu aimé les pistes? — Oui, je ...
— As-tu lu les journaux japonais? — Non, je ...
— As-tu bu de la bière japonaise? — Non, je ...

Avez-vous vu quelque chose de très spécial?

C. □ *Answer with c'est qqch / qq'n de... and the adjective in brackets:*

— Le film te plaît? (passionnant) — Oui, c'est ...
— M. Armand est P.-D.G.? (important) — Oui, c'est ...
— Tu cherches quoi? un livre? (amusant et facile) — Oui, ...
— Papa, tu m'as rapporté un cadeau? (extraordinaire) — Oui, ...
— Tu aimes bien Jean-Paul? (très gentil) — Oui, ...

Leçon

37

Racontez-moi...

— Racontez-moi votre voyage par avion.
— Il y a plusieurs solutions pour aller au Japon : il y a un vol direct et deux autres trajets. Nous, à l'aller, nous avons pris le vol le plus long, celui qui passe par le pôle Nord. On s'est arrêtés à Anchorage. Quand on s'est posés, c'était tout blanc, très beau. Nous avons eu le temps d'aller à l'aéroport pour faire tamponner nos passeports avec un faux visa : un beau nounours tout blanc qui décore joliment la page. Puis, nous sommes repartis. Au total, **ça fait 18 heures** de vol : c'est épuisant !
— Et vous êtes revenus en prenant le même vol ?
— Non. Comme nous sommes passés par Moscou, le vol de retour a été plus court. J'ai acheté de la vodka et des poupées russes (je les ai choisies pour mes enfants). Cette fois, on a dû mettre 13 heures au total.
— Vous n'avez pas eu le temps de voir Moscou ?
— Non. L'escale est si courte que ça n'était pas possible. **Je ne me suis pas couché pendant 13 heures** ; j'ai à peu près dormi dans l'avion, mais vous savez comment c'est !... **Même si** les avions sont de plus en plus confortables, le voyage reste fatigant.
— Pour faire votre métier, il faut aimer voyager ?
— Certainement. Je dois aller très vite sur le terrain. Mais je me suis habitué à cette vie-là parce que **ça fait 20 ans que** je fais ce métier ; et je l'aime toujours autant. Je repars **dans une semaine** pour le Tchad et, **dans un mois**, je vais aller à la Martinique.
— Et votre famille ?
— Cette vie-là, ma femme l'a acceptée dès le début. Par contre, ce qui est plus difficile c'est pour les enfants : ils grandissent vite et, **même si** je leur rapporte des cadeaux du monde entier, ça ne suffit pas toujours !

Lesson

37

Let's have a chat...

— Tell me about your plane trip?
— There are several ways of going to Japan: there is a direct flight and two other routes. On the outward journey we took the longest flight which goes over the North Pole. We stopped at Anchorage. When we touched down, everything was all white and really beautiful. We had time to go into the airport and have our passports stamped with a non valid visa: a lovely white teddy bear which makes the page look nice. Then we took off again. All in all, that took 18 hours, it was exhausting.

— Did you come back the same way?
— No, we didn't. Because the homeward journey was through Moscow, the flight was shorter. I bought some vodka and some Russian dolls (I chose them for my children). This time, we must have taken 13 hours in all.
— Didn't you have the time to visit Moscow?
— No, we didn't. The stopover was so short that it wasn't possible. I didn't sleep for 13 hours. I slept a little bit on the aircraft, but you know what it's like!... Even if the aircrafts are more and more comfortable, the journey is still tiring.
— To do your job, do you have to like travelling?
— Without a doubt. I must be quickly on the scene. But I've got used to this lifestyle because I've been doing this job for twenty years; and I still like it just as much. I'm going back to Tchad in a week's time and in a month's time I'll be off to Martinique.
— And what about your family?
— My wife accepted this lifestyle right from the beginning. On the other hand it is most difficult for the children: they are growing up fast and even if I bring them souvenirs from all over the world, it doesn't always make up for it!

Ça fait 18 heures de vol

■ Observe : — Le vol **dure** 18 heures.
— **Ça fait** 18 heures de vol.

Other example:
— La traversée dure trois jours.
— Ça fait trois jours de traversée.

• Observe : — Il fait ce métier **depuis 20 ans**.
— **Ça fait 20 ans qu'**il fait ce métier.

To express duration, one can use:

ça fait + expression de temps + que + proposition

An equivalent expression:

il y a + expression de temps + que + proposition

Ex. : — Ça fait deux heures que je t'attends !
— Mais il y a une heure que je suis là !

Je repars dans une semaine pour le Tchad

■ The construction **dans + expression of time** shows the beginning of an action in the future:
— Il arrive **dans un mois**.
— Elle va revenir **dans quinze jours**.
— Nous repartirons **dans trois semaines**.

Je ne me suis pas couché...

■ The expression **pendant + expression of time** marks a limited duration: so, speaking of the past, the verb has to be in the **passé composé**:
— Elle **a travaillé** pendant six heures.
— Ils **ont voyagé** pendant un mois.
— **J'ai dormi** pendant douze heures.

• As the **passé composé** on its own implies a limited duration, **pendant** is often omitted:
— Il est resté une heure au téléphone.
— Vous avez lu deux heures.

Même si je leur rapporte des cadeaux, ça ne suffit pas toujours

■ Observe :
— Il rapporte des cadeaux, **c'est vrai, mais** ça ne suffit pas toujours.
— **Même s'**il rapporte des cadeaux, ça ne suffit pas toujours.

To express an idea of opposition, one can use:

même si + proposition, proposition

Ex. : — Même si le vol est rapide, il reste fatigant.
— Même si je lis le français, je ne le parle pas très bien.

Ça fait 20 ans que je fais ce métier

A. □ *Answer in your own way using **ça fait** ou **ça fait ... que**:*

— Vous apprenez le français depuis combien de temps? — Ça ...
— Elle sait conduire depuis combien de temps?
— Le vol Paris-Rome dure combien de temps?
— Tu lis depuis longtemps?

Dans un mois, je vais aller à la Martinique

B. □ *Answer using **dans** + the suggested tense:*

— Quand passera-t-elle à Paris? (un mois) — Elle ...
— Quand arrivons-nous à Tokyo? (une 1/2 heure) — Nous ...
— Papa, quand est-ce que tu reviens? (15 jours) — Je ...

... pendant 13 heures

C. □ *Transform the following sentences using **pendant** + **passé composé**:*

— Elle part un mois. — Elle est ...
— Nous nous promenons une heure. — Nous ...
— Il dort quelques heures. — ...
— Vous lisez toute la soirée. — ...

Même si les avions sont plus confortables, le voyage reste fatigant

D. □ *Express an opposition connection using **même si**:*

— La médecine fait des progrès, mais il reste beaucoup de maladies inconnues. — Même ...
— L'avion est rapide, mais les longs voyages sont fatigants.
— Tu dis la vérité, mais je ne te crois pas.
— J'aime le bon vin, mais je n'en prends pas quand je conduis.

Leçon

38 Le métier de journaliste

— **Dites-moi pourquoi** vous aimez votre métier.
— J'ai toujours aimé ce métier parce qu'il est difficile. Contrairement à l'opinion courante sur le journalisme, il n'y a pas que des avantages. Il est vrai que cette obligation de voyager pour **ne pas manquer** l'événement est positive même si on oublie le problème des décalages horaires et, comme je vous l'ai dit les heures en avion sans vraiment dormir. Mais, heureusement, il y a les interviews !
— Eh bien, **parlez-m'en !**
— Voilà. Ce sont les interviews « en direct » qui sont très difficiles à faire. Souvent, quand on arrive sur le terrain (c'est-à-dire l'événement en France ou à l'étranger), il faut pouvoir rencontrer la personne intéressante, celle qui va vous donner la meilleure information.
— Vous pouvez me donner un exemple ?
— Oui. Sans vous raconter toute l'histoire, cela fait un an que ça m'est arrivé (lors d'un reportage « à chaud » sur un accident d'avion). Comme je ne rencontrais **personne d'intéressant**, je ne pouvais **rien** voir **de précis**, **rien** enregistrer **d'important** sur cet accident.
— Alors, quand cela se passe ainsi, **dites-moi comment** vous faites.
— Cette fois-là, j'ai eu la chance d'avoir un ami dans le pays où j'étais qui, lui, a pu m'aider. Grâce à lui, je suis allé voir sur place les conséquences de l'accident. Vous voyez, ce n'est pas facile. On n'a pas toujours un bon ami qui se trouve à la bonne place pour aider à faire le reportage !

Pour ne pas perdre de temps, souvent, j'appelle avant de partir les amis qui vivent dans le pays où je dois aller. Avoir des amis dans le monde entier, c'est une raison de plus d'aimer ce métier !

Lesson

38 The Profession of a Journalist

— Tell me why you like your job?
— I've always liked this job because it's difficult. Contrary to the current opinion about journalism, there are not only advantages. It's true that always having to travel in order not to miss events is a perk even if one takes into account the problem of time differences and, as I told you, the hours spent in aircrafts without getting any real sleep. Fortunately there are the interviews!

— Ah, tell me about them.
— Well, "live" interviews are the most difficult to do. Often when you arrive on the scene (that is to say the events in France as well as overseas) you have to meet the right person who is going to give you the best information.
— Can you give me an example?
— Sure. Without telling you the whole story, it happened to me a year ago (during an on-the-spot report on an aircraft accident). Because I didn't manage to meet the right person, I couldn't see anything in particular nor record anything important about the accident.
— So tell me what you do when things like that happen.
— On that occasion, I was lucky to have a friend living in the area where I was, and he was able to help me. Thanks to him, I got all the information I needed and then I went straight to the spot to have a look at the consequences of the accident. You see, it isn't always easy and we don't always have a friend living in the right spot to help carry out our report.
In order not to lose any time, prior to leaving, I often call friends who live in the area where I have to go. Having friends all over the world is an additional reason for liking this job!

Dites-moi pourquoi vous aimez votre métier

■ Note the imperative of the verb **dire**:
— **Dis-moi**... (one says **tu**) / — **Dites-moi**... (one says **vous**).
These imperatives lead to the indirect speech; examples:
— **Est-ce que tu viens ?** → — **Dis-moi si tu viens.**
— **Quand partez-vous ?** → — **Dites-moi quand vous partez.**

Les interviews ?...

■ Observe : — **Je vous demande de parler de vos interviews.**
— **Je vous demande d'en parler.** / — **Parlez-en.**
The question is **parler de quoi ?**; the answer is **complément d'objet indirect** introduced by **de** (= COI²).
The **COI²** pronoun is **en**
Ex. : — **Il a parlé du Japon ?** — **Oui, il en a parlé.**
— **Tu parleras des problèmes ?** — **Non, je n'en parlerai pas.**

- Now you know the three values of the pronoun **en**:
  a) **en = neuter COD :**
  — Tu veux du café ? — Oui, j'en veux bien.
  b) **en = pronoun of place :**
  — Il revient du Japon ? — Oui, il en revient.
  c) **en = COI² :**
  — Elle parle de son voyage ? — Oui, elle en parle.

Je ne rencontrais personne d'intéressant

■ Observe : — Il a rencontré **quelqu'un d'intéressant** ?
— Non, il **n'a** rencontré **personne d'intéressant**.
You have learnt the construction of **qq'n / qqch de + adjectif**.
qq'n de + adj. ≠ personne de + adj. ;
qqch de + adj. ≠ rien de + adj.
Ex. : — **Il ne dit rien d'important.**
— **Je ne rencontrerai personne d'important.**

- In compound tenses, note the different places of **rien** and **personne** in relation to the verbal participle:
  — **Je n'ai vu personne de nouveau.**
  — **Je n'ai rien vu de nouveau.**

... pour ne pas perdre de temps

■ In the infinitive, every negation is placed before the verb. This construction is used with prohibitions general negative imperatives. Ex.:

(dans un autobus) — **Ne pas parler au conducteur.**
(dans la rue) — **Ne pas stationner devant la porte.**

Dites-moi comment vous faites

A. ☐ *Formulate a request using **dis-moi** or **dites-moi**:*

— Demandez à votre amie : — Quelle heure est-il ?
— Demandez à une personne : — Comment va-t-on à la gare ?
— Demandez à une hôtesse d'Air-France : — Combien de temps l'avion reste-t-il à Moscou ?

... parlez-m'en !

B. ☐ *Answer with the COI[2] pronoun **en**:*

— Elle a parlé de son livre ? — Oui, elle ...
— Tu vas parler de ton voyage ? — Oui, je ...
— Nous parlons de nos projets ? — Non, ... (impératif)
— Ils parleront du Japon ? — Non, ...

Je ne pouvais rien voir de précis

C. ☐ *Answer negatively:*

— Tu as mangé quelque chose de bon ? — Non, je n'ai ...
— Elle a rencontré quelqu'un de sympa ? — Non, elle ...
— Vous avez interrogé quelqu'un d'important ? — Non, nous ...
— Ils ont rapporté quelque chose d'extraordinaire ? — Non, ...
— Il a remarqué quelque chose d'anormal ? — Non, ...

... pour ne pas manquer l'événement

D. ☐ *Give words of advice to a friend coming to France:*

— Ne dépense pas ton argent : ne prends pas de taxi. → — Pour ne ...
— Ne perds pas de temps : téléphone à tes amis parisiens.
— N'attends pas à la banque : prends ta carte de crédit.
— Ne te perds pas : achète un plan de Paris.

Leçon

39 Acteurs japonais en France

La troupe nationale du théâtre Kabuki* est venue du Japon pour présenter **de grands classiques**. Yoshiko, étudiante de français, a été chargée d'accompagner les acteurs et de leur servir d'interprète.
— Yoshiko, dites-moi si ce sont toujours **de vieux acteurs** qui jouent les pièces de Kabuki.
— Ce répertoire très ancien fait partie de notre patrimoine culturel. **Pendant que le Japon s'ouvrait** à l'Occident, **les gens ont tourné le dos** à cette forme d'art mais **la tradition a continué**. Elle se transmet, depuis toujours, de père en fils. L'acteur principal — un monsieur de quatre vingt ans — et les deux musiciens sont aujourd'hui « trésors nationaux »** !
— Vous avez servi de guide. **Qu'est-ce qui a frappé** les acteurs **pendant qu'ils étaient** en France ?
— **Leur troupe est déjà venue** à Paris **il y a dix ans**. Ils trouvent que les spectateurs sont toujours aussi respectueux, attentifs... et patients (il s'agit **de très longues pièces** dans une langue inconnue) ! Mais surtout, ils sont très étonnés par le mélange de politesse et de franchise des Français. Par exemple, ici, on sort en tenant la porte pour la personne qui suit. Partout, on dit : « Pardon ! », « Merci ! », « Je vous en prie ! ». Dans les restaurants, les serveurs veulent savoir si leurs clients sont satisfaits. Par contre, les gens aiment dire très ouvertement leur opinion...
... Mais je vais vous apprendre la chose la plus étonnante pour eux : moi ! !
— Que voulez-vous dire ?
— **J'ai vu la première représentation il y a dix jours**. C'est quelque chose d'impensable au Japon : les femmes n'ont pas le droit d'assister à ce genre de spectacles. Quel choc !

---

* **Le théâtre Kabuki** : *this Japanese word meaning "song, dancing and character" designates a very old theatrical genre in which dialogues alternat ewith chanted parts and ballet interludes. An other classical form of Japanese*

Lesson

39 Japanese Actors in France

The Kabuki National Theatrical Company has come from Japan to perform some of the greater classics. Yoshiko, a student of the French language, has been assigned the job of accompanying the actors and acting as an interpreter.
— Yoshiko, do only old-actors perform in the Kabuki plays.

— This very old repertoire is a part of our cultural heritage. While Japan was opening up to the West, people turned their backs on this type of art, but the tradition has continued. It has been handed down from father to son for a long time. The principal actor, an eighty-year-old man, and the two musicians are "National treasures" today!

— You have acted as an interpreter. What struck the actors the most while they were in France?
— Their Company had already come to France ten years ago. They have found the audience just as respectful, attentive... and patient (not forgetting they are very long plays in an unknown language)! But above all, they are very surprised by the combination of politeness and the straight forwardness of the French. For example, here, when leaving a room, the door is held open for the next person. Everywhere, one says: "Sorry!", "Thank you!", "You're welcome!". In restaurants, waiters want to know whether their clients are satisfied or not. On the other hand, people like to openly speak their minds...
...But I'm going to let you know what is the most astonishing thing for them: Me!!
— What do you mean?
— I saw the first performance ten days ago. It's something unthinkable in Japan: women do not have the right to attend this type of show. What a shock!

---

theatre is the Nô. We are not used to seeing humans promoted to the rank of
** "**national treasures**". *This is typical of a country which, while being avant-garde in many spheres, remains keen to preserve its possessions, whatever they are. The famous Mount Fuji is a part of them.*

Ce sont de vieux acteurs

■ Observez :

— Ce sont **des** acteurs **âgés** ?

— Oui, ce sont **de vieux** acteurs.

The plural indefinite article des becomes **de** or **d'** if the adjective precedes the noun:

des + nom + adj. → de + adj. + nom

Ex. : — **des** livres **intéressants → de beaux** livres.

• Adjectives can be specified by an adverb; ex:

— **des** pièces **très longues → de très longues** pièces.

Pendant que le Japon s'ouvrait, la tradition a continué

■ **pendant que + imparfait** indicates an unlimited period of time in the past. But, as far as the **imparfait** is concerned, it serves as a scope for a limited action therefore in the **passé composé**:

pendant que + imparfait, passé composé

Example from the text:

— Qu'est-ce qui **a frappé** les acteurs pendant qu'ils **étaient** en France ?

Leur troupe est déjà venue il y a dix ans

■ **il y a + expression de temps** is used to date an event in the past. It is an answer to the question **quand ?**:

— **Quand** sont-ils venus ?

— Ils sont venus **il y a dix ans.**

• Do not mistake il y a + expression de **durée** + que + verbe au **présent** (cf. l. 37) for **verbe au passé** + il y a + expression de **temps**

Il s'agit de très longues pièces

A. ☐ *Replace the adjectives in darker letters with those in brackets (preceding the noun):*
— Les acteurs portent des costumes **magnifiques**. (admirables) → — Les acteurs ...
— Les Charvet sont vraiment des amis **agréables**. (charmants)
— Elle portait des boucles d'oreille **minuscules**. (très petites)
— Nous avons pris des routes **touristiques**. (jolies)
— Je vous souhaite des vacances **reposantes**. (excellentes)

Qu'est-ce qui a frappé les acteurs pendant qu'ils étaient en France ?

B. ☐ *Rewrite the following sentences in the past tense:*
— Pendant que les enfants jouent, je regarde la télévision.
— Il commence à neiger pendant que nous installons le camp.
— Pendant qu'il dort, l'avion survole l'Alaska.
— Pendant qu'elle travaille au Maroc, elle visite la région.
— Je fais un gâteau pendant que tu t'occupes du jardin.

J'ai vu la première représentation il y a 10 jours

C. ☐ *Link the following elements in this way:*
passé composé + il y a + expression de temps:
— / elle / se lever / 1/2 heure / → — Elle ...
— / nous / se marier / 7 ans /
— / je / visiter ce pays / quelques mois /
— / l'avion / décoller / 5 minutes /
— / ils / arriver au Népal / une semaine /

Tests : Quatrième série
(leçons 30 à 39)

For each sentence, tick off the right answer.

1. — Tu connais le Portugal ? — Non, mais je vais ... Portugal cet été.
   a) □ au
   b) □ à
   c) □ en
   d) □ dans le

2. — Je vais te montrer le bureau ... je travaille.
   a) □ que
   b) □ qui
   c) □ (/)
   d) □ où

3. — Tu ne veux ... boire ?
   a) □ pas quelque chose
   b) □ pas rien
   c) □ rien
   d) □ aucune chose

4. — Il faut que tu ... ton billet demain.
   a) □ prennes
   b) □ prends
   c) □ prendras
   d) □ va prendre

5. — Nous partirons pendant ...
   a) □ lundi à vendredi
   b) □ une semaine
   c) □ les jours
   d) □ juin

6. — Vous avez beaucoup de lettres ... écrire.

a) □ à
b) □ d'
c) □ pour
d) □ qu'

7. — Je préfère que vous ... un peu.

a) □ attendez
b) □ attendrez
c) □ allez attendre
d) □ attendiez

8. — ... il fait très froid, je ne sors pas.

a) □ Parce qu'
b) □ Comme
c) □ A cause d'
d) □ Comment

9. — J'aime ... les gâteaux que je grossis !

a) □ si
b) □ tellement
c) □ beaucoup
d) □ trop

10. — Nous mangerons ... la télévision.

a) □ et nous regardons
b) □ à regarder
c) □ regardant
d) □ en regardant

11. — Nous ... quitté la Savoie et nous ... partis pour l'Italie.

a) □ sommes / avons
b) □ avons / avons
c) □ avons / sommes
d) □ sommes / sommes

12. — Elle ... prévenue par la police.

a) ☐ a
b) ☐ a eu
c) ☐ a été
d) ☐ s'est

13. — Je ... levé tard ce matin.

a) ☐ m'ai
b) ☐ suis
c) ☐ me suis
d) ☐ viens de me

14. — Nous venons de lire ... amusant.

a) ☐ quelque chose
b) ☐ une chose
c) ☐ quelque
d) ☐ quelque chose d'

15. — On vous répondra ... quelques jours.

a) ☐ pendant
b) ☐ pour
c) ☐ dans
d) ☐ après

16. — Je te parlerai ... tu ne m'écoutes pas !

a) ☐ même si
b) ☐ si
c) ☐ si même
d) ☐ même

17. — Ses problèmes ? Il ... a parlé.

a) ☐ m'
b) ☐ m'en

c) ☐ m'y
d) ☐ me les

18. — Allez-y maintenant pour ... faire la queue.
a) ☐ pas
b) ☐ ne
c) ☐ non
d) ☐ ne pas

19. — Elle a acheté ... beaux meubles.
a) ☐ des
b) ☐ les
c) ☐ de
d) ☐ très

20. — Nous sommes passés à Lyon ... un an.
a) ☐ il y a
b) ☐ pendant
c) ☐ pour
d) ☐ dans

RÉPONSES

1 - a	2 - d	3 - c	4 - a
5 - b	6 - a	7 - d	8 - b
9 - b	10 - d	11 - c	12 - c
13 - c	14 - d	15 - c	16 - a
17 - b	18 - d	19 - c	20 - a

Leçon

40 « Maeva » (1)

— Bonjour, monsieur. Que[1] puis-je[2] faire pour vous ?
— Ma femme et moi, **nous voudrions** passer nos vacances en Polynésie*. Mais nous ne voulons pas y aller **n'importe comment**. Votre agence propose des voyages-forfaits, n'est-ce pas ?
— C'est en effet notre spécialité. Vous avez fait votre choix ?
— Non. **J'aimerais** être conseillé[3]. Que suggérez-vous ?
— La meilleure période pour découvrir les îles du Pacifique va de mai à octobre. Quand **pourriez-vous** partir ?
— Je suis à la retraite. Nous pouvons voyager **n'importe quand**.
— A votre place, **je choisirais** le mois de juillet. Je **vous le** conseille parce que, là-bas, c'est l'hiver austral : il fait doux et vous n'aurez pas de pluie.
— Parfait. Et comme île ?
— Elles sont toutes magnifiques. Mais Bora-Bora, je **vous la** recommande particulièrement. Tout le monde **vous le** dira : c'est un paradis terrestre.
— Mes amis **me l'**ont dit. Votre agence a un hôtel sur cette île ?
— Oui : le « Maeva »[4] : 12 bungalows sur pilotis et 10 « fare »[5] dans le jardin, au bord de la plage.
— **J'aimerais mieux** être sur la terre ferme !
— Attendez, je regarde... Oh ! pour juillet, il me reste un seul « fare » sur la plage. Je **vous le** réserve ?

— Oui, oui : vous **nous le** gardez. Et moi, je téléphone à ma femme pour lui dire que nous avons nos places au Paradis !

---

1. **Que puis-je faire...** : = **Qu'est-ce que** *je peux faire pour vous ?* ***(interrogation directe)***. *Also, further on in the text:* ***Que suggérez-vous ?***
2. **que puis-je faire...** : *this is the 2nd form of* **je peux** *only used with* ***l'interrogation directe*** *in the 1st person singular.*
3. **être conseillé** : *here is an example of a passive infinitive; active:* ***conseiller qq'n / passive : être conseillé par qq'n.***
4. **Maeva** : *in Tahitian means:* ***Bienvenue*** *(Welcome).*
5. **le fare** *is a typical Tahitian cottage covered with plaited coconut leaves.*

* **La francophonie en Océanie** : *here are the T.O.M.* ***(Territoires***

Lesson 40

"Maeva" (1)

— Good morning Sir. What can I do for you?
— My wife and I would like to spend our holidays in French Polynesia. But we don't want to go there any old how. Your agency offers holiday packages, doesn't it?

— Well in fact it's our speciality. Have you made up your mind?
— No. I'd like some advice. What do you suggest?
— The best time to discover the Pacific Islands is from May to October. When can you leave?
— I have retired. We can travel at anytime.

— If I were you, I'd choose July. I advise you to go then because over there, it will be the southern winter: it will be very mild and you won't get the rain.
— Perfect. And what about the island?
— They are all magnificent. But Bora-Bora, I strongly recommend. Anybody will tell you: it's an earthly paradise.
— My friends have told me about it. Does your agency have a hotel on the island?
— Yes it does, the "Maeva": 12 bungalows on piles and 10 "fare" in the grounds, next to the beach.
— I'd rather be on firm ground, thank you!
— Just a moment and I'll have a look... Oh! I only have one "fare" on the beach left for July. Shall I reserve it for you?
— Oh yes please: keep it for us. And I'll telephone my wife to let her know that we have our reservations in paradise!

---

d'Outre-mer / Overseas Territories) in Oceania : ***La Nouvelle-Calédonie*** *and its dependencies: Loyauté islands, etc.;* ***Wallis et Futuna; l'Archipel de la Société*** *(Society islands):* ***îles du Vent*** *(Winward islands):* ***Tahiti, Mooréa,*** *etc.;* ***îles Sous-le-Vent*** *(Leeward islands):* ***Raiatéa, Bora-Bora,*** *etc. ;* ***l'Archipel des Marquises*** *(Marquesas islands);* ***Tuamotu, Gambier et Tubaï islands.*** *In all these territories, French is the official language.* ***L'Archipel des Nouvelles-Hébrides*** *(New Hebrides) is jointly governed by Great Britain and France. Some 24000 km² of land are spread out over more than 5 million km of sea!*

Nous pouvons voyager n'importe quand

■ Observe : — **Il est à la retraite ; il peut voyager quand il veut ?**
— **Oui, il peut voyager n'importe quand.**
(la date n'a pas d'importance).

Other examples:

a) — **Que veux-tu : du fromage ? de la tarte ?**
— **Donne-moi n'importe quoi (= ça m'est égal).**

b) — **Attention ! Ne skiez pas n'importe où !**

• If there is a preposition in the interrogative expression, it is placed just before:
— **Je peux voyager avec n'importe qui.**

J'aimerais être conseillé

■ **J'aimerais** : do not mistake this form for the future you have just learnt; the ending is different. It is the **conditional**. In this lesson, it is employed in three different situations:

a) — politeness : **j'aimerais** is the polite form of **je veux** and as well: **je voudrais / nous voudrions ;**

b) — suggestion polite: **à votre place, je choisirais juillet ;**

c) — request polite: **quand pourriez-vous partir ?**

• To form the **conditional**:
radical of the future + endings of the imparfait ex.:
POUVOIR → / **pourr-**/ : je pourr**ais**, tu pourr**ais**, il / elle pourr**ait**, nous pourr**ions**, vous pourr**iez**, ils / elles pourr**aient**.
VOULOIR → / **voudr-**/ : je voudr**ais**, tu voudr**ais**, il / elle voudr**ait**, nous voudr**ions**, vous voudr**iez**, ils / elles voudr**aient**.
AIMER → / **aimer-**/ : j'aimer**ais**, etc., nous aimer**ions**, etc.

Je vous le réserve ?

■ You already know how to replace a **COD** or a **COI** by a pronoun. What happens when you replace two complements?

SUJET		1 : COI	+	2 : COD	+	VERBE
sujet	+	me te se nous vous se	+	le la l' les	+	verbe

Nous ne voulons pas y aller n'importe comment

A. □ *Answer (and replace the underlined words with a pronoun):*

— **Quand** iras-tu à Bora-Bora ?	— Je peux ...
— **Sur quoi** posons-nous la valise ?	— Vous pouvez ...
— **Où** veux-tu t'installer ?	— Je peux ...
— **A qui** donnerez-vous ces fleurs ?	— Nous ...
— **Comment** faut-il s'habiller ?	— On peut ...
— **Chez qui** dormiront-ils ?	— Ils ...

Nous voudrions passer nos vacances en Polynésie

B. □ *Answer in the polite form (using the conditional):*

— Vous **voulez** un bungalow pour juillet ?	— Oui, nous ...
— Elle **aime** mieux rester chez elle ?	— Oui, elle ...
— Je **peux** lui parler du projet ?	— Oui, tu ...
— Nous **pouvons** demander un visa ?	— Oui, vous ...
— Tu **veux** partir demain ?	— Oui, je ...
— Vos enfants **aiment** mieux un bonbon ?	— Oui, ils ...

Oui, vous nous le gardez

C. □ *Answer using pronouns:*

— Vous **me** conseillez **le mois de juillet** ?	— Oui, je ...
— Il **se** dit **que ce n'est pas important** ?	— Oui, il ...
— Tu **nous** réserves **notre place** ?	— D'accord, je ...
— Vous **vous** demandez **quand vous pourrez partir** ?	— En effet, nous ...
— Elle **vous** apporte **la réponse** demain ?	— Oui, elle ...
— On **te** recommande **les îles du Pacifique** ?	— Oui, on ...

Leçon

41 « Maeva » (2)

— Voilà, monsieur : **votre réservation est faite.**
— Et **ma femme est prévenue**. Elle est folle de joie[1] ! Mais elle voudrait **savoir si** vos pavillons sont confortables.
— Le confort, monsieur, je vous le garantis. Tous nos bungalows sont équipés de façon ultra-moderne[2]. La chambre est fraîche : vous **vous y** reposerez bien. J'ai ici des prospectus ; je vais **vous en** donner... Vous voyez : la mer est à votre porte. Vous **vous y** baignez à n'importe quelle heure. Le jardin privé est très agréable et, si vous le souhaitez, on **vous y** servira les repas.
— C'est merveilleux ! Mais comment arrive-t-on dans cet éden ?
— **En une heure** par avion, de Papeete. On atterrit sur une petite île du lagon.
— Ah bon ! Pas directement à Bora-Bora* ?
— Non. Mais une vedette **vous y** conduira **en 20 minutes**...
... J'espère que vous aimez les fleurs ?
— Oui. Pourquoi ?
— On **vous en** couvrira à votre arrivée de beaux colliers de fleurs de tiaré ou de frangipanier[3] pour vous souhaiter la bienvenue. Moi, je vous le dis en tahitien : « Manuia ! »...
... Ah, c'est vrai ! N'oubliez pas de prendre un passeport avec vous.
— Quoi ? Même si je suis français ?
— Oui. Il **vous en** faut **un**. On vous **demandera** également **si** vous avez votre billet de retour en métropole...
— Je vois : nous n'aurons peut-être plus envie de **nous en** aller !

---

1. **folle de joie** : *note the preposition. We say:* ***être fou de colère*** *(anger)/* ***de rage*** *(fury)/* ***de bonheur*** *(happiness)/* ***de peur*** *(fear).*
2. **ultra-moderne** = ***très, très moderne.***
3. **fleurs de tiaré et de frangipanier** : *these are trees with sweet-smelling blossoms. Tiaré essence mixed with coconut oil gives an excellent balm for hair, skin and sunbathing, called "monoi".*

Lesson
41

"Maeva" (2)

— There we are Sir, your reservation has been made.
— And I've let my wife know. She is crazy about the idea! But she would like to know if your villas are confortable.
— Confort, Sir? I guarantee it. All our bungalows are fitted out in a very modern way. The rooms are cool: you will certainly relax there. I have some pamphlets on it. I'll give you some... You see: the sea is at your door-step. You can swim there at any time of the day. The private garden is really lovely, and if you want to, they will serve you meals there.

— That's wonderful. But how does one get to this Garden of Eden?
— You are there in one hour by plane from Papeete. You land on a small lagoon island.
— Really! Not directly on Bora-Bora?
— No. But a launch will take you there in 20 minutes...

...I hope you like flowers?
— Yes, why?
— People greet you with them upon arrival beautiful chains of flowers of tiaré and frangipani. I'll say it in Tahitian: "Manuia!"...
...Oh, by the way, don't forget to take your passport with you.

— What? Even if I'm French?
— Yes. You need one. They will also ask you if you have your return ticket back home...
— I see: perhaps we won't feel like leaving!

---

* **Bora-Bora** *: should be pronounced "Pora-Pora" (b does not exist in Tahitian). This name means "the first born" (among Ocean islands). In actual fact, it is one of the most famous Pacific islands. It is small (8 km by 5) but highly varied and harmonious. Similar to many other Pacific islands, it is circled by a road hugging the shore, and delightful houses buried under flowers. Two sights of interest should be visited. Firstly, Alain Gerbault's grave: this great navigator was one of the very first to achieve, single-handed and without any engine, a round the world voyage, from 1924 to 1929. Secondly, the very small island "Motu-***Tapu***" *where, in 1928, the famous Murnau's movie "Taboo" was filmed ("Taboo" means "holy terror").*

COMPREHENSION

On vous demandera si vous avez votre billet de retour

■ — On vous demandera : **Est-ce que vous avez /**
Avez-vous votre billet de retour ?

→ — On vous demandera **si vous avez** votre billet de retour.

• Indirect speech enables you to ask the question again.

• An other example : — **Est-ce qu'elle vient / Vient-elle ?**
→ — **Je veux savoir si elle vient.**

• si + il = s'il.

Une vedette vous conduira à Bora-Bora en 20 minutes

■ — **Il faut** 20 minutes ? — Oui.
— 20 minutes, **ça suffit** ? — Oui.

• ... en + expression of time expresses **the time necessary or sufficient** to do sth. The context may insist on either aspect; examples:

— Il **peut** faire ce travail en 1 heure. (ça suffit)
— Il **doit** faire ce travail en 1 heure. (c'est nécessaire)

Votre réservation est faite

■ Here is the passive construction — but without any agent (the reservation has been done by the employee). What is aimed at here is **the present result of a past action** (this form is called l'**accompli**).

• An other example:
— Les bungalows sont équipés de façon ultra-moderne.
= On a équipé les bungalows → maintenant, ils sont équipés.

Le jardin ? On vous y servira les repas

■ Note the order of the 2 pronouns:

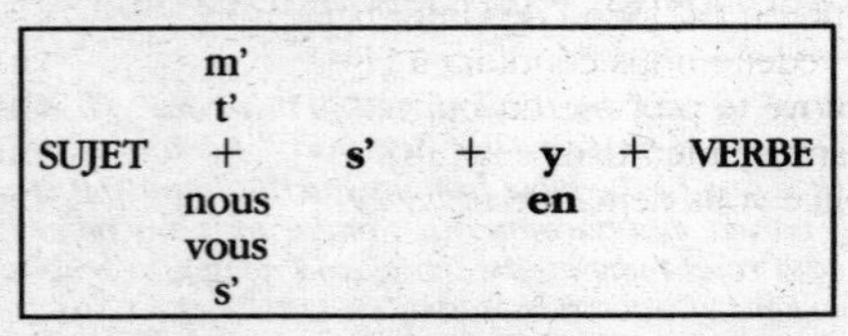

• An other example: — Un passeport ? Oui, il **vous en** faut **un**.

• le pronom **en ... un**

Elle voudrait savoir si les pavillons sont confortables

A. ☐ *Answer using indirect speech:*
— Est-ce qu'on peut nous servir au jardin ? — Je ne sais pas si on ...
— L'avion atterrit-il à Bora-Bora ? — Elle veut savoir ...
— La vedette conduit-elle à l'hôtel ? — Je vous demande ...
— Est-ce que vous pourriez partir en juillet ? — Il ne sait pas ...
— Le reporter a-t-il visité Tokyo ? — Je voudrais savoir ...

En une heure par avion, de Papeete

B. ☐ *Construct complete sentences:*
/ faire le tour de l'île / / une journée / → — On peut faire ...
/ finir cette leçon / / quelques heures / → — Nous devons ...
/ revenir de Tokyo à Paris / / 17 heures / → — L'avion peut ...
/ traduire son livre / / 4 mois / → — Irène devra ...
/ descendre les gorges / / un après-midi / → — Un kayak pourrait ...

Ma femme est prévenue

C. ☐ *Answer with the « accompli »:*
— Vous avez préparé la chambre ? — Oui, ça y est : la chambre ...
— Le Japon a invité les journalistes ? — En effet, les journalistes ...
— L'hôtesse a distribué les plateaux-repas ? — Oui, c'est fait. Ils ...
— La police a tamponné votre passeport ? — A l'instant : il ...
— Tu as réservé nos places ? — Oui, oui ; elles ...

Des colliers de fleurs ? On vous en couvrira

D. ☐ *Answer with pronouns:*
— Vincent, on t'a donné des informations ? — Oui, on m'...
— Cette vedette nous conduira à l'île ? — Oui, elle ...
— L'employé te propose un bungalow ? — Oui, il ...
— On s'amuse bien dans ce club ? — Oui, ...
— La police vous demande un visa ? — Oui, elle ...

Leçon
42

« Maeva » (3)

Bora-Bora le 10 juillet

Chers amis

Vous aviez mille fois raison[1] : cette île est **l'une des plus belles** de la Terre ! Françoise et moi, **nous ne savons pas ce qu'**il faut admirer **le plus** : la mer **l'une des plus bleues**, la végétation **l'une des plus luxuriantes**, le ciel **l'un des plus vastes**... Mais j'aimerais **que vous soyez** avec nous !

Notre « fare » sous les cocotiers est fort agréable : des fenêtres qui donnent sur le lagon, des lits moelleux, un joli mobilier et notre petite salle de bains très fonctionnelle.

Ce que nous apprécions **le plus**, c'est peut-être la corbeille de fruits. Françoise adore les fruits tropicaux aux noms magiques, aux couleurs somptueuses. Chaque matin, la femme de chambre **lui en** apporte : on dirait[2] un tableau de Gauguin*.

Hier, nous sommes partis vers la passe sur une barque de pêche. Tout à coup, les pêcheurs nous montrent[3] des formes inquiétantes qui nagent rapidement sous la surface de l'eau : « Les requins ! » En quelques secondes, un jeune Polynésien attrape du thon cru et **leur en** jette de gros morceaux ; on aperçoit l'éclair blanc d'un ventre et les sinistres mâchoires ! Il paraît qu'il n'y a pas de danger : les requins attendent le poisson et on peut même nager près d'eux pendant qu'on **leur en** donne.

Ensuite, sur un îlot, les pêcheurs nous servent, dans des feuilles de bananier[4], un délicieux pique-nique. Je **leur en** laisse la plupart : le festin des requins m'a coupé l'appétit !

Je reprendrai cette lettre plus tard : il faut **que nous soyons** à l'heure pour le dîner.

---

1. **vous aviez mille fois raison** : *this type of exaggeration is frequently used to mean: enthusiasm like in the text; or irritation* (***je te l'ai dit cent fois !***).
2. **on dirait** : *note the conditional* = ***cela ressemble à...*** *(it looks like....)*
3. **nous montrent** : *the use of the present tense when talking about the past dramatizes the narration.*
4. **bananier** : *regular formation for the names of fruit-trees;* ***pomme → un pommier ; coco → un cocotier.***

Lesson

42

"Maeva" (3)

Bora-Bora, July 10th

Dear friends,

You were absolutely right. This is one of the most beautiful islands on earth! Françoise and I do not know what one should admire the most: the sea one of the bluest, the vegetation one of the most luxuriant, the sky one of the widest... But I'd love you to be with us!

Our "fare" under the coconut trees is really lovely with windows which look out onto the lagoon, soft beds, nice furniture and our very convenient little bathroom.
What we appreciate the most is probably the fruit basket. Françoise loves tropical fruit with their magical names and their lavish colours. Every morning, the chamber maid brings her in some: you'd think they were a painting by Gauguin.

Yesterday, we went out towards the channel on a small fishing boat. Suddenly the fishermen pointed out rather frightening shapes swimming rapidly around under the surface of the water: "Sharks!". Very quickly, a young Polynesian got some raw tuna and threw it to them in huge lumps; we could see the flashing whiteness of a belly and sinister jaws. It seemed that there was no danger: the sharks wait for the fish and you can even swim nearby while it's being given to them.
Then, on a small island, the fishermen served us a delicious picnic on banana tree leaves. I left most of it for them: the shark's feast put me off my food!
I'll finish this letter off later: we must be at dinner on time.

---

* **Paul Gauguin** *was born in 1848. He worked at first for the merchant navy, and then a stock broker, Gauguin only decided to live on his paintings around 1884. Heavily influenced by all his trips, he chose Tahiti, in 1891, as a place for an experimentation of his artistic vision. During his first stay, he lived among the natives and helped them against the colonial administration. Being very short of money, he had to come back to Paris in 1893 but soon set off again; and then, extremely poor, he produced magnificent paintings. He finally reached the Marquesas Islands and died in 1903 at Hiva-Oa, in the house he had decorated.*

Cette île est l'une des plus belles

■ Bora-Bora est une très belle île. Il y a d'autres îles très belles. Bora-Bora est une île (dans le groupe des îles) les plus belles → Cette île est l'une des plus belles **(superlatif sélectif)**.

- With the adjective **bon**; example:
  Ce vin est l'un des meilleurs.

Note the optional use of the article.

Que faut-il admirer le plus ?

■ Françoise et son mari admirent beaucoup la mer, la nature, le ciel. Qu'est-ce qu'ils admirent le plus ? Ils ne peuvent pas le dire.

- **le plus** is the superlative of **beaucoup** and is also invariable; example:
  — C'est la mer qu'il aime le plus.

Des fruits ? La femme de chambre lui en apporte

■ La femme de chambre apporte **des fruits** (1) à Françoise (2)
→ Elle **lui** (2) **en** (1) apporte.

The order including the negation is as follows:

SUJET + ne + lui / leur + en + VERBE + pas

- Do not forget **en** ... **un**.

J'aimerais que vous soyez avec nous

■ Do you remember that verbs expressing wishes or will require the subjunctive? Here is the subjunctive of **être** which is irregular like the 8 other verbs you will learn later.

- Forms:
  — Il faut **que je sois** à l'heure / — J'aimerais **que tu sois** heureux /
  — Il vaut mieux **qu'elle soit** ici / — Il veut **que nous soyons** avec lui /
  — Je désire **que vous soyez** seuls / — Tu préfères **qu'ils soient** sages.
- In the passive: Il faut **que ma femme soit prévenue**.

Nous ne savons pas ce qu'il faut admirer le plus

■ — Qu'est-ce qu'il faut admirer le plus ?
→ — Nous ne savons pas ce qu'il faut admirer le plus.

- You already know: est-ce que... ? → si..... This is a new transformation:

qu'est-ce que... ? → ce que....

- An other possible construction:
  — **Qu'est-ce que** vous appréciez le plus ?
  — **Ce que** nous apprécions le plus **c'est** la corbeille de fruits.

This is a way of emphasizing an element.

Le ciel : l'un des plus beaux

A. ☐ *Complete the sentence:*

— Gauguin est un peintre très célèbre ; c'est même l'un ...
— Le requin est un animal très dangereux ; c'est même ...
— La Vallée Blanche est une piste très longue ; c'est même ...
— Cet hôtel est très bon ; c'est même ...

Ce que nous apprécions le plus c'est la corbeille de fruits

B. ☐ *Complete according to your choice:*

— Il aime Gauguin et Van Gogh. Mais c'est Gauguin qu'il aime ...
— Elle pratique beaucoup le ski et l'escalade. Mais c'est ...
— Nous prenons beaucoup le métro et le bus. Mais ...
— J'apprécie beaucoup le poisson et la viande. Mais ...

Du thon ? Le pêcheur lui en jette de gros morceaux

C. ☐ *Answer with pronouns:*

— Les Tahitiens offrent **des fleurs aux touristes** ? — Oui, ils ...
— La ville donne **du travail aux jeunes** ?
— Vous parlez **de votre voyage à Marie** ?
— La femme de chambre apporte **un fruit à Françoise** ?

Il faut que nous soyons à l'heure pour le dîner

D. ☐ *Answer with **il faut que...**:*

— Je dois être à l'aéroport à 6h ? — Oui, il faut que tu y ...
— Nous devons être équipés pour faire du ski ?
— Les requins doivent être nourris chaque jour ?
— Le jeune pêcheur doit être prudent ?

Ce que nous apprécions c'est la corbeille de fruits

E. 1) ☐ *Transform as in the above example:*

— Nous aimons le calme de cet hôtel. → — Ce que nous ...
— Vous voyez un requin.
— Je ne comprends pas votre peur.

2) ☐ *Answer:*

— Qu'est-ce qu'il faut faire ? Elle le sait ? — Non, elle ne sait pas ce ...
— Qu'est-ce qu'elle va apporter ? Vous le savez ? — Non, nous ne ...
— Qu'est-ce qu'il nous dit ? Tu comprends ? — Non, je ...

Leçon

43 « Maeva » (4)

(Le restaurant du « Maeva » : Françoise et Gérard **sont en train de** s'installer ; le serveur **est en train de** prendre les commandes.)

Le serveur : — Bonsoir madame, bonsoir monsieur. Vous avez passé une bonne journée ?

Gérard : — Excellente ! Votre île est vraiment **fascinante à visiter*** et j'ai une faim de[1]...

Françoise : — ... de requin ?!

S : — Ah ! je vois : vous avez assisté au déjeuner des monstres ?

F : — **Ne lui en parlez pas** : ça l'a rendu malade !

S : — Alors, je vous sers l'apéritif-maison pour vous remonter ?

G : — C'est une bonne idée : **donnez-le moi** tout de suite, avec la carte. Je voudrais voir ce qu'il y a de bon[2] ce soir.

S : — Vous pourriez commencer par[3] des coquillages.

F : — Volontiers ; et nous prendrons du vin blanc. **Apportez-nous en** une bouteille. Mais j'aimerais qu'il soit bien frais.

G : — L'assiette « Moana », qu'est-ce que c'est ?

S : — Du poisson mariné dans l'eau de mer. Il est servi avec...

G : — Du poisson cru ? **Ne m'en proposez pas**, après ce que j'ai vu aujourd'hui !

F : — Moi, j'aime ça : **ne m'en dégoûte pas** !

S : — Pourquoi ne prendriez-vous pas[4] du cochon de lait, avec des bananes sauvages.

G : — Parfait ! Et toi, Françoise, tu sais ce que tu prends ?

F : — L'assiette Moana. Pour le dessert, nous verrons plus tard.

S : — Bien. Mais si vous choisissez le gâteau glacé, **ne me le commandez pas** trop tard : ce dessert est un peu **long à préparer**.

---

1. **une faim de...** : *it is a pun. Normally:* ***avoir une faim de loup*** *(wolf)* = ***avoir très faim*** = *"I could eat a horse".*

2. **ce qu'il y a de bon** : — *Est-ce qu'il y a* **quelque chose de bon ?**

3. **commencer par des coquillages** : *ils prennent des coquillages pour commencer.*

4. **Pourquoi ne prendriez-vous pas...** : *form of suggestion.*

* **L'économie polynésienne** : *Tourism is, of course, an important part of the Polynesian economy (25% of GNP). Nevertheless, its wealth comes from*

Lesson

43

"Maeva" (4)

(Françoise and Gérard are settling down at the "Maeva" restaurant; the waiter is taking orders.)

The waiter: — Good evening Madam, good evening Sir. Have you had a nice day?
Gérard: — Excellent. Your island is really fascinating to visit and I could eat a...
Françoise: — ... a shark?!
W: — Oh, I see: you attended the monsters'lunch.

F: — Don't talk about it: it made him sick!
W: — Well, shall I serve you the house cocktail to perk you up?
G: — That's a good idea: bring it straight away with the menu. I'd like to see what's on tonight.
W: — You could start with shellfish.
F: — With pleasure; and we'll have some white wine. Bring us a bottle. But I'd like it to be well chilled.
G: — What is the dish "Moana"?
W: — It's fish marinated in sea water. It is served with...
G: — Raw fish? Don't suggest it after what I've seen today!
F: — Well, I like that. Don't put me off it!
W: — Why not have piglet with wild bananas.

G: — Perfect! And what about you Françoise, do you know what you're going to have?
F: — The "Moana" dish. As for dessert, we'll decide later.
W: — Very good. But if you choose the ice cream cake, don't order it too late: this dessert takes a while to prepare.

---

agriculture: coprah oil, coconuts, vanilla, tropical fruits, melons and watermelons; some products like "fei", a kind of red wild banana; or "maioré", the fruit of bread-trees are especially used as local produce. There is also, obviously, an important fishing activity (tuna-fish, etc.) and a flourishing oyster industry allowing the trade of mother-of-pearl and pearls (including the famous black pearls, obtained after 4 or 5 years of delicate breeding in "farms". 65% are lost in breeding!).

Il sont en train de s'installer

■ — Françoise et Gérard sont déjà installés?
— Non, ils sont en train de s'installer.
être en train de + infinitive
indicates an action which has begun but is not finished.
Ex. : — Le serveur est en train de prendre les commandes.

Votre île est fascinante à visiter

■ — Visiter cette île, c'est fascinant?
a) — Il est fascinant de visiter cette île.
Outline: **Il est + adj. + de + verbe infinitif + COD**
b) — Cette île est fascinante à visiter.
Outline: **Sujet + est + adj. + à + infinitif**

Du vin blanc? Apportez-nous-en une bouteille?

■ — Je vous apporte du vin blanc?
— Apportez-**nous-en** mais **ne nous en** apportez pas tout de suite.
In the positive imperative, the pronouns are placed after the verb; in the negative imperative, the pronouns remain in their normal place after **ne** and before the verb. An other example:
— Parlez-lui-en mais ne lui en parlez pas maintenant.

L'apéritif? Donnez-le-moi tout de suite

■ With the COI pronouns of the 1/2PS and of the 1/2PP, you will notice a small irregularity.
a) — Je te donne ton apéritif?
— Non, **ne me le donne pas** maintenant.
In the negative imperative, the order remains the same.
b) — Je vous sers le vin? — Oui, **servez-le-nous**.
In the positive imperative, the order is reversed.
c) — Je vous apporte la carte?
— Oui, **apportez-la-moi**.
In this case, there is an additional irregularity:
me → moi / te → toi.

Impératif positif:

	-le	-moi	
verbe +	-la	-toi	!
	-les	-nous	
		-vous	

PRATIQUE

Le serveur est en train de prendre les commandes

A. ☐ *Answer with **en train de...** and use pronouns:*

— Les enfants ont déjà mangé ? — Non, ils sont . . .
— La femme de chambre a déjà fait la chambre ? — Non, elle est . . .
— Vous pouvez me préparer l'addition ? — Justement, je . . .
— Vous avez choisi un dessert ? — Nous . . .

Ce dessert est un peu long à préparer

B. ☐ *Formulate sentences using the structural elements on the left page:*

— Voir les requins, c'est effrayant. → a) — Il est . . . b) — Les requins . . .
— Oublier Bora-Bora, c'est impossible. → a) — . . . b) — . . .
— Découvrir le Japon, c'est passionnant. → a) — . . . b) — . . .
— Apprendre le français, c'est amusant. → a) — . . . b) — . . .

Le poisson cru, j'aime ça : ne m'en dégoûte pas !

C. ☐ *Answer with a positive then negative imperative (with the help of the words between brackets):*

— Je te parle du projet ? (Oui mais pas maintenant) → — Parle-m'en mais ne...
— Nous vous montrons des photos ? (Oui mais pas ce soir) → — Montrez-...
— Nous donnons du gâteau à petit Pierre ? (Oui mais pas trop)
— Je jette du thon aux requins ? (Oui mais pas près du bateau)
— Je peux m'en aller ? (Oui mais pas tout de suite)

Le dessert ? ne me le commandez pas trop tard

D. ☐ *Answer with a positive imperative:*

— Je te donne le journal ? — Volontiers, donne- . . .
— Messieurs, je peux vous confier la clef ? — Oui, . . .
— Madame, je ne vous donne pas votre poisson maintenant ? — Si, . . .
— Les enfants, vous voulez que je garde vos affaires ? — Oh oui, . . .
— Maman, je dois me laver les mains ? — Bien sûr, . . .

Impératif négatif :

	me	**le**	
Ne +	**te**	**ta**	**+ verbe + pas !**
	nous	**l'**	
	vous	**les**	

Leçon

44

« Taka Yaka[1] » (1)

Non, ne **craignez** rien : vous n'avez pas changé de méthode et il ne s'agit pas d'une nouvelle langue ! Le temps de deux leçons, vous allez vous familiariser un peu avec le français « parlé ».

La scène se passe dans la salle à manger des Pottier, un dimanche midi. Monsieur et madame Pottier[2] ont deux enfants : Florence (12 ans) et Arnaud (9 ans).

La mère : — Flo ! Nano[3] ! Allez, les enfants : à table ! Lavez-vous les mains et **éteignez** la radio[4] dans votre chambre.

Florence : — Tout de suite, maman...

... Hé, Nano, **t'as entendu** ?

Arnaud : — Fiche-moi la paix[5] ! **J'ai pas fini** de classer mes timbres.

Florence : — **T'as qu'à** les laisser. Tu finiras après[6]. Allez[7], viens.

Le père : — **Vous avez pas bientôt fini** de vous disputer ? **Asseyez-vous** et que je ne vous entende plus[8] !

La mère : — J'apporte les hors-d'œuvre*...

---

1. **Taka yaka** : *phonetic transcription of the question dealt with in lessons 44 and 45.*

2. **Les Pottier** : *note that family names are invariable and do not have a plural ending.*

3. **Flo, Nano** : *the French use diminutives, but less than the English. They often perpetuate the way children pronounce first names.*

4. **éteignez la radio** : *we say:* ***éteindre la lumière / la radio / la « télé »****.*

5. **Fiche-moi la paix !** *(fam.)* = ***Laisse-moi tranquille !***

6. **Tu finiras après** : *in spoken language this kind of ellipsis is quite common =* ***après... le déjeuner****.*

Lesson
44

"Taka-yaka" (1)

No, don't worry: you haven't changed methods nor is it a question of a new language. In the next two lessons, you are going to familiarize yourselves with a little bit of "spoken" French.
The scene takes place at a Sunday lunch in the Pottier's dining room. They have two children: Florence 12 and Arnaud 9.
The mother: — Flo! Nano! Come on children: lunch is ready. Wash your hands and switch off the radio in your bedroom.
Florence: — Straight away Mum...
... Hey, Nano, did ya' hear?
Arnaud: — Get off my back! I haven't finished sorting out my stamps.
Florence: — Leave them for now. Finish them later. Come on, let's go.
The father: — Haven't you finished arguing yet? Sit down and I don't want a word out of you!

The mother: — I'll get the entrée...

---

7. **Allez, viens**: *in this case,* **allez** *has got no imperative value nor movement meaning at all; it is an incentive form always in the 2nd pers. pl.; even in a dialogue using* **tu**, *like in this example.*
8. **Que je ne vous entende plus!**: *here is a —fairly rare —example of an imperative in the first person:* **que je + subj.** = **Je ne veux plus vous entendre!** *Following the same principle, you will learn in lesson 46 how to say the imperative in the third person.*
* **les hors-d'œuvre**: *the first course made up of mixed salads and / or cooked pork meats; usually followed by a main dish (meat or fish with vegetables), cheeseboard and a dessert.*

COMPREHENSION

For practical reasons we have divided the text of "Taka Yaka" into two lessons (44 et 45). So, before studying this page of comprehension, read lesson 45.

Ne craignez rien

■ Verbs ending in **-indre** in the infinitive **-aindre**: **craindre** / **-eindre**: **éteindre** / **-oindre**: **joindre** have a common pattern of conjugation:
- **présent**: **Je joins** / **tu crains** / **elle éteint** / **nous joignons** / **vous craignez** / **ils éteignent** → ...
- **subjonctif présent**: **que j'éteigne** / **que nous éteignions**...
- **futur**: **je craindrai** / **elle joindra** / **vous éteindrez**...
- **passé composé**: **j'ai éteint** / **elle a joint** / **vous avez craint**...
- **imparfait**: **j'éteignais** / **elle craignait** / **vous joigniez**...

— T'as entendu? — J'ai pas fini

■ In the spoken language, the French often contract. You will have noticed in lesson 4 that **tu** becomes **t'** before a vowel; example:

— **Tu as entendu?** → — **T'as entendu?**

In colloquial language, we often tend to shorten the whole negation as well: ... **ne** ... **pas** ... → ... **pas** ... this part of the negation is in fact sufficient and has impact phonetically; example:

— **Je n'ai pas fini** → — **J'ai pas fini.**

- Note the double simplification:

— **Tu n'as pas fini?** → — **T'as pas fini?**

Y a qu'à lui faire des frites

■ Firstly, let us reestablish the complete form: **Il n'y a qu'à lui faire des frites.** in addition to the negative particle, the subject is omitted!
- The structure: **Il n'y a qu'à + infinitif** means: **Il suffit de + infinitif** and stresses the obviousness of the solution (cf. l. 34.)
- The text also employs the personal construction: **T'as qu'à... = tu n'as qu'à...** with a nuance of strong suggestion = **tu peux fort bien....** These forms are, of course, **oral** forms; however, here is a transcription you may find in satirical texts:

— **Jéka = je n'ai qu'à; Taka = tu n'as qu'à; Inaka ou: Ilaka / Enaka ou: Elaka = il n'a qu'à / elle n'a qu'à; Onnaka = nous n'avons qu'à; Vouzavéka = vous n'avez qu'à; Inonka ou: Izonka / Enonka ou: Ezonka = ils n'ont qu'à / elles n'ont qu'à.**

Éteignez la radio

A. ☐ *Answer in accordance with the form in brackets (and use pronouns):*

— Nous devons éteindre la lumière ?
(impératif) → — Oui, s'il vous plaît, ...
— Je vous rejoindrai plus tard au restaurant.
(subjonctif) → — Oui, je voudrais que tu ...
— Tu entends se plaindre les enfants ?
(imparfait) → — Non mais, tout à l'heure, ils ...
— On craint une complication médicale ?
(présent) → — Non, nous n'...
— Tu peux éteindre le four ?
(passé composé) → Ça y est : j'...

J'aime pas ça

B. ☐ *As an exercise, you may read,* ***in a loud voice*** *and as natural as possible, the dialogue of both lessons. Then, do the same with lesson 4 (carrying out all the simplifications you can possibly make).*

T'as qu'à te servir toi-même !

C. ☐ *Continue using the spoken forms of ...* ***n'avoir qu'à*** *...:*

— T(u n')es pas content ? T(u n')as qu'à ... ! (s'en aller)
— Tu veux des frites ? ... ! (se servir)
— T(u) as les mains sales ? ... ! (se les laver)
— T(u n')aimes pas le programme ? — ... ! (éteindre la radio)

D. ☐ *You may do the exercice again varying the subject.*

Leçon

45 « Taka Yaka » (2)

La mère : — Nano, **assieds-toi** correctement !
Florence : — Oh, encore des carottes râpées ! J'en ai marre[1] ! Tu sais que **j'aime pas** ça.
Arnaud : — **T'as qu'à** me donner ta part.
La mère : — Flo, tu vas me faire le plaisir d'en prendre un peu[2].
Le père : — Et sers-toi sans en mettre partout.

Arnaud : — **Qu'est-ce qu'y a** après ? Oh, chic[3] ! Du poulet-frites[4] !
La mère : — Au moins, c'est facile de lui faire plaisir : **y a qu'à** lui faire des frites !
Florence : — Nano, tu m'en donnes[5] ?... Allez, donne-m'en plus !
Arnaud : — Ce que tu m'agaces[6] ! **T'as qu'à** te servir toi-même[7] !
Le père : — Les enfants, ça suffit ! Si vous vous **plaignez** encore une fois, oust[8] !, dans votre chambre... et pas de dessert.

---

1. ***J'en ai marre** (lg. fam.) = j'en ai assez (in these expressions **en** has no grammatical value).*
2. **tu vas me faire le plaisir...** *: Mrs Pottier uses in this case the **futur proche** as a very strong imperative —an injunction. This sentence is grammatically correct and implies a threat.*
3. ***Chic !** (lg. fam.): an exclamation of enthusiasm also: **chouette !**.*
4. ***Du poulet-frites !**: understand: **du poulet rôti servi avec des pommes de terre frites** (roasted chicken served with French fries). In general, children are very fond of French fries (**les frites**).*

"Taka-Yaka" (2)

The mother: — Nano, sit up properly!
Florence: — Oh, grated carrots again! I've just about had enough of them! You know I don't like them.
Arnaud: — You can give me your share then.
The mother: — Flo, you're going to eat a bit for me.

The father: — And serve yourself without putting them everywhere.
Arnaud: — What's next?... Oh great! Chicken and chips!
The mother: — It's easy to please him at least: all you have to do is make him French fries.
Florence: — Nano, will you give me some?... Come on, a little bit more!
Arnaud: — Gee you get on my nerves! Get them yourself.
The father: — That's enough you kids. If you go on any longer, you'll be off to your room... and no dessert.

---

5. **tu m'en donnes?**: *in spoken language, a question often acts as an imperative.*

6. **Ce que tu m'agaces!**: *here you will recognize the form* **ce que** *studied in lesson 42. In this case, the construction is a strong exclamation and shows a lot of exasperation (one should say in fact:* **Comme tu m'agaces! = tu m'agaces à un point extrême**). *An other example:* **Ce que tu peux être bête!!**

7. **...te servir toi-même**: *is a way of showing insistence and a feeling of irritation.*

8. **oust!**: *an exclamation used for sending someone away (=* **Dehors!**).

PRATIQUE DE LA TRADUCTION

A partir de cette leçon 45, nous vous conseillons d'entreprendre, de façon systématique, la traduction des leçons déjà vues. Pour être profitable, cet exercice doit être fait par écrit et dans l'ordre d'apparition des leçons.

De même, nous vous conseillons de faire ces traductions (deux textes chaque fois) avant d'aborder une leçon nouvelle.

Pour vous aider, nous vous donnons ci-dessous le tableau idéal de correspondance entre votre apprentissage et les traductions.

Nouvelle leçon	Leçons à traduire
L.45	L.1 + 2
L.46	L.3 + 4
L.47	L.5 + 6
L.48	L.7 + 8 + 9
L.49	L.10 + 11
L.50	L.12 + 13
L.51	L.14 + 15
L.53	L.16 + 17
L.54	L.18 + 19
L.55	L.20 + 21
L.56	L.22 + 23
L.57	L.24 + 25
L.58	L.26 + 27
L.59	L.28 + 29
L.60	L.30 + 31
L.61	L.32 + 33
L.62	L.34 + 35
L.63	L.36 + 37
L.64	L.38 + 39
L.65	L.40 + 41
L.66	L.42 + 43
L.67	L.44 + 45

TRANSLATION

As from lesson 45, we strongly recommend that you translate previous lessons systematically. To benefit from this exercise, it should be done in writing and in the order of the lessons.

We also advise you to do these translations (two texts each time) before tackling a new lesson.

To help you, we have established an ideal table in order to show the correspondence between your language learning and translations.

New lesson	Lessons to be translated
L.68	L.46 + 47
L.69	L.48 + 49
L.70	L.50 + 51
L.71	L.52 + 53
L.72	L.54 + 55
L.73	L.56 + 57
L.74	L.58 + 59
L.75	L.60 + 61
L.76	L.62 + 63
L.77	L.64 + 65
L.78	L.66 + 67
L.79	L.68 + 69
L.80	L.70 + 71
L.81	L.72 + 73
L.82	L.74 + 75
L.83	L.76 + 77
L.84	L.78 + 79
L.85	L.80 + 81
L.86	L.82 + 83
L.87	L.84 + 85
L.88	L.86 + 87
L.89	L.88 + 89
L.90	L.90

Leçon 46

Les 10 commandements de la nouvelle cuisine (1)

Voici, présentés sous forme de décalogue[1], les préceptes qui devraient guider un jeune cuisinier dans sa recherche d'une cuisine nouvelle. Cette leçon vous présente les quatre premiers; la leçon 46, les six suivants.

1— **Tu sauras éviter les complications inutiles**. La nouvelle cuisine redécouvre la simplicité des préparations et la vérité des appellations.

2— **Tu réduiras les temps de cuisson**. Ainsi les légumes verts, les poissons et les volailles[2] gardent mieux leur saveur.

3— **Tu iras, chaque matin, faire le marché**. Un grand « chef » se lève tôt et trouve chez les producteurs locaux les meilleurs produits frais et authentiques.

4— **Tu raccourciras[3] la carte.** La nouvelle cuisine refuse ces listes interminables de plats qui obligent le restaurateur à stocker d'énormes quantités.

---

1. **le décalogue** = *the ten Commandments which were written on tablets that God gave to Moses at the top of the Sinaï.*

2. **les volailles** : *all birds breeded for their meat:* **poulet** *(chicken),* **canard** *(duck),* **dinde** *(turkey),* **caille** *(quail)...*

Lesson

46 The 10 Commandments of the new style of cuisine (1)

Here you have presented in the form of Decalogue, the requisites needed for a young cook in his pursuit of a new style of cooking. This lesson will present the first four, and lesson 47 the following six.

1— Thou shalt avoid unnecessary complications. The new style of cooking will bring back the simplicity of preparation and the true description of dishes.
2— Thou shalt reduce the cooking time. In this way, green vegetables, fish and poultry will retain their flavour better.
3— Thou shalt go to the market every morning. A great "chef" should get up early and pick up the freshest and most wholesome products from local growing producers.
4— Thou shalt simplify the menu. The new style of cooking will no longer have lengthy lists of dishes which oblige the restaurant owner to stock large quantities.

---

3. **tu raccourciras...** : ***raccourcir = rendre plus court; rendre plus large = élargir; rendre plus étroit = rétrécir; rendre plus grand = agrandir.*** *These verbs, indicating a change of state, have an infinitive ending in* ***-ir*** *and plural forms in* ***-iss-*** *(ex.:* ***ils élargissent; nous agrandissons → l'imparfait: elle rétrécissait****). Let us add the verb* ***(r)allonger = rendre plus long.***

COMPREHENSION

Like lessons 44 and 45, lessons 46 and 47 go together. They are on the one hand a synthesis and on the other a discovery (like **nouvelle cuisine**!). Therefore we advise you to read both lessons before working on the comprehension and doing the exercises.

Tu sauras éviter les complications inutiles

■ THE FUTURE:
You already know how to form the regular future (see lesson 24) and you discovered (in lesson 32) eight verbs with an irregular future.
Lessons 46 and 47 go over them again and give you extra ones to learn:

SAVOIR → **je saurai / tu sauras...**
AVOIR → **j'aurai / tu auras...**
(RE)VENIR → **je (re)viendrai / tu (re)viendras...**

- TENIR is the "twin" verb of **venir**: **je tiendrai / tu tiendras...**

The other subjects are not given as, once you know the radical, the endings are always regular.

- Note that in these "10 commandments", the future has a very strong meaning, almost like the imperative.

Tu réduiras les temps de cuisson

■ THE INFINITIVE. Observe:

— **Tu réduiras les temps de cuisson.**
→ — **Réduire** les temps de cuisson.

When one wants to give some advice or an order in a very general way (in administrations, public transport or public places, etc.), the infinitive is commonly used. Examples:

— **Remplir un formulaire.**
— **Sortir par l'arrière du bus.**
— **Laver les légumes à l'eau froide. / Servir avec du riz.**

Not only that, it is very often a question of prohibition and in this case, the two negations are placed before the infinitive. Examples:

— **Ne pas marcher sur les pelouses.**
— **Ne pas parler au conducteur.**
— **Ne pas laisser refroidir.**

Tu reviendras à la gastronomie régionale

A. ☐ *Refer back to the "10 commandments" (lessons 46 and 47, in bold) and replace the* ***tu*** *with:*

1) **Les jeunes « chefs » . . . :**
   → — Les jeunes chefs sauront . . .
2) **Vous . . . » :**
   → — Vous aurez . . .

Réduire les temps de cuisson

B. ☐ *Put the "10 commandments" into the infinitive as it would be done in a recipe book:*

1) — . . . Savoir éviter . . .

Leçon 47

Les 10 commandements de la nouvelle cuisine (2)

5— **Tu renonceras aux macérations et au faisandage**[1]. Les estomacs actuels ne supportent plus ces procédés de conservation et de fermentation.
6— **Tu perdras l'habitude des sauces trop riches**. Les sauces sont là pour exalter le goût et faire « chanter » le plat, en laissant le ventre léger et l'esprit clair.
7— **Tu reviendras à la gastronomie régionale**. Combien de recettes provinciales et familiales, savoureuses et simples, attendent d'être redécouvertes !
8— **Tu feras appel aux techniques d'avant-garde**. L'électricité, la chimie de synthèse[2], la surgélation ne présentent pas seulement des défauts.
9— **Tu auras soin de proposer une cuisine diététique**. Encore une fois, la simplicité et l'exigence sont la garantie d'une bonne santé.
10— **Tu seras un perpétuel découvreur**. Tous les mariages de saveur sont permis, s'ils sont faits avec intelligence et... amour* !

---

1. **le faisandage** : *a technique used to give* **fumet** *(special aroma) to certain types of game animals or birds which have been left to decompose!*
2. **la chimie de synthèse** *enables cooks to experiment, mostly in the pastry-making field (for example, very light and beautifully decorated fruit mousses).*

Lesson
47

Les 10 Commandments of the new style of cuisine (2)

5— Thou shalt give up pickling and high game. Stomachs nowadays can no longer stand these processes of preserving and fermentation.
6— Thou shalt get out of the habit of using such rich sauces. Sauces are to improve the taste and to "enhance" the dish, leaving a light stomach and a clear head.
7— Thou shalt return to regional gastronomy. How many provincial and homely, simple and tasty recipes are waiting to be brought back!
8— Thou shalt make use of advanced techniques. Electricity, the products of synthesis and frozen food do not only have failings.
9— Thou shalt make a point of including a low-calory menu. Once again, simplicity and rigour guarantee good health.
10— Thou shalt be an unremitting experimentalist. The marriages of flavour are allowed as long as they are made with intelligence and... love!

---

* *This text has been written thanks to Gault and Millau's book:* ***Les grandes recettes de la cuisine légère****. In the 80's, these two gastronomy columnists were, by their ardeur and enthusiasm (as well as by their highly critical remarks!), the* ***architects*** *of a brilliant French cooking renovation.*

This page of comprehension and practise focuses on lessons 46 and 47.

Tu raccourciras la carte

■ THE SUBJUNCTIVE: In lesson 31, you were given an insight into the subjunctive (with verbs in **-er** ending).

• Formation rules (generalized):

A) For the three singular persons, the subjunctive is based on the 3d person plural in the present form of the indicative. The ending **-ent** is taken off and the following endings added:

1PS: -e **2PS: -es**
3PS: -e **3PP: -ent**

Examples:

RACCOURCIR → **ils raccourciss-ent**
→ **il faut que je raccourcisse / etc.**
PRENDRE → **ils prenn-ent**
→ **il faut que je prenne / etc.**

B) To form the first and second persons plural, we use the endings of the **imparfait** (cf. l. 32). Examples:

RACCOURCIR → **nous raccourcissions / vous raccourcissiez**
→ **il faut que nous raccourcissions /**
→ **il faut que vous raccourcissiez**

C) There are 9 irregular verbs. You already know the subjunctive of **être: que je sois / que nous soyons** (cf. l. 42). Here are four others (1PS and 1PP are all you need to form the other subjects).

ALLER → **que j'aille / que nous allions**
SAVOIR → **que je sache / que nous sachions**
FAIRE → **que je fasse / que nous fassions**
AVOIR → **que j'aie / que nous ayons / qu'il ait**

Tu renonceras aux macérations

■ THE IMPERATIVE: You have learnt (cf. l. 18) how to form the imperative. Be careful with the 2PS of verbs in **-er : tu écoutes → Ecoute** ! The verb **aller**, very irregular, is nevertheless a verb in **-er**; therefore its imperative is:

— **Tu vas** → — **Va** !

• Some verbs have an irregular imperative (in fact, they use the subjunctive forms); there are three in this lesson:

SAVOIR → **sache / sachons / sachez**
ETRE → **sois / soyons / soyez**
AVOIR → **aie / ayons / ayez**

Finally, there is no real imperative for the 3PS or 3PP but, once again, we use the subjunctive preceded by **que...** however, its use is relatively rare. Example:

RENONCER → **qu'il renonce ! / qu'elles renoncent !**

Il faut que tu racourcisses la carte

A. 1) ☐ *Rewrite the "10 commandments" beginning with **il faut que tu...:***

1) — Il faut que tu ...
2) — ...
3) — ...
4) — Il faut que tu raccourcisses.
5) — ...
6) — ...
7) — ...
8) — ...
9) — ...
10) — ...

2) ☐ *Same exercise in the 2PP: **il faut que nous...:***

1) — Il faut que nous ...
2) — ...
3) — ...
4) — Il faut que nous raccourcissions la carte.
5) — ...
6) — ...
7) — ...
8) — ...
9) — ...
10) — ...

Renonce aux macérations !

B. ☐ *Rewrite the "10 commandments" making the following transformations:*

1) — impératif 2PS
2) — impératif 2PP
3) — impératif 3PS

Leçon

48 Un jeune serveur

Christophe, jeune étudiant, est en vacances chez ses parents, restaurateurs dans le Limousin*.
— Christophe ! Notre maître d'hôtel[1] est malade. Tu peux le remplacer pour le service du déjeuner ?
— Je veux bien ; mais **comment faire** ?
— Ne t'inquiète pas : nous allons répéter. Mais écoute d'abord ces principes : sois attentif mais discret ; sois présent mais sache te faire oublier. Imagine qu'un couple entre...
— « B'jour, m'sieur-dame ! »[2]
— Non, non, jamais ! ! Tu dois dire : « Bonjour madame, bonjour monsieur ». Ensuite ?
— Je leur demanderai s'ils ont réservé une table.
— Bien. **Sinon**, tu leur en proposeras une. Dès que **tu auras pris** leur vestiaire, tu les conduiras à leur table et tu les aideras à s'installer...
— Et quand **ils se seront assis**, je leur présenterai la carte**.
— Oui. Mais, avant cela, **tu** leur **auras demandé** s'ils veulent prendre un apéritif...
...**Sinon**, tu leur indiqueras discrètement **que choisir**, en fonction de leurs goûts ; les clients nous demandent souvent **ce qui** est typique de la région. Tu sauras **quoi répondre** ?
— Bien sûr : la truite saumonée...
— S'ils aiment le poisson. **Sinon** ?
— Le gigot d'agneau ou l'omelette aux truffes, non ?
— Parfait ! Je me demande **ce qui** te manque[3] pour être un vrai maître d'hôtel !
— Moi, je sais : le nœud papillon !

---

1. ***le maître d'hôtel*** *runs the table service.*

2. ***B'jour, m'sieur-dame*** *: contracted form and considered as very impolite of* ***Bonjour, monsieur et madame****.*

3. ***ce qui te manque*** *: this is a very important construction. Qqch. manque à qq'n (ou : qq'n manque de qqch) ; Eng: sb lacks sth.*

* ***Le Limousin*** *is the region of Limoges (Centre-Ouest), a city renowned for its luxurious porcelain crockery manufactured there since the XVIIIth century. Note that the name of limousines (cars) derives from this region.*

** ***La carte de restaurant*** *: in all restaurants prices are shown as* ***nets*** *in*

Lesson

48

A Young Waiter

Christophe, a young student, is on holiday at his parent's, who are restaurant owners in the Limousin area.
— Christophe! Our head waiter is sick. Can you stand in for him at the lunch service?
— I don't mind, but I'm not too sure of what I have to do.
— Don't worry, we'll go over it. But, first of all, listen to these principles: be attentive, but discreet; be present but know how to keep out of the way. Now, imagine that a couple were to come in.
— How are you going Man, Mam!
— No, no, never! You must say: "Good morning madam, good morning sir!" And then what?
— I'll ask them if they have reserved a table.
— Good. If not, you will suggest one. As soon as you have taken their coats, you will escort them to their table and will help them to get comfortable.
— And when they're seated, I'll present them with the menu.
— Yes. But, before that, you will have asked them if they care for a drink...
... If not, you'll discreetly indicate, according to their tastes, what to choose: clients often ask us what is typical of the region. Will you know what to answer?

— Of course: salmon trout...
— That's if they like fish. If not?
— Leg of lamb or omelette with truffles, no?
— Perfect! I just wonder what you need in order to be a real head waiter.
— I know: a bow tie!

---

other words, tips are included; ***service compris****: you only pay the price indicated on the menu. Fortunately, you can no longer be charged for the place setting or bread (except in a self-service) and you may ask for a free carafe of water. The menu itself* ***(la carte)*** *is generally composed in two ways: —* ***les plats à la carte*** *(ordered separately and more expensive); —* ***le(s) menu(s)*** *which are better value for money and usually composed of:* ***une entrée / un plat*** *(often the* ***plat du jour) / fromage / un dessert****.*
• ***demander la carte*** *(to ask for the menu) ≠* ***manger à la carte*** *(to choose single courses)*

Je ne suis pas sûr de savoir comment faire

■ When the subject of a complementary proposition is obvious enough, the infinitive is advisable:

— **Je** ne sais pas comment **je vais faire**.
→ — Je ne sais pas comment **faire**.

• This construction is also common when the implied subject is generic. It is therefore an independent clause:

— Comment faire ? = — Comment **peut-on faire** ?

• In this case, the interrogative que... ? (ce que... in indirect speech) becomes, in most cases in spoken language, **quoi...** ? (cf. the exercise).

Sinon, tu leur en proposeras une

■ Sinon: this word avoids repeating a hypothetical proposition in opposite senses. It always begins the sentence. Example:

— Nous sortirons **s'il fait beau. S'il ne fait pas beau**,...
Sinon, nous resterons.

Si oui also exists (in two words), but it is less used. Example:

— Dites-moi **si Luc vient. S'il vient**,...
Si oui, je rajouterai un couvert.

Les clients demandent souvent ce qui est typique de la région

■ You already know two indirect speech transformations: **est-ce que... ?** → **si... / qu'est-ce que... ? → ce que....** Here is a third one:

Qu'est-ce qui... ? → ... ce qui...

Ex.: — Qu'est-ce qui se passe ?
→ — Je me demande ce qui se passe.

Dès que tu auras pris leur vestiaire, tu les conduiras

■ Observe:

— Tu prendras d'abord leur vestiaire ; ensuite tu les conduiras.
→ — Dès que tu auras pris leur vestiaire, tu les conduiras.

When one wants to indicate that an action takes place before an other action in the future, one uses the **futur antérieur**. It is a compound future tense (just as the **passé composé** which expresses the anteriority of the present). Forms:

usual verb auxiliary + past participle

Examples: — Quand **vous aurez choisi**, vous m'appellerez.
— Dès qu'**il sera rentré**, nous pourrons manger.
— Dès que **je me serai reposé**, je travaillerai.

• **Dès que...** shows an anteriority more immediate than **Quand....**

Tu sauras quoi répondre ?

A. ☐ *Answer in the infinitive:*

— Tu sais **ce que** tu vas dire ? — Non, je ne sais pas ...
— Vous savez **quand** vous partirez ? — Non, nous ne savons pas ...
— Elle sait **qui** elle veut inviter ? — Non, elle ...
— **Pourquoi** hésitons-nous ? — C'est vrai ! Pourquoi ...
— **Où** va-t-on ce soir ? — Bonne question ! ...
— **Que** mangerons-nous ? — Eh oui ! : ...

S'ils aiment le poisson. Sinon ?

B. ☐ *Complete with the opposite sense:*

— Je viendrai si Marie est invitée ...
— Répondez si vous savez ...
— Nous commanderons si vous avez choisi ...
— Ils prendront de la truite s'ils aiment le poisson ...
— Je vous réexplique si vous ne comprenez pas ...

Je me demande ce qui te manque...

C. ☐ *Reformulate the question using indirect speech:*

— Qu'est-ce qui est moins sucré comme dessert ? → — Dites-moi ce ...
— Qu'est-ce qui se passera demain ? → — Elle veut savoir ...
— Qu'est-ce qui va bien comme vin avec l'entrée ? → — Le client demande ...
— Qu'est-ce qui t'est arrivé hier soir ? → — Tu ne veux pas me dire ...

Quand ils se seront assis, je leur présenterai la carte

D. ☐ *Rewrite the following sentences using the futur antérieur:*

— Nous mangerons d'abord ; vous irez vous promener ensuite.
→ — Dès que nous aurons ...
— Il se lavera d'abord ; il se rasera ensuite. → — Dès qu'il ...
— Les enfants monteront se coucher ; ensuite nous ferons la vaisselle.
→ — Dès qu'ils ...
— Nous passerons la frontière ; ensuite nous chercherons un hôtel.
→ — Dès que nous ...

Leçon

49 Comment déguster un vin

Nuits Saint-Georges est à égale distance de Beaune et de Dijon, ce qui place la petite ville au cœur du prestigieux vignoble bourguignon. M. Senanges, vigneron, nous donne une leçon de dégustation dans ses caves.

— Nous commençons par un vin rouge léger. Pour l'apprécier, vous devez utiliser la bouche, mais aussi l'œil et le nez.

— L'œil ?

— Oui : un bon vin, d'abord, **ça se regarde** ; et puis **le vin se hume** avant de **se boire**. Placez votre verre dans la lumière de la bougie et regardez cette jolie « robe »[1].

— Superbe : un vrai rouge cerise !

— Limpide et intense. C'est un vin encore jeune. Avec les années, il deviendra plus orangé...

... Maintenant, faites tourner doucement le vin contre les parois (chez nous, en Bourgogne, on dit « dodiner ») ; approchez le verre de votre nez et **laissez se développer** le « bouquet » ; vous ne le sentirez vraiment qu'**à l'instant où** vous aurez fait le vide dans votre tête... **Laissez venir** les mots.

— Pour moi, ça sent... le cassis et peut-être... la violette ?

— Mais, dites-moi, vous avez un « nez » excellent !...

... C'est le moment de mettre une gorgée en bouche. Ne l'avalez pas ! « Mâchez-la »[2] et **laissez passer** un peu d'air. **Au moment où le vin s'échauffe**, votre langue reconnaît les saveurs et votre nez, les arômes. Le vin ne doit avoir **ni acidité ni « dureté »**, mais « souplesse et charpente » ; il ne doit être **ni « plat ni lourd[3] »**, mais élégant et riche... Quand vous l'aurez avalé, vous sentirez comme il est « long en bouche »[4].

— Hmmm ! Dans votre cave, on a envie d'être lyrique.

---

1. **la robe d'un vin** *is its visual qualities tint, colour intensity, reflection.*
2. **mâchez-la** *: a wine has to be "chewed" in order to develop its gustatory and olfactory excellence (a great wine* **a de la mâche***).*
3. **ni plat ni lourd** *: un vin plat is not acid enough;* **lourd***, it*

Lesson

49

How to taste a wine

Nuits Saint-Georges is the same distance from Beaune as it is from Dijon, which places the little town in the heart of the prestigious vineyard of Burgundy. Mr Senanges, a wine grower, is giving a wine-tasting lesson in his cellar.
— We'll start with a light red wine. To appreciate it, you have to use your mouth, but also your eyes and nose.

— My eyes?
— Yes: a good wine, first of all, is looked at and then smelt before drinking. Place your glass into the light of the candle and look at the lovely colour.
— Superb, a real cherry red!
— Limpid and intense. It is still a young wine. In the course of a few years, it will become more orange in colour...
...Now, slowly swirl the wine around inside the glass (in our area, in Burgundy, we call it "dodiner"); approach the glass to your nose and let the "bouquet" develop. You won't really smell it until you have cleared your head... Let the words come to you.

— To me, it smells like... blackcurrant and perhaps... violet?
— Very good! You have an excellent "nose"!...
...This is the right moment to take a mouthful. Don't swallow. Swish it around and let a bit of air through. When the wine warms up, your tongue will recognize the flavours and your nose the aromas. Wine must have no acidity nor "hardness", but smoothness and body; it must not be "weak tasting nor heavy", but elegant and rich. When you have swallowed it, you will have a lasting feeling in your mouth.
— Hmmm! One feels like being lyrical in your cellar!

---

has too much smoothness ; ***charpenté****, it is balanced in tannins;* ***souple****, it has a nice acidity. The elegance of a wine characterizes mostly the* ***robe*** *and the* ***bouquet****. The richness shows above all its aromatic and gustatory "generosity".*

4. **long en bouche** *means that the wine aroma lasts in your mouth after it has been swallowed. The longer the aroma lasts, the better the wine is!*

Laissez venir les mots

■ **Laisser faire qqch** = permettre à qqch de se produire (to let sth happen);
Laisser qq'n faire qqch = permettre à qq'n de faire qqch (to let sb do sth).
Ex. : — **Dès que tu auras eu ton permis, je te laisserai conduire.**
- This turn of phrase may also mean: **ne pas empêcher qq'n de faire qqch** (not to stop sb from doing sth) / **ne pas empêcher qqch de se produire** (not to prevent sth from happening).

Ex. : — **Ne me parle plus et laisse-moi travailler !**

Le vin ne doit avoir ni acidité, ni « dureté »

■ Observe : a) — Je ne veux **pas de** vin **et pas d'**eau.
b) — Je ne veux **pas de** vin **ni d'**eau.
c) — Je ne veux **ni** vin **ni** eau.

When one wants to coordinate 2 (or more) negative elements, one can use any of the above forms. c) is more categorical.
- With **ni... ni...** the omission of the partitive article is advisable; but:
  — **Le magasin n'ouvre ni le dimanche ni le lundi.**
  — **Je ne mets ni mon pull ni mon manteau.**
- Coordinated elements can be verbs (**Il ne veut ni manger ni dormir**), adjectives (**un vin ni plat ni lourd**), etc.

... à l'instant où vous aurez fait le vide

■ To show the close succession of 2 actions, use **dès que...** (cf. l. 48). To indicate simultaneity, use:
à l'instant où / au moment où / à l'heure où / à la minute où, etc.
- Note the pronoun **où**. French has no special relative pronoun for time relation; it uses, like in many other fields, terms of space.

Un bon vin, ça se regarde !

■ **Le vin se regarde = on doit regarder le vin.**
Of course, you understand that this verb is not a real reflexive verb. When the agent is general and the sentence a piece of advice or a practical remark, the French do not use the usual passive voice and instead employ the construction known as **pronominal à sens passif** passive meaning with reflexive verb. Examples:
— **Le vin blanc se boit frais.**
— **La laine se lave à la main.**

Laissez passer un peu d'air

A. 1) ☐ *Répondez (Answer):*
— Je voudrais dormir. — D'accord : je te ...
— Elle veut voyager seule. — Bon. Nous ...
— Nous aimerions choisir sans nous presser. — Bien sûr ! Je ...

2) ☐ *Répondez par un impératif (Answer using the imperative):*
— Je ne veux pas que tu boives de vin ! — Oh ! Laisse-...
— Mais vous ne savez pas comment faire ! — S'il vous plaît, ...
— Ne mangez pas vos frites avec les doigts ! — Oh, maman, ...

Il ne doit être ni plat, ni lourd

B. ☐ *Répondez par la négative (Answer negatively):*
— Tu pratiques le ski et le surf ? — Je ne pratique ...
— Vous voulez du Roquefort ou du camembert ? — Je ne veux ...
— Elle préfère Gauguin ou Van Gogh ? — Elle n'aime ...
— Vous partez en train ou en avion ? — Nous ne ...
— Ils viennent demain ou après-demain ? — Ils ne ...
— Je mets ma robe rouge ou ma jupe noire ? — Ne mets ...

Au moment où le vin s'échauffe...

C. ☐ *Unissez les 2 actions (Link both actions):*
— / j'avale le vin / je me sens bien / → Au ... où je ...
— / le soleil se couche / il fait beaucoup plus froid /
— / Mme Pottier apporte les frites / les enfants crient de joie /
— / l'avion décolle / elle se sent malade /
— / il se couche / le téléphone sonne /

Le vin se hume avant de se boire

D. ☐ *Answer using the pronominal passif:*
— On visite le musée seulement le matin ? — Oui, le musée se ...
— On doit commander ce dessert à l'avance ? — Oui, il ...
— Il faut réserver les places directement au théâtre ? — Oui, elles ...
— On peut employer cette expression ? — Oui, elle ... souvent.
— On prend ce médicament avec de l'eau ? — Oui, il ...

Tests : Cinquième série

(leçons 40 à 49)

For each sentence, tick off the right answer.

1. — Ne réponds pas n'importe ...
   a) □ qui
   b) □ que
   c) □ à qui
   d) □ quoi

2. — ... vous demander un service.
   a) □ J'aimerais
   b) □ J'aimerai
   c) □ Je vais aimer
   d) □ J'aimais

3. — Voilà : la chambre ...
   a) □ a fait
   b) □ est faite
   c) □ fait
   d) □ est fait

4. — Elle ne sait pas ... viendra ce soir.
   a) □ est-ce qu'il
   b) □ ce qu'il
   c) □ s'il
   d) □ ce qui

5. — Elle voulait des frites. Je ... ai donné.
   a) □ les lui
   b) □ l'en
   c) □ lui
   d) □ lui en

6. — Le ski, c'est le sport que j'aime le ...

a) ☐ plus
b) ☐ meilleur
c) ☐ beaucoup
d) ☐ des plus

7. — Ce livre est amusant ... lire.

a) ☐ de
b) ☐ à
c) ☐ pour
d) ☐ (/)

8. — Tu veux son adresse ? — Oui, donne-...

a) ☐ me-la
b) ☐ la-moi
c) ☐ me-le
d) ☐ le-moi

9. — Voulez...asseoir ?

a) ☐ -vous
b) ☐ vous-vous
c) ☐ -vous vous
d) ☐ vous vous-

10. — Il veut que nous le rejoi... à la campagne.

a) ☐ nions
b) ☐ gnions
c) ☐ drions
d) ☐ gnons

11. — Quand ...ras-tu si tu pars ?

a) ☐ sav
b) ☐ savoir
c) ☐ sau
d) ☐ saur

12. — Vous pou... la rencontrer demain.

a) □ rrez
b) □ rez
c) □ drez
d) □ vrez

13. — Le cinéma Rex? Jacques va ... retrouver à 18 heures.

a) □ nous
b) □ nous le
c) □ nous y
d) □ y

14. — 1/2 heure, ça suffit?
— Oui, tu peux finir ... 1/2 heure.

a) □ dans
b) □ pendant
c) □ pour
d) □ en

15. — Il faut que vous ... là avant 16 heures.

a) □ soyez
b) □ êtes
c) □ étiez
d) □ seriez

16. — S'il te plaît, ... proprement!

a) □ manges
b) □ mange
c) □ mangez
d) □ que tu manges

17. — Quand ..., tu iras te coucher.

a) □ tu mangeras
b) □ tu vas manger

c) ☐ tu manges
d) ☐ tu auras mangé

18. — Est-ce que tu comprends ... arrive ?
a) ☐ ce qui
b) ☐ ce qu'
c) ☐ qu'est-ce qui
d) ☐ qui

19. — Elle est arrivée au moment ... je suis sorti.
a) ☐ où
b) ☐ quand
c) ☐ que
d) ☐ (/)

20. — Je vous ... choisir tranquillement.
a) ☐ permets
b) ☐ laisse de
c) ☐ vais laisser
d) ☐ laisse

RÉPONSES

1 - d	2 - a	3 - b	4 - c
5 - d	6 - a	7 - b	8 - b
9 - c	10 - b	11 - c	12 - a
13 - c	14 - d	15 - a	16 - b
17 - d	18 - a	19 - a	20 - d

Leçon

50 « La belle province » (1)

— Madame Coutureau, madame Coutureau !
— Oui, oui, voilà : j'arrive... Ah, c'est vous, facteur[1] : « l'homme de ma vie », comme je le dis à mon mari ! Ça vous fait rire, hein ? Mais avec tous mes enfants dans le monde, je ne vis que pour le courrier.
— J'ai justement une lettre du Canada pour vous.

— C'est sûrement Catherine. Elle est au Québec **pour cinq mois**, chez nos « cousins ».
— **J'espère qu'elle est** heureuse dans le Grand Nord. Mais je ne savais pas que vous aviez de la famille là-bas.
— Oh, à la mode de Bretagne[2] ! Ce sont des Coutureau de Chicoutimi. On a fait leur connaissance il y a deux ans. Ils sont venus ici, à Brouage*, avec l'association France-Québec. **Ils souhaitaient que notre fille reparte** avec eux **pour l'été**. Mon mari et moi, on la trouvait **trop jeune pour faire** ce grand voyage.
— Mais cette année, elle est **assez grande pour se débrouiller**[3].
— Oui. **J'espère qu'on n'a pas fait** de bêtise et **qu'elle s'entend** bien avec sa « cousine » de son âge.
— Ah vous, les mères ! Vous êtes toujours **trop inquiètes pour laisser s'envoler** les petits ! Elle n'est partie que **pour quelques mois**.
— Vous avez raison... Vous prendrez bien un café ou une goutte[4] ?
— Non, non. Merci. Ni café ni goutte. J'ai encore ma tournée à faire et je n'ai pas soif.
— Oh, le café ça se boit sans soif !
— Non, vraiment. Allez, je vous laisse lire la lettre de votre pigeon voyageur !

---

1. **le facteur** : *we should in fact say* **monsieur le préposé** *but most people keep on calling him* **facteur**.
2. **à la mode de Bretagne** = *in a distant relationship.*
3. **se débrouiller** : *a very important characteristic in French behaviour; le système D = the get by system (***la débrouillardise***) which consists in finding any old way to achieve something!.*

Lesson

50 "The Beautiful Province" (1)

— Mrs Coutureau, Mrs Coutureau!
— Yes, yes, alright: I'coming... Ah, it's the Postman! The man of my life, as I always say to my husband! That makes you laugh, ah? But with all my children being around the world, the mail is all I live for.
— Well, as a matter of fact I have a letter for you from Canada.
— It's probably from Catherine. She is in Quebec for five months, staying at her "cousins"'.
— I hope she is happy in the far North. Well, I didn't know that you had family over there.
— Oh, distant family. They are the Coutureaus from Chicoutimi. We met them two years ago. They came to Brouage with the France-Quebec Association. They wanted our daughter to leave with them for the summer. My husband and I thought she was too young for such a big trip.
— But this year she's old enough to get by on her own.

— I hope we haven't made a mistake and that she gets on well with her cousin who is of her own age.
— Ah, mothers! You are always afraid of letting your little-ones fly away! Well, she's only gone for a few months.

— You're right... You'll have a drink, won't you: a coffee or a drop of something?
— No, no. Thank you. Neither coffee, nor a drop. I still have my runs to do and I'm not thirsty.
— Oh, you don't have to be thirsty to drink coffee!
— No really. I must be off and I'll let you read your letter from your homing pigeon.

---

4. **une goutte...** *(a nip) d'alcool! In Charente, it would most be cognac.*
* *Brouage, a little city of Charente (West Coast) surrounded by ramparts, is proud of its native "child": Samuel de Champlain (see lesson 52). But Charente is also famous for its oysters (the green flesh* **Marennes***) and its* **Cognac** *(an alcohol based on the distillation of white wine and aged in oak barrels — from 3 years to a century for some of the older ones!).*

Elle est au Québec pour cinq mois

■ If one wants to express the fact that a duration has begun but not yet finished, one uses **pour + expression of time.** Then, the verb is either put into the **passé composé** (if it shows the initial action) or into the present tense (with a verb of state). Examples:

— **Elle est partie** pour cinq mois.
— **Elle est** là-bas pour cinq mois.

• The point of departure can be in the present. Compare:

— **Je pars (bientôt) pendant** une semaine.
— **Je pars (en ce moment) pour** une semaine.

• The point of departure can be situated in the future. Compare:

— **Après** la classe, il partira **pendant une semaine à la mer.**
— **Le 23 juin**, il partira **pour** une semaine à la mer.

J'espère qu'elle est heureuse

■ Pay attention to the construction of the verb following **souhaiter** or **espérer**. They seem to be synonymous; yet:

a) **Je souhaite** something beyond my power or knowledge (then the following verb has to be **in the subjunctive**). Example:

— **Je souhaite qu'il fasse beau demain.**

b) **J'espère** something I reasonably expect to happen (the following verb is therefore put into **the indicative**). Example:

un médecin au malade : J'espère que vous guérirez vite.

• Politeness — or optimism! — often leads to **espérer** things one should normally **souhaiter**.
Example: **à un ami au casino : J'espère que tu vas gagner !**

Elle est assez grande pour se débrouiller

■ The construction **assez + adj. + pour + infinitif** points out that the minimum level has been reached and gives you the opportunity of carrying out an objective.
The construction: **trop + adj. + pour + infinitif** points out that a limit has been exceeded, hence preventing something from eventuating.
Example: — **Je suis trop malade pour sortir.**

• Distinguish carefully **très** from **trop**.
Compare:

a) — **Je suis très fatigué ;** **mais je viens** avec vous.
b) — **Je suis trop fatigué :** **je ne viens pas** avec vous.
→ — **Je suis trop fatigué pour venir avec vous.**

Elle n'est partie que pour quelques mois !

A. 1) □ *Construct sentences using the following information:*
(location de la villa : juin-septembre ; maintenant : juillet)
(louer) → — Nous avons...
(prêt du livre : 1er mars-31 mars ; maintenant : 20 mars)
(prêter) → — Marc m'...
(garde de Marie : toute la soirée ; maintenant : 9h du soir)
(garder) → — Sa grand-mère ...

2) □ *Choose* ***pour*** *or* ***pendant***:
— Après Noël, nous irons ... 4 jours faire du ski.
— « Chers amis : Joyeux Noël ! Nous sommes chez les Z ... les fêtes. »
— Mon fils est parti ... un an au service militaire ; mais il viendra nous voir ... le week-end de Pâques.

J'espère qu'on n'a pas fait de bêtise

B. □ *Answer with* ***espérer*** *(watch irregular verbs!):*
— Je souhaite que notre fête soit réussie. — Moi aussi, j'espère qu'...
— Je souhaite que vous puissiez skier. — Nous aussi, nous espérons que nous ...
— Je souhaite que votre femme aille vite mieux. — Moi aussi, j'espère qu'elle ...
— Je souhaite que ma fille sache se débrouiller. — Moi aussi, ...
— Je souhaite que le directeur veuille bien nous recevoir. — Moi aussi, ...

Vous êtes trop inquiètes pour laisser s'envoler les petits !

C. □ *Answer using* ***trop ... pour*** *... or* ***assez ... pour*** *...:*
— Elle est jeune, d'accord ; mais elle peut voyager seule ! — Non, elle est ...
— Il est raisonnable, n'est-ce pas ? Il peut comprendre ? — Oui, je pense : il est ...
— Le studio est grand ? On peut y loger 3 personnes ? — Oh oui, tout à fait : il est ...
— Ce film est très violent ; ça ne peut pas plaire au public ! — Vous avez raison, il est ...
— Il est très poli, c'est vrai. Mais, vous le croyez honnête ? — Non, c'est vrai : il est ...

Leçon

51 « La belle province » (2)

Chicoutimi le 17 février

Chers parents,

Je ne vous écris qu'aujourd'hui parce que, pour une semaine, tout Chicoutimi « foire »[1]. Rassurez-vous, en bon québécois, ça veut dire qu'on s'amuse comme des fous : c'est le carnaval ! Au début, **je me sentais** « niaiseuse »[2] dans ce pays qui « dîne » à midi et qui « soupe » à l'heure où en France on dîne. Mais **je me suis vite habituée** et maintenant **je me débrouille**.

Hier, pour le repas en plein air, **il faisait glacial** et **le vent soulevait** la neige en tourbillons ; **nous sommes quand même sortis**. Heureusement, **j'étais** super équipée[3]. **Si vous pouviez** me voir dans mes « claques », mes « mitaines » et ma « tuque »[4], **vous ne me reconnaîtriez pas** ! **Jeanne**, elle, **portait** la robe à crinoline et la cape de fourrure de son arrière grand-mère (comme font toutes les femmes pendant le carnaval).

Tout le monde s'est gavé de « sous-marins »[5], de charcuterie, de « poutine »[6] et de tartes sorties du four ; on m'a laissée boire du « caribou »[7]. **Ça m'a bien réchauffée** mais **j'étais quand même** un peu pompette[8] ! **Si j'avais** mon appareil, **je pourrais** vous envoyer des photos de l'« encanteur »[9] et de ses cochons de lait : ça m'a rappelé les marchés de chez nous. **Les hommes ont fait** un concours de barbes[10] : **il y en avait** de superbes. Mais **si papa participait, il gagnerait** peut-être !...

(suite à la prochaine leçon)

---

1. **foirer** *(in Quebec French: Qc) =* ***s'amuser*** *= to have fun. In colloquial French* ***foirer*** *= to fail!*
2. **se sentir niaiseuse** *(Qc. masc :* ***niaiseux*** *:)* ***se sentir bête*** *= to feel stupid.*
3. **super équipée** *: a superlative much employed by the young.*
4. **mes claques** *(Qc) = rubber overshoes for snow;* **mes mitaines** *(Qc) = thick fur-lined gloves;* **ma tuque** *(Qc) = wool bonnet.*
5. **un sous-marin** *(Qc) is a huge sandwich (20 to 30 cm long!).*
6. **la poutine** *(Qc): chips, melted cheddar and barbecue sauce.*

Lesson

51 "The Beautiful Province" (2)

Chicoutimi, February the 17th

Dear Mum and Dad,

I haven't written before today because, for the past week, the whole of Chicoutimi is partying. Don't worry in good Quebec French, it means we're having a great time. It's carnival time! At first, I felt "fresh out of the nest" in this country which "dines" at midday and has "supper" when we in France are having dinner. But I quickly got used to it and now I'm managing well.

Yesterday, for the outdoor feast, it was freezing and the wind was swirling up the snow. We did, nevertheles, go outside. Fortunately, I was well-equiped. If you could see me in my "gumshoes", my "fur gloves" and my "tuque" you wouldn't know me! Jeanne wore her great grandmother's crinoline dress and fur cape (like all the women do during the carnival).

Everybody stuffed themselves with "submarines", cooked pork meats, "poutines" and freshly baked tarts. I was allowed to drink some "caribou". That warmed me up, but I was somewhat tipsy! If I had a camera, I could send you some photos of the "auctioneer" and of his piglets. It reminded me of the markets back home. The men had a beard competition: some were superb. But if Dad competed, he'd have a good chance of winning!

(next lesson)

---

7. **du caribou** *(Qc): of course this is not the animal but a mixture of red wine and strong alcohol.*

8. **pompette** *(adj. inv.): a nice colloquial adjective to say* **un peu ivre / gris** *a little drunk / tipsy.*

9. **l'encanteur** *(Qc) is a person who used to practise public bidding and now controls sales during the carnival like in the olden days.*

10. **le concours de barbes** *(a competition of beards... and moutaches that men let grow during the harsh months) is considered one of the entertainments of Chicoutimi's carnival (like lumberjacks' competitions, torchlight processions, etc.).*

Je me sentais « niaiseuse » ; je me suis vite habituée...

■ Observe: When Catherine arrived in Quebec, everything was different ; now she is accustomed to her new life style. Here we have two realities: one in the past, the other in the present. In the meantime Catherine has got used to her new life: a time of transition.

Former reality **imparfait**	→ Meanwhile **passé composé**	→ New reality **présent**
avant, j'étais « niaiseuse »	**puis,** je me suis habituée	**maintenant,** je me débrouille

Il faisait glacial ; nous sommes quand même sortis

■ Observe : — Il fait très froid ; alors, vous restez chez vous ?
— Non. Il fait très froid → **mais** nous sortons.
→ nous sortons **quand même**.

- This expression **quand même** is used when an action is not the anticipated consequence of an other action or situation. It stresses the opposition between two facts.
- In the compound tenses, **quand même** is usually placed between the two parts of the verb (example above).

Si vous pouviez me voir, vous ne me reconnaîtriez pas !

■ Observe : Catherine's parents are in France. They cannot see her. But:
— **S'ils étaient là, ils seraient étonnés.**
→ **Si + imparfait, conditionnel simple**

- This construction shows that one imagines a situation not existing at the moment: it is called an **réel actuel**.
- The **imparfait** has no temporal value at all. It is only a constraint of the language.
- You know how to make the **imparfait**; and also the **conditionnel simple** (cf. l. 40):

radical of the future + ending of the imparfait

... maintenant je me débrouille

A. ☐ *Write a little story linking the elements below:*

	avant...	et puis...	maintenant...
(je)	ne pas parler français	acheter la méthode	s'exprimer correctement
(nous)	habiter Montréal	déménager	vivre à Chicoutimi
(Anne)	ne jamais boire de thé	essayer en Angleterre	aimer beaucoup ça

Ça m'a réchauffée ; mais j'étais quand même un peu pompette !

B. ☐ *Answer using the opposition **quand même**:*

— L'eau est froide ; alors, on ne se baigne pas ? — Si, on ...
— Tu veux maigrir ; alors, tu ne prends plus de sucre ? — Si, j'en ...
— Ses parents la trouvent trop jeune ; alors, elle ne partira pas ?
— Si, ...
— Vous étiez bien couverts ; alors, vous n'avez pas eu froid ?
— Si, ...

Si j'avais mon appareil, je pourrais vous envoyer des photos

C. ☐ *Carry on with an **irréel actuel**:*

— Je n'ai pas d'argent ; je ne prends pas de vacances. Mais si j'avais ...
— Il ne fait pas beau ; nous restons à la maison. Mais s'il ...
— Le Québec est loin ; je ne vais pas voir ma fille. Mais si ...
— Il conduit ; il ne prend pas de vin. Mais s'il ...
— Elle est trop jeune ; elle ne voyage pas seule. Mais si ...

Leçon

52 « La belle province » (3)

(suite de la lettre...)

Vous voyez, **il a beau** faire froid, on vit beaucoup dehors. « Oncle » Charles nous emmène souvent sur le Saguenay avec lui : le fleuve est gelé, mais on pêche quand même. Et puis, il y a des tas de[1] petites cabanes rigolotes[2] de toutes les couleurs pour s'abriter.

La nature, ici, est vraiment belle (**sauf** du côté des usines de Jonquière) ; et, l'été, **il paraît que c'est** magnifique. D'ailleurs, Jeanne voudrait que je reste pour 6 ou 7 mois. **Si je passais** les grandes vacances au Québec*, **on partirait** camper en pleine nature, dans la réserve des Laurentides. **J'ai entendu dire qu'il y a** plein d'[1] animaux sauvages inconnus en Europe. **Si j'étais** là plus longtemps, **je pourrais** faire aussi la croisière sur le fjord (**tout le monde dit que c'est** inoubliable), et récolter les « bleuets »[3] autour du lac Saint-Jean.

Ne croyez pas que je vous oublie. **J'ai beau** « avoir du fun »[4], vous me manquez[5] (**j'ai entendu dire** à la télé **que les huîtres françaises sont malades** : j'espère que papa ne s'inquiète pas trop).

Tous les Coutureau du Québec — **sauf** Pitou (c'est le chat !) — vous envoient leurs amitiés. Et moi, je vous embrasse bien fort.

Catherine

P.S. : Dites, **si vous acceptiez** que je reste, **ça me ferait** drôlement plaisir !

---

1. **des tas de/plein de** : *these are colloquial expressions for a great quantity of something =* **beaucoup de**.

2. **rigolotes** : *is a colloquial adjective, normally invariable (***rigolo***); but its feminine form is widely spoken.*

3. **les bleuets**, *is the Quebec name for bilberries ; in France,* **le bleuet** *is a common wild flower.*

4. **avoir du fun** *= to have a good time (note the anglicism).*

5. **vous me manquez** *(= I miss you): here is an other important meaning of* **manquer** *(a well known faux ami; its construction is exactly the opposite in both languages. An other exemple:* **Elle nous manque** *= We miss her).*

Lesson

52 "The Beautiful Province" (3)

(continuation of the letter...)

You see, however cold it may be, we spend a lot of time outdoors. "Uncle" Charles often takes us to the Saguenay with him: the river is frozen over, but we still go fishing. There are loads of funny-looking cabins of all colours to take shelter in.

The natural environment is really beautiful here (except on the factory side of Jonquière) and apparently in summer it's magnificent. By the way, Jeanne would like me to stay for 6 or 7 months. If I spent the summer holidays in Quebec, we could go camping in the middle of the wilds, on the Laurentide reserve. I have heard that there are a lot of wild animals there, unheard of in Europe. If I were here longer I could do the fiord cruise (everyone says that it is an unforgettable experience) and gather blueberries around Lake Saint-Jean.

Don't think that I have forgotten you. Whatever fun I may be having, I miss you (I heard on television that French oysters were suffering from a disease: I hope Dad is not too worried).

All the Coutureaus from Quebec — except Pitou (that's the cat) — send their regards. As for me, Lots of love.

Catherine

P.S.: By the way, if you let me stay, that would really make my day!

---

* **Samuel Champlain** *(1567-1635) was the founder of* ***la Nouvelle-France = Canada****. In 1603, he published the account of his journey to Huron country; in 1608 he founded, on the Saint-Laurent river, the city of Québec and soon became its governor. Fighting both the Iroquois and the English, he carried on with his explorations in particular through the Saguenay, country of the Chicoutimi-to-be and with his lucrative fur trade. The border lake between Vermont and New York state was named after this great explorer. Following Champlain, many people from Charente had expatriated to Québec* ***(la "Belle Province")****.*

Il a beau faire froid, on vit beaucoup dehors

■ Observe :

— **Au Québec, l'hiver, il fait froid ; mais on vit dehors ;**
on vit quand même dehors.

— **Il a beau faire** froid, on vit dehors.

You learnt in lesson 51 to use **quand même** to express an unexpected consequence. Here is a very French saying (not to be litteraly translated):

avoir beau + infinitive, negative consquence

• In this case, one points out that a cause, which should lead to a definite consequence, does not succeed. Example:

— **J'ai eu beau** lui expliquer, il ne comprenait pas !

J'ai entendu dire qu'il y a plein d'animaux sauvages

■ When one wishes to pass on information, wanting no responsability, one uses an introductory expression like:

il paraît que... on dit que.... Ex.:

— Il paraît que c'est magnifique.

— On dit que le Québec est un très beau pays.

• Or as well:

j'ai entendu dire que...

• Note the verbal form **entendre dire**, compulsory in French. Ex.:

— J'ai entendu dire que les huîtres sont malades.

La nature est belle, sauf du côté des usines de Jonquière

■ Observe :

— La nature est belle ? — Oui, **mais pas** du côté des usines.
— Oui, **sauf** du côté des usines.

sauf indicates a restriction or an exception (positive or negative); the expression is invariable. Example:

— Le magasin est ouvert tous les jours sauf le dimanche.

Si je passais les vacances au Québec, on partirait camper

■ Observe : — Catherine **passera** les vacances au Québec ? — Peut-être ; cela n'est pas sûr. It is question of a **future possibility**. You already know the construction:

Si + imparfait, conditionnel simple

The context obviously shows that the assumption focuses on the future: it is an **éventuel**.

J'ai beau « avoir du fun », vous me manquez

A. ☐ *Transform the following sentences with **quand même** into sentences with **avoir beau** (watch tenses!):*

— Il a un caractère difficile ; elle l'aime quand même.
  — Il a beau ...
— Sa mère était inquiète ; elle est quand même partie.
  — Sa mère ...
— Le maître d'hôtel est malade ; le restaurant ouvre quand même.
  — ...
— Le facteur avait soif ; il a quand même refusé « la goutte ». — ...
— Tu lis vite ; tu ne finiras quand même pas le livre ce soir. — ...

J'ai entendu dire que les huîtres sont malades

B. ☐ *Rewrite the following headlines commencing them with **J'ai entendu dire que...** (the verb of the information is in the present tense):*

— Moins 35° à Chicoutimi ! → — J'ai entendu dire qu'il ...
— Arrivée ce soir du Premier ministre australien.
— Sortie aujourd'hui du film de Jean Bobine.
— Augmentation du prix des cigarettes.
— Ecoles fermées à cause du froid.

Tous les Coutureau — sauf Pitou (c'est le chat !)

C. ☐ *Rewrite the restriction using **sauf**:*

— Nous aimons bien ces modèles ; **mais pas le noir !** → — Sauf ... !
— Elle ne boit pas de vin ; **mais un peu de Bourgogne.**
— J'ai lu tous ses livres ; **mais pas son dernier roman.**
— Ils viennent tous les étés à Brouage ; **mais pas l'été dernier.**
— Le chat ne sort jamais ; **mais parfois dans le jardin.**

Si vous acceptiez que je reste, ça me ferait plaisir

D. ☐ *Express the following possibilities with **si + imparfait, conditionnel:***

— Elle restera peut-être au Québec ; alors, elle fera une croisière.
  → — Si elle restait ...
— Il neigera peut-être encore ; alors, on pourra faire du ski.
— Nous recevrons peut-être une lettre ; alors, nous serons rassurés.
— Vous voudrez peut-être aller en Polynésie ; alors, l'agence vous proposera un tour.
— Tu voudras lire ; alors, je te prêterai mon roman.

Leçon

53 Remue-méninges

— Notre séance de remue-méninges[1] d'aujourd'hui porte sur le nouveau parfum de chez Aroma. Une autre équipe travaille sur le flacon. Nous avons « frappé fort »[2] avec le précédent parfum et nous devons être aussi efficaces. J'attends vos idées...
— Je propose : « **Si vous avez aimé** "Azur", **vous adorerez** "Z" ! » Qu'en pensez-vous ?
— Hmmm ! je n'aime pas ce « si » : ça n'est pas « vendeur »[3].
— Tiens ! et **si**, justement, **on l'appelait** « Si... » ? Je vois bien ça sur une affiche.
— Intéressant ; je retiens. C'est en effet très « marquant »[4] pour l'œil...
— Mais c'est un peu court pour l'oreille. Je reviens à mon idée. Pourquoi pas : « **Vous avez aimé** "Azur" ? **vous allez adorer** "Z" ! »
— Je préfère cette version. Mais vous croyez que l'interrogation est heureuse ? C'est comme si on doutait de notre parfum.
— Pas du tout ! Tout le monde comprend : « Bien sûr, n'est-ce pas, vous l'avez aimé ? »
— Écoutez un peu ça : « **Envie d'une seconde peau ? Essayez** "Z" ! »
— Moi, j'aime bien... sauf la deuxième partie : il n'est pas question d'« essayer » !
— Attendez, attendez !... Et ça : « **Plus capiteux ? "Z" serait insolent** ! »
(bruits divers : « Ah non ! "capiteux" c'est démodé ! » ; « pas bête, pas bête ! », etc.)
— Mais voilà : le nom est trouvé ! Si on l'appelait : « INSOLENT » ?

---

1. **remue-méninges** *is the French term for "brainstorming".*
2. **frapper fort** : *advertising jargon = to have impact on would-be-buyers and to attract their attention through hard sell tactics.*

Lesson

53

Brainstorming

— Today's session of brainstorming deals with Aroma's new perfume. Another team is working on the bottle. As we "struck hard" with the previous perfume, we have to be just as efficient with this one. I can't wait to hear your ideas...
— I propose: "If you liked 'Azur', you will love 'Z' !" What do you think of that?
— Hmm! I don't like this "if": that's not enticing enough.
— Hey! How about just calling it "If"? I can imagine that on a poster.
— Interesting! I'll keep that in mind. It is indeed very "striking" to the eye...
— But it's a little short for the ear. I still insist on my first idea. Why not: "You liked 'Azur'? You are going to love 'Z'!"
— I prefer this version. But do you think the question is appropriate? It's as though one doubts our perfume.

— Not at all! Everybody will understand: "But I presume, you did like it, didn't you?"
— Listen to this a little bit: — "Feel like a second skin? Try 'Z'!"
— I like that... except for the second part: there is no question of "trying"!
— Hang on, hang on!.. What about this: "More heady? 'Z' would be too audacious!"
(various noises: "Oh no! 'heady' is old that"; "not a bad idea, not a bad idea!", etc.)
— That's it: we've found the name. How about called it: "AUDACIOUS"?

---

3. **vendeur** *(adj.): advertising jargon; = which drives potential consumers to buy.*
4. **marquant pour l'œil** *= attractive to the eye (**frappant visuellement**).*

COMPREHENSION

This lesson deals with other expressions pertaining to assumption.

Si vous avez aimé Azur,...

■ Observe : — **Vous avez probablement aimé Azur. Alors, vous adorerez Z !**

Si + passé composé, futur

One expresses a past probability and its future consequence. This construction is very close to: **Puisque vous avez aimé,...**

Vous avez aimé Azur ?...

■ This latter way of speaking is very close to the former. The interrogative form is perhaps a little more discreet. On the other hand, the use of the **futur proche** is more abrupt!

Et si, justement, on l'appelait « Si... » ?

■ The interrogative construction is, in this case, incomplete. It is a king of **suggestion**:

— **Et si on l'appelait... ? = — On pourrait l'appeler...**

Envie d'une seconde peau ?...

■ This highly condensed formula, **substantif ? / impératif** is mostly used in advertising.

• If we enlarged it, we would say:

— **Si vous avez envie d'une seconde peau, vous devez essayer Z.**

Plus capiteux ?...

■ Here is an other elliptic construction, much appreciated in the advertising industry:

adjectif au comparatif ? / conditionnel

• The implied subject has to be the same.

• Expansion :

— **S'il était plus capiteux, Z serait insolent !**

... vous adorerez Z !

A. 1) ☐ *Link the following elements in order to express* ***probabilité passée / conséquence future:***

— (vous) / venir une fois en Lozère / y revenir / → — Si vous ...
— (tu) / aimer les romans de Y. / adorer son dernier roman /
— (elles) / apprendre le français / savoir vite l'italien /
— (il) / appeler hier soir / ne pas téléphoner ce soir /
— (elle) / suivre la recette / réussir ce plat /

... vous allez adorer Z !

2) ☐ *Rewrite exercise nº 1 in the following way:* ***passé composé ?, futur proche***

Si on l'appelait « Insolent » ?

B. ☐ *Give suggestions to your friends:* ***Si on...*** *(use pronouns):*
Modèle : — J'ai envie de **manger un gâteau** ! **Si on en mangeait un** ?
— J'aimerais **voir le nouveau film de Resnais** ! Si ...
— Je voudrais **aller aux sports d'hiver** ! ...
— J'ai envie de **téléphoner à Irène** ! ...
— Il vaut mieux **finir les exercices** ! ...

... Essayez Z !

C. ☐ *Rewrite the following sentences in order to propose advertising slogans* ***substantif ? / impératif:***
— Si vous avez **faim**, vous devez **croquer Vitafruit** !
— Si vous avez **mal à la tête**, vous devez **prendre vite Migrastop** !
— Si vous avez **besoin d'air pur**, vous devez **découvrir la Savoie** !
— Si vous voulez **votre propre maison**, vous devez **appeler l'agence Mobipriv** !

... Z serait insolent !

D. ☐ *Simplify the following sentences in the way shown:*
Modèle : — Si j'étais **moins fatigué**, je pourrais **finir** le travail.
→ — **Moins fatigué, je finirais** le travail.
— Si tu étais **plus riche**, tu pourrais **faire** le tour du monde. → — ...
— Si elle était **moins inquiète**, elle pourrait **être contente** pour sa fille.
— Si nous étions **plus reposés**, nous pourrions **sortir** ce soir.
— Si on était **moins pressés**, on pourrait **attendre** demain.

Leçon

54 Un départ mouvementé

« Ding, dang, dong... votre attention s'il vous plaît. Les passagers à destination de Douala, vol Air Cameroun nº 1017, sont priés de se présenter porte nº 6 ; embarquement immédiat. »
— Dépêchons-nous : c'est déjà le deuxième appel !
— Tu es toujours pressée ! Ne t'inquiète pas : **l'équipage attendra que tout le monde se soit présenté**. On a le temps de passer à **la boutique** hors-douane **dont Jacques m'a parlé**.
— Vas-y tout seul. Je déteste être en retard. **Au cas où tu n'arriverais pas**...
— Eh bien : **tu partirais toute seule !**.. Je blague ! A tout de suite.
...
— Pardon, mademoiselle. Pouvez-vous me conseiller un parfum ?
— ... Pour une jeune femme ? J'ai **celui-ci dont on parle beaucoup** en ce moment : très élégant et discret. **Au cas où vous prendriez le grand modèle, je vous ferais une réduction** supplémentaire.
— Entendu : je le prends.
— **Elle sera très heureuse que vous ayez choisi** quelque chose d'aussi nouveau. Puis-je avoir votre billet* ?... Merci, monsieur, et bon voyage !
...
« Votre attention, s'il vous plaît. Dernier appel : monsieur Marquet est attendu porte nº 6. Dernier appel... »
— Oh, Pierre, enfin ! **J'avais peur que tu te sois perdu**. Voilà **un départ dont je me souviendrai** !
— Tiens, chérie : un petit quelque chose pour me faire pardonner. Tu l'ouvriras dans l'avion. Allons-y.

---

* *Here are the goods that you are allowed to import into France in your hand luggage without paying duty. If you come from an E.E.C. country: 5 liters of table wine; either 3 liters of alcoholic beverages (of less than 22°) or 1 and a half liters of more than 20°; 1 kg coffee; 200 g of tea leaves; 75 cigars*

Lesson

54

An Eventful Departure

"Ding, dang, dong... your attention please. Those passengers, going to Douala on Air Cameroun flight 1017, are requested to proceed to gate 6. Immediate boarding."

— Hurry up. It's already the second call!

— You're always in a hurry! Don't worry. The crew will wait until everybody is on board. We have the time to go to the duty-free shop that Jacques told me about.

— Go on your own. I hate being late. What about if you don't make it...

— Well, you'll go all by yourself!... I'm kidding. I'll be back in a second.

...

— Excuse me. Could you please recommend a perfume?

— ...Is it for a young lady? I have this one which everybody is talking a lot about at the moment: it's very elegant and discreet. If you take the bigger model, I'll give you an extra discount.

— All right: I'll take it.

— She'll be very happy that you've chosen something so new. May I have your ticket?... Thank you, Sir and bon voyage!

...

"Your attention please. Last call: Mr Marquet is requested to proceed to gate 6. Last call..."

— Oh, Pierre, at last! I was worried that you had got lost. This is a departure I'll remember!

— Here you are, darling: just a little something to make up for it. Open it on the aircraft. Let's go.

---

or 300 cigarettes; 75 g of perfume (37,5 cl of cologne).

*If you do not come from an E.E.C. country: 2 liters of table wine; either 2 liters of alcoholic beverages of less than 22°, or 1 liter of more than 22°; 500 g of coffee; 100 g of tea leaves; 50 cigars or 200 cigarettes (**une cartouche**); 50 g of perfume (25 cl of cologne).*

la boutique dont Jacques m'a parlé

■ Observez :

— Il passe dans une boutique. On lui a parlé **de cette boutique**.
" " On lui **en** a parlé.
" " **dont** Jacques lui a parlé.

The relative pronoun **dont** is COI[2] of the verb in the dependent clause (**parler de qqch**). This pronoun is invariable. Ex. :

— **J'ai peut-être les livres dont tu as besoin.**
— **Hélas ! La vieille maison dont je me souvenais** a disparu.

Au cas où vous prendriez ce parfum...

■ Observez :

— **Si vous preniez ce parfum, je vous ferais une réduction.**
— **Au cas où vous le prendriez, je vous ferais une réduction.**

au cas où + conditionnel indicates a future possibility more improbable than **si + imparfait**. In the above example, the saleswoman uses this construction out of politeness). Ex. :

— **Au cas où je n'arriverais pas, tu partirais seule !**

• Since **au cas où** unlike **si** can only be about the future, you may, in the main clause, express a present or past action; ex :

— **Au cas où il pleuvrait,** { **prenez un parapluie.** / **je prends un parapluie.** / **elle a pris un parapluie.** }

L'équipage attendra que tout le monde se soit présenté

■ Observez :

— **Tout le monde s'est présenté ? Alors, nous partons.**
— **Pour partir, nous attendons que tout le monde se soit présenté.**

The departure will take place once everyone has checked in. The second transformation uses the **compound subjunctive**: the action shown precedes the action in the main clause. Formation :

subj. de l'auxiliaire + participe passé

Example from the text:

— **Vous avez choisi ce parfum : elle sera heureuse.** →
— **Elle sera heureuse que vous ayez choisi ce parfum.**

Other examples:

— **Il était heureux qu'elle soit venue. (elle était venue)**
— **Je suis content qu'il ait réussi. (il a réussi)**

J'ai celui-ci dont on parle beaucoup

A. ☐ *Link the sentences using dont:*
— Qu'est-ce que tu as fait des outils ? Je me sers de ces outils.
→ — . . .
— Mme L. a été nommée directrice du secteur. Elle s'occupe de ce secteur depuis dix ans.
— Il fait toujours des réflexions bizarres. Tout le monde s'étonne de ces réflexions.
— Ils ont, en Bretagne, une grande villa. Leurs amis profitent souvent de cette villa.

... je vous ferais une réduction supplémentaire

B. ☐ *Make the following double transformation:*
si + présent, futur → a) **si + imparfait, conditionnel**
→ b) **au cas où + condit., condit.**

— Si Catherine reste au Québec, elle fera du camping.
— Si je rentre demain, je te téléphonerai.
— S'ils nous prêtent leur chalet, nous irons skier une semaine.
— Si vous vous perdez, les gens vous renseigneront.

Elle sera heureuse que vous ayez choisi quelque chose d'aussi nouveau

C. ☐ *Transform according to the model:*
— Vous avez choisi ce parfum : elle sera heureuse.
→ — Elle sera heureuse que vous ayez choisi ce parfum.

— Il n'a pas téléphoné : je suis inquiète.
— Nous les avons invités : ils sont ravis.
— Tu as rapporté des cadeaux : les enfants seront contents.
— Vous étiez partis très vite : il était désolé.

Leçon

55 Aux « Puces » de Clignancourt (1)

Amandine, une étudiante, raconte à Pauline, son amie, **les courses qu'elle a faites** avec son copain Mathieu.

Amandine : — Je suis allée samedi dernier aux « Puces » de Clignancourt*.

Pauline : — Pourquoi ? Tu voulais t'acheter des fringues[1] ?

A : — Non, pas moi. Mais Mathieu voulait s'acheter une vieille gabardine[2] et un jean[3].

P : — Pourquoi une gabardine ? Ce n'est plus à la mode !

A : — Tu sais, Mathieu fait du théâtre ; il aime bien porter des vêtements un peu originaux[4]. Comme il est grand, il peut se le permettre[5] : tous les styles lui vont bien.

P : — Alors, **vous l'avez trouvée cette fripe**[6] ?

A : — **On en a vu une** d'abord. **Il l'a essayée** mais elle était vraiment trop usée et elle avait une tache pas très esthétique à la manche.

P : — Le marchand la vendait combien ?

A : — On lui a demandé le prix pour pouvoir comparer... (parce qu'**on savait bien qu'on ne l'achèterait pas**). Il demandait 200 F. On a trouvé ça un peu cher ; surtout vu l'état de propreté[7] de la gabardine !

P : — Et alors ?

A : — **On ne l'a pas achetée**... On est allés voir ailleurs.

---

1. **des fringues** : *colloquial word mainly used in the plural = gear / togs.*
2. **une gabardine** : *this greyish raincoat made of woolen cloth was a favorite in the 30s.*
3. **un jean** : *note that the French uses the singular (also for trousers =* **un pantalon** *).*
4. **des vêtements originaux** : *original →* ***originaux*** *; masculine words and adjectives in* ***-al*** *form their plural in* ***-aux****. A few have an* ***-als*** *ending:* ***récitals, festivals, carnavals, glacials****.*
5. **il peut se le permettre** : ***le*** *= cela, neutral pronoun; in this example, it stands for:* ***de porter des vêtements....***
6. **cette fripe** *(colloquial) = a second-hand article of clothing.*

Lesson

55 At the Flea Market in Clignancourt (1)

Amandine, a student, is telling Pauline, her friend, about the shopping she had done with her boyfriend Mathieu.
Amandine: — Last Saturday I went to the flea market in Clignancourt.
Pauline: — Why? Did you want to buy some gear?

A: — No, not me, but Mathieu wanted to buy an old gabardine raincoat and some jeans.
P: — Why a gabardine, they are no longer fashionable!

A: — Mathieu does a bit of acting, you know, he likes to wear clothes a little original. As he is tall he can get away with it. All styles suit him well.

P: — So, did you find a second-hand coat?
A: — We saw one to begin with. He tried it on but it was far too worn and it had a very unattractive mark on the sleeve.
P: — How much was the stallholder selling it for?
A: — We asked him the price so we could compare... (because we knew full well that we weren't going to buy it). He was asking 200 F. We found that a bit expensive, especially considering the dirty state of the gabardine.
P: — Well?
A: — We didn't buy it... We went and looked elsewhere.

---

7. **vu l'état de propreté** : *vu... = à cause de.*
* *Since 1880, the* **Marché aux Puces** *= the flea market has taken up a few open spaces in the periphery, North of Paris. In 1920, Romain Vernaison, owner of a site, fitted out some stalls and rented them to secondhand dealers. The* **Marché Biron** *antiques was created in 1925; others, later on, in 1947. There are other scrap iron or second-hand clothes markets around Paris:* **Porte de Montreuil** *or* **Porte de Saint-Ouen** *for example. In total, there are some 1400 licensed stallholders. Not to mention those who rent places to sell thousands of things for short periods of time: from second-hand clothes to assorted or peculiar objects (rusted screwdrivers, broken dummies, twisted silverware...).*

La gabardine, vous l'avez trouvée ?

■ Observe : — Vous avez trouvé **la gabardine** ?
— Oui, nous **l'avons trouvée**.

l' = la gabardine.

• Rule: The past participle used with **avoir** is normally invariable. However, it agrees with the COD if, and only if, the complement is placed before the auxiliary **avoir**. It is the case for personal pronouns **le**, la, l', **les**, **en** and for the relative pronoun **que**. Examples:

— Vous avez trouvé **la gabardine**. (no agreement)
— Vous **l'avez trouvée**.

agreement with l'; here, fém. sing.

— Vous avez acheté **ces lunettes** ?
— Oui, nous **les** avons **achetées**.

(agreement with les fém. pl.)

— Vous avez vu **ces films** ?
— Non, nous ne **les** avons pas **vus**.

(agreement with les masc. pl.).

— Elle raconte **les courses qu'**elle a **faites**.

(agreement with que fém. pl.)

— Des gabardines ? On **en** a **vu** une / beaucoup / quelques-unes.

(agreement with en neutre)

On ne l'a pas achetée

■ Notice the place of the negation when used with COD pronouns:

subject + neg. 1 + COD pron. + verb + neg. 2
+ agreed participle

On savait qu'on ne l'achèterait pas

■ Observe : **in the present tense we say:**

— On sait qu'on ne l'achètera pas.

But, in this case, the introductory verb is in the **imparfait**: **on savait**. The next verb, in the future, is then written like a conditional: it is called a **futur dans le passé** (future in the past). Ex.:

— Il ne viendra pas ? — Je t'ai dit qu'il ne viendrait pas.

La gabardine ? il l'a essayée

A. □ *Complete with the pronoun and make the COD/participle agreement:*

— Où as-tu acheté toutes ces affaires ?
— Le blouson en cuir : je ... ai achet... aux « Puces ».
— Les chaussures : nous ... avons trouv... dans les grands magasins.
— La jupe grise : ma mère me ... chois... dans une boutique.
— Et voilà les pulls ... mon père m'a rapport... d'Angleterre. Il ... a chois... trois.

Non, ils ne l'ont pas achetée

B. □ *Answer negatively:*

— Vous avez trouvé le jean de Mathieu ? — Non, nous ne ...
— Tu as pris ta veste ? — Non, je ...
— Vous avez mis vos lunettes de soleil ?
— Elle a fait les exercices ?

Le marchand savait qu'on ne la prendrait pas

C. □ *Here are sentences in the present and future tenses; transpose them into **imparfait / futur dans le passé:***

— Tu sais que je viendrai. → — Tu savais que ...
— Il pense que tu répondras.
— Nous disons que vous passerez.
— Vous savez qu'il la choisira.
— Elles savent que nous le prendrons.

Leçon
56

Aux « Puces » de Clignancourt (2)

Amandine : — On est entrés dans **une autre boutique** qui ne vendait que des fripes*. Là, Mathieu en a trouvé **une autre**, apparemment à sa taille, d'un beau gris. Il l'a mise et, tu sais, quand on essaie[1] ce genre de vêtements, on met les mains dans les poches pour se sentir bien ; à l'aise, quoi ! Et là, au moment où Mathieu a mis les mains dans les poches, on a entendu un petit cri...
Pauline : — Qu'est-ce que c'était ?
A : — Attends !... Puis, plus rien. Mathieu a remis sa main ; et là encore, un petit cri et qu'est-ce qu'il sort ? Un bout de papier journal[2] et dedans une toute petite souris grise **qui s'était installée. Tu aurais vu la tête du marchand ! Tu aurais bien ri !** La doublure de la poche était mangée. Mais ça ne se voit pas !

P : — Vous l'avez prise ?
A : — Quoi ? la souris ?
P : — Non ! la gabardine ?
A : — Oui ; en plus, je ne sais pas si c'est à cause de la souris ou parce que le marchand a voulu être sympa : il nous l'a vendue pour 150 F. Pas mal, non ? Tu verras, Mathieu la mettra demain pour venir à la Fac'.

---

1. **on essaie** : *verbe essayer.*
2. **un bout de journal** : *un bout de (fam.) = un morceau de (a piece of / a patch of); — un bout de pain / — faire un bout de chemin avec qq'n (to go part of the way with sb).*

* **Les fripes** : *the custom to wear worn clothes dates back to the 70s. Mixing styles (old and modern) is not a new fashion. Everyone tries to find*

Lesson

56

At The Flea Market in Clignancourt (2)

Amandine: — We went into another shop which only sold second-hand clothes. Mathieu found another one there, apparently his size, in a beautiful grey. He put it on and, you know, when you try on this type of thing, you put your hands in your pockets to sort of make yourself feel good, at ease... Just as Mathieu was putting his hands in the pockets, we heard a little shout...
Pauline: — What was it?
A: — Hang on, hang on!... Then nothing else. Mathieu put his hand back in, and once again there was another little shout and what should he bring out? A bit of newspaper and inside it a little grey mouse which had made itself at home. You should have seen the stallholder's face. You would have had a good laugh! The pocket lining had been eaten away, but you can't notice it!
P: — Did you take it?
A: — What? the mouse?
P: — No, the gabardine!
A: — Yes; and to top it off, I don't know whether it's because of the mouse or since the stallholder wanted to be thoughtful, he sold it to us for 150 F: not bad, don't you think? You'll see it, Mathieu is going to wear it to the university tomorrow.

---

his own style without spending too much money (especially students). Thus, grandmother blouses and petticoats of the 50s go well the universal pair of jeans. Hats from the 30s have become a teenagers' favourite. In most big cities there are ***boutiques*** *of second-hand clothes similar to those at the Clignancourt flea market.*

une autre boutique

■ **autre** can be indefinite adjective or pronoun.
ADJECTIVE: **un autre marchand / une autre boutique**
d'autres vêtements / d'autre affaires
PRONOUN: **il en a trouvé un autre / une autre / d'autres**
• When the choice is precise, we use:
l'un(e) et l'autre / les un(e)s et les autres

une souris qui s'était installée là

■ Observe:
— **Mathieu essaie la gabardine → la souris s'est déjà installée**
The settling in of the mouse takes place before the trying on of the gabardine. In the past:
— **Quand Mathieu a essayé** la gabardine (passé composé)
→ **la souris s'était déjà installée**.
This new tense, showing an anteriority in the past, is called **plus-que-parfait**.
• Formation: **auxiliary in the imparfait + past participle.** Ex.:
— Quand tu es arrivé, **elle était partie.** (aux. être)
— Quand elle a téléphoné, **j'avais mangé.** (aux. avoir)
— Quand il est rentré, **les enfants s'étaient couchés.**
(aux. être; verbe pronominal)

Tu aurais vu la tête du marchand

■ **tu aurais vu** is a compound conditional or a **conditionnel passé**. One has to understand that:
— Si tu avais été là implied..., → **tu aurais vu sa tête** → mais tu n'étais pas là, alors tu n'as pas vu sa tête.
In other words, one has to imagine the past situation **le conditionnel passé = trop tard!**.
• Formation: **auxiliary in the conditional + past participle**
• Construction of the **trop tard!** assumption:
conditionnel passé, conditionnel passé. Ex.:
— **J'aurais pu, je serais venu.**
(mais je n'ai pas pu et je ne suis pas venu)
— **Tu serais venue, tu te serais amusée.**
(mais tu n'es pas venue et tu ne t'es pas amusée)
— **Elle se serait reposée, elle aurait profité** du voyage.
(mais elle ne s'est pas reposée et elle n'a pas profité du voyage)

PRATIQUE

Il en a trouvé une autre

A. ☐ *Give the correct form of* ***autre:***
— Tu veux celui-là ou tu en veux . . . ?
— Vous pouvez essayer . . . veste si celle-ci ne vous plaît pas.
— Des chaussures italiennes ? Regardez j'en ai . . . . Essayez celles-ci si . . . ne vont pas.
— Je prendrais bien encore . . . café, s'il vous plaît.
— Donnez-moi . . . tasse de thé !
— Les uns disent cela, . . . disent autrement.

Elle avait mangé la doublure

B. ☐ *Put the verb in brackets into the* ***plus-que-parfait:***
— Quand tu m'as téléphoné, j'. . . (finir) mon travail.
— Ils . . . (partir) quand elle est arrivée.
— Grand-mère . . . (manger) : elle a fait une sieste.
— Le chat est monté au grenier mais les souris . . . (se cacher).

... tu aurais bien ri !

C. ☐ *Complete with the* ***conditionnel passé:***
— Tu . . . (être) là, tu . . . (acheter) une veste.
— Elle . . . (avoir) plus d'argent, elle . . . (ne pas acheter) cette vieille jupe !
— Vous . . . (venir), vous . . . (voir) la petite souris !
— Le marchand . . . (faire plus attention), la souris . . . (ne pas pouvoir) s'installer dans la poche.
— Ils . . . (se dépêcher), ils . . . (ne pas rater) le train.

Leçon

57

Mode et cinéma (1)

Au Festival de Cannes 1990*, les marches du Palais ressemblaient à la passerelle d'un défilé de mode[1] : Fanny Ardant **était habillée par** Yves Saint-Laurent; Jean-Claude Brialy par Dior. Et bien d'autres...
Les photographes déclenchent leurs flashs. À peine si on joue encore au « Qui est qui ? ». Le jeu désormais[2] est « Qui est quoi ? » ! Il n'est plus besoin de refouler les contestataires réfractaires au smoking[3] et au nœud pap'[4] : les jeunes starlettes en baskets ou les personnalités en jean.
Le cinéma s'est fait un « look »[5] de fête : une tête de gravure de mode. La haute couture a reconquis son droit de cité sur le grand écran. En 1980, **si la mode était descendue** dans les rues, elle a déserté les plateaux de tournage : on ne porte que des pulls mous, des jeans et des robes « bon marché »[6].
En 1990, la garde-robe des gens de cinéma s'illustre des plus grands noms : Dior, Cerruti, Yves Saint-Laurent et aussi les noms plus récents de Jean-Paul Gaultier ou Chantal Thomass. La haute couture « reprend du poil de la bête »[7] et le cinéma « fait peau neuve »[8] !

---

1. **un défilé** : *in this text, is a fashion parade; actors and actresses arrive one after the other and go up the steps of the* **Palais du Festival**. *We also say* **un défilé militaire**, *for example a parade on the 14th of July.*
2. **désormais** = *à partir de ce moment-là (henceforth).*
3. **un smoking** : *this is a French English-like neologism = a tuxedo.*
4. **un nœud-pap'** : *abbreviation for* **nœud papillon** = *bow tie.*
5. **un look** = *this English word is popular amongst the young.*
6. **des robes bon marché** : *bon marché (invariable adj.) = cheap.*
7. **reprendre du poil de la bête** *(colloquial) : to regain strenght.*
8. **faire peau neuve** = *to find a new image.*

Lesson

57

Fashion and Cinema (1)

At the Cannes Festival, 1990, the steps of the Palace resembled a fashion parade: Fanny Ardant wore clothes designed by Yves Saint-Laurent; Jean-Claude Brialy by Dior. And many more...
The photographers set off their flashes. One still scarcely plays at "Who is who?"; the game from now on is "Who is what?" There is no longer any need to drive back protesters, opposed to tuxedos, and to bow ties: young starlets in sneakers or the personalities in jeans.

Cinema has given itself a festive "look": "a fashion plate". High fashion has won back its right to be established on the big screen. In 1980, it had deserted the film sets. One only wore floppy pullovers, jeans and "cheap" dresses.

In 1990, the wardrobe of cinema people featured some of the top names: Dior, Cerruti, Yves Saint-Laurent and also such recent names as Jean-Paul Gaultier or Chantal Thomass. Haute-couture is picking up again and the cinema is adopting a new image.

---

* *The* ***Festival de Cannes*** *was created in 1946. It always takes place in May. On the occasion of a great media show, it gathers French and international movie personalities: both those coming to fetch their prize and those hoping to be discovered. The beach is renowned for its half naked would-be actresses who like having their photos taken (such as Brigitte Bardot in the late 50s). Every year, during the Festival, a panel of judges (international directors and actors) award a set of prizes:*
— ***La Palme d'Or*** *(« The Golden Palm » for full-lenght and short films);*
— ***Le Grand Prix spécial du Jury****;*
— ***Le Prix d'interprétation masculine et féminine****;*
— ***Le Prix de la meilleure réalisation****;*
— ***Le Prix de la Critique****;*
— ***La Caméra d'or.***

COMPREHENSION

Fanny Ardant était habillée par Saint-Laurent

■ Remember the passive transformation:

— Saint-Laurent	habille	F. Ardant.
sujet	**verbe**	**COD**
— F. Ardant	est habillée	par Saint-Laurent.
sujet	**verbe passif**	**agent**

In the passive transformation:

SUJET	→ AGENT (par...)
COD	→ SUJET
VERBE (actif)	→ VERBE (passif; avec être)

• In the text, you will notice l'**imparfait passif**:

être à l'imparfait + participe verbal

• Do not forget that, in the passive, the participle always agrees with the subject. Ex.:

— **Elles étaient habillées** par Dior. / — **Ils étaient habillés** par Cardin.

• Futur passif:

— **Pour son prochain film, elle sera habillée** par Alaïa.

• Passé composé passif:

— **Pour son dernier film, il a été habillé** par J.-P. Gaultier.

• Infinitif passif:

— **Etre habillé** par un couturier, ça coûte cher.

Le cinéma s'est fait un « look »

■ Note the use of the reflexive verb **se faire**:

— **Le cinéma s'est fait quoi? un look.**

• There is also the construction: **se faire + infinitif**. It shows that the action, decided upon by the subject, is not carried out by the subject in question. Ex.:

— **Elle s'est fait couper les cheveux.**

Who decided to have a haircut? She did. But she didn't cut it; The hairdresser. Other examples:

— **Je me suis fait prendre en photo. / — Tu t'es fait couper une jupe. / — Elle s'est fait maquiller. / — Nous nous sommes fait expliquer le problème. / — Vous vous êtes fait faire un passeport. / — Ils se sont fait montrer la route.**

• In this structure, the **participle** fait is always **invariable.**

Si la mode est descendue dans la rue...

■ In this sentence, **si = même si** (opposition value):

— **Même si la mode est descendue dans la rue, elle a déserté les plateaux.**

• You may use **par contre / en revanche** in the second part:

— La mode est descendue dans la rue, **par contre** elle a déserté...
" " " " **en revanche** elle a déserté...

Jean-Claude Brialy était habillé par Dior

A. ☐ *Put into the passive (using the correct tense!):*

— Dans son prochain film, Catherine Deneuve ... (habiller) par Y. Saint-Laurent.
— L'année dernière, dans *Vanille-fraise*, les actrices ... (habiller) par Dior.
— Pendant des années, il ... (habiller) par le même couturier.
— Aimeriez-vous ... (habiller) par un grand couturier ?
— Dans un film récent, I. Adjani ... (habiller) par Kenzo.

Le cinéma s'est fait une tête de gravure de mode

B. ☐ *Complete with se faire:*

— Au Festival de Cannes, mes amies ... photographier.
— Ils ... apporter le petit déjeuner au lit.
— Nous ... couper les cheveux.
— Elle ... faire une nouvelle robe.
— Vous ... envoyer votre courrier à la nouvelle adresse ?
— Je ... aider pour laver la voiture.

... elle a déserté les plateaux de tournage

C. ☐ *Express a relation of opposition between the following elements si..., par contre / en revanche:*

— / c'est un très bon acteur / c'est un chanteur médiocre /
— / la musique du film est belle / l'image est mauvaise /
— / Le jeu des acteurs est excellent / l'histoire est banale /
— / le décor naturel est superbe / les acteurs sont mal choisis /

Leçon

58 Mode et cinéma (2)

Quoi de plus naturel que la haute couture* se rapproche des stars : elles sont faites toutes les deux pour magnifier la femme. La star de cinéma n'est-elle pas une image mythique d'un certain type de beauté qui, à une époque donnée, immortalise le goût de l'époque ?
Catherine Deneuve a « son » couturier (Yves Saint-Laurent) et Audrey Hepburn **le sien** (Givenchy). Les jeunes actrices continuent. Les « stars-corps », comme Brigitte Bardot et Marilyn Monroe, enflamment les modes et consument les cœurs. Les « stars-visages », comme Greta Garbo ou Catherine Deneuve, demeurent inaccessibles et éternelles. Le grand couturier, comme la star, travaille pour l'œil, l'image, la photo, le film, le regard. Cela les rapproche.
La haute couture commence vraiment en 1947 avec Dior qui ouvre sa maison avenue Montaigne (**bien que** Coco Chanel dirige **la sienne** depuis 1919 !). En 1970, Pierre Cardin organise le premier défilé de mode à Pékin. Kenzo arrive à Paris la même année : c'est le premier créateur japonais qui arrive à s'imposer. La haute couture s'internationalise **bien que** Paris en **soit** toujours la capitale **incontestée**.

---

* **La haute couture** : *every creator, every great fashion designer has his* ***maison*** *and his* ***griffe*** *(maker's label). All fashion workshops make ready-to-wear clothes* ***(du prêt-à-porter)*** *sold either in their* ***boutiques*** *or to retail dealers. Even though* ***boutiques*** *offer more attractive prices, stockings, headscarves, perfumes, gloves and lingerie have their* ***griffe****.*

Lesson

58

Fashion and Cinema (2)

What is more natural than haute couture getting closer to movies stars. They are both made to glorify women. Isn't a movie star a mythical image of a certain type of beauty which, at a given time, immortalizes the taste of that era?

Catherine Deneuve has "her" dressmaker: Yves Saint-Laurent. Audrey Hepburn has hers: Givenchy. And young actresses are still keeping up the tradition. The "body stars", Brigitte Bardot and Marilyn Monroe, set ablaze fashion and burn hearts. The "good-looking stars", Catherine Deneuve and Greta Garbo, remain inaccessible and everlasting. Dressmaker, like stars, work for the eye, the image, the photo, the film and the look. This brings them together.

High fashion really began in 1947 with Dior who opened his "store" on Avenue Montaigne, even though Coco Chanel had already opened his in 1919. In 1970, Pierre Cardin organized the first fashion parade in Peking; and Kenzo arrived in Paris the same year. He was the first Japanese designer to succeed in making himself known. Haute couture has become international even though Paris is still its uncontested capital.

In 1954, Guerlain, the renowned perfumer, founded the Colbert Committee grouping 70 among the best known trade names of the de luxe industry. Here are some of these names: sport goods and shirts by Lacoste; pens and lighters by Dupont; crystal glassworks from Baccarat and by Lalique; furs by Révillon; jewels by Cleef et Arpels; bags by Vuitton; silvermith's trade by Cristofle; headscaves and saddlery by Hermès.

Une maison de couture ? Coco Chanel dirige la sienne

■ Observe :

— Dior ouvre sa maison ; Chanel dirige déjà **sa propre maison.**
Chanel dirige déjà **la sienne**.

In order not to repeat an identical complement introduced by a possessive adjective, use the possessive pronoun:

object article + person radical + ending

• Forms:

	obj.masc.sing.	**obj.fém.sing.**
1PS	le mien	la mienne
2PS	le tien	la tienne
3PS	le sien	la sienne
1PP	le nôtre	la nôtre
2PP	le vôtre	la vôtre
3PP	le leur	la leur

• **Présente-moi ton amie ; je te présenterai la mienne.**

La mode s'internationalise, bien que Paris en soit la capitale

■ **bien que + subjonctif** stresses an idea of opposition. We can parallel:

bien que + subj. = même si + indic.

— La mode s'internationalise, même si Paris en est la capitale.

• — Paris est la capitale **de la mode.**
→ — La mode ? Paris **en** est la capitale.

... la capitale incontestée...

■ **incontestée = qui ne peut pas être** contesté. The prefix **in-** is used for putting an adjective into opposite meaning. It is very frequently employed: **utile → inutile / faisable → infaisable / acceptable → inacceptable.**

• Before adjectives beginning with **m**, **b** or **p**:
in- → im- : mangeable → **immangeable** / buvable → **imbuvable** / possible → **impossible** /

• Before l: **in- → il-** : lisible → **illisible**

• Before r: **in- → ir-** : réel → **irréel**

Un couturier ? Audrey Hepburn a le sien

A. ☐ *Give the possessive pronouns:*
— Prends **tes affaires**, je prends ...
— Tu n'as pas **ta raquette** ? Je te prête ...
— Je mets **ton manteau** ; ... est au pressing nettoyage.
— Montrez-nous **vos photos**, nous vous montrerons ...
— Mme Dumas a déjà marié **sa fille** ; les Lafarge marient ... le mois prochain.

	obj.masc.plur.	obj.fém.plur.
1PS	les miens	les miennes
2PS	les tiens	les tiennes
3PS	les siens	les siennes
1PP	les nôtres	les nôtres
2PP	les vôtres	les vôtres
3PP	les leurs	les leurs

La haute couture commence en 1947 bien que Chanel dirige sa maison depuis 1914

B. ☐ *Transform the following sentences:* ***même si → bien que:***
— Même si tu sais conduire à Paris, tu prends souvent le métro.
— Il voyage en avion même s'il a très peur.
— Même si elle n'est pas belle, elle plaît aux hommes.
— Même si je ne fais pas mon âge, je suis déjà grand-mère !
— Même s'il ne la connaît pas beaucoup, il lui offre un parfum Chanel.

Les stars demeurent inaccessibles

C. ☐ *Find the opposite adjective:*
— Etes-vous **logique** ou ... ?
— Cette somme est **exacte** ? — Non, elle est ...
— Soyez **attentifs** ! Ne soyez pas ...
— Est-ce que vos progrès sont **réguliers** ou ... ?
— Vous avez 10 réponses **correctes** et deux réponses ...
— Vous trouvez cette erreur **pardonnable** ? Moi, je la trouve ... !

Leçon

59 « Tu me prêtes ta robe »

Amandine est invitée à une fête*. Sur le carton d'invitation, il est précisé : « Tenue de soirée »[1] !

Amandine : — Salut[2], Pauline !

Pauline : — Salut ! Tu vas à la soirée des Lafarge ?

A : — Oui, **j'aimerais y aller** mais je n'ai rien à me mettre[3].

P : — Tu veux que je te prête quelque chose ?

A : — Oui ; **ça serait formidable** !

P : — Regarde : ma tante, qui a une boutique de prêt-à-porter, m'a donné les invendus de la saison passée[4].

A : — C'est super !

P : — Tu peux choisir : un mini-blouson en velours de laine noire avec une jupe en soie... **Je peux te les prêter**.

A : — Le blouson est magnifique ; mais ce n'est pas le style de cette soirée. **Il vaudrait mieux que je prenne** une robe longue ou un ensemble en soie.

P : — Tiens, essaie cet ensemble : veste et pantalon en soie sauvage.

A : — Il est un peu trop grand pour moi. Mais tu crois que je peux faire un ourlet au pantalon ?

P : — Oui, bien sûr, **tu peux le faire**. Je te prête l'ensemble : **tu me le rendras** plus tard. Moi, je vais mettre cette robe noire, un peu décolletée. Comment tu la trouves ?

A : — Elle te va très bien. Comme tu es bronzée, tu ressembles à Claudia Cardinale !

P : — Arrête ! Tu vas me faire rougir !

---

1. **« Tenue de soirée »** = *"black tie"; tuxedos* ***(smoking)*** *for men, evening dresses* ***(robe longue)*** *of beautiful fabric (silk, satin, muslin, etc.) for women.*

2. **Salut !** : *a very popular and down-to-earth form of greeting between young people or students. It would be impolite in professsional or social life.*

3. **je n'ai rien à me mettre** = *I have nothing to wear. Note the construction* ***rien à + infinitive.***

4. **la saison** : *there are two main "seasons" for fashion:* ***la saison d'été/la saison d'hiver*** *and two periods for sales as well.*

Lesson

59 "Will You Lend Me Your Dress?"

Amandine is invited to a party. On the invitation card it is clearly specified: "Evening dress"!

Amandine: — Hi Pauline!

Pauline: — Hi! Are you going to the Lafarge's party?

A: — Yes, I'd like to go, but I've got nothing to wear.

P: — Do you want me to lend you something?

A: — Yes, that would be great!

P: — Look, my aunty, who has a ready-to-wear boutique, gave me the left over stock from last season.

A: — Great!

P: — You have the choice: a mini velvet jacket made of black wool and a silk skirt... I can lend them to you.

A: — The jacket is beautiful, but it isn't really suitable for the party. I'd be better off taking a long dress or a silk suit.

P: — Here, try this suit jacket and trousers in wild silk.

A: — It's a little too big for me... but do you think I could hem the trousers?

P: — Yes, of course you can. I'll lend you the suit and you can give it back to me later. As for me, I'm going to wear this black dress, a bit low-cut... What do you think of it?

A: — It suits you perfectly and as you are suntanned, you look like Claudia Cardinale!

P: — Come off it, you're going to make me blush!

---

* ***For what occasions do the French get dressed up*** *(se mettre sur son 31 = to be dressed up to the nines)? When they go to concerts or to the Opera; when they attend a wedding (every one makes a point of being well-dressed; besides, wedding gowns may reach astronomical prices); when they are invited to official parties (the invitation then specifies* ***- Tenue de soirée -****). Even for family celebrations Xmas or New Year's Eve for example, the French like to get dressed up* ***(se faire beau)*** *but in a more personal way. People love to be* ***chic*** *without spending too much money* ***(s'habiller avec trois fois rien*** *= next to nothing).*

J'aimerais y aller

■ This conditional expresses an eventuality, a wish, a desire. To fulfil this wish, a condition is necessary:

— **Amandine aimerait aller à la soirée mais... elle n'a pas les vêtements adaptés.**

• Likewise, as mentioned above in the same text:

— **Ça serait formidable... que tu me prêtes quelque chose !**

• Finally:

— **Il vaudrait mieux que je prenne une robe longue.**

In this case, you have an other example of a polite use of the conditional (cf. l. 40): Amandine clearly prefers the evening dress but admits it in a kind way.

Tu peux le faire

■ Remember: with verbs followed by an infinitive like **pouvoir / vouloir / aller / devoir / aimer**, complement pronouns are always placed before the infinitive. Ex.:

— **Je peux le lui demander / — Tu veux y aller ? / — Elle va en chercher / — Vous devriez leur téléphoner / — Nous aimerions vous en parler...**

Le blouson et la jupe ? Je peux te les prêter

■ Remember: some verbs require COD **and** COI complements;
prêter qqch. à qq'n / rendre qqch. à qq'n /
donner qqch. à qq'n / demander qqch. à qq'n /
vendre qqch. à qq'n / louer qqch. à qq'n...

Ex. : — **Je te prête mon ensemble.** → — **Je te le prête.**
— **Tu me donnes cette adresse ? — Non, je ne te la donne pas !**

• Try to pronounce in a French way (**à la française**):

— **Je te le prête.** → — **Je te le prête**
(= « **chteulprête** » ! The j becomes **ch** in spoken language).

Ça serait formidable !

A. ☐ *Form the conditional of the verbs in brackets and imagine a restriction:*

— Tu veux aller à cette soirée ?
— Oui, je (souhaiter) . . . y aller mais je . . .
— Vous voulez voir ce film ?
— Oui, nous (aimer) . . . mais nous . . .
— Tu as envie de porter un tailleur Chanel ?
— Oui, cela me (faire) . . . très plaisir mais je . . .
— Le tour du monde, ça vous tente ?
— Oui ! ça (être) . . . merveilleux mais . . .

J'aimerais y aller

B. ☐ *Answer with pronouns:*

— Tu veux prendre **ma robe** ? — Oui, je veux bien . . .
— Vous voudriez aller **au Mexique** ? — J'aimerais beaucoup . . .
— Tu peux faire **cet exercice** ? — Non, je . . .
— Elle aimerait ouvrir **une boutique** ? — Oui, elle . . .

L'ensemble ? Tu me le rendras plus tard

C. ☐ *Answer with pronouns:*

— Tu **me** prêtes **tes lunettes de soleil** ? — D'accord, je . . .
— Prête-**moi ton stylo**, s'il te plaît. — Non, je . . .
— Tu **te** rappelles **ces photos** ?! — Oui ! je . . .
— Donne-**moi ce cahier** ! — Ah non, je . . .

Tests: Sixième série
(leçons 50 à 59)

For each sentence, tick off the right answer.

1. — ... que vous fassiez ce voyage.

a) ☐ J'espère
b) ☐ Je souhaite
c) ☐ Je sais
d) ☐ Vous voulez

2. — Il est trop tard ... changer d'avis.

a) ☐ de
b) ☐ à
c) ☐ pour
d) ☐ par

3. — Il pleut mais je sors ... me promener.

a) ☐ quand même
b) ☐ même quand
c) ☐ à cause de
d) ☐ de même

4. — Si tu ..., nous irions au restaurant.

a) ☐ veux
b) ☐ voudrais
c) ☐ voudras
d) ☐ voulais

5. — Le magasin est ouvert tous les jours, ... le dimanche.

a) ☐ mais
b) ☐ ne pas
c) ☐ n'est pas
d) ☐ sauf

6. — Elle a ... me dire ça, je ne la crois pas.

a) ☐ beau
b) ☐ belle
c) ☐ bien
d) ☐ bon

7. — Et si on ... au cinéma?

a) ☐ ira
b) ☐ allait
c) ☐ va aller
d) ☐ irait

8. — ... vous viendriez, je prends une place de plus.

a) ☐ Si
b) ☐ Quand même
c) ☐ Au cas où
d) ☐ Quand

9. — Je n'ai pas encore lu le livre ... tu m'as parlé.

a) ☐ que
b) ☐ dont
c) ☐ de quoi
d) ☐ lequel

10. — Elle est contente que son fils ...

a) ☐ ait réussi
b) ☐ a réussi
c) ☐ réussissait
d) ☐ vient de réussir

11. — De la tarte? Ils en ont ... 2 parts..

a) ☐ mangée
b) ☐ mangés

c) □ mangé
d) □ mangées

12. — Il m'a dit qu'elle ... dans un mois.

a) □ va venir
b) □ viendrait
c) □ viendra
d) □ vient

13. — Si tu n'aimes pas celles-ci, il y en a ...

a) □ d'autres
b) □ autres
c) □ des autres
d) □ les autres

14. — Il ..., nous l'aurions invité.

a) □ téléphonerait
b) □ aurait téléphoné
c) □ a téléphoné
d) □ vient de téléphoner

15. — Elle ... couper les cheveux.

a) □ s'est fait
b) □ a faits
c) □ s'est faite
d) □ est fait

16. — Je leur ai donné mon adresse et ils m'ont donné ...

a) □ le leur
b) □ le sien
c) □ la leur
d) □ leur

17. — ... il fasse froid, c'est le plein été.

a) ☐ Même s'
b) ☐ Quand même
c) ☐ Si même
d) ☐ Bien qu'

18. — Ton projet est ... réalisable.

a) ☐ in
b) ☐ i
c) ☐ ir
d) ☐ a

19. — Elle voudrait ... avec nous.

a) ☐ qu'elle irait
b) ☐ y aller
c) ☐ qu'elle y aille
d) ☐ d'y aller

20. — Je ... veux bien ... prêter.

a) ☐ (/) / te les
b) ☐ te / les
c) ☐ te les / (/)
d) ☐ les / te

RÉPONSES

1 - b	2 - c	3 - a	4 - d
5 - d	6 - a	7 - b	8 - c
9 - b	10 - a	11 - c	12 - b
13 - a	14 - b	15 - a	16 - c
17 - d	18 - c	19 - b	20 - a

Leçon

60 La vie d'une petite entreprise (1)

Interview de Denys R., directeur.
— Votre entreprise connaît actuellement un essor exemplaire*. Pouvez-vous la présenter rapidement et expliquer pourquoi « elle marche » si bien[1] ?
— Bien volontiers[2]. Quand on me pose cette question, j'ai l'habitude de répondre : « La qualité, une bonne gestion, **de là l'efficacité** ! »
Notre maison (vous accepterez que j'emploie ce terme puisque, au départ, notre affaire est une affaire familiale) a été fondée par le grand-père de mon père, il y a trois générations. Nous vendons des articles, des produits pour l'artisanat des loisirs : la reliure, l'impression, les Beaux-Arts, le bois, la décoration, les bijoux, la poterie et le moulage.
Vous me demandez pourquoi elle « marche » si bien. Voilà : pendant de longues années, nous n'avons travaillé qu'avec les professionnels, puis les particuliers ; **d'où ce catalogue** très détaillé que vous voyez. Nous avons reçu **tellement de courrier**, demandant une vente par correspondance, **que cela est devenu** une obligation.
— C'est donc pour répondre à une nouvelle clientèle que vous avez développé cette vente sur catalogue ?
— Oui et non. Le catalogue existait déjà avant, car il y avait tant d'articles que cela était nécessaire. Mais nous avons organisé nos services **de manière que nos clients soient vite servis**. Un journal trimestriel (« Infos ») leur est envoyé **de sorte que nous gardons** le contact avec notre clientèle tout en diffusant nos nouveaux produits.

---

1. **elle marche bien** *(coll.) = it is running well; the firm is making a profit.*

2. **Volontiers !** *= D'accord ! (coll.)/***Avec plaisir !** *("With pleasure/willingly").*

* *If this firm, which sells products and items for craft or artistic activities,*

Lesson

60 The life of a small company (1)

An interview with the Director, Denys R.
— Your company is enjoying an outstanding expansion. Could you tell us about it and explain why "it is running" so well?
— Okay, with pleasure. When one asks me this question, I'm used to replying: "Quality and good management bring about efficiency!"
Our affair (allow me to use this term as, right from the beginning, our business was a family business) was founded by my father's grandfather, three generations ago. We sell articles and products for leisure artisans: book binding, printing, Fine Arts, woodcraft, decoration, jewellery, potery and moulding.

You asked me why it was "running" so well. Well: for many years we only worked with professionals, and then with private individuals; hence this very detailed catalogue which you can see. We have received so much mail, asking for sales by correspondance, that it has become an obligation.
— So, it is in order to meet with the demands of this new clientele that you have developed sales by catalogue.
— Yes and no. The catalogue had already existed before, because there were so many articles that it was necessary. But we organized our services in such a way that our clients are promptly attended to. A three-monthly magazine ("Infos") is sent to them in such a way we keep our clientele in close contact with our new products.

---

is such a success it is because it supplies the products necessary for this new era where people want to occupy their leisure time. For a great majority of the French, most of their material needs housing, household comfort, food have been met within a few years. Therefore a balance between professional activities (often impersonal or rational) and others requiring creativity and sensitivity have become a strong desire. Most of these activities are not only practised in youth clubs and art centres but also at home.

In this lesson, you will learn a few expressions of consequence or purpose.

Nous avons reçu tellement de courrier que le catalogue est devenu obligatoire

■ Observe : — **Il y a eu beaucoup de courrier... tellement de courrier que, en conséquence, il a fallu créer un catalogue.**

tellement de + nom + que + proposition

• Equivalent construction:

tant de + nom + que + proposition

Ex. : — **Il y a tant de voitures qu'il a peur de traverser.**

Nous avons organisé nos services de manière que nos clients soient vite servis

■ In this case, **de manière que** expresses an **intention** or a **decided aim**. The following verb is in the **subjunctive**.

• **de sorte que + subjunctive** may also express **a purpose, a determination or a wish**; example:

— **Il fait travailler son fils de sorte qu'il réussisse.**

• **de sorte que + indicative** shows **a simple consequence an objective fact**; example:

— **Il travaille bien, de sorte qu'il réussit.**

Une demande des particuliers..., d'où ce catalogue

■ In spoken language, simplified logical terms are used to express consequence. These are followed by a noun:

d'où... / de là...

cause : **une demande des particuliers ;**

conséquence : **un catalogue très détaillé.**

— **Nous avons reçu une demande des particuliers ; d'où / de là, ce catalogue détaillé.**

Il y avait tant d'articles que le catalogue était nécessaire

A. ☐ *Employ **tellement de / tant de**:*
— Les enfants ont **beaucoup de travail** ; ils n'ont plus le temps de jouer. → — Les enfants ...
— Nous recevions **beaucoup d'appels téléphoniques** ; la vente par correspondance est devenue nécessaire. → — Nous ...
— Il est tombé **beaucoup de neige** ; la route est bloquée.
— On nous propose **beaucoup de modèles** ; nous ne savons pas quoi choisir.

Un journal est envoyé de sorte que nous gardons le contact

B. ☐ *Rewrite the sentences accentuating:*
a) consequence
b) purpose
— Tu fais tous les exercices ; tu apprends vite. → — Tu fais ...
— Il a beaucoup travaillé ; il peut partir en vacances.
— Nous restons dans le pays ; nous connaissons bien la langue.
— Elle prend sa voiture ; elle va plus vite au bureau.

Une bonne gestion, de là l'efficacité !

C. ☐ *Make sentences using the following spoken forms **d'où / de là** to accentuate consequence:*
— Sa fatigue ? Il a trop travaillé ! → — Il a trop ...
— Notre chiffre d'affaires ? Nous avons développé les exportations ! → — ...
— Leur réussite ? Ils ont bien organisé leurs services ! → — ...
— Ce catalogue ? Nous avons reçu une demande des particuliers !

Leçon

61 La vie d'une petite entreprise (2)

— Pourquoi avez-vous un secteur des bijoux?
— **Si nous avons développé ce secteur, c'est parce que la demande est venue** de notre clientèle. Les bijoux en cuir ont été très à la mode dans les années 70 et les émaux plaisent toujours. Le matériel de base est relativement bon marché et ne nécessite pas beaucoup de place. **C'est pourquoi** cette activité tente aussi bien les collectivités que les particuliers.
— Etes-vous implanté aussi en province?
— Nous avons des boutiques à Lyon, Bordeaux, Lille Nantes et Marseille. Ce sont à la fois des points de vente mais aussi des lieux de démonstration de techniques, comme le moulage ou la reliure.
— Pensez-vous exporter vos produits dans la Communauté* ?
— Nous avons déjà commencé. **Si nous vendons**, par exemple, à l'Allemagne, **c'est aussi pour bénéficier** de l'expérience des entreprises allemandes — et donc accroître notre compétitivité.
— Pourriez-vous me dire ce qui[1], à vos yeux[2], fait votre originalité?
— Je crois que **si nous sommes originaux, c'est que nous vendons** aussi bien[3] du matériel traditionnel, lié à l'artisanat, que d'autres beaucoup plus modernes. Un exemple: la thermoreliure qui permet de relier 700 pages en moins d'une minute!

---

1. **dire ce qui...** : *indirect speech* = — ***Pourriez-vous me dire* : « *Qu'est-ce qui fait votre originalité ?* »**

2. **à vos yeux** = ***à votre avis / selon vous*** *("in your eyes / in your opinion / according to you / to your mind").*

3. **aussi bien... que...** : *shows the equality.*

* **La Communauté Economique Européenne (la C.E.E)** : *in 1958* ***(traité de Rome)****, six countries united to form the Common Market: Belgium, Luxembourg and Holland (the Benelux), France, Italy and Germany. In 1973:*

Lesson

61 The life of a small company (2)

— Why do you deal in jewellery?
— The reason why we have developed this sector, is because the demand of our clientele has warranted it. Jewellery in leather was very much in fashion during the 70s and enamel work is still very popular. The basic material is relatively cheap and doesn't require a lot of space. That's why this operation appeals to groups as much as private individuals.
— Are you set up in the provinces as well?
— We have shops in Lyon, Bordeaux, Lille, Nantes and Marseilles. These are both sales outlets and places of technical demonstrations, such as moulding or (book) binding.
— Are you thinking about exporting your products within the Common Market?
— We have already started. The reason why we are selling to Germany, for example, is also to benefit from the experience of German companies —and therefore to increase our competitivity.
— Could you tell me, in your opinion, what brings about your originality?
— I think the reason why we are original is because we sell traditional material, connected with artisans, as well as others which are a lot more modern. An example: the thermobinder which enables 700 pages to be bound in less than a minute!

---

membership of Denmark, Great Britain and Ireland; in 1981: Greece; in 1986: Spain and Portugal. The seat of the Europe Council is in Strasbourg (France) and the seat of the Common Market is in Brussels (Belgium). European population in 1990: 340 million people. Purpose: to favour a continuous and balanced expansion; to raise the standard of living; to institute free trade and free circulation of money and people; to set up a common policy on agriculture, trade, energy and transportation.

Si nous avons développé ce secteur, c'est parce que la demande est venue de notre clientèle

■ Observe : — Vous avez développé la vente. Mais pourquoi ?
— Si nous l'avons développée,
c'est parce que la clientèle le demandait.

To emphasize an expression of cause, we use:

Si + proposition c'est parce que + proposition

- NO FUTURE TENSE AFTER **si**:
  — Je partirai demain parce que les vacances sont finies.
  → — Si je **pars** demain, c'est parce que les vacances sont finies.
- In formal language, **c'est que** replaces c'est parce que; example:
  — Si je ferme la fenêtre, c'est qu'il fait froid.

Le matériel est bon marché, c'est pourquoi cette activité tente les collectivités

■ **c'est pourquoi** expresses a consequence.
- Similar expressions:
  donc / par conséquent

Si nous vendons à l'Allemagne...

■ To stress the purpose of an action, we use:

si + proposition, c'est pour + infinitive

Example:
— S'il travaille tant, c'est pour gagner beaucoup d'argent.

Si nous sommes originaux, c'est que nous vendons du matériel traditionnel et moderne

A. □ *Emphasize the cause:*
— Cette entreprise marche bien : elle est à l'écoute de ses clients.
→ Si cette . . .
— Tu réussis : tu travailles régulièrement.
— Jeanne fait un beau chiffre d'affaires : elle est très aimable avec les clients.
— Nous vendrons dans toute la CEE : nous voulons nous implanter dans le marché européen.
— Le restaurant fermera trois jours : le personnel est malade.
— Je vous demande son adresse : il n'est pas dans l'annuaire.

Nous voulons bénéficier de l'expérience allemande, donc accroître notre compétitivité

B. □ *Bring out the consequence using **c'est pourquoi:***
— Sa gestion est efficace ; le chiffre d'affaires est en hausse. → — Sa gestion . . .
— Les activités manuelles se développent ; notre expansion est assurée.
— L'entreprise est compétitive ; elle exporte beaucoup.
— Elle est toujours inquiète ; elle maigrit.

... c'est pour bénéficier de l'expérience allemande

C. □ *Emphasize the purpose of the action using **Si..., c'est pour...:***
— Il apprend le français ; il veut **mieux connaître la culture française**.
→ — S'il apprend . . .
— Ils vendent aux pays de la Communauté ; ils veulent **augmenter leur chiffre d'affaires.**
— Le Marché Commun a été institué en 1958 ; on voulait **construire l'Europe**.

Leçon

62 Historique d'une P.M.E.

Vous raconter l'histoire de la maison R. c'est[1] vous prouver qu'une petite entreprise familiale[2] peut devenir compétitive si elle sait s'adapter.

Avant que les mots de « marketing » et de « planning » **ne fassent partie** du jargon commercial[3], l'entreprise R. avait su faire les études de marché nécessaires, adapter sa gestion, étendre son réseau commercial pour se développer. En 1854, la maison R. n'est encore qu'une simple quincaillerie dans le quartier du Temple (dans le 3e arrondissement de Paris). En 1877, Jacques R. crée les nouveautés : la maroquinerie, l'encadrement. Si en 1910, son fils Henri lance la section des travaux artistiques, c'est que lui-même peint. C'est l'époque des Impressionnistes*, des canotiers, de la vie sur les bords de la Marne. Les dimanches, la famille R. se retrouve dans une maison au bord de l'eau et Henri essaie de saisir sur la toile les miroitements de la lumière, les nuances de l'automne ou le charme d'une petite église de campagne solitaire.

En 1912, **les produits vendus sont assez nombreux pour qu'un catalogue soit créé. Avant que la guerre de 14-18 n'éclate**, le magasin atteint 800 m². En 1923, Marcel, le fils d'Henri, prend la direction. Il y a **trop d'articles de toute nature pour que le vieux magasin soit conservé** : on déménage pour un grand magasin de 1300 m² (Paris, 11e arrondissement). Dans les années 60, des locaux sont construits en banlieue, au sud de Paris. En 1970, Denys, fils de Marcel, décide la vente par correspondance et les exportations commencent. En effet, la société est **assez développée pour assurer** cette expansion commerciale en métropole et **assez compétitive pour vendre** à l'étranger.

---

1. **Raconter..., c'est** : *a way to emphasize an expression.*
2. **P.M.E. (Petite et Moyenne Entreprise)** = *small and medium-sized firms.*
3. **le jargon commercial** : *distinctive language, specific for a social group (in this text, marketing men).*

Lesson

62 The background of a P.M.E.

To tell you about the background of the company is to prove that a small family business can become competitive if it knows how to adapt itself.
Before the words "marketing" and "planning" were a part of commercial jargon, the R. firm knew how to carry out the necessary market research, to adapt its management and to expand its sales network in order to develop.
In 1854, the R. firm was still a simple hardware shop in the Temple quarter (in the 3rd arr. of Paris). In 1877, Jacques R. created new things such as fine leather craft and framing. The reason why his son Henri started up the branch of artistic work in 1910, was because he painted as well. It was the time of the Impressionists, the boaters and the animated life on the banks of the Marne. On Sundays, the R. family got together in a house by the water and Henri tried to capture in his paintings the gleaming of the light, the shades of autumn or the charm of a little lonely country church.
In 1912, the products sold were enough in number for a catalogue to be created. Before the 14-18 war broke out, the shop reached 800 sq m. In 1923, Marcel, Henri's son, took over management. There were far too many different sorts of articles for the old store to be kept. We moved to a big store of 1300 sq m (Paris, 11th arr.). During the 60s, premises were built in the suburbs, south of Paris. In 1970, Denys, Marcel's son, decided to sell by correspondance and export began. In actual fact, the company has developed enough to ensure commercial expansion at home and competitive enough to sell abroad.

---

* **Les Impressionnistes** ; *the main painters of this movement are: Manet, Renoir, Utrillo, Sisley, Pissaro, Monet, Cézanne. The name of* ***impressionnisme*** *comes from Monet's painting called* ***Impression, soleil levant*** *("Impression, rising sun") which was exhibited at Nadar's Gallery as early as 1874. In juxtaposing subtle coloured strokes, this group of painters have given a new importance to the vision of light.*

Avant que ces mots (ne) fassent partie du jargon...

■ To express a necessary or noticed succession of two actions or situations, we use:

avant que + subjonctif :
First action A1 / then A2 →
A1 avant que A2.

Example:
— **Rentrons avant qu'il pleuve !**

• In formal language, we add **ne** in this proposition; its use is optional but DOES NOT EXPRESS A NEGATIVE SENSE!
— **Je prépare son dossier avant qu'il (ne) vienne ;**
car il va venir.

Notre société est assez développé pour assurer son expansion

■ Remember in lesson 50: Expressions which show the limits of a situation:

a) **trop / assez + adjective or adverb + pour + infinitive**

Examples:
— **Elle est trop jeune pour partir seule.**
— **Il est assez raisonnable pour comprendre.**

b) **trop / assez + de + substantive + pour + infinitive**

Examples:
— **Il a trop de problèmes pour être heureux.**
— **Luc a assez d'argent pour prendre le train ;**
mais il n'en a pas assez pour prendre l'avion.

Les articles sont assez nombreux pour qu'un catalogue soit créé

■ In the previous paragraph, we used the infinitive because the subjects were the same. When they are different, we must use:

a) **trop / assez + adjective ou adverb + pour que**
+ subjunctive

Example:
— **Il parle trop vite pour que je le comprenne.**

b) **trop / assez + de + substantive + pour que + subjunctive**

Example:
— **Il y a assez de chocolat pour que je fasse une « mousse ».**

• Note that in the text the verb **créer** is in the **passive subjunctive** = subjunctive of **être** + past participle.

Avant que la guerre (n')éclate...

A. ☐ *Show a succession using **avant que**...:*
— Je lui téléphone ; après, il viendra pour rien !
— Lis vite ce livre ; après, je vais le rendre à la bibliothèque.
— Lavez-vous les mains ; après, je sers les hors-d'œuvre.
— Je rentre les pots de fleurs ; après, il va faire trop froid dehors.

Notre société est assez compétitive pour vendre à l'étranger

B. ☐ *Transform in order to get a cause / consequence relation (in the infinitive):*
— Il a de l'assurance ; il peut faire ce voyage seul.
— Elle est sortie très tard ; elle n'a pas pu prendre le dernier métro.
— Tu n'as pas beaucoup d'argent ; tu ne peux pas partir à l'étranger.
— Petit Pierre est très énervé ; il ne peut pas s'endormir.
— Vous parlez bien le français ; vous pouvez vous débrouiller pendant votre séjour en France.

Il y a trop d'articles pour que le vieux magasin soit conservé

C. ☐ *Make a cause / consequence relation (in the subjunctive):*
— Il y a beaucoup de bruit ; je ne peux pas dormir.
— Il habite très loin ; je ne peux pas aller le voir.
— Nous avons beaucoup de restes ; vous pouvez déjeuner avec nous.
— Il y a beaucoup de neige ; nous pouvons partir aux sports d'hiver.
— Il est tôt ; nous pouvons être à l'heure à la gare.

Leçon

63 Une femme en blouse blanche

Geneviève B. est à la tête[1] d'une équipe de huit médecins à plein temps et d'une cinquantaine de vacataires[2] : elle dirige le SAMU de Paris* qui doit répondre à 300 000 appels par an et résoudre 50 000 cas d'urgence médicale.

Son bureau est situé au fond de l'hôpital Necker. C'est son havre de grâce entre les missions où on la voit, au milieu de son équipe, porter secours à des victimes d'accidents majeurs. Blouse blanche discrète parmi les sauveteurs, elle coordonne les soins médicaux.

— « Le SAMU a été, pour moi, l'inattendu. **Pas une vocation**. Je me suis passionnée pour cette organisation à cause de ceux qui y travaillent. Il y a une équipe de médecins d'un dévouement total. Ce sont des jeunes qui ne sont pas motivés par l'argent. Ils font un travail admirable qui leur « mange la vie ». Mais ils croient en ce qu'ils font. En dix ans, les appels ont augmenté de 660 % !!! **En cas d'urgence**, on peut obtenir les pompiers par l'indicatif 18 : eux ont l'image de la rapidité ; nous (avec le 15), celle du conseil médical.

— Est-il facile, au bout du fil[3], de distinguer le vrai, le tolérable ou le faux ?

— **En cas d'incertitude**, nous agissons par excès et nous envoyons l'ambulance. **Si le cas semble bénin**[4], ce qui se produit dans 60 % des cas, **le médecin nous rappelle** pour nous donner le résultat de son examen clinique[5] et alors **nous envoyons ou non** l'ambulance de **réanimation**.

— Existe-t-il une échelle de gravité des appels au SAMU ?

— Dix pour cent des appels sont des demandes de conseils. **Si le moindre incident se produit, les gens appellent** le 15. »

---

1. **être à la tête de** = *to be at the head of / to be the boss* (**être le patron** *or, in this case,* **la patronne**) *of an organisation or a firm.*
2. **les vacataires** *are doctors who have a part time contract.*
3. **au bout du fil** = *on the line.*
4. **un cas bénin** : *learn how to specify a medical problem.* **Un cas bénin** = *a minor problem* ≠ **un cas grave** = *a serious problem or an emergency.*

Lesson

63

A woman in a white coat

Geneviève B. heads a team of eight full-time doctors and about fifty on a temporary contract. She runs the SAMU of Paris which must answer 300 000 calls a year and handle 50 000 medical emergencies.

Her office is situated at the back of the Necker Hospital. It is her merciful refuge between missions where one usually sees her, amongst her team, giving help to serious accident victims. In a discreet white coat amidst the rescuers, she coordinates the medical care.
— The SAMU was, for me, something unexpected. Not a vocation. I had a passion for this organization because of the people who worked there. There is a team of doctors of total devotion. They are young people who are not motivated by money. They do a wonderful job which takes up their lives. But they believe in what they are doing. In ten years, calls have increased by 660%!!! In case of an emergency one can get hold of the fire brigade by calling 18: they are known for their promptness; and us (by calling 15), for our medical advice.
— Is it easy, on the phone, to distinguish between a real case and one that can be tolerated or is false?
— In case of uncertainty, we react with excessive care and send an ambulance. If the case doesn't appear too serious, which is 60% of the cases, the doctor calls us back to give us the result of his clinical examination, and then we decide whether we'll send an ambulance or not.

— Does a graduated system exist for calls to the SAMU?
— Ten percent of calls are for advice. If the slightest incident occurs, people call 15.

---

* ***Le S.A.M.U. de Paris** (Service d'Aide Médicale d'Urgence) is a service for emergencies connected with a hospital center and is in charge of coordinating all emergencies. This service receives a call every two minutes. It has a round the clock ward duty ready to send an ambulance and a doctor on the spot. The type of care is selected according to the requirements (and not to the request). In an emergency, anybody who does not advise the SAMU can be charged with non assistance to a person in danger. The SAMU have a hundred intensive care ambulances and 18000 service vehicles.*

Si le cas semble bénin, le médecin nous rappelle

■ Observe : — **Quand** le cas semble bénin, ...
— **A chaque fois que** le cas semble bénin, ...
— **Si** le cas **semble** bénin, le médecin nous **rappelle**.

Si + present, present

The construction of **si** with the present tense shows the customary nature of an action (its frequency).

L'ambulance de réanimation

■ The prefix **re-** or **r-** / **ré-** / **res-** is frequent in word composition. It may point out:

a) a return back to a former state:
animation → réanimation / action → réaction

b) a movement in the opposite direction:
aller → revenir / venir → retourner / descendre → remonter

c) a repetition: **faire → refaire / dire → redire / appeler → rappeler**

d) a consolidation: **unir → réunir / assembler → rassembler**

e) a complementary fact: **demander → répondre**

Pas une vocation

■ Observe : — **Le SAMU a été l'inattendu ;**
il n'a pas été une vocation.
— **Le Samu a été l'inattendu. Pas une vocation.**

We often use in spoken language this elliptic way of speaking. It is lively and avoids repetition.

- An other example in the text:
  — **Alors nous envoyons ou non l'ambulance.**
  = **... ou nous n'envoyons pas l'ambulance.**
- Or else (in the same text again):
  — **Eux ont l'image de la rapidité ;**
  nous, celle du conseil médical.
  = **nous avons celle du conseil médical.**

Note the comma, necessary in this elliptic sentence; (cf. l. 89).

En cas d'urgence, on peut obtenir les pompiers

■ Observe : — **S'il y a urgence, on peut faire le 18.**
— **En cas d'urgence, on peut faire le 18.**

The expression **en cas de + nom** expresses a condition. It is often used for official or administrative language (note the omission of the article). Other examples:

— **En cas de panne, attendez l'arrivée du gardien.**
— **Prenez un imperméable en cas de pluie.**
— **En cas d'accident, prévenir la famille.**

Si le moindre incident se produit, les gens appellent

A. □ *What do you usually do?:*

— pour un mal de tête ; — Si j'ai ..., je ...
— pour un rhume ; — Si ...
— pour une douleur à l'estomac ; — ...
— pour une blessure peu grave ; — ...

Le médecin nous rappelle

B. □ *Learn to be patient and use the prefix re-:*

Si le téléphone n'est pas libre, gardez votre sang-froid :
— Vous avez mis de l'argent ? Eh bien, ... ! (impératif)
— Vous avez composé l'indicatif ? Eh bien, ... ! (impératif)
— Vous avez fait le numéro ? Eh bien, ... ! (impératif)
— Vous avez essayé 3 fois ? Eh bien, ... encore ! (impératif)
— Vous avez appelé à 9 heures ? Eh bien, ... à 10 heures ! (impératif)

Nous envoyons ou non l'ambulance

C. 1) □ *Simplify the following sentences:*

— Alors, tu viens **ou tu ne viens pas** ? → — ...
— Qu'il aime ça **ou qu'il n'aime pas ça**, je prends l'assiette Moana.
→ — ...
— On appelle le SAMU **ou on ne l'appelle pas** ? → — ...

2) □ *Do away with the verb in bold:*

— Marie appelle l'ambulance ; Luc **appelle** le médecin ; Jean **appelle** les pompiers ; et moi **j'appelle** la famille.

En cas d'incertitude, nous agissons par excès

D. □ *With the help of the following words, transform the verb:*
frissons / migraine / fièvre / hémorragie

— Si le malade saigne beaucoup, — En cas de ...
— Si sa température dépasse 39°, — En cas ...
— S'il transpire abondamment, — En ...
— S'il a très mal à la tête, prévenez votre médecin ou faites le 15 !

Leçon

64 « Février en forme »

Voici quelques conseils pour être en forme :

F comme Fer. Si vous manquez de fer[1], peut-être êtes-vous fatigué ou avez-vous des difficultés à vous concentrer. Ou encore, vous avez la peau **déshydratée**. Augmenter la consommation d'aliments riches en fer est une bonne idée à condition de manger davantage[2] d'oranges, de pamplemousses et de citrons : en effet, la vitamine C permet à l'organisme de mieux fixer le fer.

É comme Équilibre. Mangez chaque jour un aliment complet différent : pain, riz, pâtes, seigle, sarrasin, orge.

V comme Visite. Vaisseaux **disgracieux ? Le mieux c'est d'aller voir** votre médecin pour avoir de belles jambes l'été prochain !

R comme Relaxation. Chassez la fatigue du dos **en vous allongeant** sur le sol : placez une balle de tennis sous votre dos, puis roulez sur elle.

I comme Idée. Entretenez votre mémoire **en apprenant** par cœur chaque jour un vers de Racine ou de Molière.

E comme Exercice. Pour que les effets du sport soient vraiment bénéfiques[3], **le mieux c'est de pratiquer** votre exercice physique au moment où vous vous sentez le mieux : en général le matin (entre 8 et 10 heures) et l'après-midi.

R comme Rubéole. Aujourd'hui, il existe un « ROR », un vaccin* qui protège définitivement, en une seule injection, de la rubéole, des oreillons et de la rougeole.

---

1. **vous manquez de fer** : *manquer de qqch. = to lack in sth (in this case, in iron but also in money or affection).*
2. **davantage** = *en plus grande quantité.*
3. **bénéfique** : *qui fait du bien.*

* **Louis Pasteur** *(1822-1895) and* **vaccinations**. *His studies on fermentation enabled him to discover the micro-organisms responsible for*

Lesson

64 "Be fit in February"

Here is some advice for being fit.
I as in Iron. If you are lacking in iron, perhaps you are tired or have difficulties in concentrating. Or even more, you may have dry skin. To increase the intake of food rich in iron is a good idea providing you eat more oranges, grapefruit and lemons; in fact, vitamin C allows the body to retain iron better.

B as in Balance. Eat different whole food every day: wholemeal bread, wholemeal rice, pasta, rye, buckwheat and barley.
V as in Visit. Unattractive veins? The best thing to do is to go and see your doctor in order to have nice-looking legs for next summer.
R as in Relaxation. Chase away the tiredness from your back by lying down on the floor: place a tennis ball under your back, then roll over it.
I as in Idea. Train your memory in learning a line from Racine or from Molière by heart.

E as in Exercise. In order for the effects of sport to be really beneficial, the best thing to do is to practise your physical exercise when you feel at your best: generally in the morning (between 8 and 10 o'clock) and in the afternoon.
R as in Rubella. Nowadays, an "RMM" exists, a vaccination which protects you once and for all, in one single injection, from rubella, mumps and measles.

---

*such a process and to perfect a preservation method for fermenting liquids (**la pasteurisation**). In 1885, he succeeded in making inoculations against cholera and above all rabies. The creation of **l'Institut Pasteur** (1888) allowed his students and colleagues to carry on with their research in microbiology. This Institute, located in Paris, is not only a very large serum and inoculation center but also a very active place for research into virology, immunology, study of allergies and biochemistry. It is also known for its education programme.*

La peau déshydratée

■ The prefix **dé-** or **des-** / **dis-**, is frequently employed:
a) to show the lack of a quality:
— **hydraté** → **déshydraté = qui manque d'eau**;
— **gracieux** → **disgracieux = qui manque de grâce**;
— **agréable** → **désagréable = qui manque d'agrément.**
b) to speak of an action in the opposite direction:
— **s'habiller** → **se déshabiller**;
— **faire** → **défaire**;
— **contracter** → **décontracter**

Chassez la fatigue en vous allongeant

■ Observe: — **Comment** pouvez-vous chasser la fatigue?
→ **en vous allongeant**.
In this example, the «**gérondif**» stresses the way or the means of achieving a result. Compare:
— **Pour chasser** la fatigue, **allongez-vous.**
— **Chassez** la fatigue **en vous allongeant**.
An other example:
— Entretenez votre mémoire
en apprenant par cœur un poème.

Vaisseaux disgracieux? Le mieux c'est d'aller voir votre médecin

■ When you wish to give someone advice, you can say:
le mieux c'est de + infinitif
Ex.: — **Il est blessé? Le mieux c'est d'appeler le SAMU.**
This construction expresses that care should be taken (and is also more general than **n'avoir qu'à...**, often denoting a sort of irritation); compare:
— Tu es fatigué? **Le mieux c'est de** te coucher tôt.
— Tu es fatigué? **Tu n'as qu'à** te coucher tôt!
• Remember: le mieux is the superlative of **bien**.

Vaisseaux disgracieux

A. ☐ *Find the opposite term:*
— Si vous êtes malade, ne soyez pas ... : gardez **l'espoir** de guérir !
— Chez le médecin, vous devrez vous ... avant de vous **rhabiller** !
— Si vous vous coupez, il faut ... la blessure pour qu'elle ne **s'infecte** pas.
— Les jeunes médecins du SAMU sont ... : ils ne travaillent pas par **intérêt = (pour l'argent).**
— Quand vous avez mal, surtout ne vous **contractez** pas : au contraire, ... — vous ! Vous aurez moins mal.

Entretenez votre mémoire en apprenant un vers de Racine

B. ☐ *Express the useful way of obtaining something imperative + **gérondif**:*
— augmenter la consommation de fer : (manger des épinards)
— équilibrer son alimentation : (consommer des fruits)
— garder la forme : (faire de la gymnastique)
— se relaxer : (s'allonger sur le sol)

Le mieux c'est de pratiquer votre exercice physique le matin

C. ☐ *Replace **n'avoir qu'à...** with **le mieux c'est de...**:*
— Vous voulez rester jeune ? Vous **n'avez qu'à** faire du sport très régulièrement !
— Elle veut rester mince ? Elle **n'a qu'à** manger moins de gâteaux !
— Vous voulez être en bonne santé ? Vous **n'avez qu'à** manger de façon équilibrée !
— Il veut garder bonne mémoire ? Il **n'a qu'à** apprendre des poèmes !

Leçon

65 La part du feu (1)

« **Dévorée par le feu**, la forêt est en danger ! »

C'était trop beau pour continuer ! **Malgré une sécheresse** comme on n'en avait jamais connu depuis 15 ans, le feu avait jusqu'ici[1] épargné les forêts françaises*. Mais **il a suffi de quelques heures pour que le bilan** de l'été 90, plutôt optimiste, **devienne** très mauvais, voire[2] catastrophique.

Alarmés par les sinistres qui avaient éclaté dès le mois de février, **les autorités étaient partout[3] sur leurs gardes[4] pour que le feu ne fasse pas trop de dégâts.** Cette vigilance avait été encore renforcée après que le grand incendie, au mois d'avril avait ravagé 70 000 hectares de pins en Gironde**.

Malgré cette extrême prudence, il a suffi d'une étincelle pour que le patrimoine forestier français soit une nouvelle fois en danger !

---

1. **jusqu'ici** = *jusqu'à maintenant* (*till now*).
2. **voire catastrophique** : *voire* = *even is an adverb used to reinforce an idea; in this case* = *mauvais, plus que mauvais : catastrophique*.
3. **partout** (= *everywhere*) ≠ *nulle part* (*nowhere*).
4. **les autorités étaient sur leurs gardes** : *être sur ses gardes* = *faire très attention* (*to be on one's guard*).

* **Les forêts françaises** : *French forests are quite split up and consist of many various species: oaks* (**des chênes**)*, ash trees* (**des frênes**)*, elms* (**des ormes**)*, maples* (**des érables**)*, limes* (**des tilleuls**)*, hornbeams* (**des charmes**)*, aspens* (**des trembles**) *and silver birches* (**des bouleaux**)*. They take*

Fire (1)

"Eaten away by fire, the forest is in danger!"

It was too good to be true. Despite a drought, one like we have not known for 15 years, fire had spared French forests. But it only needed a few hours for this rather optimistic assessment of the 1990 summer to become somewhat alarming, even disastrous.

Alerted by the blazes which had already broken out by February, the authorities were on their guard everywhere so that the fire would not do too much damage. This vigilance had already been reinforced after the huge fire which, in April, had destroyed 70000 hectares of pine trees in Gironde.

In spite of such extreme caution, it only needed a spark for the French forestry resources to be once again in danger!

---

up 25% of the territory. In Provence-Côte d'Azur (the Riviera), where these fires take place, they represent 30 to 48% of the region and are mostly formed of maritime pines, holm oaks and chestnut trees fir trees and beeches 800 meters above sea level. ***L'École Nationale des Eaux et Forêts*** *is one of the oldest administrations in France.*

** ***La Gironde****, located in the South-West, is the largest department (10000 km). In the* ***Landes*** *(a coastal area of sand dunes) pine trees represent 46,4% of the region (many wood industries). Situated on the estuary of the Garonne River, Bordeaux, capital of* ***la Gironde****, owes its fortune to famous vineyards such as: Sauternes, Saint-Émilion, Mouton Rothschild, etc. as well as to its harbour and industrial complexe. The beaches (Arcachon, Cap Ferret) welcome lots of tourists.*

Malgré la sécheresse, le feu avait épargné la forêt

■ Observe : **In spite of dryness,** which normally triggers off woodfires, the forest, funny enough, has been spared by fire:

— Le feu épargne la forêt **malgré la sécheresse** :

malgré + nom expresses a notion of opposition.

• Expansion :

— **Bien qu'il y ait** une forte sécheresse, ...
— **Même s'il y a** une forte sécheresse, ...
— **Malgré** une forte sécheresse, ...

Pour que le feu ne fasse pas trop de dégâts...

■ **pour que** points out an aim. The use of the subjunctive is compulsory; example:

— **Il travaille pour que sa famille puisse vivre** ;

• If both subjects are the same, you have to use the infinitive:

— **Il travaille pour pouvoir vivre.**

Alarmées par les sinistres, les autorités étaient sur leurs gardes

■ This form: Alarmées par... has a passive meaning. One must understand:

— **Les autorités ont été alarmées par** les sinistres, elles étaient donc sur leurs gardes.

• The cause, placed at the beginning of the sentence, is in the passive. As the subject remains the same, the "passive participle" is all that is needed (especially in written language).

Il a suffi d'une étincelle pour que le patrimoine forestier soit en danger

■ Observe :

— **Une seule étincelle et la forêt a brûlé.**

In this example, the consequence is due to a minimum cause:

il suffit de + nom + pour que + subjonctif simple

Example:

— **Il suffit d'une minute pour que Pierre fasse une bêtise !**

Malgré cette extrême prudence...

A. ☐ *Transform the verb and use the corresponding noun in a construction with **malgré** (be careful: the noun does not always derive directly from the verb!):*

— Bien qu'il soit fatigué, il travaille encore. → — Malgré sa ...
— Même s'il fait mauvais, nous irons nous promener.
— Il pleut mais nous partons faire notre petite croisière sur la rivière.
— Bien qu'il fasse très chaud, il n'y a pas eu de feux de forêts.
— Il s'est trompé, mais nous avons trouvé notre chemin.

... les autorités étaient sur leurs gardes

B. ☐ *Complete with **pour que** and put the verb into the correct mood:*

— Le services de la Sécurité ont tout fait ... le feu (être maîtrisé) ...
— En arrivant, téléphonez-nous ... mon mari (aller) ... vous chercher à la gare.
— ... le plat ... (être réussi), respectez la recette !
— Elle porte toujours des tenues extravagantes ... on la (reconnaître) ... !

Dévorée par le feu, la forêt est en danger !

C. ☐ *Emphasize the cause with a **«passive participle»** at the beginning of the sentence:*

— Il a été prévenu par son frère ; il est arrivé à l'heure. → — ...
— Elle avait été bien préparée par son professeur ; elle a réussi le concours d'entrée au Conservatoire. → — ...
— Les forêts ont été détruites par le feu ; elles semblent mortes pour toujours. → — ...
— Elles étaient maquillées par un professionnel ; elles ressemblaient à des princesses de légende !

Il a suffi de quelques heures pour que le patrimoine forestier soit en danger !

D. ☐ *Transform using **il a suffi de... pour que...**:*

— Une remarque ... et elle est partie en colère ! → — Il a suffi d'une ...
— Un an ... et il a traduit cet énorme livre !
— Une semaine ... et ta mère a fini ton pull !
— Un numéro rouge ... et j'ai perdu ma fortune au casino !

Leçon

66

La part du feu (2)

(suite de l'article)

En juin, le président de la République, **se rendant** dans le Vaucluse, avait lui-même lancé la campagne : « Fais gaffe au feu ! »[1]. **Parlant** à des écoliers, il les avait sensibilisés à ce grave problème*.

Dès lors, tous les moyens avaient été mobilisés. Malgré cela, la nature a été la plus forte. Tous les éléments étaient réunis cette année pour faire de la saison 90 un « été **rouge** »[2] : un sol **hyper-déshydraté**, une végétation **ultra-sèche**, une fréquentation humaine inhabituelle.

Il ne manquait plus que le mistral[3]. Il s'est levé, ce diable[4], le 21 août. Et il a suffi d'un imprudent pour que ce capital **vert**[5] s'envole en fumée !

---

1. **Fais gaffe au feu !** : *faire gaffe* **à** *(col.) = faire attention* **à** *to be careful of.*
2. **un été rouge** : *red is the symbolic colour for fire. In traffic lights and road signs, red means:* **danger !**
3. **le mistral** : *in the Provence area, the* **mistral** *is a violent and cold wind which blows from the North.*
4. **ce diable** : *the evil wind will poke up the fire.*
5. **ce capital vert** : *trees are a green wealth for the country.* **Les Verts** = *ecologist groups.*

Lesson

66

Fire (2)

(follow up to the article)

In June, the President of France, in going to the Vaucluse, had launched the campaign: "Watch out for fire!". In speaking to school children, he made them aware of this very serious problem.

Since then every measure had been taken, but nature had the upper hand. Every element has been combined this year in order to make the 1990 season a blazing summer with an overdried soil, extremely dry vegetation and an unexpected influx of people.

All we needed was the "mistral". On August the 21st, the devil rose, and the only thing necessary to send this green capital up in smoke was a careless person.

---

* *Protection against* **fires** *costs the State a thousand million francs per year. 27000 firemen and 200000 volunteers, thousands of vehicles (also including military tank trucks of a 600 liter capacity) and Canadairs CL 215 (5500 liters in capacity) are mobilized.*

Offences are severely dealt with: fines for smoking or making a fire in forbidden areas go from 200 to 1300 francs (and from 1300 to 20000 francs and an 11 day to a 6 month prison sentence for deliberate fires). The defendant is tried in the Supreme Court.

Le président, se rendant dans le Vaucluse, avait lancé la campagne

■ Observe : — Le président, **qui s'était rendu** dans le Vaucluse,...
, **se rendant** dans le Vaucluse,...

se rendant is a verbal form verb **se rendre** called **participe présent**. It is especially a written form and it has several values. In this case, the **participe présent** shows an explanatory cause, an opportunity = **parce qu'il s'était rendu**... or **à l'occasion de son voyage**....

- The **participe présent** is invariable; its temporal value and its subject are always the same as those of the main clause.
- Pay attention to the **participe présent** of reflexive verbs:
  — **Me rendant au Japon, j'ai téléphoné à des amis japonais.**
  — **Se rendant vite sur place, ils ont maîtrisé le sinistre.**

Un sol hyper-déshydraté

■ Here are a few prefixes indicating an excessive intensity:
hyper- : **un homme hyper-actif** ; **ultra-** : **un chapeau ultra-chic** ; **sur** : **un travail surhumain** ; **extra** : **une nouvelle extraordinaire.**

Young people use them a lot:
— **C'est super sympa ! / — C'est hyper bon !**

- Remember that the prefix mentioned below means a lack of something: **dé** (**dés** before a vowel or « h ») : — **une condition défavorable / un sol déhydraté.**
- Also remember: the prefix **in** (or **im / ir / il**) gives the opposite meaning: — **une fréquentation inhabituelle.**

Un été rouge

■ Colours, as in every culture, are highly symbolic. However, their meanings are not the same everywhere. In France, red = passion; black = death; white = purity; green = hope; etc.

- On the other hand, colours are used for characterizing psychophysiological states; for example, we say:
  — **Une colère** (anger) **noire** = **très forte / Une peur** (fear) **bleue** = **intense / Un rire** (laugh) **jaune** = affected ;
  — **Etre jaune de jalousie / être vert de rage (ou de peur) / en être bleu** = **être très étonné / être gris** = slightly drunk ;
  — **Avoir les doigts verts** = to have a gift for gardening / **voir rouge** = to get violently angry.
- As a rule, colour adjectives agree with nouns like all adjectives:
  — **Une robe verte / Des chaussures noires.**
- But if the colour itself is specified, it remains invariable:
  — **Des yeux bleu clair / Sa jupe vert pomme / Une encre bleu-noir.**

Parlant à des écoliers, il les avait sensibilisés au problème

A. ☐ *Replace the clause in bold by a **participe présent**:*
— Les enfants, **qui passent trop de temps devant la télévision**, lisent de moins en moins.
— Le pompier, **qui avait entendu des cris**, s'était précipité à l'intérieur de la maison.
— Le magasin, **qui s'est agrandi**, a développé de nouveaux secteurs.
— Notre directeur, **qui ira prochainement en Belgique**, pourra vous rencontrer.

Une végétation ultra-sèche

B. ☐ *Use the prefixes **ultra / hyper / dés**:*
— Elle est très émotive et ... sensible.
— Il a construit une maison d'architecture moderne.
— A cause des incendies, la vie des habitants du Vaucluse est ... organisée.
— Amandine ? Je la trouve « sympa », et même ... sympa !

Ce capital vert

C. ☐ *Make the adjectives agree if necessary:*
— Pauline a des yeux ... (vert) et même ... (vert foncé), des cheveux ... (noir), et une peau très ... (blanc).
— L'incendie était impressionnant : une fumée ... (blanc) puis ... (gris-noir), des flammes de toutes couleurs : ... (bleu / rouge sang / jaune / vert jaune / orangé).

Leçon
67

La part du feu (3)

« Les forêts précèdent les hommes, les déserts les suivent. »
F.-R. de Chateaubriand*

Ces vers de Chateaubriand trouvent une cruelle illustration : les Maures**, cette montagne brune, couverte de chênes-lièges et de pins maritimes, brûlent !
Interview du colonel M. L., directeur départemental des services d'incendie et de secours du Var (par l'envoyé spécial de *L'Express*).
Envoyé par mon journal, **je suis arrivé pendant que des milliers de sapeurs-pompiers disposaient** leurs véhicules opérationnels.
Vers 19 heures, **après avoir vu** le feu de près, j'ai interrogé le colonel M. L. :
— « Alors, colonel, quelle est la situation, ce soir ?
— On court derrière le vent. **Ce qu'il faut c'est revoir** constamment le dispositif pour l'adapter aux éléments qui changent tout le temps.
— Quels éléments ?
— Tout : la végétation, le relief, la nature du terrain, si le lieu est habité ou non. A chaque fois, les moyens mis en œuvre sont différents. **Ce qui est le plus épuisant, c'est cette obligation** de devoir changer continuellement de tactiques : les hommes sont fatigués. En dix ans de sécurité civile, je n'ai jamais vu un chantier pareil ! »

Après avoir survolé le massif, j'ai mesuré l'ampleur du désastre : **pendant que les flammes s'élançaient à 10 mètres de haut, un immense champignon de fumée blanche ou noire s'est formé,** visible à des dizaines de kilomètres à la ronde...

---

* ***Chateaubriand*** *(1768-1848): a politician and a famous romantic writer.*

** ***The Maures massif*** *(= the Black mountains), located in the South of France along the Mediterranean, is named after the black colour of its coneferous trees. It is 30 km wide and 60 km long from Hyères to Fréjus (the*

Lesson

67

Fire (3)

"Forests precede man, deserts follow him."

F.-R. de Chateaubriand

These words by Chateaubriand are cruelly confirmed: The Maures, this brown mountain, covered with cork-oaks and maritime pines is burning!

An interview with Colonel M. L., departmental director of the Var Fire and Rescue Services (by the special correspondent of *L'Express*).

Having been sent by my newspaper, I arrived on the spot while thousands of firemen were positioning their vehicles ready for use.

Around about 7 pm, after having seen the fire closer up, I questioned Colonel M. L.:

— "Well Colonel, what is the situation like tonight?

— We are moving up behind the wind. What one must constantly do is re-examine the plan of action in order to adapt it to the elements which are changing all the time.

— What elements?

— Everything: the vegetation, the relief, the nature of the ground and whether the area is inhabited or not. The measures implemented are different every time. What's the most tiring of all is the obligation of having to continually change tactics. The men are exhausted. In ten years of civil security, I have never seen such a shambles!"

After having flown over the massif, I measured the extent of the disaster. While flames soared 10 meters high, a huge mushroom of white and black smoke formed, which was visible for miles and miles around.

---

summit is only 779 m high). The next massif to the East is the red porphyry Esterel (= the Barren mountains). They both represent the second largest forestry site. With cities such as Cannes, Saint-Tropez, Sainte-Maxime or Cogolin, it is also a very touristic area. A blessed country for vineyards (les **Côtes de Provence, les Côtes du Var***), flowers (Grasse is the perfume capital), fruits and goat cheeses.*

Je suis arrivé pendant que les sapeurs-pompiers disposaient leurs véhicules

■ Use **pendant que** when an action takes place during the development of an other action or situation. Similar expressions:

tandis que... / alors que...

- The relation indicated by **quand...** is more vague (and, in the past, it shows a habit):
  - — **Quand j'étais enfant, j'habitais dans le Sud-Ouest.**

The relation introduced by **au moment où** is more precise and brief:
  - — **Au moment où il est entré, tout le monde s'est levé.**
- In the past, the construction is as follows:

pendant que + imparfait passé composé
  - — **Pendant qu'il rangeait le salon, j'ai fait la vaisselle.**
- You can also find:

pendant + nom
  - — **Pendant toute la nuit, les pompiers ont lutté contre le feu.**

Ce qu'il faut, c'est revoir le dispositif

■ Here is a way to emphasize the subject:

ce qui est + adjectif c'est + sujet
  - — **Ce qui est grave, c'est le vent ;**
    le vent est grave.
- To emphasize the COD:

ce que + verbe c'est + COD
  - — **Ce que nous craignons, ce sont les feux de forêt ;**
    nous craignons **les feux de forêt.**
- The COD can be an infinitive:
  - — **Ce que nous voulons, c'est maîtriser l'incendie ;**
    nous voulons **maîtriser** l'incendie.

Après avoir survolé le massif, j'ai mesuré l'ampleur du désastre

■ When talking about actions, the use of **après + past infinitive** expresses what has previously happened:
  - — **Après avoir mangé, il est sorti.**
- The past or compound infinitive is composed as follows:

auxiliary in the infinitive + past participle
- Pay attention to the agreement with **être**:
  - — **Après être descendue du train, elle est allée à l'hôtel.**
  - — **Après avoir interrogé les pompiers, il a pris des photos.**

Pendant que les flammes s'élançaient, un champignon de fumée s'est formé

A. □ *Using the verb in brackets, replace* ***pendant + nom*** *with* ***pendant que + proposition*** *(watch tenses!):*

— L'incendie s'est déclaré pendant notre repas. (commencer)
— Il a fait son reportage pendant l'incendie. (avoir lieu)
— Le téléphone a sonné pendant son bain. (prendre)
— La pluie est tombée pendant sa promenade. (faire)

Ce qui est épuisant c'est cette obligation de changer de tactiques

B. □ *Emphasize the words in bold:*

— J'aime **la mer.** → — Ce que ...
— **Le feu** lui fait peur.
— Elle préfère **la robe noire.**
— Nous recherchons **les causes de l'incendie.**
— Ils veulent **éviter la catastrophe.**

Après avoir vu le feu, j'ai interrogé le colonel

C. □ *Transform the sentences and use* ***après + infinitif passé:***

— J'ai parlé au colonel et après j'ai écrit mon article.
— Il a rencontré les pompiers et après il a discuté avec le colonel.
— Nous sommes arrivés et ensuite nous avons rencontré les autorités.
— Ils ont essayé beaucoup de fripes et puis ils ont choisi une vieille gabardine grise.

Leçon

68 Télécom

Le réseau national des télécommunications fonctionne parfaitement. Les cabines publiques[1] sont équipées de « cartes à puce », c'est-à-dire d'une carte à mémoire avec microcalculateur incorporé : les télécartes. **Elles s'achètent** dans les gares, les bureaux de poste, les agences Télécom ou les bureaux de tabac (**qui se signalent** à l'extérieur par une « carotte » rouge[2]).
Elles coûtent **soit 50 francs** (pour 50 unités), **soit 96 francs** (pour 120 unités). Elles permettent de téléphoner partout, y compris à l'étranger, sans paiement immédiat. Elles fonctionnent comme une véritable carte de crédit « intelligente ».
Une fois que vous êtes entré dans la cabine, il suffit de suivre les indications portées sur l'écran du téléphone public pour obtenir votre correspondant* :
— « Décrocher ;
— Introduire carte ou faire numéro libre ;
— Fermer le volet, S.V.P.[3] ;
— Patienter : le solde (... unités) apparaît sur l'écran ;

— Numéroter : numéro appelé "..."
La sonnerie d'appel retentit. Parlez avec votre correspondant : au Japon, aux Philippines, à Moscou ou à Mexico !
A la fin de la communication, **le solde** restant **s'affiche**.
— Raccrocher. »
Une fois votre communication terminée, n'oubliez pas de reprendre votre carte. Sinon, vous feriez un cadeau bien involontaire à l'utilisateur suivant !

---

1. **Les cabines publiques** *or publiphones (= public* + téléphone*).*
2. **une « carotte » rouge** *(a red diamond) is the distinctive sign for tobacconist.*
3. **S.V.P.** *: abbreviation for* **S'il vous plaît**, *the most common form of request (if you address sb as* **tu** *you say:* **S'il te plaît***).*

* **Advice** *: If, in France, you are not sure of the person's telephone number you are calling or if you want to know the price of your call, dial 12 for internal calls and calls to overseas territories —or 11 on Minitel a home*

Lesson

68

Télécom

The national telecommunications network operates perfectly. Public telephone boxes are equiped with "chip cards", in other words with phone cards which have a micro-calculator incorporated: telecards. They can be bought at railway stations, post offices, Telecom agencies or at tobacconists (which have a red plug sign on the outside).

They either cost 50 francs (for 50 units), or 96 francs (for 120 units). They enable you to telephone anywhere, including overseas, without having to pay immediately. They work like "intelligent" credit cards (smart cards [US]).

Once inside the call box, all you have to do is follow the instructions shown on the call box screen to get hold of your correspondent:

— "Lift the receiver;

— Insert the card or dial a free number;

— Close the shutter, please;

— Wait: the number of 'units left' will appear on the screen;

— Dial: phone number '...'

The dial tone will be heard. Talk to your correspondent: in Japan, in the Philippines, in Moscow or in Mexico city! At the end of the call, the remaining balance will appear.

— Hang up."

Once you have finished your call, do not forget to retrieve your card. If not, you will leave the next caller an unintentional gift!

---

terminal to consult the electronic directory; or 19 32 12 + country code for abroad. You can be called back in any phone booth; the box number is written on the information card inside the booth. How can you get your correspondent?:

Paris → Paris: "4. .. .. .." (8 numbers);

Paris → Province: "16 + ..." (8 numbers);

Province → Paris: "16 + 1 + 4. .. .. .."

France → Abroad: "19 + country dialling code + correspondent's number".

Les cartes s'achètent dans les gares

■ Remember lesson 49:
The reflexive verb **s'acheter** is equivalent to a passive verb:
— **On achète les cartes dans les gares.**
(on is a very general subject) →
— **Les cartes s'achètent dans les gares.**
• This turn of phrase mostly characterizes a custom:
— **Le vin blanc se boit frais.**

Une fois que vous êtes entré, il suffit de suivre les indications

■ Notice the following constructions accentuating the necessity of a previous action:
a) **une fois que + verbe à un temps antérieur, verbe à un temps simple :**
— **Une fois qu'il avait lu, il dormait. (Plus-que-parfait / imparfait**; it describes a habit)
— **Une fois que vous avez compris la phrase, vous pouvez la répéter. (Passé composé / présent)**
— **Une fois qu'ils auront téléphoné, nous déciderons. (Futur antérieur / futur simple)**
b) **une fois + nom + participe passif, proposition :**
— **Une fois le déjeuner fini, nous partirons en promenade.**
In other words:
— **Une fois (que) le déjeuner (sera) fini, nous partirons en promenade.**
• This last construction is only possible with a passive structure.

Elles coûtent soit 50 francs...

■ **soit... soit...** shows an alternative, two possibilities or an alternation between two phenomena. There are many possible constructions:

soit + noun phrase, soit + noun phrase

Ex. : — **Je vais téléphoner soit à la poste, soit dans un publiphone.**

soit + proposition, soit + proposition

Ex. : — **Je n'arrive pas à le joindre : soit il y a le répondeur, soit ça sonne occupé.**

Le solde s'affiche sur l'écran

A. ☐ *Rewrite in order to use a passive reflexive verb:*

— On vend la télécarte dans les bureaux de tabac. →
  — La télécarte . . .
— On voit le solde sur l'écran.
— On obtient la communication rapidement.
— On trouve une cabine au coin de la rue.
— On développe énormément les télécommunications.

Une fois votre communication terminée, n'oubliez pas de reprendre votre carte !

B. ☐ *Employ **une fois que...** or **une fois...** according to the context:*
— J'ai introduit la carte ; je peux téléphoner.
— Vous avez fini de parler ; raccrochez !
— L'appel est enregistré ; il n'y a plus qu'à attendre.
— Le numéro est affiché ; j'entends la tonalité.

... soit 96 francs

C. ☐ *Express an alternative with **soit..., soit...**:*
— Viens donc ce soir ou ce week-end.
— Tu peux prendre le train ou venir en voiture.
— Je serai chez moi le midi ou à 14 heures.
— Quel été ! : il pleut ou il fait trop sec !

Leçon

69 Le câble et vous

France Télécom, **dans quelques mois, aura câblé** votre immeuble. Cela fait partie d'un plan qui fera de Paris, en 1993, l'un des premiers réseaux câblés du monde.

Mais comment s'y retrouver, dans ce labyrinthe de mots, de concepts nouveaux et d'évolutions de toute sorte ? Que choisir ? Comment recevoir dans les meilleures conditions ce que l'on a envie de recevoir[1] ?

Ce dossier a été réalisé pour répondre aux questions que vous vous posez. Il vous dira ce que T.V. Câble a fait pour les Parisiens... pour vous.

La tête du réseau est le véritable cerveau du circuit câble. Un cerveau qui peut tout RECEVOIR, tout PRODUIRE, tout RETRANSMETTRE.

CENTRE DE RÉCEPTION, la tête de réseau capte toutes les chaînes, **quelles qu'elles soient**.

CENTRE DE PRODUCTION, la tête de réseau crée ses propres chaînes avec studio, montage, etc.

CENTRE DE TRANSMISSION, la tête de réseau décode, si c'est nécessaire, les chaînes étrangères pour que chaque abonné les reçoive sur son téléviseur.

Quel que soit l'âge, quelle que soit la marque de votre téléviseur, il peut recevoir le câble.

Demain, l'audiovisuel aura encore progressé. Mais pour vous, aucun souci ! La « Tête » s'occupe de tout et, avec le câble, vous êtes, **quoi qu'il arrive**, branché sur le futur !

---

1. **Comment s'y retrouver ? / Que choisir ? / Comment recevoir ?** : *for this construction in the infinitive (expressing general questions) refer to lesson 48.*

Lesson

69

The cable and you

France Telecom, within a few months, will have cabled your apartment building. This is part of a plan which will make Paris by 1993, one of the first cable networks in the world.

But how can one find one's way through such a maze of words, new concepts and all sorts of evolutions? What to choose from? How to obtain in the best possible way what one would like to receive?

This dossier has been put together in order to answer all those questions you have been wondering about. It will tell you what T.V. Cable has done for Parisians... for you.

The head of the network is the real brains behind the cable system. A brain which can receive everything, produce everything and transmit everything.

As a center of reception, the head of the network picks up all channels, no matter what they are.

As a center of production, the head of the network creates its own channels with studios and editing, etc.

As a center of transmission, the head of the network decodes, if necessary, foreign channels so that every subscriber can receive them on their television.

No matter how old your T.V. is, whatever mark it may be, it can receive the cable.

Tomorrow, audio-visual techniques will have improved even more. But as far as you are concerned, nothing to worry about! The "head" is taking care of everything and with the cable you are, whatever happens, branched into the future!

France Télécom, dans quelques mois, aura câblé votre immeuble

■ Observe : — **Pendant quelques mois, F.T. câblera l'immeuble. Mais dans quelques mois, F.T. aura câblé l'immeuble.**

You already know the **futur antérieur** (cf. l. 48.) It is usually in relation with the future. But in this situation, it is employed alone. More precisely, it is in connection with a time complement **dans quelques mois** fixing a dead-line for an action to be completed.

• In other words: — **En quelques mois, F.T. câblera** l'immeuble.
→ — **Dans quelques mois, F.T. aura câblé** l'immeuble.

Un cerveau qui peut tout recevoir, tout produire, tout retransmettre

■ The transformation: NOM → VERBE or VERBE → NOM is often used to make the sentence more lively and fluent. The word endings (**suffixes**) have many different meanings, which are too varied to be listed in this lesson; but here are some of them:

-sion / -tion = a pending action: **recevoir → une réception / produire → une production / transmettre → une transmission;**
-age = the beginning of an action: **allumer → un allumage / démarrer → un démarrage**;
-ure = the result of an action: **blesser → une blessure / mordre → une morsure**;
-eur = the person doing the action: **coiffer → un coiffeur.**

Quel que soit l'âge de votre téléviseur, il peut recevoir le câble

■ Observe : — **Votre téléviseur peut avoir n'importe quel âge** ;
= — **Quel que soit l'âge de votre téléviseur, il peut...**

The construction **quel + que + être au subjonctif + sujet** indicates that all possibilities have been envisaged and do not influence the main action or situation.

• **quel**, adjective, agrees with the subject; ex.:
— **Quelle** que soit **la marque** de votre téléviseur, il peut...

• The subject, if already present in the main clause, is replaced by a pronoun placed before **être**:
quel + que + pronom sujet + être au subjonctif; ex. :
— Le réseau capte **toutes les chaînes**, quelles qu'**elles** soient.

• If the range of possibilities is very general or comprehensive, we use the following construction:
quoi (COD) + que + verbe au subjonctif; ex. :
— Vous êtes, **quoi qu'il arrive**, branché sur le futur !

Demain, l'audiovisuel aura encore progressé

A. ☐ *Transform according to the example:*

— **En quelques mois**, F.T. **câblera** votre immeuble. →
— **Dans quelques mois**, F.T. **aura câblé** votre immeuble.

— En 50 ans, les hommes exploreront le système solaire.
— En 3 mois, nous apprendrons les bases de la langue.
— En 4 jours, l'expédition montera au camp de base.
— En 5 minutes, le soleil se couchera.
— En quelques années, tout changera. → — . . .

Centre de réception, centre de production, centre de transmission

B. 1) ☐ *Transform the following sentences in order to make newspaper headlines:*

Model: La TV **retransmettra** ce soir la cérémonie. → Ce soir, **retransmission** de la cérémonie.

— Notre pays **a déclaré** son indépendance.
— La princesse et le boulanger **se sont mariés** ce matin.
— X, le joueur de football, **a été blessé** au genou.
— **Ceux qui se promènent** doivent faire attention au feu !

2) ☐ *The following transformations do not derive from the verb!:*

— Les astronautres **reviendront** ce soir de Mars.
— On **s'est trompé** dans le calcul des impôts.
— Le Club a **gagné** le match en demi-finale.

Vous êtes, quoi qu'il arrive, branché sur le futur !

C. ☐ *Rewrite the sentences in the two ways as follows:*

— Il peut **répondre** n'importe quoi ; je ferai ce que je veux. →
a) — Quoi qu'il **réponde**, je ferai ce que je veux.
b) — Quelle que soit **sa réponse**, je ferai ce que je veux.

— Elle peut **décider** n'importe quoi ; il faudra agir vite !
→ a) — . . . / b) — . . .
— Nous pouvons **produire** n'importe quoi ; nous devons chercher la qualité.
— Il peut **se passer** n'importe quoi ; elle partira.
— Tu peux m'**offrir** n'importe quoi ; ça me fera très plaisir.
— On peut **donner** n'importe quoi comme film ; je n'irai pas au cinéma.

Tests : Septième série
(leçons 60 à 69)

For each sentence, tick off the right answer.

1. — J'ai ... travaillé que je suis fatigué.
   a) □ si
   b) □ tant
   c) □ trop
   d) □ beaucoup

2. — Il a trop mangé de ... qu'il est malade.
   a) □ là
   b) □ la sorte
   c) □ sorte
   d) □ ce fait

3. — Elle est pressée c'est ... elle prend un taxi.
   a) □ pourquoi
   b) □ pour cela
   c) □ pour qu'
   d) □ pour quoi

4. — S'il ... son billet demain,
   c'est qu'il partira bientôt.
   a) □ achètera
   b) □ achète
   c) □ va acheter
   d) □ achèterais

5. — Rentrons vite avant qu'il ...
   a) □ pleut
   b) □ pleuvra
   c) □ ne pleuve
   d) □ ne pleuve pas

6. — C'est un poème trop difficile pour ...

a) □ être traduit
b) □ traduire
c) □ se traduire
d) □ qu'il est traduit

7. — En cas ..., téléphonez-moi.

a) □ d'avoir besoin
b) □ du besoin
c) □ d'un besoin
d) □ de besoin

8. — Pouvez-vous nous ... appeler votre nom ?

a) □ ré
b) □ re
c) □ r
d) □ (/)

9. — Repose-toi ... une tasse de thé.

a) □ prenant
b) □ en prenant
c) □ à prendre
d) □ par prendre

10. — Si tu as mal, ... appeler un docteur.

a) □ le meilleur c'est
b) □ c'est mieux
c) □ le mieux c'est d'
d) □ le mieux c'est

11. — Malgré ..., j'attendrai le dîner.

a) □ que j'ai faim
b) □ ma faim
c) □ que j'aie faim
d) □ d'avoir faim

12. — ... par le voyage, elle s'est couchée très tôt.

a) □ Fatiguée
b) □ Fatiguant
c) □ Etre fatiguée
d) □ Fatigué

13. — Le ministre, ... aux journalistes, a précisé sa position.

a) □ répondu
b) □ répondait
c) □ répondant
d) □ a répondu

14. — Elle a de beaux yeux bleus ...

a) □ foncé
b) □ -gris
c) □ (/)
d) □ pâles

15. — ... que tu prépares la salade, je mets la table.

a) □ Au moment
b) □ Pendant
c) □ Après
d) □ Parce

16. — Après ..., elle s'est habillée.

a) □ s'être coiffée
b) □ se coiffer
c) □ avoir coiffé
d) □ d'être coiffée

17. — Ce pull doit ... à l'eau froide.

a) □ laver
b) □ s'être lavé

c) □ se laver
d) □ avoir lavén

18. — Une fois . . ., il se sent reposé.
a) □ dormi
b) □ qu'il a dormi
c) □ avoir dormi
d) □ qu'il avait dormi

19. — Nous aurons fini . . . 10 minutes.
a) □ après
b) □ pour
c) □ pendant
d) □ dans

20. — Ils aiment faire la fête . . . soit l'occasion.
a) □ quelle que
b) □ quoi que
c) □ quel que
d) □ n'importe quelle

RÉPONSES

1 - b	2 - c	3 - a	4 - b
5 - c	6 - a	7 - d	8 - c
9 - b	10 - c	11 - b	12 - a
13 - c	14 - c	15 - b	16 - a
17 - c	18 - b	19 - d	20 - a

Leçon

70

Belle-Île-en-Mer : des loisirs de rêve

« Qui voit Belle-Île* voit son île. »

Quarante minutes après avoir quitté le port de Quiberon, « L'Acadie** » aborde[1] l'entrée du Palais par la jetée ouverte sur le large. **Le Palais, ville fortifiée et principal port de Belle-Île,** abrite[2] à l'ombre de ses remparts **un grand nombre de bateaux, barques de pêche et navires de plaisance.**

Ni trop petites, ni trop grandes, ni trop basses, ni trop hautes, les maisons de l'île ne ressemblent pas à celles du continent. Cette île de 87 km^2 charme dès qu'on y arrive. D'autres, avant vous, l'ont aimée. Flaubert, Claude Monet, Matisse, Colette y sont venus***.

Ce qui vous plaira : la couleur du ciel et de la mer.

Ce que vous aimerez : la diversité de ses plages.

Ce dont vous aurez envie, c'est de vous y promener à pied ou à cheval.

Ce dont vous vous souviendrez : le charme harmonieux de cette île où le ciel et la mer s'unissent au creux des rochers !

---

1. ***L'« Acadie » aborde...*** : ***aborder*** *(to board) is a navigation term. But we also say* ***aborder quelqu'un (dans la rue)*** *(to go up to sb):* — ***Je l'ai abordé pour lui demander mon chemin.***

2. ***Le Palais abrite...*** : ***abriter*** *= to shelter;* ***s'abriter*** *= to take shelter. Ex.:* — ***Il pleuvait, je me suis abrité dans un café.***

* ***Belle-Île*** *is an island in the South of Brittany* ***(le Morbihan).***

** ***L'« Acadie »****, the boat which operates between Belle-Ile and the mainland, gets its name from a Canadian province. In 1763, French Acadia*

Lesson

70 Belle-Île-at-sea: leisure activities to dream about

"He, who sees Belle-Île, sees his island."

Forty minutes after having left the Quiberon port, the "Acadia" reaches the entrance of Le Palais by the jetty jutting out into the open sea. Le Palais which is a fortified town and principal port of Belle-Île, shelters in the shade of its city walls a large number of boats, small fishing vessels and yachts.

Neither too small, nor too big, neither too low, nor too high, the houses of the island do not look like those from the mainland. This island of 87 square kilometers appeals to you as soon as you get there. Others, before you, have also liked it. Flaubert, Claude Monet, Matisse and Colette have been there.

What you will be delighted with is the colour of the sky and the sea.

What you will like is the variety of its beaches.

What you will really feel like is going for walks or riding.

What you will remember is the harmonious charm of the island where the sky and the sea coalesce in the holes of the rocks.

---

was handed over to the English. Therefore, a lot of Acadians came and settled down in Belle-Île, and introduced potato growing.

*** **Gustave Flaubert** *(1821-1880), is a French writer known for the stylistic perfection of his realistic novels* Madame Bovary*: (1857).* **Claude Monet** *(1840-1926) is a famous impressionist painter.* **Henri Matisse** *(1869-1954) is a painter and a sculptor.* **Colette** *(1873-1954) is a subtle and talented novelist.*

Ni trop petites, ni trop hautes...

■ You have learnt (cf. l. 49) how to coordinate two negative elements. In this text, **ni..., ni...** means an average between two extremes. Ex.:

— **Ce vin n'est ni bon, ni mauvais. (= il est ordinaire)**
— **Elle n'est ni belle, ni laide. (= elle est quelconque)**

• Varied constructions are possible:
with 2 adjectives; ex.:
— **46 ans? et alors! Tu n'es ni jeune ni vieux!**
with 2 nouns; ex.:
— **Si vous n'aimez ni le bruit ni le silence: allez à Belle-Île!**
with 2 verbs; ex.:
— **Elle n'aime ni rester assise ni courir.**
with adverbial phrases; ex.:
— **Je ne suis ni pour lui ni contre lui: je reste neutre!**

Ce dont vous aurez envie, c'est de vous promener

■ You know the relative pronoun **dont** (cf. l. 54.) Remember:
— **Je me souviens de ce paysage.**
→ — Voici **un paysage dont** je me souviens.

dont is used when the verb of the relative clause is formulated with a COI[2] introduced by **de**; for example:
avoir besoin de / avoir envie de / parler de / se souvenir de / avoir peur de

• Emphasis:
ce dont + verbe, c'est + de + nom (ou infinitif); ex.:
— Ce dont je me souviens, c'est de ce joli port.
— Ce dont on ne vous parle pas, c'est du vent breton si fort!

Le Palais, ville fortifiée, abrite un grand nombre de bateaux

■ Observe: — Le Palais **est une ville fortifiée.**
Le Palais abrite beaucoup de bateaux. →
— Le Palais, **ville fortifiée**, abrite beaucoup de bateaux.

In the above sentences, we are given information about **Le Palais**: a) **a specification** (X is Y); b) **a description**. By putting commas between the specific terms (**une apposition**), one can link those two pieces of information.

• Note that the article is omitted. An other example:
— Denys **est le fils de Marcel**;
Denys développe l'exportation. →
— Denys, **fils de Marcel**, développe l'exportation.

• Apposition is also employed to enlarge a term; ex.:
— Un grand nombre de bateaux, **barques et yachts**, s'abritent dans le port.

Ni trop hautes, ni trop basses...

A. ☐ *Simplify the following sentences using ni... ni...:*
— Ne venez pas trop tard ; ne venez pas trop tôt. → — ...
— Je ne veux pas être riche ; mais je ne veux pas être pauvre.
— Vous ne supportez pas les gens trop polis et vous ne supportez pas les gens trop directs.
— Elle n'aime pas maigrir ; elle n'aime pas grossir.

Ce dont vous vous souviendrez, c'est du charme de cette île

B. ☐ *Emphasize the COI[2] introduced by de → Ce dont..., c'est...:*
— J'ai besoin d'un dictionnaire bilingue. → — ...
— Il a envie d'un bon café !
— Nous parlons avec plaisir de votre conférence.
— Je me souviens bien de mon enfance en Savoie.
— Il a toujours peur de perdre.
— Elle a besoin d'être aimée.

des bateaux, barques de pêche et navires de plaisance, ...

C. ☐ *Put the specific terms into apposition:*
— Paris **est la capitale de la France**. Elle reçoit de nombreux visiteurs. → — ...
— Le Festival de Cannes **est une rencontre internationale de cinéma**. Il décerne chaque année une Palme d'or.
— Le requin **est un animal dangereux**. Il aime tuer.
— Le Chambertin **est un grand bourgogne rouge**. Il accompagne fort bien le fromage.

Leçon

71 Chasse au trésor

Septembre 1940 : quatre écoliers de Montignac, un village de Dordogne, se retrouvent loin des oreilles indiscrètes.

— Vous n'avez rien dit à vos parents ?
— Non. Ils croient qu'on est partis[1] pêcher sur la rivière.
— Bon... Des cordes, une pelle, des bougies : j'ai apporté tout ce dont on a besoin.
— Tu peux nous dire ce qu'on va faire avec tout ce matériel ? On va jouer à la guerre ?
— Mais non. Je vous propose quelque chose de bien plus excitant : on va chercher un trésor !
— Un trésor ? Ici ? Tu n'es pas fou ?
— Pas du tout. Ecoutez : **à force d'entendre les anciens** en parler, **j'ai fini par être certain** qu'il existe. Mais où ? J'ai ma petite idée ! Vous me suivez ?...
...Ça y est ! Regardez : derrière les buissons, il y a un trou ! **A force de chercher, on a fini par trouver** l'entrée.
— C'est moi qui entre le premier. Je vais m'encorder ; au cas où je glisserais, retenez-moi !... Oh, dites donc ! Oh la la !
— Quoi ? Qu'est-ce qu'il y a ? Tu as trouvé le trésor ?
— Venez vite : c'est fantastique ! Venez vite, je vous dis ! **Si j'avais prévu, j'aurais apporté** la torche de mon père... Regardez sur les parois : tous ces chevaux et ces bisons !
— Et là : on dirait des cerfs. Des rouges, des noirs ! Incroyable !
— Moi, j'ai peur. **Si j'avais su, je ne serais pas venu** !
— Tu n'es qu'un bébé ! Ouh !
— Je vais le dire... Je vais le dire aux parents !
Les quatre garçons ne savent pas encore qu'ils viennent de découvrir l'un des plus beaux sites préhistoriques du monde : la grotte de Lascaux*.

---

1. **on est partis** : *quite often* **on** = **nous**. *Note that, while the subject and the verb (on est) are in the singular, the participle agrees according to whether it is singular or plural (in this case, masc. pl.:* **partis***).*

* **la Grotte de Lascaux** *is known as the prehistoric* «*Chapelle*

Lesson
71

A Treasure Hunt

September 1940: four school children from Montignac, which is a village of Dordogne, found themselves far away from inquisitive eavesdroppers.
— You didn't say anything to your parents, did you?
— No. They think we've gone fishing down the river.
— Good... Some rope, a spade and some candles: I've brought everything we need.
— Can you tell us what we're going to do with all this stuff? Are we going to play war?
— Of course not! I've organised something a lot more exciting: we're going treasure hunting.
— Treasure hunting? Here? Are you crazy?
— Not at all! Listen: through hearing the elders talk about it, I'am now certain that it exists. But where? I've got my idea! Follow me...
...Here we are! Look: behind the bushes, there's a hole! Through searching so hard, we've now found the entrance.
— I'm going in first. I'm going to rope up; in case I slip, hold on to me!... Oh, well I say! Look at that!

— What? What is it? Have you found the treasure?
— Hurry up: it's fantastic! Hurry up, I said! If I'd known, I would have brought my father's torch... Look on the walls: at all those horses and bison!
— And what about there: they look like stags. Red ones and black ones. Incredible!
— I'm scared. If I'd known, I wouldn't have come!
— You're nothing but a baby.
— I'm going to tell them... I'm going to tell Mum and Dad!
The four boys still didn't know that they had just discovered one of the most beautiful prehistoric sites in the world: the Lascaux cave.

Sixtine *- thanks to its superb set of 17000 year old mural paintings. In order to avoid deterioration by air or micro organisms, it is now permanently closed. But an accurate replica (and an astonishing technical success) has been produced a few hundred meters from there to allow people nevertheless to have a look at this marvellous art work.*

À force d'entendre les anciens...

■ **à force de + infinitive** points out an intensive cause:
a) continuous: — **A force de chercher, il a trouvé la solution.**
b) repetitive: — **A force de fumer, tu te rendras malade.**

• You can also find **à force de** + noun (without article). Ex.:
— **A force de patience, elle réussira.**

j'ai fini par être sûr qu'il existe

■ **finir par + infinitive** shows that a result has been reached following a set of repeated events or efforts (so, like in the text, this construction is often connected with **à force de**). Ex.:
— **Je suis allé dans plusieurs agences et j'ai fini par trouver un appartement.**
— **En regardant toujours la télévision, il finira par avoir mal aux yeux.**

Si j'avais prévu, j'aurais apporté la torche de mon père

■ The construction **Si + plus-que-parfait, conditionnel passé** is called **irréel passé** (like the construction **cond. passé cond. passé** seen in lesson 56): it expresses a **trop tard**! statement:
— **Si j'avais prévu... mais je n'ai pas prévu ... j'aurais apporté une torche, mais je n'ai pas apporté de torche.**

• We only use the **Si + plus que parfait!** to show regret. Ex.:
— **Si j'avais su!**

À force de fouiller

A. ☐ *Replace the 1st clause by **à force de** + **infinitif**.*
Model:
— Il a **beaucoup** cherché : il a trouvé la solution. →
— A force de chercher, il a trouvé la solution.

— Il téléphone **beaucoup** : il va avoir une grosse facture à payer !
— J'ai mangé **beaucoup** de gâteaux : j'ai grossi.
— Nous avons **beaucoup** couru : nous avons attrapé le train.
— Elle frotte **beaucoup** : elle enlèvera la tache.
— Vous vous êtes **beaucoup** promenés : vous connaisez bien la ville.

on a fini par trouver l'entrée

B. ☐ *Use the transformed sentences of the previous exercise again. This time, change the 2d clause using **finir par** (watch tenses!).*
Model:
— A force de chercher, il a trouvé la solution. →
— A force de chercher, il a fini par trouver la solution.

Si j'avais su, je ne serais pas venu

C. ☐ *Transform the following statements in order to obtain an **irréel du passé**.*
Model:
— Je n'ai pas prévu. Je n'ai pas apporté de torche. →
— Si j'avais prévu, j'aurais apporté une torche.

— Elle n'a pas eu le temps. Elle n'a pas visité le musée.
— Vous ne nous avez pas donné l'adresse. Nous nous sommes perdus.
— Il n'a pas fait beau. Ils ne sont pas sortis de l'hôtel.
— J'ai réservé une place. J'ai pu prendre le bateau pour Belle-Ile.

Leçon

72 Un entraîneur de football* parle

En matière d'entraîneur, Créteil a fait exception à la règle, en optant pour une solution externe avec l'arrivée de Jacky L. en remplacement de J.-P. G.

— Jacky, après Orléans et Reims, vous voici à Créteil ?

— Oui, **puisque**, après avoir fini un contrat de trois ans avec Reims, en avril dernier, **il y a eu rupture** de la part des dirigeants[1].
— Créteil, ça s'est fait comment ?
— Le président, monsieur B., m'a contacté voici maintenant trois semaines **afin de savoir** si, éventuellement, je serais d'accord pour entraîner Créteil.
— Vous avez signé[2] jusqu'à la fin de la saison ?

— Exact ; après, on verra[3]...
— D'après vous, la situation de l'équipe de Créteil peut-elle être améliorée ?
— Il le faut ! Si tout le monde adhère[4] et applique les consignes, nous pourrons nous en sortir. **D'autant plus que la situation n'est pas désespérée**, **puisque l'équipe l'a prouvé** samedi dernier.
— J.-P. G. a accepté de vous seconder ; c'est un peu surprenant, non ?
— Pas vraiment, **d'autant plus qu'il possède** beaucoup de qualités humaines et, de plus, un esprit club. Ensemble, nous pouvons réaliser du bon travail, **afin de faire** de cette équipe de Créteil une équipe gagnante !

---

1. **il y a eu rupture de la part des dirigeants** = *les dirigeants ont rompu le contrat (rompre, rupture ; cf. l. 69).*
2. **Vous avez signé** : *signer un contrat ≠ rompre un contrat.*
3. **après on verra...** : *this expression shows doubt.*
4. **Si tout le monde adhère** : *in this example, adhérer = coopérer / travailler ensemble.*

Lesson

72 A football trainer is talking

On the subject of a trainer, Créteil made an exception to the rule, in opting for an outside solution to bring in Jacky L. to replace J.-P. G.

— Jacky, after Orléans and Reims, here you are in Créteil.
— Yes you're right, because after having finished a contract of three years with Reims, last April, there was a breach of contract on the part of the managers.
— How did Créteil come about?
— The president, Mr B., contacted me three weeks ago now to find out whether I would possibly agree to train Créteil.
— Have you signed the contract until the end of the season?
— Right; then, we'll see...
— In your opinion, can the situation of the Créteil team be improved?
— It has to! If everybody gets stuck in and follows instructions we may get out of it. All the more since the situation is not hopeless and the team proved that last Saturday.
— J.-P. G. accepted to second you. That's a bit surprising, isn't it?
— Not really, all the more because he has a lot of human qualities and he's club-minded as well. Together we can do a good job and make a winning team out of the Créteil team.

---

* **Football**. *It is important to distinguish the first division clubs (20 teams, 102 districts and 9 overseas leagues) from the second division clubs. France championships: 38 matches (19 first leg* [**match aller**] *and 19 second leg* [**match retour**] *) between the 20 teams. The league table is calculated on points: a victory = 3 points, a draw = 1 point, a defeat = 0. The winning team plays in the European football cup. The second and third teams play in the U.E.F.A. cup. The last two teams go into the 2nd division.*

Vous voici à Créteil puisqu'il y a eu rupture...

■ **puisque** quotes a cause already known by the speakers.
In other words:

— Cet entraîneur est à Créteil et cela est possible **parce que nous savons qu'**il y a eu rupture du contrat avec Reims. →
— Il a pu être nommé à Créteil **puisqu'**il y a eu rupture de contrat avec Reims.

Nous pourrons nous en sortir, d'autant plus que la situation n'est pas désespérée !

■ **d'autant plus que** stresses an intensive cause. This phrase indicates that there is an additional reason to do or not to do sth. Example:

— J'ai envie de rester chez moi, **d'autant plus qu'**il fait très froid dehors.

• Notice an other possibility:

— J'ai **d'autant plus** envie de rester chez moi **qu'**il fait très froid dehors.

• There is also the opposite phrase **d'autant moins que**. Ex.:

— Tu as **d'autant moins** envie de travailler **qu'**il y a un bon film à la télé.

M. B. m'a contacté afin de savoir si je serais d'accord...

■ Observe :

— Le président l'a contacté pour savoir si...
— Le président l'a contacté afin de savoir si...

In formal language, **afin de** is synonymous with **pour**.

• Remember: the use of the infinitive indicates that subjects are the same.
• Likewise, you will find:

afin que + subjonctif = pour que + subjonctif

Once again, this structure is likely to be found in administrative language. Ex.:

— Donnez-nous votre adresse **afin que nous puissions** vous écrire.

La situation n'est pas désespérée puisque l'équipe l'a prouvé

A. ☐ *Link the pieces of information with* ***puisque:***
— il est footballeur professionnel / il joue tous les matchs de son Club.
→ — ...
— il a eu un accident / il regarde le match à la télé.
— elle a horreur du football / elle ne suit pas la Coupe du monde.
— vous êtes néo-zélandais / vous parlez anglais.
— les enfants viendront dimanche / je prends des croissants.

Ce n'est pas surprenant, d'autant plus qu'il possède des qualités humaines

B. ☐ *Using* ***d'autant plus que*** *reinforce the cause:*
— L'entraîneur stimule les joueurs : ils ont un match important la semaine prochaine ! → — ...
— Les joueurs s'entraînent beaucoup : ils sont sélectionnés pour la Coupe de France !
— Le goal a été applaudi : il a arrêté 10 tirs au but !
— Ce joueur est très aimé du public : il n'est pas du tout vaniteux !
— Le président n'a pas voulu faire de fête : la caisse était vide !

... réaliser du bon travail afin de faire de cette équipe une équipe gagnante

C. ☐ *According to the situation, combine the following sentences with* ***afin de*** *or* ***afin que:***
— Téléphonez-moi demain : nous prendrons rendez-vous. → — ...
— Ecoutez-moi bien : vous ne vous tromperez pas.
— Je vais l'appeler : je saurai s'il vient ou pas.
— Envoie-lui un télégramme : il saura plus vite ce qu'il doit faire.

Leçon

73 L'O.M.[1] a tiré le gros lot[2] !

L'O.M. en rêvait. Le voilà exaucé ! En quart de finale, les Marseillais vont se frotter à l'ogre milanais[3], champion d'Europe en titre. L'Europe aura droit à ce Milan-Marseille dont tout le continent rêvait.

Marseille* a ses chances **sauf si le leader de l'équipe tombe malade** au dernier moment. Mieux vaut que P. et ses camarades se préparent pour tenter d'éliminer le champion d'Europe !

Du côté italien, on dirait que ce n'est pas la joie[4]. **Non pas que les Milanais tremblent sous prétexte de devoir affronter l'OM, mais parce que la pelouse du stade milanais n'est pas prête** et ils pensent très sérieusement chercher un terrain digne d'eux à Turin ou ailleurs.

Le tirage au sort a donc décidé de cette rencontre qui aura lieu les 6 et 20 mars prochains **sauf si l'UEFA change la date** pour des raisons de calendrier.

---

1. **L'O.M.** = *the football club l'Olympique de Marseille.*
2. **L'OM a tiré le gros lot** : ***tirer le gros lot*** *(to draw the first prize) is mainly used in the figurative sense.*
3. **l'ogre milanais**. *Exaggerated statements are often found in sports articles: journalists always seem to use far-fetched metaphors and elaborate images to describe the passion of their favourite sport. In this article, the Milanese team is compared to the ogre which is going to eat Tom Thumb (le Petit Poucet).*
4. **ce n'est pas la joie** *is a colloquial expression evoking disappointment.*

* **Marseille** *is the second largest city in France (more than 1 million inhabitants) and the first trade harbour. Import (food grains, coffee,*

Lesson

73 The M.O. drew the first prize!

The M.O. used to dream about it. Here they all are with their wish granted. In the quarter final, the players from Marseilles are going to cross swords with the ogre from Milan, the European title champions. Europe has the right to this Milan / Marseilles match which the entire continent has been dreaming about.

Marseilles has a good chance, except if the captain of the team falls sick at the last moment. It is better for P. and his fellow players to get ready if they want to have a go at eliminating the European champions!

As for the Italian side, it doesn't look too good. Not that the Milanese are trembling at the thought of having to confront the M.O., but because the field of the Milanese park is not yet ready and they are very seriously thinking about looking for a ground suitable enough for them in Turin or elsewhere.

So, the drawing of lots determined this encounter which will take place on the 6th and the 20th of next March except if the UEFA changes the date for schedule reasons.

---

cotton, fertilizers, leather, petroleum) is more imortant than export. It is one of the busiest passenger harbours in the world. Marseilles and its region is also an important industrial area: ship-building, mechanical and electrical engineering, oil and soap factories (le **savon de Marseille** *is a famous household soap), food-processing, tannery and petrochemistry. It is also a city renowned for its writers, Marcel Pagnol in particular. In his dramatic trilogy (***Marius, Fanny, César***), often made into a film, the characters speak with a typical southern accent (stress being put on the last syllable).*

Marseille a ses chances, sauf si le leader de l'équipe tombe malade

■ Remember (cf. l. 51):

— **Les joueurs sont tous là, sauf Jacques.**

sauf si points out a envisaged exception or an opposite assumption. Compare:

— **Marseille (= l'équipe de Marseille) a ses chances si le leader ne tombe pas malade.** →

— **Marseille a ses chances sauf si le leader tombe malade.**

Non pas que les Milanais tremblent...

■ When one wants to contemplate a cause which is not the real cause (in order to reject it and to word the correct cause), one uses the following structure:

non pas que + verbe au subjonctif, mais parce que + verbe à l'indicatif

— **Il n'a pas répondu, non pas qu'il veuille être impoli, mais parce qu'il a oublié.**

• You will also find:

ce n'est pas que + verbe au subjonctif, mais parce que + verbe à l'indicatif

— **Je ne reprends pas de gâteau : ce n'est pas qu'il soit mauvais mais (parce que) j'ai peur de grossir !**

... sous prétexte de devoir affronter l'OM...

■ **sous prétexte de + infinitif** or **sous prétexte que + verbe à l'indicatif** express a cause set out as being true by a third party, but **a cause which the speaker does not believe in**.

— **Sous prétexte qu'il est malade, il ne fait rien dans la maison !**

La rencontre aura lieu en mars, sauf si l'UEFA change la date

A. ☐ *Use **sauf si** instead of **si ne pas** (pay attention to the changes!):*
— Je viendrai te voir demain si je n'ai pas d'empêchement. →
— . . .
— Il doit réussir son but s'il ne glisse pas sur l'herbe humide.
— Nos joueurs devraient gagner le prochain match si leur moral n'est pas atteint.
— Tu peux aller à l'entraînement si tu n'as plus de fièvre.

... mais parce que la pelouse du stade n'est pas prête

B. ☐ *Answer putting the verbs into the correct mood and tense:*
— Pourquoi les Milanais ne sont-ils pas très heureux?
a) — Ce n'est pas qu'ils . . . (avoir peur) des Marseillais mais parce qu'ils . . . (penser) que la pelouse du stade n'est pas prête à les recevoir.
b) — Ce n'est pas que nous . . . (ne pas vouloir) jouer contre l'équipe de Marseille mais parce que nous . . . (estimer) que les conditions matérielles ne sont pas bonnes pour nous.

... sous prétexte qu'ils doivent affronter l'OM...

C. ☐ *Construct sentences with **sous prétexte que**:*
— Il est en retard (il y avait grève de métro, dit-il !). → — . . .
— Le match a été arrêté (il neigeait trop, paraît-il).
— L'arbitre a sifflé (un joueur avait touché le ballon avec la main, croit-il !).
— Elle a refusé de venir (elle avait du travail à finir, prétend-elle !).
— Il prend trois cafés (ça le réveillera, croit-il !).

Leçon

74

La voile (1)

Interview d'une championne

« J'adore la course en solitaire*. **C'est la solution la plus facile pour être seule**. C'est tellement simple d'être maître de ta vie quand tu fais face à des éléments[1] qui te dépassent complètement et sur lesquels tu n'as aucune prise[2]. »

Elle dit tranquillement : « Il y a eu une force **inconsciente** qui m'a poussée presque malgré moi vers le large. Avant de naviguer, j'avais entrepris des études de médecine. J'aurais pu être chirurgien parce que je suis très manuelle et que j'aime la mécanique ! Mais ça a été plus fort que moi. Je serais **incapable** de dire pourquoi je me suis retrouvée à 20 ans seule au milieu de l'Atlantique. »

« En mer, je ne pense à rien. C'est génial de ne penser à rien. Je ne réfléchis pas. J'ingurgite des émotions. Je vis les choses avec une force **incroyable** parce que je les vis d'une façon complètement égoïste. »

Elle n'a pas de mari, pas d'enfant, pas de prince charmant. Elle a choisi de vivre « comme un mec »[3] et ça choque. Les gens ne comprennent pas. Une femme qui vit seule parce qu'elle l'a choisi, c'est **rarissime**. Elle veut vivre autonome et libre même si elle avoue aimer être entourée de ses amis !

---

1. **quand tu fais face à des éléments** : *faire face à + nom = affronter (to confront, to face up to).*
2. **tu n'as aucune prise** : *avoir prise sur + nom = to have a hold on / over.*
3. **un « mec »** *(very informal l.) = un homme (a guy / a bloke).*

Lesson

74

Sailing (1)

Interview with a Champion

"I love solo competition sailing. It's the easiest solution for being alone. It's so simple to control your life when you face up to the elements which are difficult to handle and which you have no control over."

She casually says: "There was a subconscious force which pushed me almost against my will towards the open sea. Before sailing, I had started medical studies. I could have been a surgeon because I'm very practical and I love mechanics. I couldn't help it. I'd be incapable of telling you why I found myself alone in the middle of the Atlantic at the age of 20."

"At sea, I think about nothing and it's fantastic having nothing on your mind. I ponder over nothing. I ingest my emotions. I experience things with an incredible force because I experience them in a completely selfish way."

She has no husband, no children and no prince charming. She has decided to live "like a bloke" and that shocks people. They do not understand. A woman who lives alone because she has chosen to, is extremely rare. She wants to be independent and free even if she admits to enjoying having her friends around.

---

* **La Route du Rhum** *(The Rum Sea Trail) was created in 1978. It takes place every four years. This transatlantic race is open to all sailing-ships between 35 and 85 feet long.*

C'est la solution la plus facile...

■ In this example, the superlative (cf. l. 27) is used to emphasize purpose:

— C'est **la solution la plus facile pour être seule.**

• One could also say:

— C'est **la meilleure solution pour** être seule.

• Note the following construction:

— **La meilleure chose que tu puisses faire pour** te rassurer, c'est de lui téléphoner.

Why the subjunctive? Because of carefulness!: the superlative is a very categorical expression; the subjunctive enables you to qualify an opinion. We can also say:

— **La seule chose que je puisse faire pour réussir**, c'est de persévérer.

C'est rarissime

■ The suffix **-issime** shows an absolute superlative. It comes from Latin and Italian but has never really filtered its way into the French language. However, it is found in clichés (ex.: **Altesse Sérénissime**), or when one wants to give a special effect of emphasis.

• You will also hear:

— C'est très très rare.

Une force inconsciente

■ Remember: **in-** is used to form adjectives of opposite meaning:
conscient → inconscient / croyable → incroyable

Before an adjective beginning with **p- / b- / m-**, **in-** becomes **im-**:
possible → impossible / buvable → imbuvable / mobile → immobile

Before an adjective beginning with **l-**: **in- → il-**:
lisible → illisible

Before an adjective beginning with **r-**: **in- → ir-**:
réalisable → irréalisable

• The prefix **in-** often competes with **non-**:
croyant → non-croyant / incroyant

... pour être seule

A. ☐ *Beginning with: **La meilleure / la seule chose que tu...**, give advice to a friend:*

— qui cherche un livre rare : — ...
— qui a perdu l'adresse d'une amie
— qui cherche un appartement bon marché
— qui n'a plus de cigarettes à 2h du matin
— qui ne trouve plus ses clés de voiture

C'est « très très » rare

B. ☐ *Rewrite the adjective using the suffix* ***-issime:***

— Catherine ? une concurrente très très **célèbre** ! → — ...
— Louis XIV ? un roi très très **illustre** !
— M. X. ? un industriel très très **riche** !
— De la neige au mois d'août sur la Côte d'Azur ? un phénomène très très **rare** !
— Ce Bourgogne ? un vin tout à fait **sublime** !

Je serais incapable de dire pourquoi

C. ☐ *Form the opposite adjective:*

— une intention pure → une intention ...
— un travail utile → un travail ...
— une erreur prévisible → une erreur ...
— une attitude rationnelle → une attitude ...
— une réponse logique → une réponse ...
— un conducteur prudent → un conducteur ...
— un résultat mérité → un résultat ...

Leçon

75 La voile (2)

Portrait d'une championne.

Plus le soleil brûlant s'approche du zénith, **plus** la solitude atlantique de Catherine s'évapore. L'alizé[1] daigne se lever et le voilier louvoie péniblement, à raser les plantations de bananiers d'où glissent de lourdes risées chargées d'humidité. Le voilier aux coques dorées démarre par à-coups; Catherine sort du cockpit et traverse le trampoline.

Visiblement exténuée, elle peine à reprendre sans cesse les innombrables écoutes qui jonchent le pont de son trimaran. Cheveux attachés, lunettes de soleil sur le nez, anneau doré à l'oreille droite et bracelet adhésif au poignet en guise de gri-gri[2], le look décontracté cache en fait une énorme concentration. **D'autant que** le vent se plaît à faire des tourbillons...

Eole[3] décidément monte rapidement d'un cran. **Rassurée**, Catherine retrouve souffle et sérénité, **d'autant que** le voilier fonce[4] dans une traînée d'écume vers la ligne d'arrivée*.

---

1. **l'alizé** *is a trade wind which blows all year round from the East on the western part of the Atlantic.*
2. **un gri-gri** *is a kind of amulet used as a lucky charm.*
3. **Eole** *is the mythological god of wind.*
4. **le voilier fonce** *: in this sentence,* **foncer = aller à toute vitesse** *(to tear along, to go at full speed).*

Lesson

75 Sailing (2)

The Portrait of a Champion.

The more the scorching sun approached its zenith, the more Catherine's Atlantic solitude vanished into thin air. The trade wind thought it fit to rise and the sailing boat tacked with difficulty, to drift past the banana plantations over which heavy breezes saturated with humidity were skimming. The sailing boat with gilded hulls set off in fits and starts. Catherine came out of the cockpit and went across the trampoline.

Obviously exhausted, she struggled to keep taking the countless sheets which were scattered over the deck of her trimaran. With her hair tied back, she was wearing sunglasses, a gilded ring in her right ear and a sticky silver bracelet on her wrist used as a gris-gris, but the relaxed look in actual fact hid a tremendous concentration. All the more since the wind was having fun in whirling up.

Eole undoubtedly moved up a notch quickly. Reassured, Catherine got her breath and serenity back, but just as well as the sailing boat charged into a drag of foam towards the finishing line.

---

* **Guadeloupe** *is the biggest island of the French West Indies. It became a French colony in 1816, and has been an overseas department since 1946. The climate is warm with a lot of rain and cyclones. Sugar cane takes up 50% of the island making it an important sugar and rum producer. La Guadeloupe also grows bananas, pineapples, coffee and cocoa. Despite tourism development, the absence of real industries is causing serious economic problems. The Guadelupians are dark-skinned and mulattos. Many emigrate to France.*

Plus le soleil brûlant s'approche du zénith...

■ **Plus... plus...** enables you to parallel the evolution of two states.
— **Plus je me couche tard, plus je me lève tard.**

• The evolution can be negative:
Moins... moins...
— **Moins il travaille, moins il a envie de travailler.**

• One can also insist on an evolution in opposite directions:
Plus... moins... / Moins... plus...
— **Plus il est fatigué, moins il a envie de travailler.**
— **Moins vous mangerez, plus vous maigrirez.**

Visiblement exténuée, elle peine à reprendre les écoutes

■ This participle, in apposition, clearly expresses a cause:
— **Comme Catherine est exténuée, elle peine...**

This elliptic turn of phrasing is mostly used in written language.

• The participle at the beginning of a sentence can also express a temporal action added to the causal idea:
— **Arrivée à la gare**, elle s'est promenée en ville. =
— **Après être arrivée,... / — Une fois qu'elle est arrivée...**

• Of course, the implied subject of the participle has to be the same as in the main clause.

... d'autant que le vent se plaît à faire des tourbillons

■ You know **d'autant plus que...** (cf. l. 72).
d'autant que... has the same meaning and is more often used in spoken language:
— Non, je ne l'invite pas ;
d'autant qu'il ne m'a pas répondu ! =
— ... **à plus forte raison puisqu'**il n'a pas répondu.

..., plus la solitude atlantique de Catherine s'évapore

A. ☐ *Set out a parallel in the same or opposite direction:*
— / il mange / il grossit / → — ...
— / elle parle / elle écoute les autres /
— / nous lisons / nous apprenons /
— / il est tard / j'ai envie de dormir /
— / sa fille écrit / elle est inquiète /

Rassurée, Catherine retrouve souffle et sérénité

B. ☐ *Simplify using a participle at the beginning of the sentence:*
— Comme elle est fatiguée, elle travaille à mi-temps. → — ...
— Comme il est très énervé, il ne veut pas te parler en ce moment.
— Comme vous êtes bien entraînés, vous allez gagner cette course.
— Comme ils étaient très motivés, ils ont remporté la victoire.

... d'autant que le voilier fonce

C. ☐ *Reinforce the expression of cause:*
— Travaille bien la grammaire : tu as un examen dans 8 jours. → — ...
— Tu peux prêter ton dictionnaire à ton frère : tu en as deux.
— Catherine mérite de gagner : elle a mis toute son énergie dans cette course.
— J'ai envie de vous inviter avec les Martin : vous les connaissez bien.

Leçon

76 Montpellier, cité de la terre

Aux portes de la ville, un Centre de Recherche Agronomique de réputation internationale: Agropolis, technopole[1].

Un cortège officiel parcourt la ville pour arriver à Agropolis. Dans la Renault 25, un chef d'Etat africain pense au programme de recherche qui pourra l'aider à résoudre un problème de développement posé à son pays. L'événement est en passe de devenir routinier à Montpellier. A l'intérieur de ce petit paradis de l'agronomie méditerranéenne et tropicale, enseignants, chercheurs et industriels travaillent ensemble: de la génétique aux procédés de transformation.

La Faculté de Médecine, célèbre depuis des siècles, ainsi que la présence de l'E.N.S.A. et de l'I.N.R.A.[2], **ont favorisé** la création de nouveaux départements **tant de recherche que de dévelopement** industriel. En 1985, le mouvement de décentralisation **a permis** le départ de Paris de centres de recherche qui se sont implantés à Montpellier, **ce qui a entraîné et incité la ville à faire** des choix ambitieux.

Bientôt, un musée offrira au public un voyage à travers l'évolution des rapports entre sciences, technologies et sociétés, comme la Cité des Sciences de la Villette[3] l'a déjà fait pour Paris.

---

1. **Agropolis, technopole** : *-pole / -polis is a suffix of Greek origin which means "a city". -* **Agro** *- is part of "agronomy" and -* **techno** *- of "technology". Some words of the -pole family:* **mégalopole, métropole**. *In France, nowadays, there are about twenty -* **technopoles** *-.*
2. **l'E.N.S.A. et l'I.N.R.A.** : *Here are a few acronyms which stand for the most important agronomical research institutes in France:*

Lesson

76 Montpellier, a city of the earth

At the gates of the city, there is an Agronomic Research Center of international reputation: Agropolis, techno-pole.

An official cortège is going through the city heading towards the Agropolis. In the Renault 25, an African head of state is thinking about the research programme which will help him to solve a problem of development affecting his country. This event is likely to become routine in Montpellier. Inside this little paradise of mediterranean and tropical agronomy, professors, researchers and industrialists work together: from genetics to the processes of transformation.

The Faculty of Medicine, which has been famous for centuries, as well as the presence of the E.N.S.A. and the I.N.R.A., have favoured the creation of new departments for research as well as for industrial development. In 1985, the decentralization movement allowed research centers to leave Paris and be set up in Montpellier, which influenced and urged the town to make ambitious choices.

Soon, a museum will give the public an insight into the revolution of the relations between sciences, technologies and societies, and in the same way as the City of Sciences in Villette has already done for Paris.

— l'E.N.S.A. : École supérieure d'agronomie;
— l'I.N.R.A. : Institut national de la recherche agronomique;
— l'O.R.S.T.O.M. : Institut de recherche scientifique pour le développement en coopération.

3. **la Cité des Sciences de la Villette** : *to know more about this Center, see lesson 78.*

Verbs by themselves are sometimes all that is required to express cause. Here are some of them.

La faculté de médecine et la présence de l'INRA et de l'ENSA...

■ FAVORISER — Pourquoi créer de nouveaux départements de recherche à Montpellier ?
— **A cause de** la réputation de la faculté de médecine et **grâce à** la présence de l'ENSA.

In emphasizing positive or **favourable** elements which have promoted the creation of the Center, the verb **favoriser** expresses the same causal idea.

Le mouvement de décentralisation...

■ PERMETTRE — Pourquoi de nouveaux centres se sont-ils implantés ?
— C'est parce qu'il y a eu un mouvement de décentralisation que de nouveaux centres **ont pu** être implantés à Montpellier.

The verb **permettre** accentuates the cause and adds an idea of permission or opportunity.

De nouveaux centres de recherche se sont implantés...

■ ENTRAÎNER — Pourquoi la ville a-t-elle fait des choix ambitieux ?
— Parce que la création de ces nouveaux centres de recherche l'a conduite à le faire.

The verb **entraîner** establishes a very explicit relation between a cause and a consequence.

■ INCITER est un verbe de sens voisin.
inciter qq'n à faire qqch = donner envie à qq'n de faire qqch / pousser qq'n à faire qqch.

La création de nouveaux départements tant de recherche...

■ To show that two spheres are both relevant, we say:
a) **tant de + nom que de + nom**
b) **aussi bien de + nom que de + nom**
c) **de + nom comme de + nom**

... ont favorisé la création de nouveaux départements

A. ☐ *Transform according to the model:*
— Grâce à la faculté → création de nouveaux centres.
— La faculté a favorisé la création de nouveaux centres.

— Grâce au soleil → implantation de cultures tropicales.
— Grâce au vent → victoire de Catherine.
— Grâce à la visite du Premier ministre → signature d'accords culturels.

... a permis l'implantation de centres de recherche

B. ☐ *Complete and put the verb into the tense in brackets:*
— Hier, un cortège officiel . . . (parcourir ; passé composé) la ville : un chef d'Etat africain . . . (venir ; imparfait) visiter Agropolis, ce qui lui . . . (permettre ; passé composé) de rencontrer les responsables de la recherche agronomique. Récemment, ceux-ci . . . (découvrir ; passé composé) une variété de coton comestible qui . . . (permettre ; futur) de nourrir les populations des régions tropicales.

... ce qui a entraîné et incité la ville à faire des choix ambitieux

C. ☐ *Complete and put the verb into the tense in brackets:*
— La mer lui . . . (donner envie ; passé composé) de se consacrer à la voile.
— Les bons résultats du club . . . (pousser ; présent) l'équipe de football à croire à la victoire.
— Le jeune garçon . . . (entraîner ; passé composé) ses camarades à explorer la grotte.
— Les besoins de nombreux pays . . . (inciter ; futur) les chercheurs à développer le secteur agro-alimentaire.

... que de développement industriel

D. ☐ *Replace **de... comme de...** by **tant de... que de...**:*
— J'ai besoin de calme comme de réflexion.
— Il a présenté un projet de développement comme de coopération.
— Catherine doit faire preuve de courage comme de calme.

Leçon

77

Montpellier, cité d'avenir

Place au soleil !

Soyez les bienvenus :
MONTPELLIER* **vous** accueille.

En avance

pas besoin d'être la plus grande pour être la première dans les matières d'avenir : première au palmarès des villes les plus dynamiques de France ; première en création d'entreprises et d'emplois.

Inspirée

elle fait courir les artistes et les publics du monde entier : **festivals** internationaux de musique, de danse, de cinéma ; **concerts** à l'Opéra Berlioz, **congrès** internationaux au Palais des Congrès.

Naturelle

dans l'Hérault, le soleil va plus loin que la plage. Toute l'année, dans tous les domaines de la qualité de la vie : **Nature, Culture, Sport, Gastronomie**.

Dans un merveilleux environnement entre Méditerranée, Camargue et Cévennes, Montpellier rime avec la défense de l'écologie... une écologie au service des hommes.

Réservez dès aujourd'hui **votre** place au soleil !

---

* ***Montpellier** and its region are a part of southern France. Its climatic, cultural and economic appeal accounts for such a success. Being so close to Spain and well connected with the rest of Europe, the future of this regional*

Lesson

77 Montpellier, a city of the future

A place in the Sun!

Feel welcome:
MONTPELLIER greets you.

Well ahead,

You don't need to be the biggest in order to be the first in matters of the future: first on the prize list of the most dynamic cities in France; first in the creation of companies and employment.

Inspired

It brings in artists and people from all over the world: international festivals of music, danse and cinema; concerts at the Berlioz Opera, international congresses at the Palais des Congrès.

Natural

In the Hérault, the sun goes further than the beach. All year round, in every aspect concerning the quality of life: Nature, Culture, Sport, Gastronomy.

In a wonderful environment between the Mediterranean, the Camargue and the Cévennes, Montpellier goes hand in hand with the defense of ecology... an ecology in the service of mankind.

Book straight away your place in the sun!

---

metropolis is promising. It is equipped with an international airport and the TGV (a high-speed train) brings it closer to other regional capitals: Lyon, Bordeaux, Toulouse and Marseille.

COMPREHENSION

This advertisement gives you an insight into descriptive language, and especially into a few forms expressing cause.

Inspirée...

■ — **Pourquoi Montpellier fait-elle courir les artistes?**
— **Parce qu'elle est inspirée.** →
— **Inspirée, elle fait courir les artistes.**

The past participle and its possible complements or an adjective, placed at the head of a sentence emphasizes the cause in an elliptic way a process obviously appreciated in advertising.

Pas besoin d'être la plus grande...

■ The expression **pas besoin de...** is elliptic:
— **(La ville n'a) pas besoin d'être la plus grande pour être la première.**

This form belongs to spoken language or advertisement jargon (when one wants to impress somebody).

Festivals, concerts, congrès...

■ It is usual practice to remove the article in the case of an enumeration. This process, which is frequent in written language, enables you to accentuate a set of advantages (as seen in this text on tourism).

• Note the irregular plural form:
un festival → **des festivals** (normally **-al** → **-aux** in the plural; ex.: **un journal** → **des journaux**).

Montpellier vous accueille

■ Notice this process of personalization, common in advertisements. The text is referring to "you", the readers of the newspaper.

Naturelle...

A. □ *Emphasize the cause (with an adjective or a participle at the head of the sentence):*

— Comme elle est anglaise, elle lit le Times. → — ...
— Cette plage est très fréquentée parce qu'elle est ensoleillée toute la journée.
— Ce livre est agréable à lire parce qu'il est bien écrit.
— Comme elle bien équipée, la ville de Montpellier attire de nombreux touristes.

... pour être la première

B. □ *Give a full construction:*

— Pas envie de vous reposer ? → — ...
— Pas utile de prendre un parapluie !
— Pas bon de rester trop longtemps au soleil.
— Pas facile de répondre !

Nature, culture, sport, gastronomie...

C. □ *Simplify the following enumerations:*

— Les hommes, les femmes, les enfants, les vieilles personnes, tout le monde était sorti dans la rue.
— Des pommes, des poires, du raisin, des prunes... : le marché propose chaque jour tous les fruits de la région.
— La station vous offre toutes les possibilités : du ski nautique, de la voile, du surf, de la plongée...
— Agropolis est une véritable ville scientifique : des laboratoires, des salles de conférences, des bibliothèques, des centres de documentation...

Soyez les bienvenus

D. □ *Personalize the following sentences (using* **vous** *and verbs in the future):*

— Tout le monde se plaît à Montpellier ! → — Vous ...
— On apprécie son accueil !
— Les gens adorent la région !
— Chacun y trouve des loisirs selon ses goûts !

Leçon 78

La cité des Sciences et de l'Industrie

Sur l'emplacement des anciens abattoirs, au nord-est de Paris, la « Cité de la Villette » occupe un terrain de 55 hectares. Ce complexe culturel, le plus grand de la capitale, veut offrir à tous le plaisir de comprendre le monde des sciences, des techniques et de l'industrie. La « Cité » :

— **C'est tout d'abord** le Musée. Sa construction est marquée par trois thèmes :

— **d'une part** l'EAU, transition entre l'univers et la vie ;

— **d'autre part** la VÉGÉTATION (grâce à ses façades bioclimatiques ouvertes sur le parc) ;

— **et surtout** la LUMIÈRE, « source d'énergie du monde vivant ».

— **C'est aussi** un parc de 30 hectares. Vous pourrez vous promener dans les jardins thématiques, jouer dans les prairies ou visiter les serres.

— **C'est encore** la Grande Halle (témoignage architectural des anciens abattoirs) qui accueille spectacles de théâtre et expositions de peinture.

— **C'est par ailleurs** le cinéma. Non seulement la « Géode » (un écran-coupole de 1 000 m^2) mais encore le « Cinaxe », une salle qui suit tous les mouvements proposés par les images (vous vivez sans danger les effets les plus spectaculaires !).

— **C'est enfin** la Cité de la Musique qui abrite le Conservatoire de Paris et un village d'artistes.

Dans le Musée, vous pourrez passer des heures passionnantes :

— **soit** à « Explora », une exposition permanente comprenant quatre secteurs : **1°** De la Terre à l'Univers ; **2°** L'Aventure de la Vie ; **3°** La Matière et le Travail de l'Homme ; **4°** Langages et Communication.

— **soit** à la médiathèque.

— **ou encore**, pour les enfants de 3 à 12 ans, à l'« Inventorium ».

— **ou enfin** dans le superbe planétarium.

Un dernier conseil : pour découvrir la « Cité », prenez un bateau et faites la croisière sur les canaux qui la parcourent !

Lesson **78**

The City of Sciences and Industry

On the site of the old abattoirs, in the North-East of Paris, the "Cité de la Villette" occupies 55 hectares of land. This cultural complex, the largest in the capital, gives everybody the pleasure of understanding the world of sciences, techniques and industry. La "Cité":

— It is first of all a museum. Its construction is marked by three themes:

— on the one hand WATER, transition between the Universe and life;

— on the other hand VEGETATION (thanks to its bioclimatic façades opening on to the park);

— and especially LIGHT, "source of energy of the living world".

— It is also a park of 30 hectares. You can go for walks in the thematic gardens, play in the acres of grassland or visit the glasshouses.

— It is still the Great Hall (an architectural landmark of the old abattoirs) which hold theatre performances and art exhibitions.

— It is furthermore a place of cinema. Not only the "Geode" (a screen dome of 1000 sq m) but also the "Cinaxe", an auditorium which follows all the impressions brought about by the frames of the film (you experience without any danger the most spectacular effects!).

— It is finally the City of Music which houses the Paris Conservatoire and a village of artists.

In the Museum, you can spend enthralling hours:

— either at "Explora", a permanent exposition comprising of four sectors: 1° "From the Earth to the Universe"; 2° "The Adventure of life"; 3° "Matter and the work of mankind"; 4° "Languages and communication";

— either at the mediathèque;

— or more so, for children from 3 to 12, at the "Inventorium";

— or finally in the superb planetarium.

A last piece of advice: in order to to discover the "Cité", take a boat and do the cruise on the canals which go through the cité!

This lesson gives you a few ways to accumulate facts or ideas. Logical connections, called **termes d'articulation**, link together a series of information.

C'est tout d'abord le Musée...

■ If you want to classify a set of facts or ideas and to avoid the addition aspect of a simple enumeration 1°, 2°, 3° / **premièrement, deuxièmement, troisièmement**, you should use:

(tout) d'abord... ensuite... enfin...

The French are fond of logical distributions in three parts. However, you may have more facts to expose. Here is a good example:

d'abord... **aussi... encore... également... par ailleurs...** enfin

D'une part l'eau, d'autre part la végétation

■ If you want to establish a parallel between facts or ideas, you can use the following construction:

d'une part... d'autre part

Or else:

non seulement... mais encore...

Soit à Explora, soit à la médiathèque...

■ If you want to offer a range of possibilities, you can use:

a) for an alternative:
soit... soit...

b) for several choices:
soit... soit... ou encore... ou enfin...

... C'est enfin la Cité de la Musique

A. ☐ *Here is a set of qualities. Grade the three most important ones according to the man or the woman of your dreams:*
la beauté / la bonté / la culture / la générosité / Le goût de l'aventure / l'humour / l'intelligence / l'intuition.

— Ce que je cherche chez lui / chez elle :
— C'est d'abord ...
— C'est ...
— ...

Non seulement la Géode mais encore le Cinaxe

B. ☐ *Rewrite the following sentences using* ***d'une part / d'autre part*** *or* ***non seulement / mais encore:***
— Montpellier vous offre les avantages d'une grande ville et les plaisirs de la campagne et de la mer.
— Pour chaque leçon, cette méthode propose une page de compréhension et une page de pratique.
— Je veux pouvoir parler et écrire le français.
— Le Musée expose de la peinture et de la sculpture.

... ou encore à l'Inventorium ou enfin dans le planétarium

C. ☐ *Express a choice using* ***soit / soit:***
— A notre carte : un menu à 70 francs ou un menu gastronomique.
— Qu'est-ce que vous préférez : aller au cinéma ou dîner au restaurant ?
— Vous pouvez aller à Montpellier par le TGV ou par avion.
— Il fallait fermer la grotte de Lascaux ou voir disparaître cette merveille de l'art.

Leçon

79

Arianespace

« Chers auditeurs, vous allez pouvoir suivre en direct avec nous le lancement d'Ariane 4* qui emporte dans son « nez » deux satellites de communication. J'ai **en effet** en ligne notre correspondant au Centre Spatial de Kourou. Je lui passe **donc** l'antenne »...

... « Merci, Fabrice. Pour vous, en France, il est 9 heures. **C'est-à-dire** qu'ici, en Guyane française, il est 4 heures du matin. Il fait nuit **et pourtant** il fait très chaud. Mais le ciel est dégagé et il n'y a pas de vent : les conditions sont **donc** optimales. **D'ailleurs**, l'optimisme règne dans la salle de contrôle où je me trouve : **en effet**, depuis que le compte à rebours a commencé, les écrans affichent tous « R.A.S. »**.

Je profite de ces dernières minutes pour expliquer à nos auditeurs pourquoi on a choisi de construire un Centre Spatial Européen si loin de l'Europe. Deux facteurs ont **notamment** joué : **avant tout** une situation géographique idéale (Kourou se trouve pratiquement à l'Équateur ; **ainsi**, pour échapper à l'attraction terrestre, les fusées profitent de « l'effet de fronde ») ; **en outre**, sa position face à l'Atlantique, dans une région de savane fort peu peuplée... Mais voici les dernières secondes... 6, 5, 4, 3, 2, 1, 0...

... Encore un tir réussi ! **Ainsi**, Kourou est vraiment « le plus court chemin vers l'Espace » !...

... Quarante secondes après le départ, le premier étage vient de se détacher et Ariane poursuit sa route triomphale, s'éloignant à toute allure de la Terre. Ici, tout le monde s'embrasse et le champagne coule à flots ! Les satellites vont bientôt tourner sur leur orbite. Souhaitons **donc** qu'ils aident les hommes à mieux communiquer ! »

---

* ***Arianespace*** *is a European company (France accounts for nearly 60% of it). After the successes of Ariane 4, the series of Ariane 5 is to begin in 1995. The first flight, unmanned, of the hypersonic plane Hermès (launched by*

Lesson
79

Arianespace

"Dear listeners, you are going to be able to enjoy with us, live, the launching of Ariane 4 which is taking in its 'nose' two communications satellites. I have in actual fact our correspondent at the Kourou Spatial Center on the line. I'll therefore put him on the air"...
... "Thank you, Fabrice. For you, in France, it is 9 am. In other words, in French Guiana, it is 4 o'clock in the morning. It's night-time, and nevertheless very warm. But the sky is clear and there is no wind: the conditions are therefore optimal. Moreover, optimism is prevailing over the control room where I am now. It's quite true because since the count down started, all the screens show 'RAS'.

I'd like to take advantage of these last few minutes to explain to our listeners why we chose to construct a European Spatial Center so far away from Europe. Two factors played an important role notably: before anything else an ideal geographic situation (Kourou is practically situated next to the equator; so to escape gravitional pull, the rockets benefit from "the sling effect"); but also, its position which faces the Atlantic in a savannah-region sparsely populated indeed... But here are the last seconds... 6, 5, 4, 3, 2, 1, 0...
... Once again another successful blast off. No doubt, Kourou is really "the shortest way into Space"!...
Forty seconds after the take off, the first stage has just come away and Ariane is following its triumphant path, moving away from the Earth at full speed. Everybody is hugging each other and champagne is flowing freely. The satellites are going to turn into their orbit very soon. Therefore, let's hope that they will help mankind to communicate better!"

Ariane 5) will take place in 1998 and, a year later, the first manned flight. Finally, Europe anticipates the creation of Pallas, its own autonomous orbital station, in the year 2000.
** ***R.A.S. = rien à signaler*** *(nothing to report).*

COMPREHENSION

As for the previous lessons, we will give you a few ways to connect your ideas together and to structure your texts. In this lesson, you will mostly learn **how to develop** an idea.

A Paris, il est 9 heures...

■ If you want to introduce an explanation differently or an equivalent, you can use:
c'est-à-dire or **en d'autres termes**

Deux facteurs ont notamment joué...

■ If you want to accentuate an exemplary explanation, you can use:
notamment or **surtout**

• If you want to specify and to grade the elements of an example, you can use:
avant tout... de plus... en outre

J'ai en effet en ligne notre correspondant...

■ If you want to express proof or an argument, you can use:
en effet

• If you want to feature a very explicit consequence, you can say:
donc or **ainsi**

D'ailleurs l'optimisme règne

■ If you want to add a new element of understanding, you can say:
d'ailleurs

• If you want to provide a contradictory element, you can use:
pourtant or **par ailleurs**

... c'est-à-dire qu'en Guyane il est 4 heures du matin

A. ☐ *Introduce the terms in brackets in the sentence using* ***c'est-à-dire*** *or* ***en d'autres termes:***
— Les fusées doivent s'arracher à la pesanteur (à l'attraction terrestre).
— Il travaille à Kourou (au Centre spatial Européen).
— La Villette (la Cité des Sciences) est un énorme complexe culturel.

... avant tout sa situation géographique; en outre sa position face à l'Atlantique

B. ☐ *Replace* ***d'abord*** *with* ***notamment*** *or* ***avant tout:***
— Belle-Ile attire de nombreux touristes d'abord à cause de sa Côte Sauvage.
— La Dordogne est célèbre pour ses grottes préhistoriques, d'abord celle de Lascaux.
— Montpellier est réputée depuis le Moyen Age, d'abord grâce à sa Faculté de Médecine.

... je lui passe donc l'antenne

C. ☐ *Replace the sign → either with* ***donc*** *or* ***en effet*** *(according to the meaning):*
— Descartes a dit : « Je pense → je suis. »
— Le restaurant est fermé : → le « chef » est malade.
— Enfin, l'été ! → nous sommes le 21 juin.
— Elle fait un régime → elle ne mange plus de gâteaux.

Il fait nuit et pourtant il fait très chaud

D. ☐ *Connect the following sentences choosing* ***d'ailleurs*** *or* ***pourtant:***
— Je ne sors pas ce soir. / Je suis très fatigué. → — ...
— Je ne sors pas ce soir. / J'ai très envie d'aller au concert.
— Catherine est championne de voile. / La mer n'est pas une vocation.
— Catherine est très adroite de ses mains. / Elle aurait pu être chirurgien.

Tests : Huitième série
(leçons 70 à 79)

For each sentence, tick off the right answer.

1. — Je n'ai pas compris ... vous m'avez parlé.

a) ☐ dont
b) ☐ quoi
c) ☐ de ce que
d) ☐ ce dont

2. — ... café ... thé pour moi, merci !

a) ☐ Ni le / ni le
b) ☐ Pas le / pas le
c) ☐ Ni / ni
d) ☐ Ni du / ni du

3. — ... lire, j'ai mal aux yeux.

a) ☐ A
b) ☐ A cause de
c) ☐ Pour trop
d) ☐ A force de

4. — Si tu ..., tu aurais rencontré Marie.

a) ☐ étais venu
b) ☐ venais
c) ☐ viendrais
d) ☐ serais venu

5. — Nous partons maintenant afin... trop de monde sur la route.

a) ☐ que nous n'ayons pas
b) ☐ de ne pas avoir
c) ☐ ne pas avoir
d) ☐ qu'il n'y a pas

6. — ... tu en as envie, viens avec nous.

a) ☐ Puisque
b) ☐ Parce que
c) ☐ Comment
d) ☐ Car

7. — Il n'a pas répondu ...
il a perdu notre adresse.

a) ☐ c'est parce qu'
b) ☐ sous prétexte qu'
c) ☐ sauf s'
d) ☐ comme

8. — Ouvre la fenêtre ... tu as froid.

a) ☐ sauf
b) ☐ sauf si
c) ☐ sinon que
d) ☐ sauf que

9. — C'est ... chose que vous puissiez faire.

a) ☐ la meilleure
b) ☐ une seule
c) ☐ la mieux
d) ☐ une meilleure

10. — Dépêche-toi, ... nous sommes en retard.

a) ☐ autant que
b) ☐ d'autant que
c) ☐ plus que
d) ☐ tellement que

11. — ... ses enfants, il a construit sa maison.

a) ☐ Grâce
b) ☐ Aidé à
c) ☐ D'être aidé par
d) ☐ Aidé par

12. — C'est une région tant de culture ... histoire.

a) □ que d'
b) □ comme d'
c) □ tant d'
d) □ soit d'

13. — Ce voyage nous a ... de découvrir d'autres cultures.

a) □ incités
b) □ entraînés
c) □ permis
d) □ favorisés

14. — ... intelligent, il a réussi facilement le concours.

a) □ Comme
b) □ Pour être
c) □ D'être
d) □ Très

15. — ... j'apprends ... j'ai envie d'apprendre.

a) □ Meilleur / meilleur
b) □ Plus / plus
c) □ Mieux que / mieux que
d) □ Plus que / plus que

16. — Connaître une langue c'est ... la parler.

a) □ le premier
b) □ d'abord
c) □ surtout
d) □ en avant

17. — Venez ... jeudi soit vendredi.

a) □ soit
b) □ ou

c) □ ou bien
d) □ (/)

18. — La région est célèbre d'une part pour ses vins . . . pour ses fromages.
a) □ autre part
b) □ d'autre part
c) □ l'autre part
d) □ de l'autre part

19. — Connaissez-vous la Hollande, . . . les Pays-Bas.
a) □ aussi
b) □ notamment
c) □ d'ailleurs
d) □ c'est-à-dire

20. — Elle vit à Paris, . . . dans la capitale.
a) □ dont
b) □ en effet
c) □ donc
d) □ c'est

RÉPONSES

1 - d	2 - c	3 - d	4 - a
5 - b	6 - a	7 - b	8 - b
9 - a	10 - b	11 - d	12 - a
13 - c	14 - d	15 - b	16 - b
17 - a	18 - b	19 - d	20 - c

Leçon
80

Les Français vus par le major Thomson

Comment définir ces gens qui passent leur dimanche à se proclamer républicains et leur semaine à adorer la Reine d'Angleterre ; qui disent : « En avril, ne te découvre pas d'un fil », mais arrêtent tout chauffage le 31 mars ; qui sont sous le charme lorsqu'un de leurs grands hommes leur parle de leur *grandeur*, de leur *grande* mission civilisatrice, de leur *grand* pays, de leurs *grandes* traditions, mais dont le rêve est de se retirer, après une bonne *petite* vie dans un *petit* coin tranquille, sur un *petit* bout de terre à eux, avec une *petite* femme qui, se contentant de *petites* robes pas chères, leur mitonnnera de bons *petits* plats ?

Un pays de 43 millions de planètes pensantes* qui ont chacune leur petite idée de derrière la tête, et dont les citoyens tous différents, et tous semblables parce qu'ils veulent être différents, ne cessent de se disputer pour conclure :
« Au fond, nous sommes bien d'accord... »

*43 millions... en 1954. En 1990 : 56 millions.

Lesson

80 The French as seen through the eyes of Major Thomson

How can you define thèse people who spend their Sundays declaring themselves as being republicans and their week days adoring the Queen of England; who say: "In April, do not take off a single garment", but turn the heating off on the 31st of March; who are held spellbound when one of their great leaders talk to them about their greatness, about their great civilizing mission, about their great country and about their great traditions, but whose dreams are to retire after a comfortable life somewhere nice and quiet, on a small piece of land of their own, with a nice little wife who, being quite satisfied with simple inexpensive dresses, and who will cook for them tasty dishes with loving care?

A country of 43 million thinking planets, all of which have their own little idea in the back of their minds, and whose citizens are all different and all similar because they want to be different, and never stop arguing in order to conclude:
"Basically, we wholeheartedly agree with each other..."

J'ai dit que vous étiez sceptiques, méfiants, parcimonieux, le miracle c'est que vous êtes également enthousiastes, confiants, généreux. Si demain vous deveniez disciplinés, exacts, silencieux, un grand malheur se serait abattu sur le monde. Car les défauts, chez vous, ne sont que l'envers de vos qualités. S'il est vrai que le plaisir naît des contrastes, vous êtes le plus plaisant peuple de la terre.

Le miracle est, avec la vigne, l'une des principales cultures de la France. Un pays à nul autre pareil où les fermes, les églises, les manoirs sont si bien inscrits dans le paysage qu'ils semblent avoir été conçus en même temps que lui.

Extrait de : *Les Carnets du Major Thomson*
de Pierre Daninos

I said that you were sceptical, suspicious, parsimonious, and amazingly enough you are also enthusiastic, confiding and generous. If you were to become disciplined, thorough and silent tomorrow, a great misfortune would sweep down on the world because faults, where you are concerned, are nothing but the wrong side of your qualities. If it is true that pleasure gives birth to contrasts, you are the most pleasant people on earth.

Marvels along with the vines are one of France's principal cultivations. An unmatched country where farms, churches and manors are so well integrated into the countryside that they seem to have been conceived at the same time.

Extract from: *Les Carnets du Major Thomson*
by Pierre Daninos

Leçon 81

La vitesse

Il faut bien le dire — et ce n'est pas la moindre de ses curiosités — l'automobilisme est une maladie, une maladie mentale. Et cette maladie s'appelle d'un nom très joli : la vitesse. Avez-vous remarqué comme les maladies ont presque toujours des noms charmants ? La scarlatine, l'angine, la rougeole, le béri-béri (. . .), etc. Avez-vous remarqué aussi que, plus les noms sont charmants, plus méchantes sont les maladies ?... Je m'extasie à répéter que la nôtre se nomme : la vitesse... Non pas la vitesse mécanique qui emporte la machine sur les routes, à travers pays et pays, mais la vitesse (. . .) qui emporte l'homme à travers toutes ses actions et ses distractions... Il ne peut plus tenir en place, trépidant, les nerfs tendus comme des ressorts, impatient de repartir dès qu'il est arrivé quelque part, en mal d'être ailleurs, sans cesse d'ailleurs, plus loin qu'ailleurs... Son cerveau est une piste sans fin où pensées, images, sensations ronflent et roulent, à raison de cent kilomètres à l'heure. Cent kilomètres, c'est l'étalon de son activité. Il passe en trombe, pense en trombe, sent en trombe, aime en trombe, vit en trombe. La vie de partout se précipite, se bouscule, animée d'un mouvement fou (. . .) et disparaît cinématographiquement, comme les arbres, les haies, les murs, les silhouettes qui bordent la route... Tout autour de lui, et en lui, saute, danse, galope, est en mouvement, en mouvement inverse de son propre mouvement. Sensation douloureuse, parfois, mais forte, fantastique et grisante, comme le vertige et comme la fièvre.

Octave Mirbeau : *La 628—E—8* (1905).

Lesson

81

Speed

You have to admit it — and it is not the least of its curiosities — automobilism is an illness, a mental illness. And this illness has a nice name: speed. Have you noticed that illnesses nearly always have delightful names? Scarlatina, pharyngitis, measles, beriberi, etc. Have you also noticed that, the more delightful the names are, the nastier the diseases are. I go into raptures every time I repeat that ours is called: speed. Not mechanical speed which takes the engine along the roads, across countries and countries, but the speed which takes man through all his actions entertainments. He cannot keep still, vibrating, nerves wound up like springs, impatient to leave again as soon as he gets somewhere, yearning to be elsewhere, always wanting to be elsewhere, farther than elsewhere... His brain is a track with no end where thoughts, images and sensations throb and roll along, at a hundred kilometres an hour. A hundred kilometres is the standard of his activity. He sweeps in like a whirlwind, thinks like a whirlwind, feels like a whirlwind, loves like a whirlwind and lives like a whirlwind. Life rushes at you from everywhere, jostles about, animated by the hustle and bustle and disappears cinematographically, like trees, hedges, walls and silhouettes which line the road. Everything around him, in him, jumps, dances, gallops, is in rhythm, in opposite rhythm to his proper rhythm. A painful sensation, at times, but strong, fantastic and exhilarating, like vertigo and fever.

Leçon

82 Coco Chanel

A 71 ans, lorsqu'on lui demandait à quoi avait tenu sa victoire, elle faisait appel à des notions simples. Elle disait : un vêtement a une logique. Elle n'avait fait que la respecter.

Elle pensait que les hommes n'étaient pas faits pour habiller les femmes. Mais elle leur assignait néanmoins une place déterminante : dans le public. Il fallait leur plaire, c'était là l'essentiel. Son succès personnel, le triomphe du Chanel look ne pouvait s'expliquer autrement. Elle le devait entièrement, disait-elle, à l'approbation masculine et plus particulièrement à celle de la rue. De là était venue la consécration.

Tout avait été difficile mais elle avait modifié le costume féminin et imposé un style à la rue, son style fait d'implacable rigueur et de sobriété.

— La rue m'intéresse plus que les salons, affirmait-elle.
Elle disait aussi :
— J'aime que la mode descende dans la rue mais je n'admets pas qu'elle en vienne.

C'était peut-être oublier un peu vite ce qu'elle devait à ses premières sources d'inspiration. Elle avait en effet

Lesson

82

Coco Chanel

At 71, when you used to ask her what she owed her victory to, she resorted to simple notions. She would say: a garment is logical. All she did was respect it.

She used to think that men were not made for designing women's clothes. She nevertheless acknowledged the fact that they had an important role in the public eye. You had to please them, that was the deciding factor. Her personal success, the triumph of the Chanel look could not be explained any other way. She owed it completely, she said, to male appraisal and in particular to the man in the street. From this stemmed her consecration.
Everything had been difficult but she had modified women's fashion and imposed a style on everyday life, and her style was of a relentless rigour and sobriety.

— Everyday life interests me a lot more than high society, she affirmed.
She also used to say:
— I like fashion to get out onto the streets but I disapprove of it coming from there.

It has perhaps been forgotten a little too quickly to what she owed her initial sources of inspiration. She had in

trouvé les éléments de son alphabet personnel dans les vêtements de travail et d'usage, les uniformes, ce que portaient les marins et les jockeys. Mais il y avait tant et tant d'années de cela. On ne pouvait nier que pour mettre au féminin des vêtements masculins, il avait fallu les réinventer.

Elle allait pendant dix-sept ans encore régner en solitaire, respectée du temps et encore belle. Le travail l'avait ennoblie. Elle demeurait sourde aux protestations, sourde à tout ce qui n'était pas cette forme nouvelle qui lentement se précisait et qu'elle travaillait d'une main si sûre qu'il semblait qu'elle ne pouvait pas se tromper.

d'après Edmonde Charles Roux :
L'Irrégulière ou mon itinéraire Chanel

actual fact found the elements of her personal "alphabet" from working and everyday clothes, uniforms, those which sailors and jockeys used to wear for example. But that was years and years ago. One could not deny that to get male garments into women's fashion, they had to be reinvented.

For another 17 years she was still to rule out on her own, showing no sign of age and still beautiful. Her work gave her nobility. She remained deaf to criticism and deaf to everything which was not a part of her new idea of fashion. An idea that was slowly becoming clearer and which she achieved with such a clever touch that it seemed impossible for her to go wrong.

Adapted from Edmonde Charles Roux:
L'Irrégulière ou mon itinéraire Chanel

Leçon

83

Choses vues par Victor Hugo

Victor Hugo a tenu, pendant toute sa vie, un journal. En voici un extrait, concernant les journées révolutionnaires de 1839. Le 12 mai*, il écrivait :

« A trois heures[1], je rentre dans mon cabinet. Ma petite fille vient d'ouvrir ma porte, tout effarée, et m'a dit : "Papa, sais-tu ce qui se passe ? On se bat au pont Saint-Michel." Je n'en peux rien croire. Nouveaux détails. Un cuisinier de la maison et le marchand de vin voisin ont vu la chose. Je fais monter le cuisinier. En passant sur le quai des Orfèvres**, il a vu un groupe de jeunes gens tirer des coups de fusil sur la préfecture. Une balle a frappé le parapet près de lui...

Je sors. Je suis les boulevards. Il fait beau. La foule se promène dans ses habits du dimanche. Beaucoup de femmes et d'enfants. Trois tambours de la garde nationale, vieux soldats, l'air grave, passent en battant le rappel. La fontaine du Château-d'Eau jette bruyamment sa belle gerbe de fête[2]. Derrière, la grande grille et la grande porte de la mairie du Vème arrondissement*** sont fermées l'une et l'autre. Je remarque dans la porte de petites meurtrières.

Rien à la porte Saint-Martin que beaucoup de foule qui circule[3] à travers les régiments d'infanterie et de cavalerie stationnés entre les deux portes. Le théâtre de la porte Saint-Martin ferme ses bureaux****. On enlève les affiches sur lesquelles je lis : Marie Tudor*****. Les omnibus marchent******. Dans tout ce trajet, je n'ai pas entendu de fusillade, mais la foule et les voitures font grand bruit[4].

Lesson

83

Things seen through the eyes of Victor Hugo

Victor Hugo kept, all his life, a diary ("Things seen"). Here we have an extract, concerning the revolutionary days of 1839. On May 12th, he wrote:

"At three o'clock I was going into my study. My little girl had just opened the door, completely alarmed, and said: 'Dad, do you know what's happening? There is fighting going on at Saint-Michel bridge.' I couldn't believe a word of it. New details. One of the house cooks and the neighbouring wine merchant had seen what was going on. I got the cook to come up. Walking alongside the Orfèvres embankment he had seen a group of youngsters firing rifle shots at the Paris police headquarters. A bullet had hit the parapet close to him...

Then I went out. I walked along the boulevards. The weather was beautiful. Crowds of people were out walking in their Sunday clothes. There were lots of women and children. Three drummers from the National Guard, who were old soldiers, went solemnly past calling to arms. The fountain of the Château d'Eau was bursting a beautiful shower of festivity. Behind it, the large gate and door of the 5th arrondissement Town Hall were both closed. I noticed little loopholes in the door.

There was nothing at the Saint-Martin gateway but a host of people moving through the infantry and cavalry regiments stationed between the two gateways. The theater 'de la Porte Saint-Martin' was closing its offices. People were taking down posters on which I could read: Marie Tudor. The omnibuses were running. Along the whole way, I couldn't hear any gunfire, but the crowd and the cars were making a lot of noise.

... Vers trois heures, deux ou trois cents[5] jeunes gens[6] ont brusquement investi la mairie du VIIème arrondissement, ont désarmé le poste et pris les fusils... Il y a parmi eux beaucoup d'enfants de quatorze à quinze ans******. Quelques-uns ne savent pas charger leur fusil, d'autres ne peuvent le porter... »

... To understand the events mentioned in Victor Hugo's text:

* **Le 12 mai 1839**. *On May 12th 1839, the anarchists Barbès and Blanqui tried to stir up trouble in Paris through an insurrectionary movement. Rioters began by ransacking a gunsmith's and then headed towards the Town Hall* **(l'Hôtel de Ville)**. *The rallied National Guard turned them out of both places. Rebels were sentenced to death. Victor Hugo spoke for Barbès to king Louis-Philippe.*

** **Le quai des Orfèvres** *is on l'île de la Cité (the heart of Paris). The Law Courts and the* **Sainte-Chapelle** *are situated there.*

*** **Les Vème et VIIème arrondissments**. *The capital's districts do not correspond to the division as in those days. For example, the* **Château-d'Eau** *quarter, close to the* **Gare de l'Est**, *is now in the 10th arrdt.*

**** **Les portes Saint-Martin et Saint-Denis**. *These two gates are arches of triumph built by Louis XIV. Since the mid XIXth century,* **Saint-Martin** *quarter and the Squares* **de la République** *or* **de la Bastille** *are the traditional gathering places for marches and mass demonstrations. The theatre* **de la Porte Saint-Martin** *is still running and has held a lot of important premières.*

***** **« Marie Tudor »**, *a play by V. Hugo, was produced for the first time at the* **Porte Saint-Martin** *Theatre in September 1833.*

****** **Omnibuses** *were public transport coaches drawn by horses. These double-deckers had open air tops. They were the forerunners of the present buses.*

... Around three o'clock, two or three hundred youngsters suddenly invested the Town Hall in the 7th arrondissement, disarmed the guardroom and took the rifles... There were a lot of children about fourteen and fifteen years old amongst them. A lot of them did not know how to load their rifles and others could not even hold them..."

******* *The young rioter who could be Hugo's model for* **Gavroche** *might have been one of these children!*

1. **à trois heures** : *when the context is clear enough, the French do not specify in the morning or in the afternoon. If necessary (at stations, airports and so on) we say:* ***3 heures (= 3 heures du matin)*** *or* ***15 heures****.*

2. **sa belle gerbe de fête** : ***gerbe*** *in this sentence is an image: the fountain water jet opens out like a spray of flowers. We also say* ***gerbe*** *for a wheat sheaf. We speak of* ***une gerbe de fleurs*** *for a big bouquet like the one which an official lays down on the Unknown Soldier's Grave (Arch of Triumph).*

3. **Rien à la porte Saint-Martin que beaucoup de foule** : *you know* ***il n'y a que....*** *In this case,* ***Rien que...*** *shows the exclusive and surprising number of strollers:* ***Il n'y a rien (ou personne) d'autre qu'une nombreuse foule.***

4. **les voitures font grand bruit** : ***grand = beaucoup de****. Nowadays, considered as formal language and affected speech.*

5. **deux ou trois cents jeunes gens** : *remember that cent is a numeral adjective. It is put into the plural when it is multiplied but not when followed by an other figure. Compare:*
— ***quatre cents (4 x 100)*** *;*
— ***quatre cent trois (4 x 100 + 3)****.*

6. **des jeunes gens**. *In the singular, we have:* ***une jeune fille / un jeune homme****. But in the plural:* ***des jeunes filles / des jeunes gens****.*

Leçon
84 Une chanson d'Édith Piaf

« Milord »

Refrain :
Allez venez Milord[1]
Vous asseoir ma table
Il fait si froid dehors
Ici c'est confortable !

Laissez-vous faire Milord
Et prenez bien vos aises[2]
Vos peines sur mon cœur
Et vos pieds sur une chaise
Je vous connais Milord
Vous ne m'avez jamais vue
Je ne suis qu'une fille du port
Une ombre de la rue.
Pourtant je vous ai frôlé[3]
Quand vous passiez hier
Vous n'étiez pas peu fier
Dame[4] ! Le ciel vous comblait
Votre foulard de soie
Flottant sur vos épaules
Vous aviez le beau rôle
On aurait dit le Roi !
Vous marchiez en vainqueur
Au bras d'une demoiselle
Mon Dieu, qu'elle était belle !
J'en ai froid dans le cœur[5].
Refrain

---

1. **Milord** *is a French adaptation of "my Lord".*
2. **Prenez vos aises** *: **prendre ses aises** = make yourself at home.*
3. **je vous ai frôlé** *: **frôler** = to brush against sb (literal sense)/to come within a hair's breadth of sth (figurative sense); — **Il a frôlé l'accident**.*

A song by Édith Piaf

"Milord"

Chorus:
Come along Milord.
Sit down at my table
It is so cold outside
It's cosy in here!

Let me look after you Milord
And make yourself at home
Your sorrows on my heart
And your feet on a chair
I know you Milord
You have never seen me
I am only a girl from the wharf
A shadow of the street
Yet I brushed against you
When you passed yesterday
Weren't you a little proud
Indeed! Heaven was on your side
Your silk scarf
Floating on your shoulders
You had the best part
One would have said the king!
You walked victoriously
In the arms of a maiden lady
My goodness, was she beautiful!
It sends shivers through my heart.
Chorus

---

4. ***Dame!*** *is an old-fashioned exclamation emphasizing the relation between cause and effect = "Why yes!"*
5. ***J'en ai froid dans le cœur****. We usually say:* ***J'en ai froid dans le dos*** *"It sends shivers down my spine". In this case, the songwriter replaced "back" with "heart" in order to show her jealousy.*

Dire qu'[6] il suffit parfois[7]
Qu'il y ait un navire
Pour que tout se déchire
Quand le navire s'en va
Qui l'emmenait avec lui
La douce aux yeux si tendres
Qui n'a pas su comprendre
Qu'elle brisait votre vie.

L'amour ça fait pleurer
Comme quoi l'existence
Ça vous donne toutes les chances
Pour les reprendre après.

Allez venez Milord
Vous avez l'air d'un môme[8]
Laissez-vous faire Milord
Venez dans mon royaume
Je soigne les remords
Je chante la romance
Je chante les Milords
Qui n'ont pas eu de chance
Regardez-moi Milord
Vous ne m'avez jamais vue
Mais... vous pleurez Milord!
Ça, je l'aurais jamais cru!

Refrain

Eh bien, voyons Milord,
Souriez-moi Milord.
Mieux que ça; un petit effort!
Voilà, c'est ça!
Allez riez Milord!
Allez chantez Milord!
La la la la; mais oui!
Dansez Milord! Bravo Milord!
La la la... encore Milord!

---

6. **Dire que** = « *quand on pense que...* » — ***Et dire qu'il n'a que 20 ans!*** = *To think he's only 20!*
7. **il suffit que** + *subj.* = *"it only takes... to..."*

To think that it only takes
A ship at times
For everything to be torn apart
When the ship goes away
It took with her
The softness of such tender eyes
Who did not know how to understand
That she broke your life.

Love makes you cry
Which goes to show that life
Gives you every chance
Only to take it away again

Come along Milord
You look like a kid
Let me take care of you
Come into my kingdom
I attend to remorse
I sing about romance
I sing about the Milords
Who have had no luck
Look at me Milord
You have never seen me
But... are you crying Milord!
Well, well, I would never have believed it.

Chorus

Well, come on now Milord
Give me a smile Milord
Better than that; just a little more effort!
There we are, that's it!
Come on laugh Milord!
Come on sing Milord!
La la la la; but yes!
Dance Milord! Bravo Milord!
La la la la... one more time Milord!

---

8. **un (une) môme** *(col.) = "a kid". Edith Piaf was named* **• la môme Piaf •** *(see l. 5).*

* *This song by Moustaki is one of Edith Piaf's most popular songs. "Such a kind-hearted girl from the wharf* **(une fille du port)** *is a deep-rooted theme in French popular songs" and faithfully consoles bourgeois or workers suffering from broken hearts.*

Leçon

85

Juliette...

Juliette Gréco n'est pas tout à fait une chanteuse de variétés. Chic et gavroche, douce et cynique, gaillarde et sophistiquée, elle symbolise l'insolence de la liberté et son mystère. Elle est magnifiquement elle-même : "Je suis comme je suis", dit-elle. Elle le chante, elle le vit sur scène et dans son jardin privé.

Elle a chanté "Si tu t'imagines ; xa va, xa va, xa va durer toujours, ce que tu te goures..." Elle ne s'était pas "gourée", ça dure. Voilà un bon bout de temps que Gréco chante et elle continue. Elle maintient une tradition qui résiste aux modes, peut-être parce qu'elle a toujours été en état de "démode" dans le sens que donne au mot Sonia Rykiel. Hors mode en quelque sorte. Comme le 5 de Chanel, les pulls en cachemire, Molière, le foie gras pour les fêtes... Du classique, du basique dont on ne peut se passer, qui fait partie de la vie quotidienne, de la culture la plus générale. Tous les spectateurs, des plus branchés aux plus chicos, en passant par les vrais fans, tous ont repris en chœur avec les paroles : on ne savait même plus qu'on les connaissait !

Lesson

85 Juliette...

Juliette Gréco is not exactly a variety singer. Elegant and a street urchin, soft and cynical, bold and sophisticated, she symbolizes the arrogance of freedom and its mystery. She is magnificently herself: 'I am what I am' she says. She sings it, she portrays it on stage and in her private life.

She once sang: 'If you think that'll, that'll, that'll last forever, you've boobed...' She didn't 'boob', it still lasts. It is now some time since Gréco has been singing and she has lasted. She keeps up a tradition which resists crazes, perhaps because she has always been in a state of 'outmoded' in the sense given to the word by Sonia Rykiel. Out of fashion in some sort of way. Like Chanel's N° 5, cachemire pullovers, Molière and foie gras for special occasions... Classics which one cannot do without and which are a part of daily life and culture in a general sense. The entire audience, from those in the know to the well-to-do, not forgetting the real fans, have all sung the words in chorus together: they didn't even know they still remembered them!

D'une certaine manière, Gréco incarne cet insolent esprit d'indiscipline, sinon de liberté. Elle a débuté avec une chanson "La rue des Blancs-Manteaux" que Sartre lui avait écrite pendant la grande vogue des cabarets rive gauche, avec leurs chanteurs pacifistes à guitare : Barbara qui interprétait Brassens et Catherine Sauvage, Léo Ferré...

Elle représente un modèle de chanson "typiquement française" avec mélodie raffinée, refrain nostalgique, paroles composant un petit scénario dramatique, langoureux, coquin.

D'après Colette Godard,
journaliste au *Monde,*
à l'occasion du récital de « retour » de la chanteuse.

In a certain way, Gréco incarnates this insolent mind of indiscipline, if not of freedom. She began with a song 'La rue des Blancs-Manteaux' that Sartre had written for her during the very popular period of the cabarets on the left bank, along with their pacifist guitar singers: Barbara who interpreted Brassens and Catherine Sauvage, Léo Ferré...

She represents an example of a 'typical French' song, with refined melody, nostalgic refrain, and words composing a little dramatic, langourous and mischievous scenario.

Adapted from an article by Colette Godard,
a journalist from *Le Monde,*
written at the time of the singer's "comeback" recital.

Leçon

86 Deux poèmes de Verlaine

Il pleut doucement sur la ville
Arthur RIMBAUD.

Il pleure dans mon cœur
Comme il pleut sur la ville ;
Quelle est cette langueur
Qui pénètre mon cœur ?

Oh bruit doux de la pluie
Par terre et sur les toits !
Pour mon cœur qui s'ennuie
Oh le chant de la pluie !

Il pleure sans raison
Dans ce cœur qui s'écœure.
Quoi ! Nulle trahison ?. . .
Ce deuil est sans raison.

C'est bien la pire peine
De ne savoir pourquoi
Sans amour et sans haine
Mon cœur a tant de peine !

Romances sans paroles

Chanson d'automne

Les sanglots longs
Des violons
De l'automne
Blessent mon cœur
D'une langueur
Monotone.

Tout suffocant
Et blême, quand
Sonne l'heure,
Je me souviens
Des jours anciens
Et je pleure ;

Et je m'en vais
Au vent mauvais
Qui m'emporte
Deçà, delà,
Pareil à la
Feuille morte.

Poèmes saturniens

Lesson

86

Two Poems by Verlaine

A light rain is falling over the town
ARTHUR RIMBAUD.

My heart is weeping
As it rains over the town;
What is this languor
Which is penetrating my heart?

Oh soft sound of the rain
On the ground and on the
[roofs!
For a heart which is bored
Oh the song of the rain!

It weeps for no reason
In this heart which is dishear-
[tened
What! No betrayal?...
This mourning is for no reason.

It is by far the worst pain
Not knowing why
No love, no hate
My heart has so much pain!

Lovesongs with no words

An Autumn Song

The long sobs
Of autumn
Violins
Hurt my heart
With a monotonous
Languor.

Completely suffocated
And pale, when
The hour strikes,
I remember
Old times
And I cry;

And away I go
Swept along
By a bad wind
Here and there,
Just like
A dead leaf.

Saturnine poems

NOTES

French punctuation and poems by Verlaine.

Le point (full stop) [**.**] :

Capital letters show the beginning of a sentence; a full stop shows the end of it. Notice that in classical poetry each line begins with a capital letter.

Le soleil se lève.

Le point d'interrogation (question mark) [**?**] :

It shows the end of an interrogative sentence.

Comment allez-vous?

Le point d'exclamation (exclamation mark) [**!**] :

It shows the end of an exclamative sentence.

Qu'il fait beau!

La virgule (comma) [**,**] :

a) It separates two or more juxtaposed terms.

J'ai acheté des pommes, des poires et des bananes.

b) It indicates the unusual position of a complement. Here is a typical French sentence:

Sujet + Verbe + COD + COI + CC (compléments circonstanciels = adverbial phrases)

If a CC begins the sentence, you have to write:

CC, S + V + COD + COI

Demain, j'en parlerai à Pierre.

Dans la rue, il y avait foule.

CC can be whole clauses:

S + V + COD + [**CC**] [**CC**]**, S + V + COD**

Quand il viendra, tu me le diras.

S + V + [**CO**] [**CO**]**, S + V**

Qu'elle aime cela, je le crois

c) A relative clause embedded in commas is "explicative"; compare:

Le train qui part à 20 heures est retardé. (**= le train de 20 h**)

Le train, qui part à 20 heures, ferme ses portes. (**= le train, parce qu'il part à 20 h,...**)

d) It underlines an ellipsis of construction (cf. l. 63):

S1 + V + CO1; S2, CO2; S3, CO3

Elle prend un kir; Marc, un whisky; et moi, une bière.

Les deux-points (colon) [:] :
It shows a relation between the first and the second part of the sentence. And above all:
a) an enumeration:
 J'ai fait le marché : des fruits, des légumes, du pain.
b) a cause = **car:**
 Il se prépare un sandwich : il a faim.
c) a consequence = **donc:**
 Elle a faim : elle croque une pomme.
d) an opposition = **mais:**
 Je voudrais venir avec vous : je ne peux pas.
It introduces direct speech:
 Il m'a dit : « Je pars. »

Les tirets (dashes) [— —], **les parenthèses** (brackets) [, ,] **ou les virgules** (commas) [,] :
Inserted elements can be secondary such as thoughts, invocations, precisions, etc.:
 Paul, son fils, arrive ce soir.
 Paul, mon pauvre !, tu n'as rien compris.
 Paul — très en retard — est entré dans la salle.
 Paul (en retard une fois de plus) est entré dans la salle.

Le point-virgule (semi colon) [;] :
It parallels two similar constructions:
 Ma femme lit ; je regarde la télévision ; les enfants dorment.

Finally, do not forget that a single dash [—] points out the different speakers of a dialogue

Leçon

87

La Fondation Cousteau

La Fondation Cousteau est un groupe de femmes et d'hommes motivés qui veulent en savoir plus sur le monde qui nous entoure et qui veulent aider à protéger et à préserver les grandes ressources naturelles dont nous avons la chance de disposer.

Avec la coopération des adhérents, de grands projets ont déjà pu être accomplis dans notre programme de recherches et d'information. Quelques batailles difficiles ont été gagnées.

Tout nouvel adhérent nous permet de faire un pas en avant pour que notre Planète-Mer devienne un lieu où nous vivrons mieux.

Nous vous invitons donc à devenir l'un des nôtres.

Vous aiderez la Calypso et Alcyone à entreprendre de nouvelles missions scientifiques absolument fondamentales.

Depuis 1985, le navire Alcyone, équipé de deux « Turbovoiles », est utilisé par la Fondation Cousteau pour des missions d'exploration scientifiques et cinématographiques. Calypso et Alcyone travaillent sans contrainte face aux groupes d'intérêts publics ou privés. Ses équipes restent indépendantes grâce au soutien et aux

Lesson

87 The Cousteau Foundation

The Cousteau Foundation is a group of motivated women and men who want to know more about the world which surrounds us and who want to help to protect and safegaurd the great natural resources which we are lucky enough to have at our disposal.

With the cooperation of members, very important projects have already been accomplished in our research and information programmes. A few difficult fights have already been won.

Each new member enables us to make a step ahead so that our Planet-Ocean will become a better place for us to live in.

We therefore invite you to become one of us.

You will help the Calypso and Alcyone to undertake new scientific missions which are necessary to say the least.

Since 1985, the Alcyone vessel, which is equipped with two "Turbovoiles" has been used by the Cousteau Foundation for scientific and film exploration missions. Calypso and Alcyone operate freely in spite of public investment groups and private companies. Its teams remain independent thanks to the support and subscrip-

cotisations des adhérents. Elles se rendent là où des difficultés surgissent. Elles sont capables d'observer de près tant la vie sous-marine que l'environnement terrestre. Elles photographient et enregistrent de façon permanente la vie et la mort liées au système aquatique... Elles étudient dans quelle mesure les changements causés par l'homme affectent les équilibres délicats dont dépend notre survie.

Pour pouvoir agir sur les milieux qui nous entourent, une information objective est indispensable. Plus nous serons nombreux à en être conscients, mieux nous pourrons entreprendre des actions efficaces.

Instruire les jeunes tout comme les adultes est, par conséquent, une des tâches les plus urgentes de la Fondation Cousteau.

Ne commettons pas d'actes irréversibles. Le sort des générations futures en dépend.

D'après un bulletin d'adhésion
édité par l'équipe Cousteau,
233, rue du Faubourg-Saint-Honoré,
75405 PARIS Cedex.

tions of its members. They go to the places where difficulties spring up. They are capable of closely observing both underwater life and the earth's environment. They photograph and register in a continuous manner all life and death linked with the underwater system... They study to which extent the changes caused by man can affect the delicate equilibrium on which our survival depends.

To be able to work in the environment which surrounds us, objective information is essential. The more people are aware of this, the better we will be able to set about our work efficiently.

Educating young people just as well as adults is consequently one of the most urgent tasks of the Cousteau Foundation.

Let us not do things we cannot go back on. The fate of future generations depends on it.

Leçon 88

Le rêve

— Ma fille, tu verras plus tard, tu connaîtras la vie.

— La vie, je la connais.
— Où aurais-tu pu la connaître ?... Tu es trop jeune, tu ignores le mal. Va, le mal existe, et tout-puissant.
(...)
— Le mal, ah ! mère, si vous saviez comme je m'en moque !... On n'a qu'à se vaincre, et l'on vit heureux.
(...)
— Tu me ferais repentir de t'avoir élevée dans cette maison, seule avec nous, à l'écart de tous, ignorante à ce point de l'existence... Quel paradis rêves-tu donc ? comment t'imagines-tu le monde ?
(...)
— Vous me croyez donc bien sotte, mère ?... Le monde est plein de braves gens. Quand on est honnête, et qu'on travaille, on en est récompensé toujours... Oh ! je sais, il y a des méchants aussi, quelques-uns. Mais est-ce qu'ils comptent ? On ne les fréquente pas, ils sont vite punis... Et puis, voyez-vous, le monde, ça me produit de loin l'effet d'un grand jardin, oui ! d'un parc immense, tout plein de fleurs et de soleil. C'est si bon de vivre, la vie est douce, qu'elle ne peut pas être mauvaise. (...) Le bonheur, c'est très simple. Nous sommes heureux, nous autres. Et pourquoi ? parce que nous nous aimons. Voilà ! ce n'est pas plus difficile... Aussi, vous verrez, quand viendra celui que j'attends. Nous nous reconnaîtrons tout de suite. Je ne l'ai jamais vu, mais je sais comment il doit être. Il entrera, il dira : Je viens te prendre. Alors, je dirai : Je t'attendais, prends-moi. Il me prendra, et ce sera fait, pour toujours. Nous irons dans

Lesson 88

The Dream

— My girl, you will see later on, you will get to know what life is all about.
— Life, I know what it is all about.
— Where could have you found out what it is all about?... You are too young, you do not know anything about evilness. Believe me, evilness exists, and almighty too.
— Evilness, ah mother, if only you knew how much I could not care less!... All you have to do is overcome it, and you live happily.
— Would you make me regret having brought you up in this house, alone with us, well away from everybody, so ignorant of life as it is... What paradise are you dreaming of then? How do you imagine the outside world?

— You think I am quite silly then, don't you Mother?... The world is full of good people. When you are honest and you work hard, you are always rewarded... Oh! I know, there are some nasty people around too, at least a few. But do they matter? You do not see them, they are quickly dealt with... And besides, you see, the world, it produces from a distance the impression of being a large garden, an enormous park, completely full of flowers and sun. It is so good to be alive, life is pleasant, that it could not possibly be bad. Happiness is terribly simple. We are happy, aren't we? And why? because we love each other. You see! It is no more difficult... Also, you will see when the one I have been waiting for arrives. We will know each other straight away. I have never seen him, but I know what he must be like. He will come in, he will say: I have come to take you away. Then, I will say: I have been waiting for you, take me away. He will take me away, and that will be it for ever.

un palais dormir sur un lit d'or, incrusté de diamants. Oh ! c'est très simple !
— Tu es folle, tais-toi (...)
— Je l'attends, et il viendra.

Emile Zola : *Le Rêve* (1888).

We will go to a palace and sleep on a gold bed, inlaid with diamonds. Oh it is terribly simple!
— You have gone mad, be quiet (...).
— I am waiting for him, and he will come.

Emile Zola : *The Dream.*

Leçon

89 Pelléas et Mélisande

Nous vous proposons un extrait de la pièce de Maurice Maeterlinck : « Pelléas et Mélisande » (Acte I, scène III), presque tel que Debussy l'a gardé pour son opéra. Le seigneur Golaud, parti dans un pays lointain, a rencontré une mystérieuse jeune femme, Mélisande.

« Voici ce qu'il écrit à son frère Pelléas : "Un soir, je l'ai trouvée tout en pleurs au bord d'une fontaine, dans la forêt où je m'étais perdu. Je ne sais ni son âge, ni qui elle est, ni d'où elle vient et je n'ose pas l'interroger, car elle doit avoir eu une grande épouvante, et quand on lui demande ce qui lui est arrivé, elle pleure tout à coup comme un enfant et sanglote si profondément qu'on a peur.

Il y a maintenant six mois que je l'ai épousée et je n'en sais pas plus qu'au jour de notre rencontre. En attendant, mon cher Pelléas (toi que j'aime plus qu'un frère, bien que nous ne soyons pas nés du même père), en attendant, prépare mon retour... Je sais que ma mère me pardonnera volontiers. Mais j'ai peur du roi, notre vénérable aïeul, malgré toute sa bonté.

S'il consent néanmoins à l'accueillir comme il accueillerait sa propre fille, le troisième soir qui suivra cette lettre, allume une lampe au sommet de la tour qui regarde la mer. Je l'apercevrai du pont de notre navire ; sinon j'irai plus loin et ne reviendrai plus"... »

Lesson

89

Pelleas and Melisande

Here is an extract from Maurice Maeterlinck's play: "Pelléas et Mélisande" (Act I, scene III), practically just as Debussy had kept it for his opera. Lord Golaud, who has gone to a far off land, has met a mysterious young lady, Mélisande.

"Here is what he wrote to his brother Pelléas: 'One evening, I found her completely in tears by the side of a fountain, in the woods where I had got lost. I know neither her age, nor who she is, nor where she comes from and I daren't question her, as she must have experienced some great terror, and when you ask her what happened to her, she all of a sudden breaks into tears like a child and sobs so heavily that one is quite afraid.

It is now six months since I married her and I don't know anything more about it since the day we met. Meanwhile, my dear Pelléas, you, who I love more than a brother, even though we are not of the same father; in the meantime, have everything ready for my return... I know my mother will only too gladly forgive me. But I am afraid of the king, our venerable grandfather, in spite of all his goodness.

If he, nevertheless, consents to receive her like he would receive his own daughter, on the third night of getting this letter, light a lamp at the top of the tower which looks out onto the sea. I will notice it from the deck of my vessel; if not I will go on and never come back'..."

NOTES

The text by Maeterlinck you have just read will enable you to revise a few important structures learnt throughout this manual.

— **Voici ce qu'il écrit à son frère** Pelléas... :
a) verbs constructed with COD + COI → l. 40 et 59;
b) Emphasis on a COD → l. 67.

— **Un soir...** :
the indefinite article → l. 6.

— je **l'ai trouvée...** :
a) the **passé composé** → l. 22 ;
b) the agreement of the past participle with the COD pronoun → l. 55.

— **tout** en pleurs... :
tout adverb → l. 22.

— **au bord d'**une fontaine... :
the complex prepositions of place → l. 15 et 22.

— **dans la forêt où...** :
the relative clause of place → l. 30.

— **je m'étais perdu...** :
a) reflexive verbs → l. 11 ;
b) reflexive verbs in the past tenses → l. 35 ;
c) the **plus-que-parfait** → l. 56.

— **je ne sais ni son âge ni qui elle est...** :
multiple negation → l. 70.

— **ni d'où elle vient...** :
d'où and the origin → note l. 30.

— **car** elle doit... :
the expression of cause → l. 60 et suivantes.

— elle doit **avoir eu...** :
the past infinitive → l. 67.

— **on lui demande...** :
the COI pronoun in the 3d person → l. 33.

— **ce qui** lui est arrivé... :
indirect speech → l. 48.

— elle sanglote **si profondément qu'**on a peur... :
the expression of consequence → l. 34.

— **Il y a** maintenant **six mois que** je l'ai épousée... :
the dating of a past fact → l. 37.

— et je n'**en** sais pas plus... :
en COI[2] pronoun → l. 39.

— **En attendant**... :
the **gérondif** → l. 34.

— toi que j'aime **plus qu'**un frère... :
the comparative → l. 13.

— **bien que nous ne soyons** pas nés du même père... :
a) the subjunctive → l. 32 ;
b) the subjunctive of **être** → l. 42 ;
c) the expression of opposition → l. 58.

— **prépare** mon retour... :
the imperative of verbs in **-er** form in the 2d person sing. → l. 29.

— **malgré** toute sa beauté... :
the expression of opposition in a noun phrase → l. 65.

— **S'il consent..., allume**... :
the expression of an assumption (**Si + présent, impératif**) → l. 27.

— comme il **accueillerait**... :
the conditional → l. 40.

— le troisième soir qui **suivra** cette lettre... :
the regular future → l. 24.

— **sinon** j'irai plus loin... :
sinon → l. 48.

— **j'irai** plus loin et ne **reviendrai** plus... :
irregular futures → l. 32 et l. 46.

Leçon 90

La langue de chez nous

En guise d'au revoir, nous vous proposons cette chanson d'Yves Duteil qui parle de cette langue que vous avez appris à découvrir ; et, nous l'espérons, à aimer !

I

C'est une langue belle, avec des mots superbes,
Qui porte son histoire à travers ses accents
Où l'on sent la musique et le parfum des herbes,
Le fromage de chèvre et le pain de froment.
Et du Mont Saint-Michel jusqu'à la Contrescarpe,

En écoutant parler les gens de ce pays,
On dirait que le vent s'est pris dans une harpe
Et qu'il en a gardé toutes les harmonies.

II

Dans cette langue belle, aux couleurs de Provence,
Où la saveur des choses est déjà dans les mots,
C'est d'abord en parlant que la fête commence ;
Et l'on boit des paroles aussi bien que de l'eau.
Les voix ressemblent aux cours des fleuves et des
[rivières.
Elles répondent aux méandres, au vent dans les
[roseaux,
Parfois même aux torrents qui charrient du tonnerre
En polissant les pierres sur les bords des ruisseaux.

Lesson

90

Our good old language

By way of goodbye, we propose this song by Yves Duteil who speaks about this language which you have learnt to get to know; and, we hope, to love!

I

It is a beautiful language, with superb words,
Which conveys its history through its accents,
In which one senses the music and the fragrance of herbs,
Of goat-cheese and of wheat bread.
And from Mont Saint-Michel as far as the
[Contrescarpe,
In listening to the people of this country talk,
It seems that the wind has got caught up in a harp
And that it keeps all the melodies there.

II

In this beautiful language, in the colours of Provence,
Where the flavor of things is already embedded in the words,
It is first of all through chatting that festivity begins;
And one drinks words as well as water.
Voices resemble the flow of streams and rivers.

They reply to the meanders, to the wind in reeds,

And sometimes even to the torrents swept along by
[thunder
Polishing the stones on the banks of brooks.

III

C'est une langue belle à l'autre bout du monde :
Une bulle de France au nord d'un continent,
Sertie dans un étau et pourtant si féconde ;
Enfermée dans les glaces au sommet d'un volcan.
Elle a jeté des ponts par-dessus l'Atlantique.
Elle a quitté son nid pour un autre terroir.
Et, comme une hirondelle au printemps des musiques,
Elle revient nous chanter ses peines et ses espoirs...
Nous dire que là-bas, dans ce pays de neige,
Elle a fait face aux vents qui soufflent de partout,

Pour imposer ses mots jusque dans les collèges,

Et qu'on y parle encore la langue de chez nous.

IV

C'est une langue belle : à qui sait la défendre,

Elle offre des trésors de richesse infinie,
Les mots qui nous manquaient pour pouvoir nous
[comprendre,
Et la force qu'il faut pour vivre en harmonie.
Et de l'île d'Orléans jusqu'à la Contrescarpe,

En écoutant chanter les gens de ce pays,
On dirait que le vent s'est pris dans une harpe
Et qu'il a composé toute une symphonie...
Et de l'île d'Orléans jusqu'à la Contrescarpe,
En écoutant chanter les gens de ce pays,
On dirait que le vent s'est pris dans une harpe
Et qu'il a composé toute une symphonie.

III

It is a beautiful language on the other side of the world:
A little sparkle of France to the North of a continent,
Set in a vice and yet so rich;
Confined within ice sheets at the summit of a volcano.
It has thrown bridges over the Atlantic.
It has left its nest for another land.
And, like a swallow in springtime music,
It always comes back to sing its sorrows and its hopes
To tell us that over there, in this country of snow,
It has stood up to the wind which blows from [everywhere,
To gain recognition through its words all the way [into colleges,
And so that people will still speak our good old [language.

IV

It is a beautiful language: to those who know how [to defend it,
It offers treasures of endless richness,
Words which we could not find to understand one [another,
And the strength needed for us to live in harmony.
And, from the island of Orléans as far as the [Contrescarpe,
In listening to the people of this country sing,
It seems that the wind has got caught up in a harp,
And that it has composed an entire symphony...
And, from the island of Orléans to the Contrescarpe,
In listening to the people of this country sing,
It seems that the wind has got caught up in a harp,
And that it has composed an entire symphony.

CORRIGÉS DES EXERCICES

Leçon 1

A. — Vous **êtes** française ? / — Oui, **je suis** française. / — Et vous monsieur, vous **êtes** argentin ? / — Non, **je suis espagnol**. / — Et **vous** madame, **vous êtes** américaine ? / — Non, **je suis anglaise**. / — Et **vous** mademoiselle, **vous êtes espagnole** ? / — Oui, **je suis espagnole**.

B. — **Où** est-ce que **vous habitez** ? / — J'habite **à** New York. / — Vous habitez **où** ? / — **J'habite** à Paris. / — Et **vous, où habitez**-vous ? / — Moi, **j'habite** (. . .) .

C. — **Qu'est-ce que vous faites** ?
— Je **suis** journaliste. / — Et **vous, qu'est-ce que vous faites** ? / — Moi, **je suis** styliste. / — Et **vous** monsieur, **vous êtes** informaticien ? / — Oui, **je suis informaticien**.

Leçon 2

A. — Comment est-ce que **vous vous appelez** ? / — Je **m'appelle** Alain Prost. / — Et **vous** mademoiselle, **vous vous appelez** comment ? / — Moi, **je m'appelle** Rocio. / — Et **vous**, comment **vous appelez-vous** ? / — **Moi, je m'appelle** (. . .).

B. — Comment vous appelez-vous ? / — Je m'appelle Alain. / — Quel âge avez-vous ? / — J'ai 34 ans. / — Où habitez-vous ? / — J'habite à Genève.

C. — Tu habites **quelle** ville ? / — Vous faites **quels**

exercices ? / — **Quel** sport faites-vous ? / — Il travaille **quelles** leçons ?

D. — Quel est votre domicile ? / — Quelle est votre profession ? / — Quelle est votre date de naissance ?

Leçon 3

A. 1) — Il s'appelle comment ? / 2) — Comment est-ce qu'il s'appelle ? / 3) — Comment s'appelle-t-il ? — Il s'appelle Marc Dumont.

B. — Il est français.

C. 1) — Il est né quand ? / 2) — Quand est-ce qu'il est né ? / 3) — Quand est-il né ? — Il est né le 12 octobre 1946.

D. 1) — Il est né où ? / 2) — Où est-ce qu'il est né ? / 3) — Où est-il né ? — Il est né à Toulouse.

E. 1) — Qu'est-ce qu'il fait ? / 2) — Que fait-il ? / — Il est informaticien.

F. 1) — Il habite où ? / 2) — Où est-ce qu'il habite ? / 3) — Où habite-t-il ? / — Il habite à Marseille.

Leçon 4

A. — Tu vas bien ? / — Tu n'es pas en classe ? / — T'aimes pas l'école ? / — Qu'est-ce que tu aimes surtout ? / — Tu joues aussi ? / — Qu'est-ce que tu fais encore ?

B. — Tu n'es pas à l'école ? / — Il n'y a pas d'école ce matin. / — Tu aimes ce livre ? / — Tu aimes beaucoup cela ?

C. — Il aime beaucoup le calcul. / — Il n'aime pas du tout écrire. / — Il aime bien l'école. / — Il déteste écrire. / — Il adore chanter, danser...

D. — Bonjour, tu vas bien ? (1, 2, 5, 6) / — Bonjour, vous allez bien ? (7) / — Bonjour, comment ça va ? (4) / — Bonjour, comment allez-vous ? (3)

Leçon 5

A. une petite chienne noire / une célèbre chanteuse française / une femme généreuse et naturelle

B. — Regardez **ce** quartier, **cette** rue, **cette** école, **ces** personnes : **cet** endroit, c'est le Belleville... / — **Cette** leçon et **cet** exercice sont faciles. / — Gavroche ? **Cet** enfant est célèbre !

C. — Dans **ses** chansons, Léo Ferré chante **sa** vie, **ses** amours, **son** enfance et **sa** révolte. Ecoutez **son** poème sur **son** amie Piaf ! / — Sur scène, Piaf a **sa** petite robe noire ; elle chante avec **son** corps, **ses** mains et **ses** yeux. Avec **sa** voix inoubliable, elle chante **sa** rue, **sa** ville, **ses** passions, **ses** amis.

Leçon 6

A. Exemples : — Elle est belle. / — Il a des cheveux blonds. / / — Elle a un long cou. / Il est grand. / / — Elle a une bouche rouge.

B. une joueuse / une séductrice / un médecin (femme) / une femme / une étudiante / une enfant / un professeur (femme)

C. — Elle chante **naturellement**. / — Il joue **généreusement**. / — Il est **immédiatement** sympathique. / — Piaf a deux mains **terriblement** expressives.

Leçon 7

A. — Qui est-ce ? / — Qu'est-ce que c'est ? / / — Qu'est-ce que c'est ? / — Qui est-ce ? / / — Qu'est-ce que c'est ? / — Qui est-ce ?

B. — Qu'est-ce qu'il fait ? / — Qu'est-ce qu'elle fait ? / — Qu'est-ce que vous faites ? / — Qu'est-ce que vous faites ? / — Qu'est-ce qu'ils font ?

C. — Il fait **de la** recherche mais aussi **du** cinéma. / — Elle fait **de la** couture. / — Ils font **de la** musique. / — Il fait **du** sport. / — Elle a **du** talent ; elle veut donner **de l'**espoir au public et elle gagne **de l'**argent...

Leçon 8

A. — C'est le grand-père maternel de Catherine. / — C'est la grand-mère paternelle de Catherine. / — Ce sont les grands-parents de Catherine. / — Ils s'appellent M. et Mme Philippe Damont.

B. — Ils invitent **leurs** amis à **leur** mariage. / — Les Damont aiment beaucoup Marc, **leur** gendre. / — Les Carbet marient **leur** fils avec Catherine. / — Les Carbet et les Damont marient **leurs** enfants...

C. — M. est **le mari** de C. ; il est aussi **le gendre** des D. / — C. est **la belle-fille** des C. ; c'est **la femme** de M. / — Mme de C. est **la belle-mère** de C. et M. D. est **le beau-père** de M.

Leçon 9

A. — C'est mon oncle. / — C'est ta tante. / — C'est notre cousine. / — C'est ton cousin.

B. — Nous invitons **nos** amis et **notre** famille à fêter **notre** mariage. / — Tu invites aussi **tes** oncles et **tes** tantes ? / — Oui : **ma** tante maternelle, **mes** deux oncles et **leurs** enfants. / — Vous invitez **vos** cousins ? / — J'invite **ma** famille, **mes** amis, **ma** grand-mère, **mon** oncle Pierre et **sa** femme.

C. — Les parents de Rachid **vont au** mariage... / — Claire et Rachid **vont à l'**université... / — Nous **allons à la** réception. / — Et vous **allez** aussi **à l'**église ? / — Les mariés **vont** seulement **à la** mairie.

D. — Je **viens des** Philippines. / — Nous **venons d'**Irlande. / — Il **vient des** Comores. / — Elles **viennent de** Finlande. / — Je **viens du** Japon. / — Elle **vient de** Malte. / — Ils **viennent de** Grande-Bretagne.

Leçon 10

A. — Elle habite (dans) le Quartier latin. / — Nous habitons (au) le Portugal. / — J'habite (dans) le 6e. / — Ils habitent (sur) la Côte d'Azur.

B. 1) — Elle écrit beaucoup ? / 2) — Est-ce qu'elle écrit beaucoup ? / 3) — Ecrit-elle beaucoup ?

1) — Tu voyages souvent? 2) — Est-ce que tu voyages souvent? 3) — Voyages-tu souvent?
1) — Ils viennent chaque année?/2) — Est-ce qu'ils viennent chaque année?/3) — Viennent-ils chaque année?
1) — Vous habitez toujours Paris?/2) — Est-ce que vous habitez toujours Paris?/3) — Habitez-vous toujours Paris?

C. — Vivre c'est choisir. / — Dire c'est faire. / — Vouloir c'est pouvoir. / — Voir c'est croire.

D. — La CEE existe depuis 35 ans. / — Elle chante depuis 16 ans. / — Ils voyagent depuis deux ans. / — J'apprends le français depuis (...).

E. — Il vient ici tous les deux jours. / — Elle nous écrit toutes les trois semaines. / — Il y a un bateau chaque mois.

Leçon 11

A. — Il est là chaque jour. / — Elle paraît chaque semaine. / — Chaque matin, elle écrit un peu. / — Nous nous téléphonons chaque mois.

B. — Ils s'installent très souvent dans ce quartier. / — Paris se réveille. / — Elle se lève, elle se prépare un café. Elle se promène un peu, elle se sent légère.

C. — Il se prépare avant de sortir. / — Nous réservons une place avant de prendre le train. / — Je me prépare un café avant de me laver. / — Elle cherche le numéro avant de téléphoner. / — Je réfléchis avant de répondre.

D. — Tu as besoin de te reposer. / — Il a envie d'ouvrir la fenêtre. / — Elle a peur de sortir la nuit. / — J'ai envie de me préparer un sandwich.

Leçon 12

A. — L'appartement est trop petit... / — Ce café est très fort... / — Les voisins sont trop bruyants. / — L'air est très léger.
1) — La rue est trop étroite : ma voiture ne passe pas. / 2) — La rue est très étroite mais ma voiture passe.

B. — Il gagne beaucoup d'argent. / — Il y a trop de bruit. / — Je n'ai pas assez de place. / — Il y a beaucoup de restaurants grecs...

C. — La douzième. / — Au quatrième. / — Le Q.L. est dans le cinquième et le sixième arr.

D. — le septième art. / — A est la première lettre et U la vingt et unième. / — La neuvième symphonie...

E. — Il est assez petit. / — Elle est assez lourde. / — Il ne fait pas très chaud. / — Il n'est pas très fort.

F. — Non, sans salle de bains. / — Non, sans terrasse. / — Non, il vient sans voiture.

Leçon 13

A. — Le vin est moins fort que le whisky / — Le whisky est plus fort que le vin. / — La leçon 10 est moins difficile que la leçon 23. / — La ville est plus bruyante que la campagne. / — Le roman est aussi bon que le film. / — Ma chambre est aussi belle que ta chambre.

B. — J'aime mieux (le café / le thé). / — Elle aime mieux (écrire / lire). / — Nous aimons mieux (la salle / la terrasse). / — Ils aiment mieux (la voiture / le train). / — J'aime mieux habiter (Le 5e / le 8e). / — Ils aiment mieux s'amuser (non?).

C. — Le kir est meilleur. / — Le livre est meilleur. / — Les glaces sont meilleures. / — L'autre est meilleure.

D. — Il y a moins d'îles. / — Il y a plus de trafic. / — Il y a autant de mots nouveaux. / — Il y a moins de place. / — Il y a autant de place.

Leçon 14

A. — Nous allons à Grenoble. / — On va se baigner au lac. / — Pour nous, c'est agréable... / — Nous avons choisi cette maison. / — On aime bien cette maison.

B. — J'y vais cet après-midi. / — Nous n'y allons pas aujourd'hui. / — Oui, pour y aller plus vite. / — Nous y allons une ou deux fois par mois. / — Vous y allez en voiture... ? / — Nous y allons en TGV.

C. — Elle aime sa maison parce qu'elle est ancienne. / — J'apprends le français parce que je (...). / — Ils ont choisi cette maison parce qu'ils ont l'impression d'être en vacances.

D. — Elle est fatiguée parce qu'elle travaille beaucoup. / — Il apprend le français parce qu'il vient en France. / — Tu vis à la campagne parce que tu n'aimes pas le bruit.

Leçon 15

A. — Ce qui est agréable c'est le jardin. / — Ce qui est immense c'est le grenier. / — Ce qui est pratique c'est le chauffage au gaz. / — Ce qui est magnifique c'est le paysage. / — Ce qui est formidable c'est de vivre à la campagne. / — Ce qui est amusant c'est de prendre un café à la terrasse. / — Ce qui est fatigant c'est de travailler dans le bruit.

B. — A côté de la maison, il y a un petit bois. / — En contrebas de la maison, il y a un séjour. / — En haut de la maison, il y a un grenier. / — Devant la maison, il y a une terrasse. /
— Dans le séjour, il y a une cheminée.

C. — Elle est ancienne. / — Il est minuscule. / — Il est petit. / — C'est très pratique (commode).

D. — Avoir un jardin, c'est formidable. / — Le chauffage au gaz, c'est pratique. / — Une maison bien chauffée, c'est confortable. / — Avoir une terrasse, c'est agréable.

Leçon 16

A. — Moi, j'habite ...; toi, tu habites... / — Et vous, vous habitez où? — Nous, nous vivons... / — Eux, ils vivent aussi à Paris. / — Tu viens avec moi? / — Eux, ils aiment...; moi, je n'aime pas ça. / — Lui, il prend du thé; ma sœur, elle, prend du café. / — Eux, ils aiment...; elles, elles préfèrent... / — Chez elle, elle fait tout. / — Moi, je pars; et vous, vous restez?

B. — Le matin, je me réveille. Je me lève. Je vais dans la salle de bains et je me lave. Ensuite, quand il fait beau, je prends

mon petit déjeuner sur la terrasse et je lis le journal.

C. — Demain, il va faire beau. / — Cet après-midi, je vais aller à Chambéry. / — Nous allons partir au Canada. / — Elle va prendre la voiture... / — Je vais sortir avec Grégoire. / — Nous allons déjeuner sur la terrasse.

Leçon 17

A. — Elle ne le fait pas. / — Ils ne les font pas tous les jours. / — Elle ne les achète pas. / — Ils l'aiment.

B. — Je ne la prends pas. / — Nous le prenons. / — Nous la voyons. / — On les aime. / — Je ne l'aime pas.

C. — J'achète : de la salade, du beurre, des épinards, des carottes, du riz, de l'huile, des oranges, du poivre, du sel, des œufs, des pommes de terre, du pain, de la confiture, de l'eau minérale.

D. — Je ne prends jamais de vin. / — Elle ne boit pas de bière. / — Il ne mange presque jamais de viande. / — N'achète pas de fruits. / — Nous ne mangeons jamais d'œufs au petit déjeuner. / — Ils ne prennent pas de whisky avant le déjeuner.

Leçon 18

A. — Oui, j'en veux bien une tasse. / — J'en prends deux. / — J'en ai assez. / — J'en veux bien une tranche. / — Oui, j'en ai deux paquets. / — Nous en prenons une bouteille. / — Je n'en bois jamais.

B. — Il n'y en a plus. / — Il y en a encore. / — Il n'y en a plus du tout. / — Il n'y en a plus dans le jardin. / — Il y en a encore deux.

C. — Donnez-m'en un kilo. / — Donnez-m'en une livre. / — Donnez-m'en deux têtes. / — Donnez-m'en une grappe.

Leçon 19

A. — Elle vient d'arriver à Paris. / — Nous venons de peindre la porte. / — Paul vient de sortir. / — Le train vient de quitter la gare. / — Elles viennent de partir. / — Vous venez de traduire votre album.

B. — Puisqu'il est mexicain, il parle espagnol. / — Puisque je ne comprends pas bien, j'écoute encore la cassette. / — Puisque vous êtes fatiguée, vous arrêtez. / — Puisqu'il n'y a plus de pain, j'en achète. / — Puisqu'ils s'aiment, ils vont se marier.

C. — Elle aime les faire rue Mouffetard. / — Elle déteste y aller. / — Ils préfèrent y vivre. / — Ils adorent en manger. / — Il va y aller. / — Ils viennent de les inviter. / — Elle peut l'accompagner.

Leçon 20

A. — Il s'agit d'un fromage de brebis. / — Il s'agit d'une région pauvre. / — Il s'agit du calcaire. / — Il s'agit du maire de Saint-Georges.

B. — Il brille pendant six mois. / — Il se promène pendant deux heures. / — Ils viennent pendant deux mois. / — Il ne boit jamais (de vin) pendant le repas.

C. — Nous faisons un exercice qui est facile. / — Il habite les Causses qui sont une région calcaire. / — C'est une terre qui ne permet pas la grande culture. / — On élève des brebis qui donnent un lait excellent. / — Voici M. Fageolle qui est le maire du village.

D. 1) — L'herbe sauvage parfume sa viande. / — Le calcaire boit l'eau de pluie. / — Le maire dirige la commune.

D. 2) — Le village est traversé par une rivière. / — Ce fameux fromage est fabriqué par Roquefort. / — Cette région est oubliée par la pluie.

D. 3) — Les agneaux sont élevés pour la viande. / — On récolte le lait tous les jours. / — On coupe la laine des moutons... / — Le Roquefort est exporté...

Leçon 21

A. — Il vit dans l'Oise. / — Elle habite dans les Vosges. / — Nous habitons dans le Cher. / — Elles habitent dans la Loire. / — J'habite en Moselle. / — Ils habitent dans la Marne. / — Elle habite en Guyane.

B. — Je vous conseille celui de la Poste. / — Je préfère celles du jardin. / — Celle de la montagne. / — Ceux du voisin sont meilleurs !

C. — Ceux qui sont sportifs, ceux qui aiment la vie sauvage, ceux qui font du cheval, ceux qui préfèrent les grottes, ceux qui cherchent des paysages grandioses : la Lozère est leur pays.

D. — S'ils ont trop chaud, ils peuvent nager... / — Si tu pratiques le ski de fond, tu peux aller... / — Si vous ne comprenez pas, vous pouvez regarder le corrigé. / — S'il fait chaud, vous pouvez explorer les grottes.

E. — En été, il fait (...) ; en automne, il fait (...) ; en hiver, il fait (...) ; au printemps, il fait (...).

Leçon 22

A. — Elle est au-dessous de la salle. / — Elle est près de la bergerie. / — Elle passe au fond des gorges. / — Le public peut se promener à l'intérieur de la grotte.

B. — Nous avons arrêté / les enfants ont sauté dans l'eau et ils ont nagé / ils ont trouvé / Jean a exploré / on a installé / la famille a mangé / nous avons pensé à vous quand nous avons coupé / nous avons dormi / j'ai proposé / nous avons retrouvé / il a fait / il y a eu.

C. — Elles sont souvent tout en bois. / — Il est tout jeune. / — Il est tout contre la Poste. / — Il est toujours tout seul. / — Il passe tout au fond des gorges.

Leçon 23

A. — Je vais vous dire où elles sont. / — Je vais vous expliquer à quoi elle sert. / — Il va nous montrer comment on le fabrique. / — Je peux vous apprendre pourquoi les touristes viennent ici.

B. — Oui, c'est lui qui emmène les brebis. / — Oui, c'est lui qui nous parle de ... / — Oui, ce sont eux qui écrivent encore aux B. / — Oui, c'est moi qui ai construit cette maison.

C. — On l'utilise comme garage. / — Il a pris du fromage comme dessert. / — Elles sont très connues comme site... / — Il travaille comme garagiste. / — Edith Piaf est célèbre comme chanteuse.

D. — Oui, vous pouvez me servir le vin. / — Oui, je me sers de la cheminée. / — Le tracteur sert à travailler la terre. / — Sa chambre sert de bureau.

Leçon 24

A. — Il passera à midi. / — Elle sortira à 18h. / — Nous partirons. / — Je prendrai ma voiture. / — Ils l'aideront.

B. — S'ils viennent, ils habiteront... / — Si tu pars..., tu nous écriras... / — S'il fait beau, vous descendrez... / — S'il pleut, elle restera...

C. — Un beau ciel bleu / — Mon cher ami canadien / — Un célèbre fromage régional / — Une agréable route touristique / — Une ancienne bergerie lozérienne

D. — Pendant 3 semaines, j'ai voyagé dans la région. / — Pendant des années, nous avons utilisé... / — Pendant les mois d'été, M. B. a emmené...

Leçon 25

A. — Il n'y avait pas / on s'éclairait / On se couchait / on profitait / on se levait / Les gens n'avaient pas / ils se réunissaient / ils parlaient / ils se racontaient / ils chantaient et mangeaient / On ne connaissait pas / on allait / tout le monde se retrouvait / et se donnait...

B. — ... je fumais / je ne fume plus. / — ... elle faisait du sport / elle n'en fait plus. / — ... nous ne parlions pas... / nous le parlons un peu. / — ... vous regardiez beaucoup... / vous ne la regardez plus.

C. — La Savoie, c'est une région de grand tourisme ; ce sont les jeux Olympiques de 1992 ; c'était une vie difficile ;

c'étaient les veillées au coin du feu; ce sont de belles montagnes; c'est le paradis des skieurs!

Leçon 26

A. — Je fais du ski depuis 15 ans. / — Nous habitons (à) Marseille depuis notre mariage. / — Ils se connaissent depuis leur enfance. / — Vous êtes en vacances depuis ce matin.

B. — Depuis que nous avons acheté..., nous apprenons... / — Depuis qu'elle l'a vu, elle l'aime. / — Depuis qu'il est parti, il nous envoie...

C. — Depuis que nous sommes en vacances, je lis beaucoup. / — Depuis qu'ils habitent la Savoie, ils font du sport. / — Depuis qu'elle est..., elle traduit...

D. — Certains restaient / d'autres quittaient... / — certaines sont plus intéressantes que d'autres. / — certains sont mauvais! / — certaines sont monitrices / d'autres travaillent...

Leçon 27

A. — ... la plus élevée? — C'est le Mont Blanc. / — ... la plus enneigée? — C'est février-mars. / — ... les meilleures? — Ce sont les pistes des Grands Montets. / — ... le plus sportif? — C'est le ski alpin. / — ... la meilleure ...? — C'est février-mars / — ... la plus longue? — C'est la piste de l'Alpe-d'Huez. / — ... la plus ancienne? — C'est Megève.

B. — Venez vite. / — Apporte tes skis. / — Achète du pain. / — Faites la queue. / — Couche-toi tout de suite. / — Prends les places.

C. — ... au-dessus de chez moi .... Et au-dessous ... / — ... au-dessus de 1500 m ... / — ... au-dessus de 2500 m ... / — ... sur (= au-dessus de) la télévision.

Leçon 28

A. — Si vous aimez la montagne, venez en Savoie. / — Si vous voulez faire du ski, choisissez nos stations. / — Si

vous êtes bon skieur, skiez à Chamonix. / — Si vous n'aimez pas la foule, pensez à Cordon. / — Si vous détestez la neige, venez à la montagne l'été. / — Si vous avez envie d'aventure, faites la Vallée Blanche.

B. — Ne sors pas des pistes ! / — N'allez pas sur une piste noire ! / — Ne fumez pas dans le téléphérique ! / — Ne prends pas ce livre ! / — Ne vous garez pas là !

C. — Oui, je veux / Non, je ne veux pas aller aux sports d'hiver. / — Oui, je veux parler français. / — Oui, je peux faire du ski alpin. / Non, je ne peux pas faire de ski alpin. / — Oui, je peux / Non, je ne peux pas descendre la Vallée Blanche. / — Oui, je veux venir en été en Savoie.

Leçon 29

A. — Depuis qu'il a écrit, elle est heureuse. / — Depuis qu'elle a appelé, je suis moins inquiet. / — Depuis que nous nous sommes installés, les enfants s'amusent. / — Depuis que les enfants sont partis, je me repose.

B. — Depuis sa lettre, ... / — Depuis son appel (son coup de fil), ... / — Depuis notre installation, ... / — Depuis le départ des enfants, ...

C. — Téléphone demain. / — Travaille plus vite. / — Marche lentement. / — Lève-toi tôt. / — Admire la vue.

D. — L'appartement que j'ai trouvé ... / — Les arbres qui sont ... / — Les films que j'aime ... / — Prenez la piste que je vous montre et ne prenez pas la piste qui est à droite. / — Regarde l'oiseau qui passe et écoute le vent qui souffle ... / — La ville que nous visitons ...

Leçon 30

A. — Oui, je le crois. / — Oui, il le pense. / — Oui, nous le voulions. / — Oui, il le faut. / — Oui, ils l'écrivent.

B. — Oui, j'ai habité au Portugal. / — Oui, elle a habité aux Antilles. / — Oui, nous avons habité en Argentine.

C. — J'aime beaucoup les Philippines. / — Nous aimons beaucoup la Grèce. / — Ils aiment beaucoup le Canada.

D. — C'est la ville où Irène habite. / — C'est un pays où

Marilka a travaillé. / — C'est une région où on pratique le ski alpin. / — C'est l'endroit où Mme D. a une maison.

E. — Tu dois répondre à cette lettre. / — Vous devez rentrer tout de suite. / — Il doit finir le plat. / — Elles doivent préparer le déjeuner.

F. — ... à cause de son travail. / — ... à cause de la neige. / — ... à cause du soleil. / — — ... à cause du / de mon voyage. / — ... à cause du bruit.

Leçon 31

A. — ... ont quitté la région. / — ... tu as dû quitter la route. / — ... Je quitte la maison... / — ... quittez la mer... / — Marilka quitte les photographes...

B. — Oui, il faut que tu arrêtes de fumer. / — Oui, il faut qu'elle termine son travail. / — Oui, il faut qu'ils quittent la région. / — Oui, il faut qu'il collecte le lait. / — Oui, il faut qu'ils rentrent chez eux.

C. — L'agence veut que j'accepte. / — Il désire qu'elle quitte son poste. / — Le directeur souhaite qu'il ferme. / — Il veut qu'il tourne à droite. / — Il souhaite que tu te maquilles.

D. — Nous ne prenons rien. / — Elle ne veut rien acheter. / — Je ne comprends rien à cela. / — Tu ne dois rien répondre. / — ... je ne veux rien manger.

E. — Il a changé d'adresse. / — Nous avons changé de quartier. / — Elle a changé de coiffure. / — J'ai changé de cigarettes.

Leçon 32

A. — ... on pourra... / — ... j'irai au Maroc et je verrai... / — Trois médecins feront partie... ils devront... / — ... vous aurez du travail : il faudra... / — Ma femme sera... nous pourrons...

B. — Pendant les vacances d'hiver, je ferai du ski en Savoie. / — Pendant les mois d'été, il y aura beaucoup de monde sur la côte. / — Vous devrez arrêter de fumer pendant six mois. / — Pendant 10 jours, Marilka sera aux Seychelles.

C. 1) — Il faut que vous passiez des heures en avion ? — Oui, il faut que nous passions...
2) — Il faut que vous vous habituiez au décalage horaire ? / — Oui, il faut que nous nous habituions...
3) — Il faut que vous vous leviez tôt ? — Oui, il faut que nous nous levions tôt.
4) — Il faut que vous vous couchiez tard ? — Oui, il faut que nous nous couchions tard.
5) — Il faut que vous vous maquilliez sous un soleil de plomb ? — Oui, il faut que nous nous maquillions...
6) — Il faut que vous changiez 20 fois de modèle ? — Oui, il faut que nous changions...
7) — Il faut que vous trouviez 50 poses différentes ? — Oui, il faut que nous trouvions...

D. — Elle a beaucoup de modèles à présenter. / — Ils ont beaucoup de pistes à préparer. / — Nous avons beaucoup d'exercices à faire. / — J'aurai beaucoup de gens à soigner.

Leçon 33

A. — Comme il va partir, il prépare sa valise. / — Comme vous ferez escale à Paris, je vous verrai. / — Comme j'ai faim j'entre dans un bistrot. / — Comme c'est la fin de la mousson, ils auront beau temps. / — Comme il y aura beaucoup de neige, je prends mes skis.

B. — Grâce au Roquefort, la région est riche. / — Grâce à mes études, je trouverai un poste. / — Grâce à lui, elle est heureuse. / — Grâce à notre matériel, nous pouvons travailler.

C. — Je préfère / Il vaut mieux que tu emportes des vêtements légers. / — Je préfère / Il vaut mieux que vous demandiez les visas maintenant. / — Je préfère / Il vaut mieux qu'elle change de modèle. / — Je préfère / Il vaut mieux qu'ils vérifient le matériel. / — Je préfère / Il vaut mieux que tu passes à l'ambassade cette semaine.

D. — Je leur téléphone. / — On lui apporte un cadeau. / — Ils lui écrivent souvent. / — Elle leur confie ses problèmes. / — Nous lui lisons une histoire.

Leçon 34

A. — Ils parlent en faisant la cuisine. / — Elle va faire ses courses en revenant. / — En arrivant à Katmandu, nous irons à l'hôtel. / — J'ai lu ta lettre en mangeant un fruit.

B. — Comme elle l'a quitté, il pleure. / — Comme le vent était très fort, j'ai fermé la fenêtre. / — Comme il était malade, il a décidé... / — Comme nous avions faim, nous avons préparé un sandwich. / — Comme ils avaient deux mois de vacances, ils ont traversé le Canada.

C. — Le son de la radio était si fort que nous n'avons pas entendu le téléphone. / — Le Canada est si grand que nous n'en visiterons qu'une petite partie. / — Hier soir, il a tellement bu qu'il a été malade toute la nuit. / — John a si bien travaillé l'an dernier qu'il a réussi tous ses examens.

D. — Elle n'a qu'à prendre un taxi ! / — Nous n'avons qu'à nous abriter ! / — Vous n'avez qu'à descendre !

Leçon 35

A. — Il est revenu hier. / — Elle est rentrée la semaine dernière. / — Je suis passé à mon bureau cet après-midi. / — Elles sont descendues il y a 5 minutes.

B. — Les J.O. ont été créés... Ils ont été organisés... La charte a été proclamée... Les 5 anneaux ont été choisis...

C. — J'ai invité... parce qu'ils font partie... / — Il a pris l'avion parce qu'il veut... / — Elle est partie... parce qu'elle aime... / — Nous sommes revenus... parce que notre fille y habite.

Leçon 36

A. — Ce matin, Chantal s'est réveillée à 7h. Elle s'est levée tout de suite. Elle s'est lavée rapidement... Puis elle s'est coiffée.
Elle s'est maquillée et elle s'est habillée légèrement...

B.1 — Je n'y suis pas allé. / — Ils n'y sont pas venus. / — Je n'y suis pas resté longtemps. / — Elle ne lui a pas parlé.

B.2 — Je les ai vus. / — Je les ai photographiées. / — Je les ai aimées. / — Je ne les ai pas lus. / — Je n'en ai pas bu.

C. — C'est quelque chose de passionnant. / — C'est quelqu'un d'important. / — C'est quelque chose d'amusant et de facile. / — C'est quelque chose d'extraordinaire. / — C'est quelqu'un de très gentil.

Leçon 37

A. — Ça fait (deux mois) que j'apprends le français. / — Ça fait (trois ans) qu'elle sait conduire. / — Ça fait (deux heures) de vol. / — Ça fait (une demi-heure) que je lis.

B. — Elle passera à Paris dans un mois. / — Nous arrivons à Tokyo dans une demi-heure. / — Je reviens dans quinze jours.

C. — Elle est partie pendant un mois. / — Nous nous sommes promenés pendant une heure. / — Il a dormi pendant quelques heures. / — Vous avez lu pendant toute la soirée.

D. — Même si la médecine fait beaucoup de progrès, il reste ... / — Même si l'avion est rapide, les longs ... / — Même si tu dis la vérité, je ne te crois pas. / — Même si j'aime le bon vin, je n'en ....

Leçon 38

A. — Dis-moi quelle heure il est. / — Dites-moi comment on va à la gare. / — Dites-moi combien de temps l'avion reste à Moscou.

B. — Elle en a parlé. / — Je vais en parler / — Non, n'en parlez pas. / — Ils n'en parleront pas.

C. — Je n'ai rien mangé de bon. / — Elle n'a rencontré personne de sympa. / — Nous n'avons interrogé personne d'important. / — Ils n'ont rien rapporté d'extraordinaire. / — Il n'a rien remarqué d'anormal.

D. — Pour ne pas dépenser tout ton argent, ne prends... / — Pour ne pas perdre de temps, téléphone .... / — Pour ne pas attendre à la banque, prends .... / — Pour ne pas te perdre, achète ....

Leçon 39

A. — Les acteurs portent d'admirables costumes. / — Les Charvet sont vraiment de charmants amis. / — Elle portait de très petites boucles d'oreilles. / — Nous avons pris de jolies routes. / — Je vous souhaite d'excellentes vacances.

B. — Pendant que les enfants jouaient, j'ai regardé la télévision. / — Il a commencé à neiger pendant que nous installions le camp. / — Pendant qu'il dormait, l'avion a survolé l'Alaska. / — Pendant qu'elle travaillait, elle a visité la région. / — J'ai fait un gâteau pendant que tu t'occupais du jardin.

C. — Elle s'est levée il y a une demi-heure. / — Nous nous sommes mariés il y a sept ans. / — J'ai visité ce pays il y a quelques mois. / — L'avion a décollé il y a 5 minutes. / — Ils sont arrivés au Népal il y a une semaine.

Leçon 40

A. — Je peux y aller n'importe quand. / — Vous pouvez la poser sur n'importe quoi. / — Je peux m'installer n'importe où. / Nous pourrons les donner à n'importe qui. / — On peut s'habiller n'importe comment. / — Ils pourront dormir chez n'importe qui.

B. — Nous voudrions un bungalow .... / — Elle aimerait mieux rester chez elle. / — Tu pourrais lui parler du projet. / — Vous pourriez demander un visa. / — Je voudrais partir demain. / — Ils aimeraient mieux un bonbon.

C. — Je vous le conseille. / — Il se le dit. / — Je vous la réserve. / — Nous nous le demandons. / — Elle nous l'apporte demain. / — On me les recommande.

Leçon 41

A. — Je ne sais pas si on peut vous servir au jardin. / — Elle veut savoir si l'avion atterrit à Bora-Bora. / — Je vous demande si la vedette conduit à l'hôtel. / — Il ne sait pas si nous pourrions partir en juillet. / — Je voudrais savoir s'il a visité Tokyo.

B. — On peut faire le tour de l'île en une journée. / — Nous devons finir cette leçon en quelques heures. / — L'avion peut revenir de Tokyo à Paris en 17 heures. / — Un kayak pourrait descendre les gorges en un après-midi.

C. — ... elle est préparée. / — ... ils sont invités. / — ... ils sont distribués. / — ... il est tamponné. / — ... elles sont réservées.

D. — On m'en a donné. / — Elle vous y conduira. / — Il m'en propose un. / — On s'y amuse bien. / — Elle nous en demande un.

Leçon 42

A. — ... c'est même l'un des plus célèbres. / — ... c'est même l'un des plus dangereux / — ... c'est même l'une des plus longues. / — ... c'est même l'un des meilleurs.

B. — Mais c'est (Gauguin) qu'il aime le plus. / — Mais c'est (le ski) qu'elle pratique le plus. / — Mais c'est (le bus) que nous prenons le plus. / — Mais c'est (le poisson) que j'apprécie le plus.

C. — Ils leur en offrent. / — Elle leur en donne. / — Nous lui en parlons. / — Elle lui en apporte un.

D. — Il faut que tu y sois à 6 h. / — Il faut que vous soyez équipés. / — Il faut qu'ils soient nourris chaque jour. / — Il faut qu'il soit prudent.

E.1 — Ce que nous aimons c'est le calme de cet hôtel. / — Ce que vous voyez c'est un requin. / — Ce que je ne comprends pas c'est votre peur.

E.2 — Elle ne sait pas ce qu'il faut faire. / — Nous ne savons pas ce qu'elle va apporter. / — Je ne comprends pas ce qu'il nous dit.

Leçon 43

A. — Ils sont en train de manger. / — Elle est en train de la faire. / — Je suis en train de vous la préparer. / — Nous sommes en train d'en choisir un.

B. a) — Il est effrayant de voir les requins. /
b) — Les requins sont effrayants à voir.

a) — Il est impossible d'oublier Bora-Bora. /
b) — Bora-Bora est impossible à oublier.

a) — Il est passionnant de découvrir le Japon. /
b) — Le Japon est passionnant à découvrir.

a) — Il est amusant d'apprendre le français. /
b) — Le français est amusant à apprendre.

C. — Parle-m'en mais ne m'en parle pas maintenant. / — Montrez-nous-en mais ne nous en montrez pas ce soir. / — Donnez-lui-en mais ne lui en donnez pas trop. / — Jette-leur-en mais ne leur en jette pas près du bateau. / — Va-t'en mais ne t'en va pas tout de suite.

D. — Donne-le-moi. / — Confiez-la-nous. / — Donnez-le-moi maintenant. / — Garde-les-nous. / — Lave-les-toi.

Leçon 44

A. — Eteignez-la. / — Je voudrais que tu nous y rejoignes. / — Ils se plaignaient. / — Nous n'en craignons pas. / — Je l'ai éteint.

C. — T(u n)'as qu'à t'en aller. / — T(u n)'as qu'à te servir. / — T(u n)'as qu'à te les laver. / — T(u n)'as qu'à éteindre la radio.

Leçon 46

A.1 — Ils sauront éviter les complications.... / — Ils réduiront .... / — Ils iront, chaque matin, ... / — Ils raccourciront la carte. / — Ils renonceront .... / — Ils perdront l'habitude .... / — Ils reviendront .... / — Ils feront appel .... / — Ils auront soin .... / — Ils seront de perpétuels ....

A.2 — Vous saurez éviter .... / — Vous réduirez .... / — Vous irez .... / — Vous raccourcirez .... / — Vous renoncerez .... / — Vous perdrez .... / — Vous reviendrez .... / — Vous ferez appel .... / — Vous aurez soin .... / — Vous serez ....

B. 1) — Savoir éviter ....
2) — Réduire les temps ....
3) — Aller, chaque matin, ...
4) — Raccourcir la carte.

5) — Renoncer . . . .
6) — Perdre l'habitude . . . .
7) — Revenir . . . .
8) — Faire appel . . . .
9) — Avoir soin . . . .
10) — Etre un perpétuel . . . .

Leçon 47

A.1 — Il faut que tu saches éviter . . . . / — Il faut que tu réduises . . . . / — Il faut que tu ailles . . . . / — Il faut que tu raccourcisses . . . . / — Il faut que tu renonces . . . . / — Il faut que tu perdes . . . . / — Il faut que tu reviennes . . . . / — Il faut que tu fasses appel . . . . / — Il faut que tu aies soin . . . . / — Il faut que tu sois . . . .

A.2 — Il faut que nous sachions . . . . / — Il faut que nous réduisions . . . . / — Il faut que nous allions . . . . / — Il faut que nous raccourcissions . . . . / — Il faut que nous renoncions . . . . / — Il faut que nous perdions . . . . / — Il faut que nous revenions . . . . / — Il faut que nous fassions appel . . . . / — Il faut que nous ayons soin . . . . / — Il faut que nous soyons . . . .

B.1 — Sache éviter . . . . / — Réduis . . . . / — Va, chaque matin, ... / — Raccourcis la carte . . . . / — Renonce . . . . / — Perds l'habitude . . . . / — Reviens . . . . / — Fais appel . . . . / — Aie soin . . . . / — Sois un perpétuel . . . .

B.2 — Sachez . . . . / — Réduisez . . . . / — Allez . . . . / — Raccourcissez . . . . / — Renoncez . . . . / — Perdez . . . . / — Revenez . . . . / — Faites appel . . . . / — Ayez soin . . . . / — Soyez . . . .

B.3 — Qu'il sache . . . . / — Qu'il réduise . . . . / — Qu'il aille . . . . / — Qu'il raccourcisse . . . . / — Qu'il renonce . . . . / — Qu'il perde . . . . / — Qu'il revienne . . . . / — Qu'il fasse appel . . . . / — Qu'il ait soin . . . . / — Qu'il soit . . . .

Leçon 48

A. — Je ne sais pas quoi dire. / — Nous ne savons pas quand

partir. / — Elle ne sait pas qui inviter. / — Pourquoi hésiter ? / — Où aller ? / — Que (ou : quoi) manger ?

B. — Sinon, je ne viendrai pas. / — Sinon, ne répondez pas / — Sinon, nous ne commanderons pas. / — Sinon, ils n'en prendront pas. / — Sinon, je ne vous réexplique pas.

C. — Dites-moi ce qui est le moins sucré comme dessert. / — Elle veut savoir ce qui se passera demain. / — Le client demande ce qui va bien comme vin... / — Tu ne veux pas me dire ce qui t'est arrivé hier soir.

D. — Dès que nous aurons mangé, vous irez vous promener. / — Dès qu'il se sera rasé, il se lavera. / — Dès qu'ils seront montés, nous ferons la vaisselle. / — Dès que nous aurons passé la frontière, nous chercherons un hôtel.

Leçon 49

A.1 — Je te laisse dormir. / — Nous la laissons voyager seule. / — Je vous laisse choisir.

A.2 — Laisse-moi en boire ! / — Laissez-nous faire ! / — Laisse-nous les manger avec les doigts !

B. — Je ne pratique ni le ski ni le surf. / — Je ne veux ni Roquefort ni Camembert. / — Elle n'aime ni Gauguin ni Van Gogh. / — Nous ne partons ni en train ni en avion. / — Ils ne viennent ni demain ni après-demain. / — Ne mets ni ta robe rouge ni ta jupe noire.

C. — Au moment où j'avale le vin, je me sens bien. / — A l'heure où le soleil se couche, il fait beaucoup plus froid. / — Au moment où Mme Pottier apporte les frites, les enfants crient de joie. / — A l'instant où l'avion décolle, elle se sent malade. / — A la minute où il s'est couché, le téléphone a sonné.

D. — Le musée se visite seulement le matin. / — Il se commande à l'avance. / — Elles se réservent au théâtre. / — Elle s'emploie souvent. / — Il se prend avec de l'eau.

Leçon 50

A.1 — Nous avons loué la villa pour quatre mois. / — Marc

m'a prêté le livre pour un mois. / — Sa grand-mère garde Marie toute la soirée.

A.2 — ... nous irons pendant 4 jours faire du ski. / — ... nous sommes chez les Z. pour les fêtes. / — Mon fils est parti pour un an ... il viendra nous voir pendant le week-end de Pâques.

B. — J'espère qu'elle sera réussie. / — Nous espérons que nous pourrons skier. / — J'espère qu'elle ira vite mieux. / — J'espère qu'elle saura se débrouiller. / — J'espère qu'il voudra bien nous recevoir.

C. — Elle est trop jeune pour voyager seule. / — Il est assez raisonnable pour comprendre. / — Il est assez grand pour y loger 3 personnes. / — Il est trop violent pour plaire au public. / — Il est trop poli pour être honnête.

Leçon 51

A. — Avant, je ne parlais pas français ; et puis, j'ai acheté la méthode ; maintenant, je m'exprime correctement. / — Avant, nous habitions Montréal ; et puis, nous avons déménagé ; maintenant, nous vivons à Chicoutimi. / — Avant, Anne ne buvait jamais de thé ; et puis, elle a essayé en Angleterre ; maintenant, elle aime beaucoup ça.

B. — Si, on se baigne quand même. / — Si, j'en prends quand même. / — Si, elle partira quand même. / — Si, nous avons quand même eu froid.

C. — Si j'avais de l'argent, je prendrais des vacances. / — S'il faisait beau, nous ne resterions pas à la maison. / — Si le Québec était moins loin (ou : plus près), j'irais voir ma fille. / — S'il ne conduisait pas, il prendrait du vin. / — Si elle était moins jeune (ou : plus âgée), elle voyagerait seule.

Leçon 52

A. — Il a beau avoir un caractère difficile, elle l'aime. / — Sa mère avait beau être inquiète, elle est partie. / — Le maître d'hôtel a beau être malade, le restaurant ouvre. / —

Le facteur avait beau avoir soif, il a refusé la « goutte ». / — Tu as beau lire vite, tu ne finiras pas le livre ce soir.

B. — J'ai entendu dire qu'il fait moins 35° à Chicoutimi ! / — J'ai entendu dire que le Premier ministre arrive ce soir. / — J'ai entendu dire que le film de Jean Bobine sort aujourd'hui. / — J'ai entendu dire que les cigarettes augmentent. / — J'ai entendu dire que les écoles ferment à cause du froid.

C. — Sauf le noir. / — Sauf un peu de Bourgogne. / — Sauf son dernier roman. / — Sauf l'été dernier. / — Sauf parfois dans le jardin.

D. — Si elle restait au Québec elle ferait une croisière. / — S'il neigeait, on pourrait faire du ski. / — Si elle recevait une lettre, elle serait rassurée. / — Si vous vouliez aller en Polynésie, l'agence vous proposerait un tour. / — Si tu voulais lire, je te prêterais mon roman.

Leçon 53

A. 1) — Si tu as aimé les romans de Y., tu adoreras son dernier roman. / — Si vous êtes venus une fois en Lozère, vous y reviendrez. / — Si elles ont appris le français, elles sauront vite l'italien. / — S'il a appelé hier soir, il ne téléphonera pas ce soir. / — Si elle a suivi la recette, elle réussira ce plat.

2) — Tu as aimé les romans de Y. ? Tu vas adorer son dernier roman. / — Vous êtes venus une fois en Lozère ? Vous allez y revenir ! / — Elles ont appris le français ? Elles vont vite savoir l'italien. / — Il a appelé hier soir ? Il ne va pas appeler ce soir. / — Elle a suivi la recette ? Elle va réussir ce plat.

B. — Si on allait voir le nouveau film de Resnais ? / — Si on allait aux sports d'hiver ? / — Si on téléphonait à Irène ? / — Si on finissait les exercices ?

C. — Faim ? Croquez Vitafruit ! / — Mal à la tête ? Prenez vite Migrastop ! / — Besoin d'air pur ? Découvrez la Savoie ! / — Votre propre maison ? Appelez l'Agence Mobipriv !

D. — Plus riche, tu ferais le tour du monde. / — Moins

inquiète, elle serait contente pour sa fille. / — Plus reposés, nous sortirions ce soir. / — Moins pressés, on attendrait demain.

Leçon 54

A. — Qu'est-ce que tu as fait des outils dont je me sers ? / — Mme L. a été nommée directrice du secteur dont elle s'occupe depuis dix ans. / — Il fait toujours des réflexions bizarres dont tout le monde s'étonne. / — Ils ont, en Bretagne, une grande villa dont leurs amis profitent souvent.

B. — a) — Si elle restait au Québec, elle ferait du camping. /
b) — Au cas où elle resterait au Québec, elle ferait du camping . . . .

a) — Si je rentrais demain, je te téléphonerais. /
b) — Au cas où je rentrerais demain, je te téléphonerais . . . .

a) — S'ils nous prêtaient leur chalet, nous irions skier une semaine. /
b) — Au cas où ils nous prêteraient leur chalet, nous irions skier une semaine . . . .

a) — Si vous vous perdiez, les gens vous renseigneraient. /
b) — Au cas où vous vous perdriez, les gens nous renseigneraient . . . .

C. — Je suis inquiète qu'il n'ait pas téléphoné. / — Ils sont ravis que nous les ayons invités. / — Les enfants seront contents que tu aies rapporté des cadeaux. / — Il était désolé que vous soyez partis très vite.

Leçon 55

A. — Le blouson, je l'ai acheté . . . . / — Les chaussures, nous les avons trouvées . . . . / — La jupe, ma mère me l'a choisie . . . . / — Et voilà les pulls que mon père m'a rapportés d'Angleterre. Il en a choisi trois.

B. — Nous ne l'avons pas trouvé. / — Je ne l'ai pas prise. / — Nous ne les avons pas mises. / — Elle ne les a pas faits.

C. — Tu savais que je viendrais. / — Il pensait que tu répondrais. / — Nous disions que vous passeriez. / — Vous saviez qu'il la choisirait. / — Elles savaient que nous le prendrions.

Leçon 56

A. — . . . ou tu en veux un autre ? / — Vous pouvez essayer une autre veste si . . . . / — . . . J'en ai d'autres. Essayez celles-ci si les autres ne vont pas. / — Je prendrai bien encore un autre café . . . . / — Donnez-moi une autre tasse de thé ! / — Les uns disent cela, les autres disent autrement.

B. — . . . , j'avais fini mon travail. / — Ils étaient partis quand . . . . / — Grand-mère avait mangé : elle a fait une sieste. / — . . . mais les souris s'étaient cachées.

C. — Tu aurais été là, tu aurais acheté une veste. / — Elle aurait eu plus d'argent, elle n'aurait pas pris cette vieille jupe ! / — Vous seriez venus, vous auriez vu la petite souris. / — Le marchand aurait fait plus attention, la souris n'aurait pas pu s'installer dans la poche. / — Ils se seraient dépêchés, ils n'auraient pas raté le train.

Leçon 57

A. — . . . , C. Deneuve sera habillée par Y. St-L. / — . . . , les actrices étaient habillées par Dior. / — . . . , il a été habillé par le même couturier. / — Aimeriez-vous être habillé(e) par un grand couturier ? / — . . . , I. Adjani était habillée par Kenzo.

B. — . . . , mes amies se sont fait photographier. / — Ils se sont fait apporter le petit déjeuner au lit. / — Nous nous sommes fait couper les cheveux. / — Elle s'est fait faire une nouvelle robe. / — Vous vous êtes fait envoyer votre courrier . . . ? / — Je me suis fait aider pour . . . .

C. — Si c'est un très bon acteur, par contre c'est un chanteur médiocre. / — Si la musique du film est belle, en revanche l'image est mauvaise. / — Si le jeu des acteurs est excellent, par contre l'histoire est banale. / — Si le décor naturel est superbe, en revanche les acteurs sont mal choisis.

Leçon 58

A. — . . ., je prends les miennes. / — . . . ? Je te prête la mienne. / — . . . ; le mien est au pressing. / — . . ., nous vous montrerons les nôtres. / — . . . ; les Lafarge marient la leur le mois prochain.

B. — Bien que tu saches conduire, ... / — . . . bien qu'il ait très peur. / — Bien qu'elle ne soit pas belle, ... / — Bien que je ne fasse pas mon âge, ... / — Bien qu'il ne la connaisse pas beaucoup, ...

C. — . . . ou illogique. / — Non, elle est inexacte. / — Ne soyez pas inattentifs ! / — . . . ou irréguliers ? / — . . . et deux réponses incorrectes. / — Moi, je la trouve impardonnable.

Leçon 59

A. — Je souhaiterais y aller mais je (ne suis pas invité(e)). / — Nous aimerions le voir mais nous (ne sommes pas libres). / — Cela me ferait très plaisir, mais je (n'en ai pas les moyens). / — Ça serait merveilleux mais (nous ne sommes plus assez jeunes) !

B. — Je veux bien la prendre. / — J'aimerais beaucoup y aller. / — Je ne peux pas le faire. / — Elle aimerait en ouvrir une.

C. — Je te les prête. / — Je ne te le prête pas. / — Je me les rappelle. / — Je ne te le donne pas.

Leçon 60

A. — Ils ont tellement de travail qu'ils n'ont plus le temps de jouer. / — Nous recevions tant d'appels téléphoniques qu'un catalogue est devenu nécessaire. / — Il est tombé tellement de neige que la route est bloquée. / — On nous propose tant de modèles que nous ne savons pas quoi choisir.

B. a) — . . . de sorte que tu apprends vite.
b) — . . .de sorte que tu apprennes vite.

a) — . . . de sorte qu'il peut partir en vacances.
b) — . . . de sorte qu'il puisse partir en vacances.
a) — . . . de sorte que nous connaissons bien la langue.

b) — ... de sorte que nous connaissions bien la langue.

a) — ... de sorte qu'elle va plus vite au bureau.

b) — ... de sorte qu'elle aille plus vite au bureau.

C. — Il a trop travaillé, de là sa fatigue. / — Nous avons développé les exportations, de là notre chiffre d'affaires. / — Ils ont bien organisé leurs services, de là leur réussite. / — Nous avons reçu une demande des particuliers, d'où ce catalogue.

Leçon 61

A. — Si cette entreprise marche bien, c'est qu'elle est à l'écoute de ses clients. / — Si tu réussis, c'est que tu travailles régulièrement. / — Si Jeanne fait un beau chiffre d'affaires, c'est qu'elle est très aimable avec les clients. / — Si nous vendons dans toute la CEE, c'est que nous voulons nous implanter dans le marché européen. / — Si le restaurant ferme trois jours, c'est que le personnel est malade. / — Si je vous demande l'adresse de Pierre, c'est qu'elle n'est pas dans l'annuaire.

B. — Sa gestion est efficace, c'est pourquoi le chiffre d'affaires est en hausse. / — Les activités manuelles se développent, c'est pourquoi notre expansion est assurée. / — L'entreprise est compétitive, c'est pourquoi elle exporte beaucoup. / — Elle est toujours inquiète, c'est pourquoi elle maigrit.

C. — S'il apprend le français, c'est pour mieux connaître la culture. / — S'ils vendent aux pays de la Communauté, c'est pour augmenter leur chiffre d'affaires. / — Si le Marché Commun a été institué en 1958, c'est pour construire l'Europe.

Leçon 62

A. — Je lui téléphone avant qu'il (ne) vienne pour rien / — Lis vite ce livre avant que je (n')aille le rendre à la bibliothèque. / — Lavez-vous les mains avant que je (ne) serve les hors-d'œuvre. / — Je rentre les pots de fleurs avant qu'il (ne) fasse trop froid dehors.

B. — Il a assez d'assurance pour faire ce voyage seul. / — Elle est sortie trop tard pour prendre le dernier métro. / — Tu n'as pas assez d'argent pour partir à l'étranger. / — Petit Pierre est trop énervé pour s'endormir. / — Vous parlez assez bien le français pour vous débrouiller pendant votre séjour en France.

C. — Il y a trop de bruit pour que je puisse dormir. / — Il habite trop loin pour que j'aille le voir. / — Nous avons assez de restes pour que vous déjeuniez avec nous. / — Il y a assez de neige pour que nous partions aux sports d'hiver. / — Il est assez tôt pour que nous soyons à l'heure à la gare.

Leçon 63

A. — Si j'ai mal à la tête, je (prends un cachet). / — Si j'ai un rhume, je (prends un grog avec du citron). / — Si j'ai mal à l'estomac, je (me couche sans manger). / — Si je me suis blessé(e) légèrement, je désinfecte à l'alcool.

B. — Remettez-en ! / — Recomposez-le ! / — Refaites-le ! / — Réessayez encore ! / — Rappelez à 10 heures !

C.1 — Tu viens ou non. / — Qu'il aime ça ou non, ... / — On appelle le SAMU ou non ?

C.2 — Marie appelle l'ambulance ; Luc, le médecin ; Jean, les pompiers ; et moi, la famille.

D. — En cas d'hémorragie, / — en cas de fièvre, / — en cas de frissons, / — en cas de migraine, prévenez votre médecin.

Leçon 64

A. — . . . ne soyez pas désespéré . . . . / — . . . , vous devrez vous déshabiller . . . . / — . . . , il faut désinfecter . . . . / — Les jeunes médecins du Samu sont désintéressés . . . . / — . . . au contraire, décontractez-vous . . . .

B. — Augmentez votre consommation en fer en mangeant des épinards. / — Equilibrez votre alimentation en consommant des fruits. / — Gardez la forme en faisant de la gymnastique. / — Relaxez-vous en vous allongeant sur le sol.

C. — Le mieux c'est de faire du sport très régulièrement. / — Le mieux c'est de manger moins de gâteaux. / — Le mieux c'est de manger de façon équilibrée. / — Le mieux c'est d'apprendre des poèmes.

Leçon 65

A. — Malgré sa fatigue, ... / — Malgré le mauvais temps, ... / — Malgré la pluie, ... / — Malgré la chaleur, ... / — Malgré son erreur, ...

B. — . . . pour que le feu soit maîtrisé. / — . . . pour que mon mari aille vous chercher à la gare. / — Pour que le plat soit réussi, ... / — . . . pour qu'on la reconnaisse.

C. — Prévenu par son frère, ... / — Bien préparée par son professeur, ... / — Détruites par le feu, les forêts . . . . / — Maquillées par un professionnel, ...

D. — Il a suffi d'une remarque pour qu'elle parte en colère ! / Il a suffi d'un an pour qu'il traduise cet énorme livre ! / — Il a suffi d'une semaine pour que ta mère finisse ton pull ! / — Il a suffi d'un numéro rouge pour que je perde ma fortune au casino !

Leçon 66

A. — Les enfants, passant trop de temps devant la télévision, lisent de moins en moins. / — Le pompier, entendant des cris, s'était précipité à l'intérieur de la maison. / — Le magasin, s'agrandissant, a développé de nouveaux secteurs. / — Notre directeur, allant prochainement en Belgique, pourra vous rencontrer.

B. — . . . et hyper-sensible. / — . . . d'architecture ultramoderne. / — . . . la vie des habitants est désorganisée. / — . . . et même hyper-sympa.

C. — Pauline a des yeux verts et même vert foncé, des cheveux noirs et une peau très blanche. / — . . . : une fumée blanche puis gris-noir, des flammes de toutes couleurs : bleues, rouge sang, jaunes, vert-jaune, orangées.

Leçon 67

A. — . . . pendant que nous commencions notre repas. / — . . . pendant que la forêt brûlait. / — . . . pendant qu'il (elle) prenait son bain. / — . . . pendant qu'il (elle) faisait sa promenade.

B. — Ce que j'aime c'est la mer. / — Ce qui lui fait peur c'est le feu. / — Ce qu'elle préfère c'est sa robe noire. / — Ce que nous recherchons ce sont les causes de l'incendie. / — Ce qu'ils veulent c'est éviter la catastrophe.

C. — Après avoir parlé au colonel, j'ai écrit mon article. / — Après avoir rencontré les pompiers, il a parlé avec le colonel. / — Après être arrivés, nous avons rencontré les autorités. / — Après avoir essayé beaucoup de fripes, ils ont choisi une vieille gabardine grise.

Leçon 68

A. — La télécarte se vend dans les bureaux de tabac. / — Le solde se voit sur l'écran. / — La communication s'obtient facilement. / — La cabine se trouve au coin de la rue. / — Les télécommunications se développent énormément.

B. — Une fois que j'ai introduit la carte, je peux téléphoner. / — Une fois que vous avez fini de parler, raccrochez ! / — Une fois l'appel enregistré, il n'y a plus qu'à attendre. / — Une fois le numéro affiché, j'entends la tonalité.

C. — Viens soit ce soir, soit ce week-end. / — Tu peux soit prendre le train, soit venir en voiture. / — Je serai chez moi soit à midi, soit à 14 heures. / — Quel été : soit il pleut, soit il fait trop sec !

Leçon 69

A. — Dans 50 ans, les hommes auront exploré le système solaire. / — Dans 3 mois, nous aurons appris les bases de la langue. / — Dans 4 jours, l'expédition sera montée au camp de base. / — Dans 5 minutes, le soleil se sera couché. / — Dans quelques années, tout aura changé.

B.1 — « Déclaration d'indépendance de notre pays. » / — « Mariage de la princesse et du boulanger. » / — « Blessure au genou de X, le joueur de football. »

B.2 — « Retour ce soir des astronautes de Mars. » / — « Erreur dans le calcul des impôts ! » / — « Match en demi-finale : victoire du Club ! »

C. a) Quoi que tu décides, il faudra agir vite !
b) — Quelle que soit ta décision, ...

a) — Quoi que nous produisions, nous devons chercher la qualité.
b) — Quel que soit notre produit, ...

a) — Quoi qu'il se passe, elle partira.
b) — Quelle que soit la situation, ...

a) — Quoi que tu m'offres, ça me fera très plaisir.
b) — Quel que soit ton cadeau, ...

a) — Quoi qu'on donne comme film, je n'irai pas au cinéma.
b) — Quel que soit le film (ou le programme), ...

Leçon 70

A. — Ne venez ni trop tard ni trop tôt. / — Je ne veux être ni riche ni pauvre. / — Vous ne supportez ni les gens trop polis ni les gens trop directs. / — Elle n'aime ni maigrir ni grossir.

B. — Ce dont j'ai besoin c'est d'un dictionnaire bilingue. / — Ce dont il a envie c'est d'un bon café. / — Ce dont nous parlerons avec plaisir c'est de votre conférence. / — Ce dont je me souviens bien c'est de mon enfance en Savoie. / — Ce dont il a toujours peur c'est de se perdre. / — Ce dont elle a besoin c'est d'être aimée.

C. — Paris, capitale de la France, reçoit de nombreux visiteurs. / — Le Festival de Cannes, rencontre internationale de cinéma, décerne chaque année une Palme d'or. / — Le requin, animal dangereux, aime les mers chaudes. / — Le Chambertin, grand Bourgogne rouge, accompagne fort bien le fromage.

Leçon 71

A. — A force de téléphoner, . . . / — A force de manger des gâteaux, . . . / — A force de courir, . . . / — A force de frotter, . . . / — A force de vous promener, . . .

B. — . . ., il va finir par avoir une grosse facture à payer. / — . . ., j'ai fini par grossir. / — . . ., nous avons fini par attraper le train. / — . . ., elle finira par enlever la tache. / — . . ., vous finissez par bien connaître la ville.

C. — Si elle avait eu le temps, elle aurait visité le musée. / — Si vous nous aviez donné l'adresse, nous ne nous serions pas perdus. / — S'il avait fait beau, ils seraient sortis de l'hôtel. / — Si je n'avais pas réservé de place, je n'aurais pas pu prendre le bateau pour Belle-Ile.

Leçon 72

A. — Puisqu'il est footballeur professionnel, il joue tous les matchs de son club / — Puisqu'il a eu un accident, il regarde tous les matchs à la télé. / —Puisqu'elle a horreur du football, elle ne suit pas la Coupe du monde. / — Vous parlez anglais, puisque vous êtes néo-zélandais. / — Puisque les enfants viendront dimanche, je prends des croissants.

B. — . . ., d'autant plus qu'ils ont un match important. . . / — . . ., d'autant plus qu'ils sont sélectionnés. . . / — . . ., d'autant plus qu'il a arrêté . . . / —. . ., d'autant plus qu'il n'est pas du tout vaniteux. / — . . ., d'autant plus que la caisse était vide !

C. — . . . afin que nous prenions rendez-vous. / —. . . afin de ne pas vous tromper. / — . . . afin de savoir s'il vient ou pas. / — . . . afin qu'il sache plus vite. . .

Leçon 73

A. — . . . sauf si j'ai un empêchement. / — . . . sauf s'il glisse. . . / — . . . sauf si leur moral est atteint. / — . . . sauf si tu as de la fièvre.

B. a) — Ce n'est pas qu'ils aient peur des Marseillais mais parce qu'ils pensent. . .
b) — Ce n'est pas que nous ne voulions pas jouer. . . mais parce que nous estimons que . . .

C. — . . . sous prétexte qu'il y avait grève de métro. / — . . . sous prétexte qu'il neigeait trop. / — . . . sous prétexte qu'un joueur avait touché le ballon. . . / — . . . sous

prétexte qu'elle avait du travail à finir. / — ... sous prétexte que ça le réveillera.

Leçon 74

A. — La meilleure chose que tu puisses faire c'est d'aller dans une librairie spécialisée. / — La seule chose que tu puisses faire c'est de chercher dans l'annuaire. / — La meilleure chose que tu puisses faire c'est de demander à tes amis. / — La seule chose que tu puisses faire c'est d'attendre demain matin ! / — La seule chose que tu puisses faire c'est d'appeler un serrurier !

B. — une concurrente célébrissime. / — un roi illustrissime. / — un industriel richissime. / — un phénomène rarissime. / — un vin « sublimissime ».

C. — Une intention impure. / — Un travail inutile. / — Une erreur imprévisible. / — Une attitude irrationnelle. / — Une réponse illogique. / — Un conducteur imprudent. / — Un résultat immérité.

Leçon 75

A. — Plus il mange, plus il grossit. / — Plus elle parle, moins elle écoute les autres. / — Plus nous lisons, plus nous apprenons. / — Plus il est tard, plus j'ai envie de dormir. / — Moins sa fille écrit, plus elle est inquiète.

B. — Fatiguée, elle... / — Très énervé, il ne veut... / — Bien entraînés, vous allez... / — Très motivés, ils ont...

C. — ... d'autant que tu as un examen... / — ... d'autant que tu en as deux. / — ... d'autant qu'elle a mis... / — ... d'autant que vous les connaissez bien.

Leçon 76

A. — Le soleil a favorisé l'implantation de cultures tropicales. / — Le vent a favorisé la victoire de Catherine. / — La visite du Premier ministre a favorisé la signature d'accords culturels.

B. — ... a parcouru... venait... a permis... ont découvert... permettra...

C. — ... a donné envie... / — ... poussent... / —... a entraîné... / — ... inciteront...

D. — J'ai besoin tant de calme que de réflexion. / —Il a présenté un projet tant de développement que de coopération. / — Catherine doit faire preuve tant de courage que de calme.

Leçon 77

A. — Anglaise, elle lit le Times. / — Ensoleillée toute la journée, cette plage est très fréquentée. / — Bien écrit, ce livre est agréable à lire. / — Bien équipée, la ville attire de nombreux touristes.

B. — Vous n'avez pas envie de vous reposer ? / — Il n'est pas utile de prendre un parapluie ! / — Il n'est pas bon de rester trop longtemps au soleil. / — Il n'est pas facile de répondre !

C. — Hommes, femmes, enfants, vieilles personnes, tout le monde... / — Pommes, poires, raisin, prunes : le marché... / — ... : ski nautique, voile, surf, plongée. / — ... : laboratoires, salles de conférence, bibliothèques, centres de documentation.

D. — Vous vous plairez à Montpellier ! / — Vous apprécierez son accueil ! / — Vous adorerez la région. / — Vous y trouverez des loisirs selon vos goûts.

Leçon 78

A. — Ce que je cherche chez lui / elle, c'est d'abord (la bonté), c'est ensuite (l'intelligence), c'est enfin (l'humour).

B. — M. vous offre non seulement les avantages d'une grande ville mais encore les plaisirs de la campagne... / — ... cette méthode vous propose d'une part une page de compréhension, d'autre part une page de pratique. / — Je veux pouvoir non seulement parler mais encore écrire le français. / —Le Musée expose d'une part de la peinture, d'autre part de la sculpture.

C. — A notre carte : soit le menu à 70F soit le menu gastronomique. / — Qu'est-ce que vous préférez : soit aller au cinéma soit dîner au restaurant ? / —Vous pouvez aller à M. soit par le TGV soit par avion. / — Il fallait soit fermer la grotte soit voir disparaître...

Leçon 79

A. — ... à la pesanteur, en d'autres termes à l'attraction terrestre. / — à Kourou c'est-à-dire au Centre Spatial. / — La Villette, en d'autre termes la Cité des Sciences, ...

B. — ... notamment à cause de sa Côte Sauvage. / — ... avant tout celle de Lascaux. / — ... avant tout grâce à sa Faculté de Médecine.

C. — Je pense donc je suis. / — Le restaurant est fermé, en effet le « chef » est malade. / — Enfin l'été !, en effet nous sommes le 21 juin. / — Elle fait un régime donc elle ne mange plus de gâteaux.

D. — Je ne sors pas ce soir, d'ailleurs je suis très fatigué. / — Je ne sors pas ce soir, pourtant j'ai très envie d'aller au concert. / — Catherine est championne de voile, pourtant la mer n'est pas une vocation. / — Catherine est très adroite de ses mains, d'ailleurs elle aurait pu être chirurgien.

LEXIQUE

à (prép.) ▶ **1 :** (habiter à) to live in
abandonner (v.) ▶ **31 :** to abandon
abattoir (n.m.) ▶ **78 :** abattoir
à bientôt (adv.) ▶ **29 :** see you soon
abominable (adj.) ▶ **34 :** abominable
abonné(e) (n.) ▶ **69 :** subscriber
à bord de (prép.) ▶ **7 :** on board
aborder (v.) ▶ **70 :** to land
abriter (s'•) (v.) ▶ **52 :** to (take) shelter
abriter (v.) ▶ **23 :** to accommodate
absent (adj.) ▶ **4 :** absent
absolu (adj.) ▶ **7 :** absolute
à cause de (prép.) ▶ **30 :** because of ; owing to
accepter (de faire qqch.) (v.) ▶ **20 :** to agree (to do)
accident (n.m.) ▶ **38 :** accident
accompagné (adj.) ▶ **27 :** accompanied
accompagner (v.) ▶ **39 :** to accompany
accroître (v.) ▶ **61 :** to increase
accueil (n.m.) ▶ **22 :** welcome
accueillir (v.) ▶ **28 :** to welcome
« à chaud » (adv.) ▶ **35 :** on-the-spot
acheter (s'•) (v.) ▶ **68 :** to be bought
acheter (v.) ▶ **15 :** to buy
acidité (n.f.) ▶ **49 :** acidity ; sharpness
à condition de (conj.) ▶ **64 :** provided that
à côté de (prép.) ▶ **14 :** next to ; beside
acrobate (n.m./f.) ▶ **5 :** acrobat
acteur/trice (n.) ▶ **6 :** actor/actress
actif (adj.) ▶ **7 :** active
activité (n.f.) ▶ **61 :** activity
actuel/elle (adj.) ▶ **47 :** present
actuellement (adv.) ▶ **7 :** at present
adapter (s'•) (v.) ▶ **62 :** to adapt (oneself)
adapter (v.) ▶ **67 :** to adapt
adhérer (v.) ▶ **72 :** to adhere to
adhésif/ive (adj.) ▶ **75 :** sticky
administration (n.f.) ▶ **19 :** administration
admirable (adj.) ▶ **63 :** wonderful
admirer (v.) ▶ **42 :** to admire

adorer (v.) ▶ **4** : to adore
aéroport (n.m.) ▶ **3** : airport
affaire (n.f.) ▶ **60** : business
affiche (n.f.) ▶ **53** : poster
afficher (s'•) (v.) ▶ **68** : to appear
afficher (v.) ▶ **79** : to put up
affronter (v.) ▶ **73** : to confront ; to face
afin de (conj.) ▶ **72** : in order to
à flots (adv.) ▶ **79** : (couler à flots) to flow freely
à force de (conj.) ▶ **71** : by dint of: through
africain (adj.) ▶ **76** : African
agacer (qq'n) (v.) ▶ **45** : to tease ; to get on sb's nerves
à gauche (adv.) ▶ **12** : on the left
âge (n.m.) ▶ **3** : age
agence (n.f.) ▶ **31** : agency
agir (v.) ▶ **63** : to act
agiter (v.) ▶ **36** : to wave
agneau (n.m.) ▶ **20** : lamb
agréable (adj.) ▶ **12** : pleasant
agricole (adj.) ▶ **20** : agricultural
agriculture (n.f.) ▶ **20** : agriculture
agronomique (adj.) ▶ **76** : agronomical
aider (v.) ▶ **23** : to help
ail (n.m.) ▶ **18** : garlic
ailleurs (adv.) ▶ **55** : elsewhere
aimer (s'•) (v.) ▶ **9** : to love each other
aimer (v.) ▶ **4** : to like
aimer mieux (v.) ▶ **13** : to prefer
aîné (adj.) ▶ **19** : elder
ainsi (adv.) ▶ **38** : in this way
ainsi que (adv.) ▶ **76** : as well as
air (n.m.) ▶ **11** : air
à la fois (adv.) ▶ **26** : both
à l'aise (adv.) ▶ **56** : (être à l'aise) to be comfortable
à la main (adv.) ▶ **24** : manually
à la mode (adv.) ▶ **55** : fashionable
alarmé (adj.) ▶ **65** : alerted
à la ronde (adv.) ▶ **67** : round
à l'extérieur (adv.) ▶ **68** : outside
à l'heure où (conj.) ▶ **51** : at the time when
aliment (n.m.) ▶ **64** : food
alimentation (n.f.) ▶ **17** : groceries
à l'instant où (conj.) ▶ **49** : as soon as
à l'intérieur de (prép.) ▶ **76** : inside
alizé (n.m.) ▶ **75** : trade wind
allemand(e) (n.) ▶ **26** : German
aller (n.m.) ▶ **37** : outward journey
aller (v.) ▶ **4** : to go
aller bien (à qq'n) (v.) ▶ **55** : to suit (sb)
aller bien (v.) ▶ **4** : to be fine
allonger (s'•) (v.) ▶ **64** : to lie down
à l'ombre de (prép.) ▶ **70** : in the shade of
à l'origine (adv.) ▶ **15** : originally
alors (adv.) ▶ **11** : then
altitude (n.f.) ▶ **14** : altitude
amateur (n.m.) ▶ **27** : amateur
ambassade (n.f.) ▶ **32** : embassy
ambitieux/ieuse (adj.) ▶ **76** : ambitious

ambulance (n.f.) ▶ 63 : ambulance
améliorer (v.) ▶ 72 : to improve
aménager (v.) ▶ 15 : to fit out
Américain(e) (n.) ▶ 26 : American
ami(e) (n.) ▶ 9 : friend
à mi-temps (adv.) ▶ 19 : part-time
amitié (n.f.) ▶ 52 : friendship
amour (n.m.) ▶ 5 : love
amoureux (n./adj.) ▶ 6 : lover
ampleur (n.f.) ▶ 67 : magnitude
amuser (s'•) (v.) ▶ 51 : to have fun
an (n.m.) ▶ 6 : year
ancien/ienne (adj.) ▶ 15 : old
anciens (n.m.pl.) ▶ 71 : the elders
anglais (adj.) ▶ 1 : English
animal (n.m.) ▶ 11 : animal
à n'importe quelle heure (adv.) ▶ 41 : any time
anneau (n.m.) ▶ 75 : ring
année (n.f.) ▶ 10 : year
antenne (à l'•) (n.f.) ▶ 79 : on the air
août (n.m.) ▶ 3 : August
à partir de (prép.) ▶ 9 : from... onwards
à peine (adv.) ▶ 57 : scarcely; hardly
apercevoir (v.) ▶ 42 : to see
apéritif (n.m.) ▶ 12 : aperitif
à peu près (adv.) ▶ 15 : just about; more or less
à pied (adv.) ▶ 14 : on foot
à plein temps (adv.) ▶ 63 : full-time
apparaître (v.) ▶ 68 : to appear
appareil photo (n.m.) ▶ 28 : camera
apparemment (adv.) ▶ 56 : apparently
appartement (n.m.) ▶ 10 : flat
appartenir (v.) ▶ 26 : to belong to
appel (n.m.) ▶ 54 : call
appeler (v.) ▶ 6 : to call
appeler (s'•) (v.) ▶ 3 : (elle s'appelle) her name is
appellation (n.f.) ▶ 46 : appellation
appétit (n.m.) ▶ 42 : appetite
appliquer (v.) ▶ 72 : to apply
apporter (v.) ▶ 28 : to bring
apprécier (v.) ▶ 42 : to appreciate
apprendre (v.) ▶ 24 : to learn
approcher (s'•) (v.) ▶ 75 : to come near to
approcher (v.) ▶ 49 : to bring near
après (prép.) ▶ 10 : after
après-midi (n.m./f.) ▶ 19 : afternoon
à propos (adv.) ▶ 7 : incidentally; by the way
arbre (n.m.) ▶ 22 : tree
architecte (n.) ▶ 25 : architect
architectural (adj.) ▶ 78 : architectural
argent (n.m.) ▶ 25 : money
arôme (n.m.) ▶ 49 : aroma
arrêter (s'•) (v.) ▶ 34 : to stop
arrière-grand-mère (n.f.) ▶ 51 : great-grandmother
arrivée (n.f.) ▶ 16 : arrival
arriver (v.) ▶ 18 : to arrive
arrondissement (n.m.) ▶ 10 : district
art (n.m.) ▶ 39 : art
article (n.m.) ▶ 60 : item

artisanat (n.m.) ▶ 60 : arts and craft
artiste (n.) ▶ 77 : artist
artistique (adj.) ▶ 62 : artistic
ascenseur (n.m.) ▶ 12 : lift
asseoir (s'') (v.) ▶ 44 : to sit down
assez (de) (adv.) ▶ 12 : enough
assiette (n.f.) ▶ 43 : plate
assister (v.) ▶ 8 : to attend ; to be present at
association (n.f.) ▶ 35 : association
assurer (v.) ▶ 62 : to ensure
atlantique (adj.) ▶ 75 : Atlantic
à toute allure (adv.) ▶ 79 : at full speed
à travers (prép.) ▶ 76 : through
attaché (adj.) ▶ 75 : tied back
atteindre (v.) ▶ 62 : to reach
attendre (v.) ▶ 12 : to wait
attentif/tive (adj.) ▶ 39 : attentive
attention ! (excl.) ▶ 21 : careful !
atterrir (v.) ▶ 41 : to land
attraction terrestre (n.f.) ▶ 79 : gravity
attraper (v.) ▶ 42 : to catch
au bas de (prép.) ▶ 27 : at the bottom of
au bord de (prép.) ▶ 62 : by (the water)
au cas où (conj.) ▶ 54 : in case
au cœur de (prép.) ▶ 49 : in the heart of
au coin (du feu) (prép.) ▶ 12 : by the fireside
au creux de (prép.) ▶ 70 : in the holes of
aucun (adj.) ▶ 69 : any
au-dessus de (prép.) ▶ 22 : above
audiovisuel (n.m.) ▶ 69 : audiovisual
auditeur/trice (n.) ▶ 79 : listener
au fond de (prép.) ▶ 16 : at the bottom of
augmenter (v.) ▶ 64 : to increase
aujourd'hui (adv.) ▶ 4 : today
au milieu de (prép.) ▶ 63 : among
au moment où (conj.) ▶ 49 : as
au pied de (prép.) ▶ 30 : at the foot of
au revoir (adv.) ▶ 1 : goodbye
au service de (prép.) ▶ 77 : in the service of
au sommet de (prép.) ▶ 27 : at the top of
aussi (adv.) ▶ 4 : also
austral (adj.) ▶ 40 : southern
autant (adv.) ▶ 37 : just as much
autant de (adv.) ▶ 13 : so much / so many
authentique (adj.) ▶ 46 : genuine
automatique (adj.) ▶ 23 : automatic
automne (n.m.) ▶ 24 : autumn
autonome (adj.) ▶ 7 : autonomous
autoritaire (adj.) ▶ 5 : authoritarian
autorité (n.f.) ▶ 65 : authority
au total (adv.) ▶ 37 : in all
autour de (prép.) ▶ 11 : around
autre (adj.) ▶ 21 : other
autrefois (adv.) ▶ 15 : in the past

avalanche **(n.f.)** ▶ **32**: avalanche
avaler (v.) ▶ **49**: to swallow
avant (prép.) ▶ **5**: before
avantage (n.m.) ▶ **38**: advantage
avant de/que (conj.) ▶ **11**: before
avant-garde (n.f.) ▶ **47**: avant-garde
avec (prép.) ▶ **4**: with
avenir (n.m.) ▶ **77**: future
aventure (n.f.) ▶ **27**: adventure
avenue (n.f.) ▶ **8**: avenue
avion (n.m.) ▶ **1**: plane
avoir (v.) ▶ **5**: to have
avoir beau (v.) ▶ **52**: however hard + verb
avoir besoin de (v.) ▶ **11**: to need
avoir droit à (v.) ▶ **73**: to be entitled to
avoir envie de (v.) ▶ **11**: to feel like
avoir l'habitude de (v.) ▶ **60**: to be in the habit of
avoir le droit (v.) ▶ **39**: to be allowed to
avoir le temps (v.) ▶ **32**: to have time
avoir lieu (v.) ▶ **73**: to take place
avoir peur (v.) ▶ **12**: to be afraid
avoir prise sur (v.) ▶ **74**: to have hold over
avoir ses chances (v.) ▶ **73**: to have a chance; to be lucky
avoir soif (v.) ▶ **50**: to be thirsty
avoir soin de (v.) ▶ **47**: to take care
avouer (v.) ▶ **74**: to confess
avril (n.m.) ▶ **28**: April

bagages (n.m.pl.) ▶ **33**: luggage
baguette (n.f.) ▶ **18**: stick of bread
baigner (se *) (v.) ▶ **41**: to go swimming
balle (n.f.) ▶ **64**: ball
banane (n.f.) ▶ **43**: banana
bananier (n.m.) ▶ **42**: banana tree
banlieue (n.f.) ▶ **35**: suburbs
banque (n.f.) ▶ **19**: bank
bar (n.m.) ▶ **36**: bar
barbe (n.f.) ▶ **51**: beard
barque (n.f.) ▶ **21**: small boat
barricade (n.f.) ▶ **4**: barricade
barrière (n.f.) ▶ **34**: barrier
bas/basse (adj.) ▶ **28**: low
base (n.f.) ▶ **61**: base
basket (n.m.) ▶ **57**: basketball
bateau (n.f.) ▶ **70**: boat; ship
bâtiment (n.m.) ▶ **22**: building
beau/belle (adj.) ▶ **3**: beautiful
beaucoup (adv.) ▶ **4**: a lot
beauté (n.f.) ▶ **58**: beauty
Beaux-Arts (n.m.pl.) ▶ **60**: Fine Arts
bébé (n.m.) ▶ **71**: baby
Belge (n.) ▶ **22**: Belgian
bénéficier (v.) ▶ **61**: to enjoy
bénéfique (adj.) ▶ **64**: beneficial
bénévole (adj.) ▶ **7**: unpaid
bénin/bénigne (adj.) ▶ **63**: minor
berger/ère (n.) ▶ **23**: sheperd(ess)

bergerie (n.m.) ▶ 15 : sheep pen
bête (adj. ; fam.) ▶ 53 : stupid
bête (n.f.) ▶ 24 : animal
bêtise (n.f.) ▶ 50 : stupid thing
beurre (n.m.) ▶ 16 : butter
bien (adv.) ▶ 4 : well
bien que (conj.) ▶ 58 : although
bien sûr (adv.) ▶ 12 : certainly
bientôt (adv.) ▶ 34 : soon
bienvenu (adj.) ▶ 77 : welcome
bienvenue (n.f.) ▶ 41 : welcome
bijou (n.m.) ▶ 60 : jewel
bilan (n.m.) ▶ 65 : assessment
bille (n.f.) ▶ 4 : marble
billet (d'argent) (n.m.) ▶ 18 : (bank)note
billet (d'avion) (n.m.) ▶ 32 : ticket
bioclimatique (adj.) ▶ 78 : bioclimatic
bison (n.m.) ▶ 71 : bison
bistrot (n.m.) ▶ 6 : bistrot ; café
bizarre (adj.) ▶ 30 : odd ; strange
blaguer (v.) ▶ 54 : to joke
blanc / blanche (adj.) ▶ 5 : white
bleu (adj.) ▶ 6 : blue
blouse (n.f.) ▶ 63 : coat
blouson (n.m.) ▶ 59 : jacket
boire (v.) ▶ 11 : to drink
bois (n.m.) ▶ 15 : wood
bon / bonne (adj.) ▶ 7 : good
bon marché (adj.inv.) ▶ 57 : cheap
bonheur (n.m.) ▶ 11 : happiness
bonjour ! (excl.) ▶ 1 : good morning!
bonne humeur (n.f.) ▶ 28 : good mood
bord (d'une rivière) (n.m.) ▶ 62 : bank
bouche (n.f.) ▶ 49 : mouth
boucherie (n.f.) ▶ 24 : butcher's
bouger (v.) ▶ 4 : to move
bougie (n.f.) ▶ 49 : candle
boulanger/ère (n.) ▶ 23 : baker
bouquet (d'un vin) (n.m.) ▶ 49 : bouquet
bourguignon (adj.) ▶ 49 : Burgundian
bout (n.m.) ▶ 56 : piece of
bouteille (n.f.) ▶ 43 : bottle
boutique (n.f.) ▶ 54 : shop
bracelet (n.m.) ▶ 75 : bracelet
branché (adj.) ▶ 69 : branched
brebis (n.f.) ▶ 20 : ewe
briller (v.) ▶ 27 : to shine
bronzé (adj.) ▶ 59 : tanned
bruit (n.m.) ▶ 12 : noise
brûlant (adj.) ▶ 75 : burning
brûler (v.) ▶ 67 : to burn
brun (adj.) ▶ 67 : brown
brutal (adj.) ▶ 30 : brutal
bruyant (adj.) ▶ 12 : noisy
buisson (n.f.) ▶ 71 : bush
Bulgare (n.) ▶ 35 : Bulgarian
bungalow (n.m.) ▶ 40 : bungalow
bureau (pièce) (n.m.) ▶ 12 : office
bureau de poste (n.m.) ▶ 68 : post office
bureau de tabac (n.m.) ▶ 68 : tobacconist's

c'est-à-dire (adv.) ▶ 9 : that is to say
ça (= cela) (pr.) ▶ 4 : this
ça fait (v.) ▶ 37 : that makes
ça sent (v.) ▶ 49 : it smells like
ça veut dire (v.) ▶ 51 : it means
cabane (n.f.) ▶ 52 : cabin
cabine publique (n.f.) ▶ 68 : phone booth
câble (n.m.) ▶ 69 : cable
câbler (v.) ▶ 69 : to cable
cache-cache (n.m.) ▶ 4 : hide-and-seek
cacher (v.) ▶ 75 : to hide
cadeau (n.m.) ▶ 37 : gift
café (n.m.) ▶ 1 : coffee
calcaire (adj.) ▶ 20 : limestone
calcaire (n.m.) ▶ 20 : limestone
calcul (n.m.) ▶ 4 : sums
calendrier (n.m.) ▶ 73 : calendar
calme (adj.) ▶ 29 : calm ; quiet
caméscope (n.m.) ▶ 28 : video-camera
camionnette (n.f.) ▶ 23 : van
camp de base (n.m.) ▶ 34 : base-camp
campagne (n.f.) ▶ 13 : country
campagne (pub.) (n.f.) ▶ 66 : campaign
camper (v.) ▶ 52 : to camp
Canadien/ienne (n.) ▶ 22 : Canadian
canal (n.m.) ▶ 78 : canal
candidat(e) (n.) ▶ 35 : candidate
canotier (n.m.) 62 : boater
cape (n.f.) ▶ 51 : cloak
capiteux/euse (adj.) ▶ 53 : heady
capital (n.m.) ▶ 66 : capital
capitale (n.f.) ▶ 12 : capital
capter (v.) ▶ 69 : to pick up
caractère (n.m.) ▶ 26 : character
caravane (n.f.) ▶ 28 : caravan
carnaval (n.m.) ▶ 51 : carnival
carotte (n.f.) ▶ 18 : carrot
carrelage (n.m.) ▶ 15 : tiling
carrière (n.f.) ▶ 5 : career
carte (n.f.) ▶ 2 : card
carte (de restaurant) (n.f.) ▶ 43 : menu
carte à puce (n.f.) ▶ 68 : chip card
carte de crédit (n.f.) ▶ 28 : credit card
carton d'invitation (n.m.) ▶ 9 : invitation
cassis (n.m.) ▶ 49 : blackcurrant
catalogue (n.m.) ▶ 60 : catalogue
catastrophique (adj.) ▶ 65 : disastrous
cave (à vin) (n.f.) ▶ 49 : cellar
cave (n.f.) ▶ 22 : cellar
ce / cette (adj.) ▶ 13 : this
célèbre (adj.) ▶ 6 : famous
célébrer (v.) ▶ 8 : to celebrate
celui/celle (pron.) ▶ 21 : the one
centre (n.m.) ▶ 29 : centre
cerf (n.m.) ▶ 71 : stag
cerise (n.f.) ▶ 49 : cherry
certain (adj.) ▶ 28 : some
certain (pron.) ▶ 26 : some
certainement (adv.) ▶ 27 : certainly
cerveau (n.m.) ▶ 69 : brain
chacun(e) (pron.) ▶ 24 : each ; everyone
chaîne (de montagnes) (n.f.) ▶ 16 : range

chaîne (de télé.) (n.f.) ▶ 69 : channel
chalet (n.m.) ▶ 26 : chalet
chambre (n.f.) ▶ 12 : bedroom
chambre d'hôtel (n.f.) ▶ 28 : room
champ (n.m.) ▶ 16 : field
champagne (n.m.) ▶ 79 : champagne
champignon (n.m.) ▶ 48 : mushroom
champion/ionne (n.) ▶ 73 : champion
chance (n.f.) ▶ 30 : luck
changer (v.) ▶ 11 : to change
chanson (n.f.) ▶ 5 : song
chanteur/euse (n.) ▶ 5 : singer
chanter (v.) ▶ 4 : to sing
chantier (n.m.) ▶ 26 : (building) site
chapeau (n.m.) ▶ 3 : hat
chaque (adj.sing.) ▶ 11 : every ; each
charcuterie (n.f.) ▶ 51 : cooked pork meats
chargé (adj.) ▶ 75 : saturated
charge (n.f.) ▶ 34 : gear
charger (qq'n de faire qqch.) (v.) ▶ 39 : to put sb in charge of sth
charme (n.m.) ▶ 62 : charm
charmer (v.) ▶ 70 : to charm
charpente (vin) (n.f.) ▶ 49 : body
chasse (n.f.) ▶ 71 : hunting
chasser (fig.) (v.) ▶ 64 : to chase away
chat (n.m.) ▶ 11 : cat
château (n.m.) ▶ 9 : castle
chaud (adj.) ▶ 15 : hot
chaud (adv. ; temp.) ▶ 21 : hot
chauffage au gaz (n.m.) ▶ 15 : gas heating
chauffer (se*) (v.) ▶ 15 : to warm o.s.
chauffer (v.) ▶ 27 : to heat up
chaussette (n.f.) ▶ 21 : sock
chaussure (n.f.) ▶ 28 : shoe
chef (de cuisine) (n.m.) ▶ 46 : « chef »
chef d'État (n.m.) ▶ 76 : head of state
chef porteur (n.m.) ▶ 33 : head porter
chemin (n.m.) ▶ 79 : way
cheminée (n.f.) ▶ 12 : fireplace
chêne-liège (n.m.) ▶ 67 : cork-oak
cher / chère (adj. ; prix) ▶ 18 : expensive
cher / chère (adj.) ▶ 29 : dear
chercher (v.) ▶ 19 : to go and fetch
chercheur (n.m.) ▶ 32 : researcher
chéri(e) (n.) ▶ 54 : darling
cheval (n.m.) ▶ 21 : horse
cheveux (n.m.pl.) ▶ 6 : hair
chez (prép.) ▶ 10 : at sb's place
chic (adj.inv.) ▶ 45 : smart
chimie (n.f.) ▶ 47 : chemistry
chirurgien (n.m.) ▶ 74 : surgeon
choc (n.m.) ▶ 39 : shock
choisir (v.) ▶ 14 : to choose
choix (n.m.) ▶ 14 : choice
choquer (v.) ▶ 74 : to shock
chose (n.f.) ▶ 32 : thing
ciel (n.m.) ▶ 10 : sky
cinéma (n.m.) ▶ 6 : movie
cinquantaine (n.f.) ▶ 63 : about fifty
circuit (n.m.) ▶ 2 : circuit

cirque (de montagnes) (n.m.) ▶ **34** : cirque
cité (n.f.) ▶ **76** : -cité-
citron (n.m.) ▶ **64** : lemon
clair (adj.) ▶ **12** : bright
classe (n.f.) ▶ **4** : class(room)
classer (v.) ▶ **44** : to classify
classique (n.m.) ▶ **39** : classical
client(e) (n.) ▶ **39** : customer
clientèle (n.f.) ▶ **60** : customers
climat (n.m.) ▶ **21** : climate
clinique (adj.) ▶ **63** : clinical
clocher (n.m.) ▶ **16** : church tower ; steeple
club (n.m.) ▶ **72** : club
cochon de lait (n.m.) ▶ **43** : piglet
cockpit (n.m.) ▶ **75** : cockpit
cocotier (n.m.) ▶ **42** : coconut palm
cœur (n.m.) ▶ **23** : heart
coiffé (adj.) ▶ **6** : with tidy hair
coin (n.m.) ▶ **28** : place
collecter (v.) ▶ **24** : to collect
collectivité (n.f.) ▶ **61** : community
collier (n.m.) ▶ **41** : necklace
colline (n.f.) ▶ **23** : hill
colonel (n.m.) ▶ **67** : colonel
combien de (adv.) ▶ **12** : how many / much
combien de temps ? (adv.) ▶ **36** : how long?
commandant (n.m.) ▶ **7** : major
commande (n.f.) ▶ **43** : order
commandement (n.m.) ▶ **46** : commandment
commander (v.) ▶ **43** : to order
comme (prép.) ▶ **23** : as
comme (conj.comp.) ▶ **11** : like
comme (conj.) ▶ **33** : as ; since
commencer (par qqch.) (v.) ▶ **43** : to begin with
commencer (v.) ▶ **3** : to begin
comment (adv.) ▶ **11** : how
commercial (adj.) ▶ **62** : commercial
commune (n.f.) ▶ **14** : borough
communication (n.f.) ▶ **68** : communication
comparer (v.) ▶ **55** : to compare
compétitif/tive (adj.) ▶ **62** : competitive
compétition (n.f.) ▶ **35** : competition
compétitivité (n.f.) ▶ **61** : competitivity
complet/ète (adj.) ▶ **64** : whole
complètement (adv.) ▶ **74** : absolutely
complexe (n.m.) ▶ **78** : complex
complication (n.f.) ▶ **46** : complexity
comportement (n.m.) ▶ **32** : behaviour
comprendre (= comporter) (v.) ▶ **78** : to consist of
comprendre (v.) ▶ **18** : to understand
compte à rebours (n.m.) ▶ **79** : count down
concentration (n.f.) ▶ **75** : concentration
concentrer (se *) (v.) ▶ **64** : to concentrate
concept (n.m.) ▶ **69** : concept
concert (n.m.) ▶ **77** : concert
concours (n.m.) ▶ **51** : competition
condition (n.f.) ▶ **69** : condition

conduire (v.) ▶ 12 : to drive
conférence de presse (n.f.) ▶ 36 : press conference
confier (v.) ▶ 33 : to entrust to sb
confiture (n.f.) ▶ 16 : jam
confort (n.m.) ▶ 41 : comfort
confortable (adj.) ▶ 15 : comfortable ; cosy
congélateur (n.m.) ▶ 17 : deep freeze
congrès (n.m.) ▶ 77 : congress
connaissance (n.f.) ▶ 33 : knowledge
connaître (v.) ▶ 26 : to know
conseil (n.m.) ▶ 27 : piece of advice
conseiller (v.) ▶ 40 : to advise
conséquence (n.f.) ▶ 38 : consequence
conservation (n.f.) ▶ 47 : preservation
conservatoire (n.m.) ▶ 78 : academy
conservé (adj.) ▶ 62 : kept
conserve (n.f.) ▶ 17 : canned food
consigne (n.f.) ▶ 72 : orders
consommation (n.f.) ▶ 64 : consumption
constamment (adv.) ▶ 67 : constantly
construction (n.f.) ▶ 23 : construction
construire (v.) ▶ 22 : to build
consumer (v.) ▶ 58 : to burn
contact (n.m.) ▶ 1 : contact
contacter (v.) ▶ 72 : to contact
conteneur (n.m.) ▶ 24 : container
content (adj.) ▶ 9 : glad
contestataire (n.) ▶ 57 : protester
continent (n.m.) ▶ 7 : continent
continuellement (adv.) ▶ 67 : constantly
continuer (v.) ▶ 39 : to carry on with
contourner (v.) ▶ 34 : to bypass
contrairement (adv.) ▶ 38 : contrary
contrat (n.m.) ▶ 72 : contract
contre (prép.) ▶ 49 : around
coordonner (v.) ▶ 63 : to coordinate
copain (n.m.) ▶ 6 : mate; pal
coque (de bateau) (n.f.) ▶ 75 : hull
coquillage (n.m.) ▶ 43 : shellfish
corbeau (n.m.) ▶ 29 : raven
corbeille (n.f.) ▶ 42 : basket
corde (n.f.) ▶ 71 : rope
corneille (n.f.) ▶ 29 : crow
corps (n.m.) ▶ 5 : body
correctement (adv.) ▶ 45 : correctly
correspondant (n.m.) ▶ 68 : correspondent
cortège (n.m.) ▶ 76 : procession
costume de sport (n.m.) ▶ 3 : sports costume
coucher (se *) (v.) ▶ 31 : to go to bed
couler (v.) ▶ 79 : to flow
couleur (n.f.) ▶ 42 : colour
couloir (n.m.) ▶ 12 : corridor
coup de soleil (n.m.) ▶ 27 : sunburn
couper (l'appétit) (v.) ▶ 42 : to take away

couple (n.m.) ▶ 26 : couple
coupole (n.f.) ▶ 78 : dome
cour (n.f.) ▶ 23 : (court)yard
courageux/euse (adj.) ▶ 25 : brave
courant (adj.) ▶ 38 : common
courir (v.) ▶ 67 : to run
courrier (n.m.) ▶ 50 : mail
cours (n.m.) ▶ 17 : lesson
course (n.f.) ▶ 17 : shopping
course en solitaire (n.f.) ▶ 74 : solo competition
court (adj.) ▶ 37 : short
cousin(e) (n.) ▶ 9 : cousin
coûter (v.) ▶ 30 : to cost
couturier (n.m.) ▶ 58 : fashion designer
couvert (adj.) ▶ 21 : covered
couvrir (v.) ▶ 41 : to cover
craindre (v.) ▶ 44 : to fear
cran (n.m.) ▶ 75 : notch
créateur/trice (n.) ▶ 58 : creator
création (n.f.) ▶ 76 : creation
créer (v.) ▶ 3 : to create
crête (n.f.) ▶ 34 : crest
cri (n.m.) ▶ 29 : cry; call
crinoline (n.f.) ▶ 51 : crinoline
croire (v.) ▶ 13 : to think
croire (qq'n) (v.) ▶ 32 : to believe
croisière (n.f.) ▶ 52 : cruise
croissant (n.m.) ▶ 18 : croissant
cru (adj.) ▶ 42 : raw
cruel/elle (adj.) ▶ 67 : cruel
cuir (n.m.) ▶ 61 : leather
cuisine (n.f.) ▶ 10 : cooking
cuisine (n.f.) ▶ 15 : kitchen
cuisinier/ière (n.) ▶ 46 : cook
cuisson (n.f.) ▶ 46 : cooking
culture (agr.) (n.f.) ▶ 20 : growing
culture (art.) (n.f.) ▶ 77 : culture
culturel/elle (adj.) ▶ 39 : cultural

d'abord (adv.) ▶ 32 : first
d'accord (adv.) ▶ 33 : okay
daigner (v.) ▶ 75 : to deign
d'ailleurs (adv.) ▶ 10 : moreover
danger (n.m.) ▶ 42 : danger
dangereux/euse (adj.) ▶ 34 : dangerous
Danois (n.) ▶ 22 : Danish
dans ▶ (prép.) ▶ 1 : in
danse (n.f.) ▶ 19 : dancing
danser (v.) ▶ 4 : to dance
date (n.f.) ▶ 22 : date
date de naissance (n.f.) ▶ 2 : date of birth
d'autant plus que (conj.) ▶ 72 : all the more
d'autre part (adv.) ▶ 20 : on the other hand
davantage (adv.) ▶ 64 : more
débarquement (n.m.) ▶ 2 : disembarcation; landing
débrouiller (se*) (v.) ▶ 50 : to manage
début (n.m.) ▶ 29 : beginning
débutant(e) (n.) ▶ 27 : beginner
décalage horaire (n.m.) ▶ 31 : time difference
décalogue (n.m.) ▶ 46 : Decalogue
décembre (n.m.) ▶ 5 : December
décentralisation (n.f.) ▶ 76 : decentralization

décidément (adv.) ▶ 75 : undoubtedly
décider (v.) ▶ 29 : to decide
déclencher (v.) ▶ 57 : to release
décoder (v.) ▶ 69 : to decode
décolleté (adj.) ▶ 59 : low-cut
décontracté (adj.) ▶ 75 : relaxed
décoration (n.f.) ▶ 60 : decoration
décorer (v.) ▶ 37 : to decorate
découvreur (n.m.) ▶ 47 : discoverer
découvrir (v.) ▶ 21 : to discover
décrire (v.) ▶ 15 : to describe
décrocher (tél.) (v.) ▶ 68 : to lift the receiver
dedans (adv.) ▶ 56 : inside; indoors
de fait (adv.) ▶ 14 : in fact
défaut (n.m.) ▶ 47 : defect
défense (n.f.) ▶ 77 : defence
défilé (de mode) (n.m.) ▶ 57 : fashion parade
définitivement (adv.) ▶ 64 : definitely
dégagé (ciel) (adj.) ▶ 79 : clear
dégât (n.m.) ▶ 65 : damage
dégoûter (qq'n de qqch.) (v.) ▶ 43 : to put sb off sth
dégustation (n.f.) ▶ 49 : tasting
déguster (v.) ▶ 49 : to taste
dehors (adv.) ▶ 15 : outside; outdoors
déjà (adv.) ▶ 18 : already
déjeuner (n.m.) ▶ 43 : lunch
de là (adv.) ▶ 60 : hence
de la part de (prép.) ▶ 72 : on behalf of
délicieux/euse (adj.) ▶ 18 : delicious
demain (adv.) ▶ 32 : tomorrow
demande (n.f.) ▶ 61 : demand
demander (v.) ▶ 23 : to ask
de manière que (conj.) ▶ 60 : in such a way that
démarrer (v.) ▶ 75 : to move off
déménager (v.) ▶ 62 : to move
demeurer (v.) ▶ 58 : to remain
demi-heure (n.f.) ▶ 14 : half-hour
démodé (adj.) ▶ 53 : old-fashioned
démonstration (n.f.) ▶ 61 : demonstration
déneiger (v.) ▶ 25 : to clear away the snow
denim (n.m.) ▶ 31 : denims
départ (n.m.) ▶ 33 : departure
département (n.m.) ▶ 21 : region
département (= secteur) (n.m.) ▶ 76 : department
départemental (adj.) ▶ 67 : departemental
dépasser (v.) ▶ 74 : to be beyond sb
dépêcher (se*) (v.) ▶ 54 : to hurry
depuis (prép.) ▶ 10 : for; since
depuis que (conj.) ▶ 29 : (ever) since
dernier/ère (= précédent) (adj.) ▶ 22 : last
derrière (prép.) ▶ 22 : behind
dès (prép.) ▶ 65 : by
dès que (conj.) ▶ 11 : as soon as
des tas de (prép.) ▶ 52 : lots of
désastre (n.m.) ▶ 67 : disaster
descendre (v.) ▶ 24 : to go down
descente (n.f.) ▶ 27 : downhill
désert (n.m.) ▶ 67 : desert
déserter (v.) ▶ 57 : to desert

désespéré (adj.) ▶ 72 : desperate
déshydraté (adj.) ▶ 64 : dehydrated
désirer (v.) ▶ 18 : to wish for
désolé (adj.) ▶ 18 : sorry
désormais (adv.) ▶ 57 : from now on
de sorte que (conj.) ▶ 60 : so that
dessert (n.m.) ▶ 43 : dessert
destination (à ˙ de) (n.f.) ▶ 54 : travelling to
détacher (se ˙) (v.) ▶ 79 : to come away
détaillé (adj.) ▶ 60 : detailed
de temps en temps (adv.) ▶ 36 : from time to time
détester (v.) ▶ 4 : to hate
de toute façon (adv.) ▶ 13 : anyway
devant (prép.) ▶ 13 : in front
développement (n.m.) ▶ 76 : development
développer (se ˙) (v.) ▶ 49 : to develop
développer (v.) ▶ 60 : to develop
devenir (v.) ▶ 6 : to become
devoir (v.) ▶ 7 : to have to
dévorer (v.) ▶ 65 : to consume
dévouement (n.m.) ▶ 63 : devotion
diable (n.m.) ▶ 66 : devil
diététique (n.f.) ▶ 47 : dietetics
différent (adj.) ▶ 11 : different
difficile (adj.) ▶ 5 : difficult
difficulté (n.f.) ▶ 64 : difficulty
diffuser (v.) ▶ 60 : to distribute
digne de (adj.) ▶ 73 : worthy of
dimanche (n.m.) ▶ 3 : Sunday
dîner (v.) ▶ 16 : to have dinner
dîner (n.m.) ▶ 42 : dinner
dingue (adj. ; fam.) ▶ 29 : crazy; hectic
dire (v.) ▶ 6 : to say
direct (adj.) ▶ 37 : direct
directement (adv.) ▶ 15 : directly
directeur/trice (n.) ▶ 67 : director
direction (n.f.) ▶ 62 : management
dirigeant (n.m.) ▶ 72 : manager
diriger (v.) ▶ 3 : to manage; to run
discret/ète (adj.) ▶ 48 : discreet
discrètement (adv.) ▶ 48 : discreetly
disgracieux/ieuse (adj.) ▶ 64 : awkward
disponible (adj.) ▶ 19 : free for
disposer (v.) ▶ 67 : to arrange
dispositif (n.m.) ▶ 67 : set-up
disposition (n.f.) ▶ 28 : disposal
disputer (sport) (v.) ▶ 2 : to run
disputer (se ˙) (v.) ▶ 44 : to quarrel
disque (n.m.) ▶ 10 : record
distance (n.f.) ▶ 49 : distance
distinguer (v.) ▶ 63 : to distinguish
divers (adj.) ▶ 53 : several; various
diversité (n.f.) ▶ 70 : variety
dizaine (n.f.) ▶ 21 : ten or so
domaine (n.m.) ▶ 32 : field
domicile (n.m.) ▶ 2 : place of residence
donc (adv.) ▶ 9 : therefore
donner (v.) ▶ 7 : to give
donner sur (v.) ▶ 12 : to look out onto

dont (pr.) ▶ 54 : whose
doré (adj.) ▶ 75 : gilded
dormir (v.) ▶ 21 : to sleep
dos (n.m.) ▶ 64 : back
dossier (n.m.) ▶ 69 : file
d'où (adv.) ▶ 60 : hence
doublure (n.f.) ▶ 56 : lining
doucement (adv.) ▶ 49 : gently
doux (adv.temp.) ▶ 21 : mild
doux / douce (adj.) ▶ 11 : soft
drapeau (n.m.) ▶ 36 : flag
droit (adj.) ▶ 6 : straight
droit de cité (n.m.) ▶ 57 : right
drôle (adj.) ▶ 30 : funny
drôlement (adv.fam.) ▶ 52 : terribly
dur (adj.) ▶ 25 : hard
dureté (n.f.) ▶ 49 : hardness
dynamique (adj.) ▶ 77 : dynamic

eau (n.f.) ▶ 7 : water
échapper (v.) ▶ 79 : to escape
échauffer (s'•) (v.) ▶ 49 : to warm up
échelle (fig.) (n.f.) ▶ 63 : scale
éclair (n.m.) ▶ 42 : flash
éclater (événement) (v.) ▶ 62 : to break out
école (n.f.) ▶ 4 : school
écolier/ière (n.) ▶ 66 : schoolboy/girl
écologie (n.f.) ▶ 77 : ecology
écologiste (n.m./f.) ▶ 7 : ecologist
économiser (v.) ▶ 25 : to save
écoute (= corde) (n.f.) ▶ 75 : sheet
écouter (v.) ▶ 29 : to listen
écran (n.m.) ▶ 57 : screen
écrire (v.) ▶ 4 : to write
écriture (n.f.) ▶ 13 : writing
écume (n.f.) ▶ 75 : foam
éden (n.m.) ▶ 41 : Eden
effet (n.m.) ▶ 64 : effect
effet de fronde (n.m.) ▶ 79 : sling effect
efficace (adj.) ▶ 53 : efficient
efficacité (n.f.) ▶ 60 : efficiency
effort (n.m.) ▶ 33 : effort
égal (adj.) ▶ 49 : same
également (adv.) ▶ 41 : also
église (n.f.) ▶ 8 : church
égoïste (adj.) ▶ 74 : selfish
électricité (n.f.) ▶ 47 : electricity
élégant (adj.) ▶ 49 : elegant
élément (n.m.) ▶ 66 : element
élevage (n.m.) ▶ 20 : breeding
élever (v.) ▶ 20 : to breed
éliminer (v.) ▶ 73 : to eliminate
elle (pr.) ▶ 3 : she
éloigné (adj.) ▶ 35 : distant
émail (n.m.) ▶ 61 : enamel
embarquement (n.m.) ▶ 54 : boarding
embaucher (s'•) (v.) ▶ 25 : to get o.s. hired
embrasser (v.) ▶ 29 : to kiss
emmener (v.) ▶ 23 : to take (with one)
émotion (n.f.) ▶ 33 : emotion
emplacement (n.m.) ▶ 78 : site
emploi (n.m.) ▶ 77 : employment
emploi du temps (n.m.) ▶ 19 : time-table
employé(e) (n.) ▶ 3 : employee
employer (v.) ▶ 60 : to use
emporter (v.) ▶ 33 : to take (with one)
en (prép.) ▶ 14 : in

en avance (adv.) ▸ 77 : well ahead
en avoir marre (fam.) (v.) ▸ 45 : to be fed up with
en bas de (prép.) ▸ 16 : at the bottom of
encadrement (n.m.) ▸ 62 : framing
en cas de (prép.) ▸ 63 : in case of
en contrebas de (prép.) ▸ 15 : (down) below
encorder (s'') (v.) ▸ 71 : to rope up
encore (adv.) ▸ 4 : still
en dessous de (prép.) ▸ 27 : below
en direct (adv.) ▸ 79 : live
endroit (n.m.) ▸ 32 : place
endurance (n.f.) ▸ 33 : endurance
en effet (adv.) ▸ 20 : indeed
énergie (n.f.) ▸ 78 : energy
en face de (prép.) ▸ 23 : in front of
en fait (adv.) ▸ 75 : in fact
enfant (n.m./f.) ▸ 9 : child
enfermé (adj.) ▸ 24 : kept
enfin ! (excl.) ▸ 54 : at last!
enfin (adv.) ▸ 78 : lastly
enflammer (v.) ▸ 58 : to set ablaze
en fonction de (prép.) ▸ 48 : according to
en général (adv.) ▸ 19 : usually
en guise de (prép.) ▸ 75 : by way of
en matière de (prép.) ▸ 72 : as regards
enneigé (adj.) ▸ 27 : snowed-up
énorme (adj.) ▸ 33 : huge
en outre (adv.) ▸ 79 : besides
en plein air (adv.) ▸ 51 : in the open air
en plus (adv.) ▸ 15 : extra
enraciné (adj.) ▸ 26 : deep-rooted
enregistré (adj.) ▸ 34 : recorded
enregistrer (v.) ▸ 33 : to register
en retard (adv.) ▸ 54 : late
enseignant(e) (n.) ▸ 76 : teacher
ensemble (adv.) ▸ 17 : together
ensemble (n.m.) ▸ 22 : set
en somme (adv.) ▸ 30 : all in all
ensuite (adv.) ▸ 11 : then
entendre (v.) ▸ 11 : to hear
entendre dire que (v.) ▸ 52 : to hear that
entendu ! (excl.) ▸ 54 : all right!
entier/ière (adj.) ▸ 26 : whole
entièrement (adv.) ▸ 15 : entirely
en titre (adv.) ▸ 73 : official
entouré (adj.) ▸ 74 : surrounded
entraîner (v.) ▸ 72 : to train
entraîneur (n.m.) ▸ 72 : trainer
entre (prép.) ▸ 17 : between
entrée (n.f.) ▸ 70 : entrance
entreprendre (v.) ▸ 74 : to undertake
entreprise (n.f.) ▸ 60 : firm
entrer (v.) ▸ 48 : to come in
entretenir (v.) ▸ 64 : to train
environnement (n.m.) ▸ 77 : environment
envoyer (v.) ▸ 67 : to send
envoyé spécial (n.m.) ▸ 67 : special correspondent
épargner (v.) ▸ 65 : to spare

épicerie (= produits) (n.f.) ▶ 17 : groceries
époque (n.f.) ▶ 22 : era
épuisant (adj.) ▶ 37 : exhausting
équateur (n.m.) ▶ 79 : equator
équilibre (n.m.) ▶ 64 : balance
équipage (n.m.) ▶ 54 : crew
équipé (adj.) ▶ 15 : fitted out
équipe (n.f.) ▶ 7 : team
équipement (n.m.) ▶ 33 : equipment
ermite (n.m.) ▶ 74 : hermit
escale (n.f.) ▶ 33 : stopover
escalier (n.m.) ▶ 29 : stairs
espace (n.m.) ▶ 13 : space
espagnol (adj.) ▶ 1 : Spanish
espérer (v.) ▶ 41 : to hope for
espoir (n.m.) ▶ 7 : hope
esprit (n.m.) ▶ 47 : mind
essayer (v.) ▶ 53 : to try
essor (n.m.) ▶ 60 : expansion; boom
esthétique (adj.) ▶ 55 : attractive
estomac (n.m.) ▶ 47 : stomach
et (conj.) ▶ 1 : and
et puis (adv.) ▶ 36 : (and) then
étable (n.f.) ▶ 17 : cowshed
étage (n.m.) ▶ 12 : floor
étape (n.f.) ▶ 33 : step
état (n.m.) ▶ 55 : state
été (n.m.) ▶ 4 : summer
éteindre (v.) ▶ 44 : to switch off
étendre (v.) ▶ 62 : to spread out
éternel/elle (adj.) ▶ 58 : eternal
ethnologue (n.m.) ▶ 32 : ethnologist
étincelle (n.f.) ▶ 65 : spark
étonnant (adj.) ▶ 39 : amazing
étonné (adj.) ▶ 39 : surprised
étrange (adj.) ▶ 36 : strange
étranger/ère (n.) ▶ 26 : foreigner
étranger (à l'•) (n.m.) ▶ 62 : abroad
être (v.) ▶ 1 : to be
être à la tête de (v.) ▶ 63 : to head
être assis (v.) ▶ 22 : to be seated
être coupé (v.) ▶ 20 : to be cut off
être d'accord (v.) ▶ 13 : to agree
être en danger (v.) ▶ 65 : to be in danger
être en forme (v.) ▶ 64 : to be fit
être en passe de (v.) ▶ 76 : to be on the way to
être en train de (v.) ▶ 43 : to be + (ing) form
être maître (de qqch.) (v.) ▶ 74 : to be in control of
être sur ses gardes (v.) ▶ 65 : to be on one's guard
étroit (adj.) ▶ 12 : narrow
étude (n.f.) ▶ 31 : study
étude de marché (n.f.) ▶ 62 : market research
étudiant(e) (n.) ▶ 1 : student
étudier (v.) ▶ 7 : to study
européen/éenne (adj.) ▶ 79 : European
eux (pr.) ▶ 10 : them
événement (n.m.) ▶ 35 : event
éventuellement (adv.) ▶ 72 : possibly
éviter (v.) ▶ 46 : to avoid
évolution (n.f.) ▶ 69 : evolution
exact (adj.) ▶ 22 : precise
exactement (adv.) ▶ 7 : exactly
exalter (v.) ▶ 47 : to enhance

examen médical (n.m.) ▶ 63 : medical examination
exaucé (adj.) ▶ 73 : fulfilled
excellent (adj.) ▶ 20 : excellent
exception (n.f.) ▶ 72 : exception
exceptionnel (adj.) ▶ 36 : exceptional
excès (n.m.) ▶ 63 : excess
excitant (adj.) ▶ 13 : exciting
exemplaire (adj.) ▶ 60 : exemplary
exemple (n.m.) ▶ 38 : example
exercice physique (n.m.) ▶ 64 : exercise
exigence (n.f.) ▶ 47 : requirement
exister (v.) ▶ 60 : to exist
expansion (n.f.) ▶ 62 : expansion
expédition (n.f.) ▶ 32 : expedition
expérience (n.f.) ▶ 61 : experience
expliquer (v.) ▶ 23 : to explain
explorer (v.) ▶ 21 : to explore
exportation (n.f.) ▶ 62 : export
exporter (v.) ▶ 61 : to export
exposé (adj.) ▶ 15 : facing
exposition (n.f.) ▶ 78 : exhibition
expressif/ive (adj.) ▶ 5 : expressive
expression (n.f.) ▶ 5 : expression
exténué (adj.) ▶ 75 : exhausted
extérieur (adj.) ▶ 26 : outside
externe (adj.) ▶ 72 : external
extrait (n.m.) ▶ 16 : extract
extraordinaire (adj.) ▶ 5 : extraordinary
extrême (adj.) ▶ 65 : extreme
fabriquer (v.) ▶ 20 : to make
fac' (= faculté) (n.f.) ▶ 17 : faculty
façade (n.f.) ▶ 78 : front; façade
face à (prép.) ▶ 25 : in front of
facile (adj.) ▶ 38 : easy
facilement (adv.) ▶ 21 : easily
façon (n.f.) ▶ 41 : way
facteur (n.m.) ▶ 50 : postman
facteur ▶ (= fait) (n.m.) ▶ 79 : factor
faim (n.f.) ▶ 43 : hunger
faire (v.) ▶ 1 : to do
faire (une dimension = mesurer) (v.) ▶ 15 : to be
faire (un prix) (v.) ▶ 18 : to be
faire (temp.) (v.) ▶ 21 : to be
faire appel à (v.) ▶ 47 : to call upon
faire attention (v.) ▶ 27 : to be careful
faire connaissance (v.) ▶ 50 : to meet
faire du ski (v.) ▶ 26 : to ski
faire face (à qqch.) (v.) ▶ 74 : to face
faire fortune (v.) ▶ 26 : to make one's fortune
faire gaffe (fam.) (v.) ▶ 66 : to be careful; watch out for
faire la queue (v.) ▶ 27 : to queue
faire-part (n.m.) ▶ 8 : annoucement
faire part (v.) ▶ 8 : to announce
faire partie ▶ de (v.) ▶ 35 : to belong to
faire peau neuve (expr.) ▶ 57 : to find a new image
faisandage (n.m.) ▶ 47 : high game
fameux/se (adj.) ▶ 3 : famous

familial (adj.) ▶ **47** : family
familiariser (se *) (v.) ▶ **44** : to familiarize
famille (n.f.) ▶ **9** : family
fantastique (adj.) ▶ **34** : fantastic
fascinant (adj.) ▶ **43** : fascinating
fatigant (adj.) ▶ **4** : tiring
fatigué (adj.) ▶ **64** : tired
fatigue (n.f.) ▶ **64** : tiredness
faux / fausse (adj.) ▶ **37** : wrong
favoriser (v.) ▶ **76** : to favour
femme (n.f.) ▶ **3** : woman
femme de chambre (n.f.) ▶ **42** : chambermaid
fenêtre (n.f.) ▶ **11** : window
fer (n.m.) ▶ **64** : iron
ferme (adj.) ▶ **40** : firm
ferme (n.f.) ▶ **21** : farm
fermentation (n.f.) ▶ **47** : fermentation
fermer (v.) ▶ **68** : to close
fermier/ière (n.) ▶ **17** : farmer
festin (n.m.) ▶ **42** : feast
festival (n.m.) ▶ **57** : festival
fête (n.f.) ▶ **57** : holiday
fêter (v.) ▶ **9** : to celebrate
feu (de bois) (n.m.) ▶ **12** : wood fire
feuille (n.f.) ▶ **42** : leaf
février (n.m.) ▶ **2** : February
ficher la paix (à qq'n) (v.) ▶ **44** : to leave sb alone
fier / fière (adj.) ▶ **20** : proud
fille (n.f.) ▶ **5** : daughter; girl
film (n.m.) ▶ **58** : picture; movie
fils (n.m.) ▶ **7** : son
fin (n.f.) ▶ **27** : end
fini (adj.) ▶ **13** : finished
finir (v.) ▶ **44** : to finish
finir par (faire) (v.) ▶ **71** : to end up doing
fixer (v.) ▶ **64** : to retain
fjord (n.m.) ▶ **52** : fjord
flacon (n.m.) ▶ **53** : bottle
flamme (n.f.) ▶ **67** : flame
flash (n.m.) ▶ **57** : flash
fleur (n.f.) ▶ **21** : flower
fleuve (n.m.) ▶ **52** : river
fois (deux *) (n.f.) ▶ **10** : twice
foncer (v.) ▶ **75** : to tear along
fonctionnel/elle (adj.) ▶ **42** : functional
fonctionner (v.) ▶ **68** : to work
fondation (n.f.) ▶ **7** : foundation
fondé (adj.) ▶ **60** : founded
fondre (v.) ▶ **28** : to melt
force (n.f.) ▶ **74** : strength
forestier/ière (adj.) ▶ **65** : forest
forêt (n.f.) ▶ **65** : forest
forfait (n.m.) ▶ **40** : set price
forme (n.f.) ▶ **39** : form
former (se *) (v.) ▶ **67** : to form
former (v.) ▶ **23** : to form
formidable (adj.) ▶ **6** : tremendous
formule (n.f.) ▶ **32** : formula
formule 1 (n.f.) ▶ **2** : Formula One
fort (adj.) ▶ **13** : strong
fort(e) (adj.; pente) ▶ **27** : steep
fort (adv.) ▶ **34** : heavily
fortifié (adj.) ▶ **70** : fortified
fou / folle (de joie) (adj.) 41 : to be out of one's mind (with joy)
fou / folle (n.) ▶ **51** : mad
four (à pain) (n.m.) ▶ **23** : oven

fournir (v.) ▸ 24 : to supply
fourrure (n.f.) ▸ 51 : fur
frais / fraîche (adj.) ▸ 15 : fresh
frais / fraîche (temp.) (adj.) ▸ 21 : cool
Franc (n.m.) ▸ 15 : franc
français (adj.) ▸ 1 : French
franchise (n.f.) ▸ 39 : frankness
franc-parler (n.m.) ▸ 6 : outspokenness
frangipanier (n.m.) ▸ 41 : frangipani
frapper (v.) ▸ 36 : to strike
frapper fort (v.) ▸ 53 : to hit hard
fraternel/elle (adj.) ▸ 6 : fraternal
frêle (adj.) ▸ 5 : frail
fréquent (adj.) ▸ 31 : frequent
fréquentation (n.f.) ▸ 66 : influx
frère (n.m.) ▸ 9 : brother
fringue (n.f.) ▸ 55 : gear; togs
fripe (n.f.) ▸ 55 : togs
frites (n.f.pl.) ▸ 45 : French fries
froid (adj./n.m.) ▸ 15 : cold
fromage (n.m.) ▸ 17 : cheese
front (n.m.) ▸ 6 : forehead
fruit (n.m.) ▸ 17 : fruit
fumée (n.f.) ▸ 66 : smoke
furieux/ieuse (adj.) ▸ 30 : furious
fusée (n.f.) ▸ 79 : rocket
futur (adj./n.m.) ▸ 36 : future

gabardine (n.f.) ▸ 55 : gabardine
gagnant (adj.) ▸ 72 : winning
gagner (v.) ▸ 51 : to win
garage (n.m.) ▸ 23 : garage
garantie (n.f.) ▸ 47 : guarantee
garantir (v.) ▸ 41 : to guarantee
garçon (n.m.) ▸ 4 : boy
garde-robe (n.f.) ▸ 57 : wardrobe
garder (un enfant) (v.) ▸ 28 : to look after
garder (v.) ▸ 23 : to keep
garder le contact (v.) ▸ 60 : to keep in contact
garderie (n.f.) ▸ 28 : day nursery
gare (n.f.) ▸ 68 : station
garer (se *) (v.) ▸ 12 : to park
gastronomie (n.f.) ▸ 47 : gastronomy
gâteau (n.m.) ▸ 43 : cake
gaver (se *) (v.) ▸ 51 : to stuff o.s.
gelé (adj.) ▸ 25 : frozen
génération (n.f.) ▸ 7 : generation
généreux/euse (adj.) ▸ 5 : generous
génétique (n.f.) ▸ 76 : genetics
génial (adj.) ▸ 74 : of genius
genre (n.m.) ▸ 39 : genre
gens (n. pl.) ▸ 22 : people
gentil/ille (adj.) ▸ 4 : kind
géode (n.f.) ▸ 78 : geode
géographique (adj.) ▸ 79 : geographical
géologue (n.m.) ▸ 32 : geologist
gestion (n.f.) ▸ 60 : management
gigot (n.m.) ▸ 48 : leg
glace (n.f.) ▸ 13 : ice
glacé (adj.) ▸ 43 : iced
glacial (adj.) ▸ 51 : freezing
glissant (adj.) ▸ 34 : slippery
glisser (v.) ▸ 71 : to slip
gorge (n.f.) ▸ 20 : gorge; canyon

gorgée (n.f.) ▶ 49 : sip
goût (n.m.) ▶ 47 : taste
goût (n.m.) ▶ 58 : liking
goûter (v.) ▶ 18 : to taste
goutte (d'alcool) (n.f.) ▶ 50 : nip
grâce à (prép.) ▶ 33 : thanks to
grand (adj.) ▶ 2 : great
grandiose (adj.) ▶ 21 : grandiose
grandir (v.) ▶ 37 : to grow
grave (adj.) ▶ 18 : important
gravité (n.f.) ▶ 63 : seriousness
gravure (n.f.) ▶ 57 : (fashion) plate
grec/cque (adj.) ▶ 10 : Greek
grenier (n.m.) ▶ 15 : attic
gri-gri (n.m.) ▶ 75 : amulet
grillade (n.f.) ▶ 15 : grill
grillé (pain ˙) (adj.) ▶ 16 : toast
grimper (v.) ▶ 34 : to climb
gris (adj.) ▶ 56 : grey
gros (adj.) ▶ 17 : large
gros lot (n.m.) ▶ 73 : jackpot
grotte (n.f.) ▶ 21 : cave
groupé (adj.) ▶ 29 : surrounding
groupe (n.m.) ▶ 7 : group
guerre (n.f.) ▶ 35 : war
gueule (fam. ; n.f.) ▶ 6 : face
guide (n.m.) ▶ 27 : guide
guider (v.) ▶ 46 : to guide

habiller (v.) ▶ 57 : to dress
habitant(e) (n.) ▶ 14 : inhabitant
habitation (n.f.) ▶ 15 : residence
habiter (v.) ▶ 1 : to live
habitude (n.f.) ▶ 17 : habit
habitué(e) (n.) ▶ 26 : regular
habituellement (adv.) ▶ 11 : usually
habituer (s'˙) (v.) ▶ 31 : to get used to
halle (n.f.) ▶ 78 : Hall
harmonieux/ieuse (adj.) ▶ 70 : harmonious
haut (adj.) ▶ 28 : high
haute couture (n.f.) ▶ 31 : haute-couture
hauteur (n.f.) ▶ 29 : height
havre de grâce (n.m.) ▶ 63 : haven of grace
hébergement (n.m.) ▶ 28 : accommodation
hectare (n.m.) ▶ 65 : hectare
hein ! (excl.) ▶ 50 : ah?
herbe (n.f.) ▶ 20 : grass
heure (n.f.) ▶ 4 : hour
heureux/euse (adj.) ▶ 11 : happy
heureux/euse (adj. ; fig.) ▶ 53 : appropriate
heureusement (adv.) ▶ 38 : fortunately
hier (adv.) ▶ 42 : yesterday
histoire (n.f.) ▶ 38 : story
historique (n.m.) ▶ 62 : historic
hiver (n.m.) ▶ 15 : winter
homme (n.m.) ▶ 5 : man
homme de terrain (n.m.) ▶ 25 : man with a practical background
honneur (n.m.) ▶ 8 : honour
hôpital (n.m.) ▶ 63 : hospital
horaire (n.m.) ▶ 31 : timetable
hors-d'œuvre (n.m.) ▶ 44 : starter
hors douane (adj.inv.) ▶ 54 : duty-free
hors-piste (n.m.) ▶ 27 : off-piste

hôtel (n.m.) ▶ 21 : hotel
hôtellerie (n.f.) ▶ 26 : hotel business
hôtesse (n.f.) ▶ 1 : stewardess
huître (n.f.) ▶ 52 : oyster
humain (adj.) ▶ 66 : human
humer (se *) (v.) ▶ 49 : to be smelt
humidité (n.f.) ▶ 75 : humidity
humour (n.m.) ▶ 6 : humour

ici (adv.) ▶ 10 : here
idéal (adj.) ▶ 79 : ideal
idée (n.f.) ▶ 43 : idea
il arrive que (v.) ▶ 69 : it happens that
île (n.f.) ▶ 40 : island
il est question de (v.) ▶ 53 : there's some talk of
il faut (v.) ▶ 30 : one needs to
illustration (n.f.) ▶ 67 : illustration
illustrer (s'*) (v.) ▶ 57 : to feature
il manque (v.) ▶ 66 : the only thing needed is
îlot (n.m.) ▶ 42 : islet
il paraît que (v.) ▶ 42 : they say that; it seems that
il s'agit de (v.) ▶ 20 : it's a matter of
il suffit de (v.) ▶ 65 : it only takes... to...
il vaut mieux (v.) ▶ 33 : it's better to...
il y a (prép.) ▶ 15 : there is; there are
image (n.f.) ▶ 5 : image
imaginaire (adj.) ▶ 4 : imaginary
imaginer (v.) ▶ 33 : to imagine
immédiat (adj.) ▶ 54 : immediate
immédiatement (adv.) ▶ 6 : immediately
immense (adj.) ▶ 15 : immense
immeuble (n.m.) ▶ 69 : building
immortaliser (v.) ▶ 5 : to immortalize
impensable (adj.) ▶ 39 : unbelievable
implanter (s'*) (v.) ▶ 61 : to settle in
important (adj.) ▶ 13 : important
imposer (s'*) (v.) ▶ 58 : to win recognition
impossible (adj.) ▶ 20 : impossible
impression (n.f.) ▶ 14 : impression
impression (techn.) (n.f.) ▶ 60 : printing
impressionniste (n.m.) ▶ 62 : impressionist
imprudent(e) (n.) ▶ 66 : careless person
inaccessible (adj.) ▶ 58 : inaccessible
inattendu (adj.) ▶ 63 : unexpected
incapable (adj.) ▶ 74 : incapable
incendie (n.m.) ▶ 65 : fire
incertitude (n.f.) ▶ 63 : uncertainty
incident (n.m.) ▶ 63 : incident
inciter (v.) ▶ 76 : to prompt sb
inconnu (adj.) ▶ 39 : unknown
inconscient (adj.) ▶ 74 : subconscious

incontesté (adj.) ▶ 58 : undisputed
inconvénient (n.m.) ▶ 14 : disadvantage
incorporé (adj.) ▶ 68 : incorporated
incroyable (adj.) ▶ 71 : incredible
indicatif (n.m.) ▶ 63 : dialling code
indications (n.f.pl.) ▶ 68 : instructions
indien/ienne (adj.) ▶ 33 : Indian
indiscret/ète (adj.) ▶ 71 : indiscreet
industrie (n.f.) ▶ 78 : industry
industriel/ielle (adj.) ▶ 76 : industrial
industriel (n.m.) ▶ 76 : manufacturer
infatigable (adj.) ▶ 25 : tireless
informaticien (n.m.) ▶ 1 : computer scientist
information (n.f.) ▶ 38 : information
ingurgiter (v.) ▶ 74 : to swallow
inhabituel/elle (adj.) ▶ 66 : unusual
injection (n.f.) ▶ 64 : injection
innombrable (adj.) ▶ 75 : innumerable
inoubliable (adj.) ▶ 5 : unforgettable
inquiet/ète (adj.) ▶ 6 : worried
inquiétant (adj.) ▶ 42 : disturbing
inquiéter (s'•) (v.) ▶ 48 : to worry
insolent (adj.) ▶ 53 : insolent
inspiré (adj.) ▶ 77 : inspired
installer (s'•) (v.) ▶ 10 : to open up
installer (v.) ▶ 23 : to install
intelligence (n.f.) ▶ 47 : intelligence
intelligent (adj.) ▶ 68 : clever
intense (adj.) ▶ 5 : intense
intention (n.f.) ▶ 8 : intention
intéressant (adj.) ▶ 38 : interesting
interminable (adj.) ▶ 46 : neverending
international (adj.) ▶ 26 : international
internationaliser (s'•) (v.) ▶ 58 : to become international
interprète (n.) ▶ 39 : interpreter
interrogation (n.f.) ▶ 53 : question
interroger (v.) ▶ 36 : to question
introduire (v.) ▶ 68 : to insert
inutile (adj.) ▶ 46 : useless
invendu (n.f.) ▶ 59 : left over stock
inviter (v.) ▶ 9 : to invite
involontaire (adj.) ▶ 68 : unintentional
isolé (adj.) ▶ 14 : remote
isoler (v.) ▶ 15 : to isolate

jaloux/ouse (adj.) ▶ 31 : jealous
jamais (adv.) ▶ 12 : never
jambe (n.f.) ▶ 64 : leg
janvier (n.m.) ▶ 3 : January
Japonais(e) (n.) ▶ 26 : Japanese
jardin (n.m.) ▶ 15 : garden
jargon (n.m.) ▶ 62 : jargon
je (pron.) ▶ 1 : I
jean (n.m.) ▶ 55 : jeans

jetée (n.f.) ▶ 70 : jetty; pier
jeter (v.) ▶ 42 : to throw
jeu (n.m.) ▶ 57 : game
jeune (adj.) ▶ 7 : young
jeune (n.) ▶ 26 : young people
Jeux Olympiques (n.m.pl.) ▶ 35 : Olympic Games
joli (adj.) ▶ 42 : pretty
joliment (adv.) ▶ 37 : attractively
joncher (v.) ▶ 75 : to be strewed on
jouer (un rôle) (v.) ▶ 6 : to perform
jouer (v.) ▶ 4 : to play
jour (n.m.) ▶ 11 : day
journal (n.m.) ▶ 60 : newspaper
journal (personnel) (n.m.) ▶ 16 : diary
journaliste (n.) ▶ 1 : journalist
journée (n.f.) ▶ 11 : day
juillet (n.m.) ▶ 2 : July
juin (n.m.) ▶ 4 : June
jupe (n.f.) ▶ 59 : skirt
jusqu'à (prép.) ▶ 3 : until
jusqu'ici (adv.) ▶ 65 : till now
juste (adv.) ▶ 24 : just
justement (adv.) ▶ 50 : precisely

kayak (n.m.) ▶ 21 : kayak
kilo(gramme) (n.m.) ▶ 18 : kilo
kilomètre (n.m.) ▶ 67 : kilometre
kir (n.m.) ▶ 13 : white wine and blackcurrant liqueur
là (adv.) ▶ 16 : over there
la plupart (pron.) ▶ 42 : most of
là-bas (adv.) ▶ 13 : there
labyrinthe (n.m.) ▶ 69 : labyrinth
lagon (n.m.) ▶ 41 : lagoon
laine (n.f.) ▶ 20 : wool
laisser (v.) ▶ 29 : to leave
lait (n.m.) ▶ 17 : milk
laitier/ière (adj.) ▶ 24 : milker
lancement (n.m.) ▶ 79 : launching
lancer (v.) ▶ 3 : to launch
langage (n.m.) ▶ 78 : language
langue (n.f.) ▶ 13 : language
langue (n.f.) ▶ 49 : tongue
large (n.m.) ▶ 70 : open sea
laver (v.) ▶ 19 : to wash
laver (se *) (v.) ▶ 44 : to wash
leçon (n.f.) ▶ 1 : lesson
léger/ère (adj.) ▶ 11 : light
légume (n.m.) ▶ 17 : vegetable
lettre (à qq'n) (n.f.) ▶ 16 : letter
lever (se *) (v.) ▶ 11 : to get up
lèvre (n.f.) ▶ 5 : lip
lézard (n.m.) ▶ 16 : lizard
libre (adj.) ▶ 12 : free
lié à (adj.) ▶ 61 : linked with
lieu (n.m.) ▶ 61 : place
lieu de travail (n.m.) ▶ 19 : working place
ligne (diét.) (n.f.) ▶ 30 : figure
ligne (en *) (n.f.) ▶ 79 : on the line
ligne d'arrivée (n.f.) ▶ 75 : finishing line
limpide (adj.) ▶ 49 : limpid
linge (n.m.) ▶ 19 : washing
lire (v.) ▶ 50 : to read
liste (n.f.) ▶ 46 : list
lit (n.m.) ▶ 42 : bed
litre (n.m.) ▶ 24 : litre
littérature (n.f.) ▶ 31 : literature
livre (n.f.) ▶ 18 : pound

livre (n.m.) ▶ 25 : book
local (adj.) ▶ 46 : local
local (n.m.) ▶ 62 : room
location (n.f.) ▶ 28 : hiring
logement (n.m.) ▶ 28 : accommodation
loin de (prép.) ▶ 14 : far from
lointain (adj.) ▶ 31 : distant
loisirs (n.m.pl.) ▶ 60 : leisure activities
long (en bouche) (adj.) ▶ 49 : lasting
longer (v.) ▶ 34 : to walk along
longtemps (adv.) ▶ 7 : a long time
« look » (n.m.) ▶ 57 : look
loué (adj.) ▶ 22 : rented
louer (v.) ▶ 28 : to hire
lourd (adj.) ▶ 49 : heavy
louvoyer (v.) ▶ 75 : to tack
lui (pron.) ▶ 6 : him; her
lumière (n.f.) ▶ 11 : light
lunettes de soleil (n.f.pl.) ▶ 75 : sunglasses
luxuriant (adj.) ▶ 42 : luxuriant
lyrique (adj.) ▶ 49 : lyrical

macération (n.f.) ▶ 47 : pickling
mâcher (v.) ▶ 49 : to chew
machine (à laver) (n.f.) ▶ 19 : washing machine
machine (n.f.) ▶ 23 : machine
mâchoire (n.f.) ▶ 42 : jaw
maçon (n.m.) ▶ 26 : builder
madame (n.f.) ▶ 1 : madam
mademoiselle (n.f.) ▶ 1 : miss
magasin (n.m.) ▶ 62 : shop
magique (adj.) ▶ 42 : magic
magnétophone (n.m.) ▶ 34 : tape recorder
magnifier (v.) ▶ 58 : to glorify
magnifique (adj.) ▶ 31 : magnificent
mai (n.m.) ▶ 9 : May
maigre (adj.) ▶ 5 : skinny
main (n.f.) ▶ 5 : hand
maintenant (adv.) ▶ 15 : now
maire (n.m.) ▶ 20 : mayor
mais (conj.) ▶ 1 : but
maison (n.f.) ▶ 14 : house
maison de couture (n.f.) ▶ 3 : dress-making business
maître (n.m.) ▶ 4 : schoolmaster
maître d'hôtel (n.m.) ▶ 48 : head waiter
majeur (adj.) ▶ 63 : serious
malade (adj.) ▶ 48 : ill
malgré (prép.) ▶ 65 : in spite of
maman (n.f.) ▶ 29 : mum
manche (n.f.) ▶ 55 : sleeve
manger (v.) ▶ 15 : to eat
mannequin (n.m.) ▶ 30 : model
manœuvre (n.m.) ▶ 26 : labourer
manquer (v.) ▶ 52 : (tu me manques) I miss you
manquer (qqch *) (v.) ▶ 10 : to be lacking
manquer (qqch.) (v.) ▶ 38 : to miss
manuel/elle (adj.) ▶ 74 : manual
maquiller (se *) (v.) ▶ 31 : to make-up ; to put one's make-up on
marchand(e) (n.) ▶ 18 : shopkeeper
marche (d'escalier) (n.f.) ▶ 29 : step
marché (n.m.) ▶ 17 : market

marcher (v. ; fig.) ▶ **22 :** to go well
marcheur/euse (n.) ▶ **25 :** walker
mari (n.m.) ▶ **14 :** husband
mariage (n.m.) ▶ **8 :** marriage; wedding
marié (adj.) ▶ **19 :** married
marié(e) (n.) ▶ **9 :** groom; bride
mariné (adj.) ▶ **43 :** marinated
maritime (adj.) ▶ **67 :** maritime
marocain (adj.) ▶ **30 :** Moroccan
maroquinerie (n.f.) 62 : leather craft
marquant (adj.) ▶ **53 :** outstanding
marque (n.f.) ▶ **69 :** mark
marqué (par qqch.) (adj.) ▶ **78 :** marked
mars (n.m.) ▶ **27 :** March
massif (n.m.) ▶ **67 :** massif
matériel (n.m.) ▶ **33 :** gear; equipment
maternel/elle (adj.) ▶ **13 :** maternal
matière (= sujet) (n.f.) ▶ **77 :** subject
matière (= terre) (n.f.) ▶ **78 :** matter
matin (n.m.) ▶ **4 :** morning
mauvais (adj.) ▶ **65 :** alarming
mauvaise humeur (n.f.) ▶ **31 :** bad mood
maximum (n.m.) ▶ **27 :** maximum
mec (fam.) (n.m.) ▶ **74 :** bloke
mécanique (n.f.) ▶ **74 :** mechanics
médecin (n.m.) ▶ **32 :** doctor
médecine (n.f.) ▶ **32 :** medicine
médiathèque (n.f.) ▶ **78 :** mediatheque
médical (adj.) ▶ **63 :** medical
méditerranéen/éenne (adj.) ▶ **76 :** Mediterranean
meilleur (adj.) ▶ **13 :** better
mélange (n.m.) ▶ **39 :** mixture
même (adj.) ▶ **23 :** same
même (adv.) ▶ **27 :** even
même si (conj.) ▶ **38 :** even if
mémoire (n.f.) ▶ **64 :** memory
menaçant (adj.) ▶ **34 :** menacing
mer (n.f.) ▶ **41 :** sea
merci (adv.) ▶ **1 :** thank you
mère (n.f.) ▶ **19 :** mother
merveilleux/euse (adj.) ▶ **20 :** wonderful
messe (n.f.) ▶ **8 :** mass
mesurer (v.) ▶ **5 :** to be... tall
méthode (n.f.) ▶ **44 :** method
métier (n.m.) ▶ **31 :** job
mètre (n.m.) ▶ **5 :** metre
métropole (n.f.) ▶ **41 :** metropolis
mettre (du temps) (v.) ▶ **14 :** to take time to
mettre en œuvre (v.) ▶ **67 :** to make use of
microcalculateur (n.m.) ▶ **68 :** micro-calculator
midi (n.m.) ▶ **17 :** midday
mieux (adv.) ▶ **13 :** better
milanais (adj.) ▶ **73 :** Milanese
milieu (n.m.) ▶ **25 :** environment
millier (n.m.) ▶ **67 :** thousand
minute (n.f.) ▶ **14 :** minute
miroitement (n.m.) ▶ **62 :** shimmering
mission (n.f.) ▶ **7 :** mission

mistral (n.m.) ▶ **66** : a strong wind
mobilier (n.m.) ▶ **42** : furniture
mobilisé (adj.) ▶ **66** : mobilized
mode (n.f.) ▶ **31** : fashion
modèle (n.m.) ▶ **31** : model
moderne (adj.) ▶ **61** : modern
moelleux/euse (adj.) ▶ **42** : soft
moi (pron.) ▶ **1** : me
moins (adv.) ▶ **13** : less
mois (n.m.) ▶ **10** : month
moisson (n.f.) ▶ **25** : harvest
moment (n.m.) ▶ **10** : moment
monde (n.m.) ▶ **7** : world
mondial (adj.) ▶ **35** : world
moniteur/trice (n.) ▶ **26** : instructor/tress
monnaie (n.f.) ▶ **18** : change
monsieur (n.m.) ▶ **1** : sir
monstre (n.m.) ▶ **43** : monster
montage (n.m.) ▶ **69** : editing
montagnard (adj.) ▶ **25** : mountain
montagne (n.f.) ▶ **20** : mountain
monter (le prix *) (v.) ▶ **24** : to go up
montrer (v.) ▶ **23** : to show
montrer (se *) (v.) ▶ **29** : to come out
morceau (n.m.) ▶ **17** : piece
mot (n.m.) ▶ **49** : word
motivé (adj.) ▶ **63** : motivated
mou / molle (adj.) ▶ **27** : soft; mushy
moulage (n.m.) ▶ **60** : moulding
mourir (v.) ▶ **3** : to die
mousson (n.f.) ▶ **32** : monsoon
mouton (n.m.) ▶ **20** : sheep
mouvement (n.m.) ▶ **76** : movement
mouvementé (adj.) ▶ **54** : eventful
moyen (n.m.) ▶ **66** : measure
musée (n.m.) ▶ **76** : museum
musicien/ienne (n.) ▶ **39** : musician
musique (n.f.) ▶ **77** : music
mythique (adj.) ▶ **58** : mythical

nager (v.) ▶ **21** : to swim
naissance (n.f.) ▶ **9** : birth
national (adj.) ▶ **39** : national
nationalité (n.f.) ▶ **2** : nationality
naturel/elle (adj.) ▶ **5** : natural
nature (n.f.) ▶ **52** : nature
naturellement (adv.) ▶ **29** : naturally
naviguer (v.) ▶ **74** : to sail
navire (n.m.) ▶ **70** : ship
né (adj.) ▶ **3** : born
nécessaire (adj.) ▶ **60** : necessary
nécessiter (v.) ▶ **61** : to require
neige (n.f.) ▶ **25** : snow
ne... pas (adv.) ▶ **4** : not
ne... personne (pron.) ▶ **38** : nobody
ne... plus (adv.) ▶ **22** : no more
ne... que (adv.) ▶ **50** : only
ne... rien (pron.) ▶ **31** : nothing
n'est-ce pas ? (adv.) ▶ **13** : isn't it?
nez (n.m.) ▶ **49** : nose
n'importe comment (adv.) ▶ **40** : anyhow
n'importe quand (adv.) ▶ **40** : any time
niveau (n.m.) ▶ **27** : level

nœud papillon (n.m.) ▶ **48 :** bow tie
noir (adj.) ▶ **5 :** black
nom (n.m.) ▶ **2 :** name
nombreux/euses (adj. pl.) ▶ **21 :** many
nombre (n.m.) ▶ **70 :** number
non (adv.) ▶ **1 :** no
non pas que (conj.) ▶ **73 :** not that
non seulement... mais encore (adv.)▶ **78 :** not only... but also...
nord (n.m.) ▶ **21 :** north
normalement (adv.) ▶ **32 :** normally
notamment (adv.) ▶ **79 :** in particular
note (n.f.) ▶ **34 :** note
nouveau/elle (adj.) ▶ **7 :** new
nouveautés (n.f.pl.) ▶ **62 :** new things
noyer (n.m.) ▶ **15 :** walnut tree
nuage (n.m.) ▶ **34 :** cloud
nuance (n.f.) ▶ **62 :** shade
nuit (n.f.) ▶ **21 :** night
numéro (n.m.) ▶ **68 :** number
numéroter (v.) ▶ **68 :** to dial a number

obligation (n.f.) ▶ **38 :** obligation
obliger (v.) ▶ **46 :** to force
observer (v.) ▶ **29 :** to observe
obtenir (v.) ▶ **32 :** to get
occasion (n.f.) ▶ **25 :** opportunity
occidental (adj.) ▶ **36 :** western
occuper (v.) ▶ **13 :** to take up
octobre (n.m.) ▶ **32 :** October
oeil (pl : yeux) (n.m.) ▶ **5 :** eye
officiel/ielle (adj.) ▶ **76 :** official
ogre (n.m.) ▶ **73 :** ogre
oignon (n.m.) ▶ **18 :** onion
oiseau (n.m.) ▶ **16 :** bird
olympique (adj.) ▶ **36 :** olympic
omelette (n.f.) ▶ **48 :** omelette
oncle (n.m.) ▶ **9 :** uncle
opéra (lieu) (n.m.) ▶ **77 :** opera house
opérationnel/elle (adj.) ▶ **67 :** ready for use
opinion (n.f.) ▶ **38 :** opinion
opter (v.) ▶ **72 :** to opt; to choose
optimal (adj.) ▶ **79 :** optimal
optimisme (n.m.) ▶ **79 :** optimism
optimiste (adj.) ▶ **65 :** optimist
orangé (adj.) ▶ **49 :** orange-coloured
orange (n.f.) ▶ **64 :** orange
orbite (n.f.) ▶ **79 :** orbit
oreille (n.f.) ▶ **53 :** ear
oreillons (n.m.pl.) ▶ **64 :** mumps
organisation (n.f.) ▶ **63 :** organization
organisé (adj.) ▶ **28 :** organized
organiser (v.) ▶ **58 :** to organize
organisme (n.m.) ▶ **64 :** organism
orge (n.m.) ▶ **64 :** barley
original (adj.) ▶ **13 :** original
originalité (n.f.) ▶ **61 :** originality
ou bien (conj.) ▶ **13 :** or (else)
oublier (v.) ▶ **28 :** to forget
ouh ! (excl.) ▶ **71 :** tut-tut!
oui (adv.) ▶ **1 :** yes
ourlet (n.m.) ▶ **59 :** hem

oust ! (excl.) ▶ **45** : off with you!
ouvert (adj.) ▶ **26** : open
ouvertement (adv.) ▶ **39** : openly
ouvrir (v.) ▶ **3** : to open
ouvrir (s'' à qqch.) (v.) ▶ **39** : to open one's mind to

page (n.f.) ▶ **37** : page
paiement (n.m.) ▶ **68** : payment
pain (n.m.) ▶ **16** : bread
paix (n.f.) ▶ **7** : peace
palais (n.m.) ▶ **57** : palace
palmarès (n.m.) ▶ **77** : prize list
pamplemousse (n.m.) ▶ **64** : grape-fruit
panneau (n.m.) ▶ **36** : sign
panorama (n.m.) ▶ **26** : panorama
pantalon (n.m.) ▶ **59** : trousers
papier journal (n.m.) ▶ **56** : news-paper
par (prép.) ▶ **9** : by
par à-coups (adv.) ▶ **75** : by fits and starts
paradis (n.m.) ▶ **40** : paradise
par ailleurs (adv.) ▶ **78** : moreover
parc (n.m.) ▶ **78** : park; gardens
parce que (conj.) ▶ **14** : because
par cœur (adv.) ▶ **64** : by heart
par contre (adv.) ▶ **12** : on the other hand
par correspondance (adv.) ▶ **60** : by correspondance
parcourir (v.) ▶ **76** : to go through
par-dessus (prép.) ▶ **34** : over sth
pardon ! (excl.) ▶ **39** : sorry!
pardonner (v.) ▶ **34** : to forgive
pareil/eille (adj.) ▶ **67** : alike
parents (n.m.pl.) ▶ **9** : parents
parfait (adj.) ▶ **40** : perfect
parfaitement (adv.) ▶ **68** : perfectly
parfois (adv.) ▶ **19** : sometimes
parfum (n.m.) ▶ **3** : perfume
parfumé (adj.) ▶ **13** : perfumed
parisien/ienne (adj.) ▶ **12** : Parisian
parking (n.m.) ▶ **28** : car park
parlé (adj.) ▶ **44** : spoken
parler (de qqch) (v.) ▶ **20** : to talk about sth
parler (v.) ▶ **10** : to speak
parmi (prép.) ▶ **63** : amongst
paroi (n.f.) ▶ **49** : wall; rock face
part (n.f.) ▶ **45** : share
participer (v.) ▶ **51** : to take part in
particulier (adj.) ▶ **36** : special
particulier (n.m.) ▶ **60** : private individual
particulièrement (adv.) ▶ **40** : particularly
partir (v.) ▶ **10** : to go; to leave
partout (adv.) ▶ **27** : everywhere
pas du tout (adv.) ▶ **53** : not at all
pas mal (adv.) ▶ **36** : not bad
passager/ère (n.) ▶ **54** : passenger
passé (adj.) ▶ **59** : last
passe (n.f.) ▶ **42** : pass
passeport (n.m.) ▶ **37** : passport
passer (qq. part) (v.) ▶ **23** : to come around
passer (se ') (v.) ▶ **11** : to be spent

passer (du temps) (v.) ▶ **10** : to spend
passerelle (n.f.) ▶ **57** : footbridge
passionnant (adj.) ▶ **78** : fascinating
passionner (se* pour qqch.) (v.) ▶ **63** : to have a passion for
pastis (n.m.) ▶ **13** : pastis
pâtes (n.f.pl.) ▶ **64** : pasta
patient (adj.) ▶ **39** : patient
patienter (v.) ▶ **68** : to wait
patrimoine (n.m.) ▶ **39** : patrimony
pauvre (adj.) ▶ **20** : poor
pavillon (n.m.) ▶ **41** : villa
payer (v.) ▶ **24** : to pay
pays (n.m.) ▶ **10** : country
paysage (n.m.) ▶ **16** : landscape
peau (n.f.) ▶ **53** : skin
pêche (n.f.) ▶ **42** : fishing
pêcher (v.) ▶ **52** : to go fishing
pêcheur (n.m.) ▶ **42** : fisherman
peindre (v.) ▶ **62** : to paint
peiner (v.) ▶ **75** : to struggle
peinture (n.f.) ▶ **78** : painting
pelle (n.f.) ▶ **71** : shovel
pelouse (n.f.) ▶ **73** : lawn
pendant (prép.) ▶ **20** : during
péniblement (adv.) ▶ **75** : with difficulty
penser (v.) ▶ **15** : to think
pension (n.f.) ▶ **28** : boarding house
pente (n.f.) ▶ **27** : slope
perdre (v.) ▶ **30** : to lose
perdre (se*) (v.) ▶ **54** : to get lost
père (n.m.) ▶ **5** : father
Père (n.m.) ▶ **8** : Father
période (n.f.) ▶ **27** : period
périphérie (n.f.) ▶ **6** : periphery
permanent (adj.) ▶ **78** : permanent
permettre (v.) ▶ **35** : to allow
permettre (se* de faire qqch.) (v.) ▶ **55** : to get away with
perpétuel/elle (adj.) ▶ **47** : perpetual
personnel/elle (adj.) ▶ **5** : personal
personnalité (n.f.) ▶ **36** : personality
personne (n.f.) ▶ **38** : person
petit (adj.) ▶ **5** : small
petit (n.m.) ▶ **50** : kid
petit déjeuner (n.m.) ▶ **16** : breakfast
petite-fille (n.f.) ▶ **8** : granddaughter
peuplé (adj.) ▶ **79** : populated
peut-être (adv.) ▶ **13** : perhaps
pharmacie (n.f.) ▶ **33** : pharmaceuticals
photo(graphie) (n.f.) ▶ **30** : photo
photographe (n.) ▶ **30** : photographer
phrase (n.f.) ▶ **6** : sentence
pièce (n.f.) ▶ **12** : room
pièce (de théâtre) (n.f.) ▶ **39** : play
pierre (n.f.) ▶ **22** : stone
pigeon voyageur (n.m.) ▶ **50** : homing pigeon
pilote (n.m.) ▶ **2** : pilot
pilotis (n.m.) ▶ **40** : pile
pin (n.m.) ▶ **65** : pine
pique-nique (n.m.) ▶ **42** : picnic
piste (n.f.) ▶ **27** : run
place (n.f.) ▶ **12** : place
placer (v.) ▶ **49** : to place

plage (n.f.) ▶ **40** : beach
plaindre (se •) (v.) ▶ **45** : to complain
plain-pied (de •) (adv.) ▶ **15** : at street-level
plaire (v.) ▶ **29** : to please
plaisir (n.m.) ▶ **13** : pleasure
planétaire (adj.) ▶ **36** : planetary
planétarium (n.m.) ▶ **78** : planetarium
plantation (n.f.) ▶ **75** : plantation
planter (v.) ▶ **22** : to plant
plat (adj.) ▶ **49** : flat
plat (n.m.) ▶ **30** : course
plateau (de cinéma) (n.m.) ▶ **57** : set
plateau (n.m. ; géog.) ▶ **34** : plateau
plein (adv.) ▶ **15** : right
plein de (adj.) ▶ **28** : full of
pleuvoir (v.) ▶ **10** : (il pleut) it rains
plongée (n.f.) ▶ **7** : diving
pluie (n.f.) ▶ **30** : rain
plus de (adv.) ▶ **13** : more
plusieurs (adj. pl.) ▶ **20** : several
plutôt (adv.) ▶ **65** : rather
poche (n.f.) ▶ **34** : pocket
poète (n.m.) ▶ **31** : poet
poignet (n.m.) ▶ **75** : wrist
point de vente (n.m.) ▶ **61** : retail outlet
poisson (n.m.) ▶ **42** : fish
pôle (n.m.) ▶ **37** : pole
poli (adj.) ▶ **36** : polite
politesse (n.f.) ▶ **39** : politeness
Polynésien/ienne (n.) ▶ **42** : Polynesian
pomme de terre (n.f.) ▶ **18** : potato
pompette (adj. ; fam.) ▶ **51** : tipsy
pompier (n.m.) ▶ **63** : fireman
pont (n.m.) ▶ **34** : bridge
pont (de bateau) (n.m.) ▶ **75** : deck
populaire (adj.) ▶ **26** : popular
port (n.m.) ▶ **70** : harbour
porté (= écrit) (adj.) ▶ **68** : shown
porte (n.f.) ▶ **12** : door
porter (un vêtement) (v.) ▶ **55** : to wear
porter secours (v.) ▶ **63** : to give sb assistance
porter sur (v.) ▶ **53** : to fall on
porteur (n.m.) ▶ **33** : porter
portrait (n.m.) ▶ **5** : portrait
poser (pour une photo) (v.) ▶ **30** : to pose
poser (se • ; avion) (v.) ▶ **37** : to land
poser (une question) (v.) ▶ **60** : to ask
positif/ive (adj.) ▶ **38** : positive
position (n.f.) ▶ **79** : position
posséder (v.) ▶ **72** : to own
possible (adj.) ▶ **17** : possible
poterie (n.f.) ▶ **60** : pottery
poulet (n.m.) ▶ **45** : chicken
poupée (n.f.) ▶ **37** : doll
pour (prép.) ▶ **3** : to; for
pour (conj.) ▶ **24** : in order to
pour que (conj.) ▶ **62** : so that
pourquoi (adv.) ▶ **10** : the reason why
pourquoi ? (conj.) ▶ **55** : why?
poursuivre (v.) ▶ **79** : to follow
pourtant (adv.) ▶ **31** : yet

pousser (qq'n à faire qqch.) (v.) ▶ **74** : to drive sb to
pouvoir (v.) ▶ **14** : to be able to
prairie (n.f.) ▶ **78** : meadow
pratique (adj.) ▶ **17** : practical
pratiquement (adv.) ▶ **24** : practically
pratiquer (v.) ▶ **20** : to practise
pré (n.m.) ▶ **14** : meadow
précédent (adj.) ▶ **33** : previous
précéder (v.) ▶ **67** : to precede
précepte (n.m.) ▶ **46** : precept
précis (adj.) ▶ **38** : precise
préciser (v.) ▶ **59** : to specify
préférer (v.) ▶ **13** : to prefer
préhistorique (adj.) ▶ **71** : prehistoric
premier/ère (adj.) ▶ **1** : first
prendre (qq'n qq. part) (v.) ▶ **19** : to fetch sb
prendre (sa retraite) (v.) ▶ **23** : to retire
prendre (un transport) (v.) ▶ **27** : to take
prénom (n.m.) ▶ **2** : first name
préparation (n.f.) ▶ **46** : preparation
préparer (se •) (v.) ▶ **73** : to get ready for
préparer (v.) ▶ **11** : to make
près (de) (prép.) ▶ **11** : near
présence (n.f.) ▶ **76** : presence
présent (adj.) ▶ **48** : present
présenter (v.) ▶ **39** : to present
présenter (se •) (v.) ▶ **54** : to proceed
préserver (v.) ▶ **7** : to protect from
président (n.m.) ▶ **66** : president
presque (adv.) ▶ **5** : almost
pressé (adj.) ▶ **54** : in a hurry
prestigieux/ieuse (adj.) ▶ **49** : prestigious
prêt (adj.) ▶ **73** : ready
prêt-à-porter (n.m.) ▶ **59** : ready-to-wear
prêter (v.) ▶ **59** : to lend
prévenir (v.) ▶ **34** : to warn
prévenu (adj.) ▶ **41** : informed
prévoir (v.) ▶ **30** : to foresee
prier (qq'n de faire qqch.) (v.) ▶ **54** : to ask sb to do
prier (v.) ▶ **8** : to pray
prince charmant (n.m.) ▶ **74** : prince charming
principal (adj.) ▶ **23** : main
principe (n.m.) ▶ **48** : principle
printemps (n.m.) ▶ **21** : springtime
priorité (n.f.) ▶ **7** : priority
privé (adj.) ▶ **41** : private
prix (= récompense) (n.m.) ▶ **2** : prize
prix (argent) (n.m.) ▶ **55** : price
problème (n.m.) ▶ **30** : problem
procédé (n.m.) ▶ **47** : process
prochain (adj.) ▶ **51** : next
proche (adj.) ▶ **14** : nearby
producteur (n.m.) ▶ **46** : producer
production (n.f.) ▶ **69** : production
produire (se •) (v.) ▶ **63** : to happen
produire (v.) ▶ **69** : to produce
produit (n.m.) ▶ **46** : product
produit d'entretien (n.m.) ▶ **17** : cleaning product
profession (n.f.) ▶ **2** : profession

professionnel/elle (adj./n.) ▶ 27 : professional
profiter (v.) ▶ 27 : to make the most of
profond (adj.) ▶ 20 : deep
profondément (adv.) ▶ 26 : deeply
programme (n.m.) ▶ 76 : programme
progresser (v.) ▶ 69 : to progress
promener (se *) (v.) ▶ 11 : to go for a walk
proportion (n.f.) ▶ 35 : proportion
proposé (adj.) ▶ 78 : brought about
proposer (v.) ▶ 40 : to suggest
propre (adj.) ▶ 23 : own
propreté (n.f.) ▶ 55 : cleanliness
prospectus (n.m.) ▶ 41 : leaflet
protéger (v.) ▶ 7 : to protect
prouver (v.) ▶ 62 : to prove
province (n.f.) ▶ 26 : province
provincial (adj.) ▶ 47 : provincial
prudence (n.f.) ▶ 65 : carefulness
public/ique (adj.) ▶ 68 : public
public (n.m.) ▶ 6 : audience
publicitaire (adj.) ▶ 53 : advertising
publicité (n.f.) ▶ 69 : advertisement
puces (n.f.pl.) ▶ 55 : (marché aux *) flea market
puis (adv.) ▶ 60 : then
puisque (conj.) ▶ 20 : since
pull(over) (n.m.) ▶ 31 : sweater; jumper
qualité (n.f.) ▶ 60 : quality
qualité de la vie (n.f.) ▶ 77 : quality of life
quand (conj.) ▶ 7 : when
quand même (adv.) ▶ 51 : nevertheless
quantité (n.f.) ▶ 46 : quantity
quart d'heure (n.m.) ▶ 14 : quarter of an hour
quart de finale (n.m.) ▶ 73 : quarter final
quartier (n.m.) ▶ 4 : area; district
quatrième (adj.) ▶ 12 : fourth
Québécois (n.m.) ▶ 51 : Quebec French
quel / quelle ? (adj.) ▶ 7 : what
quel que (conj.) ▶ 69 : whatever
quelque chose (pron.) ▶ 36 : something
quelquefois (adv.) ▶ 19 : sometimes
quelques (adj.pl.) ▶ 10 : a few
qu'est-ce que ? (pron.) ▶ 4 : what?
question (n.f.) ▶ 60 : question
qui (pron.) ▶ 11 : who / that
qui ? (pron.) ▶ 1 : who?
quincaillerie (n.f.) ▶ 62 : hardware shop
quitter (v.) ▶ 25 : to leave
quoi que (conj.) ▶ 69 : whatever

raccourcir (v.) ▶ 46 : to shorten
raccrocher (v.) ▶ 68 : to hang up
raconter (v.) ▶ 25 : to tell
radio (n.f.) ▶ 44 : radio
raisin (n.m.) ▶ 18 : grapes
raison (n.f.) ▶ 38 : reason

ramoneur (n.m.) ▶ 25 : chimney sweep
ranger (v.) ▶ 19 : to tidy up
râpé (adj.) ▶ 45 : grated
rapidement (adv.) ▶ 42 : quickly
rapidité (n.f.) ▶ 63 : speed
rappeler (qqch. à qq'n) (v.) ▶ 51 : to remind sb of sth
rapport (n.m.) ▶ 76 : ratio
rapporter (de l'argent) (v.) ▶ 24 : to bring in
rapprocher (se *) (v.) ▶ 58 : to get closer to
rapprocher (v.) ▶ 35 : to bring together
rare (adj.) ▶ 19 : rare
raser (= frôler) (v.) ▶ 75 : to graze
rassuré (adj.) ▶ 75 : reassured
rassurer (se *) (v.) ▶ 51 : to feel reassured
ravager (v.) ▶ 65 : to devastate
ravi (adj.) ▶ 30 : delighted
réalisé (adj.) ▶ 69 : put together
réaliser (v.) ▶ 72 : to realize
réaliste (adj.) ▶ 5 : realistic
réanimation (n.f.) ▶ 63 : resuscitation
récemment (adv.) ▶ 26 : recently
récent (adj.) ▶ 15 : recent
réception (n.f.) ▶ 9 : reception
réception (T.V.) (n.f.) ▶ 69 : reception
recette (n.f.) ▶ 47 : recipe
recevoir (qqch) (v.) ▶ 10 : to receive
réchauffer (v.) ▶ 51 : to warm up
recherche (n.f.) ▶ 7 : research
récolter (v.) ▶ 20 : to collect
recommandé (adj.) ▶ 32 : recommended
recommander (v.) ▶ 40 : to recommend
reconnaître (v.) ▶ 49 : to recognize
reconquérir (v.) ▶ 57 : to win back
réduction (n.f.) ▶ 54 : discount
réduire (v.) ▶ 46 : to reduce
réfléchir (v.) ▶ 74 : to think
refouler (v.) ▶ 57 : to drive back
réfractaire (adj.) ▶ 57 : opposed to
réfrigéré (adj.) ▶ 24 : refrigerated
refuser (v.) ▶ 46 : to refuse
regard (n.m.) ▶ 58 : look; glance
regarder (v.) ▶ 18 : to look at
région (n.f.) ▶ 20 : region
régional (adj.) ▶ 22 : regional
règle (n.f.) ▶ 72 : rule
régler (v.) ▶ 32 : to sort out
régner (v.) ▶ 79 : to prevail
regretter (v.) ▶ 31 : to regret
regrouper (v.) ▶ 35 : to group together
relativement (adv.) ▶ 61 : relatively
relaxation (n.f.) ▶ 64 : relaxation
relief (d'un terrain) (n.m.) ▶ 67 : relief
relier (v.) ▶ 61 : to bind
reliure (n.f.) ▶ 60 : binding
remise (n.f.) ▶ 23 : shed
remonter (le moral) (v.) ▶ 43 : to perk up sb
remonter (v.) ▶ 19 : to go up
rempart (n.m.) ▶ 70 : walls; ramparts

remplacement (n.m.) ▶ 72 : replacement
remplacer (v.) ▶ 48 : to stand in for
remue-méninges (n.m.) ▶ 53 : brainstorming
rencontre (n.f.) ▶ 36 : meeting
rencontrer (v.) ▶ 26 : to meet
rendre (v.) ▶ 59 : to give back
rendre malade (v.) ▶ 43 : to make sb sick
renforcé (adj.) ▶ 65 : reinforced
renoncer (v.) ▶ 47 : to give up
rentrer (v.) ▶ 10 : to go back
repartir (v.) ▶ 28 : to leave
repas (n.m.) ▶ 17 : meal
repasser (v.) ▶ 24 : to come back
répertoire (n.m.) ▶ 39 : repertoire
répéter (v.) ▶ 48 : to go over sth
répondre (v.) ▶ 60 : to answer
reportage (n.m.) ▶ 35 : reporting
reporter (n.m.) ▶ 35 : reporter
reposer (se *) (v.) ▶ 14 : to rest
reprendre (v.) ▶ 11 : to take (one) more
reprendre (une occupation) (v.) ▶ 42 : to go back to
reprendre contact (v.) ▶ 29 : to get in touch with sb again
reprendre du poil de la bête (expr.) ▶ 57 : to pick up again
représentation (n.f.) ▶ 39 : performance
réputation (n.f.) ▶ 76 : reputation
requin (n.m.) ▶ 42 : shark
réseau (n.m.) ▶ 62 : network
réservation (n.f.) ▶ 41 : booking
réserve (n.f.) ▶ 52 : reserve
réserver (v.) ▶ 28 : to book
résoudre (v.) ▶ 63 : to solve
respectueux/euse (adj.) ▶ 39 : respectful
respirer (v.) ▶ 29 : to breathe
responsabilité (n.f.) ▶ 33 : responsibility
responsable (n.) ▶ 32 : responsible
ressembler (se *) (v.) ▶ 17 : to be alike
ressembler à (v.) ▶ 13 : to be like
ressources (n.f.pl.) ▶ 7 : resources
restaurant (n.m.) ▶ 10 : restaurant
restaurateur (n.m.) ▶ 46 : restaurant owner
restaurer (v.) ▶ 22 : to restore
reste (n.m.) ▶ 28 : everything else
rester (v.) ▶ 7 : to remain
résultat (n.m.) ▶ 31 : result
retard (n.m.) ▶ 30 : delay
retenir (qq'n) (v.) ▶ 71 : to hold on to sb
retenir (une idée) (v.) ▶ 53 : to keep sth in mind
retentir (v.) ▶ 68 : to ring
retour (n.m.) ▶ 37 : return
retraite (n.f.) ▶ 23 : retirement
retransmettre (v.) ▶ 69 : transmit
retrouver (se *) (v.) ▶ 6 : to identify with
retrouver (v.) ▶ 31 : to get into
retrouver (s'y *) (v.) ▶ 69 : to find one's way through
réuni (adj.) ▶ 66 : combined
réunion (n.f.) ▶ 4 : meeting

réussi (adj.) ▶ **79**: successful
réussir (v.) ▶ **33**: to succeed
rêve (n.m.) ▶ **70**: dream
réveiller (se •) (v.) ▶ **11**: to wake up
revenir (v.) ▶ **25**: to come back
rêver (v.) ▶ **73**: to dream
revoir (v.) ▶ **67**: to revise
rez-de-chaussée (n.m.) ▶ **15**: ground floor
riche (adj. fig.) ▶ **24**: rich
richesse (n.f.) ▶ **20**: wealth
rigolo/ote (adj.; fam.) ▶ **52**: funny
rimer (v.) ▶ **77**: to rhyme
rire (v.) ▶ **50**: to laugh
risée (n.f.) ▶ **75**: breeze
risque (n.m.) ▶ **27**: risk
rive (n.f.) ▶ **34**: bank
rivière (n.f.) ▶ **21**: river
riz (n.m.) ▶ **64**: rice
robe (d'un vin) (n.f.) ▶ **49**: colour
robe (n.f.) ▶ **5**: dress
roche (n.f.) ▶ **20**: rock
rocher (n.m.) ▶ **34**: rock
roi (n.m.) ▶ **20**: king
rôle (n.m.) ▶ **6**: role
ronronner (v.) ▶ **11**: to purr
rouge (adj.) ▶ **49**: red
rougeole (n.f.) ▶ **64**: measles
rougir (v.) ▶ **59**: to blush
rouler (v.) ▶ **34**: to roll
Roumain(e) (n.) ▶ **35**: Romanian
route (n.f.) ▶ **79**: way
routinier/ière (adj.) ▶ **76**: routine
rubéole (n.f.) ▶ **64**: rubella
rue (n.f.) ▶ **3**: street
rupture (n.f.) ▶ **72**: breach
rural (adj.) ▶ **20**: rural
Russe (n.) ▶ **35**: Russian

sagement (adv.) ▶ **6**: sensibly
sain (adj.) ▶ **21**: healthy
saisir (v.) ▶ **62**: to capture
saison (n.f.) ▶ **27**: season
salle de bains (n.f.) ▶ **15**: bathroom
salle de séjour (n.f.) ▶ **15**: living room
salle commune (n.f.) ▶ **22**: living room
salle de traite (n.f.) ▶ **23**: milking shed
salle (de cinéma) (n.f.) ▶ **78**: cinema
salle de contrôle (n.f.) ▶ **79**: control room
salon (n.m.) ▶ **12**: lounge
salut! (n.m.) ▶ **59**: hi!
samedi (n.m.) ▶ **8**: Saturday
sans (prép.) ▶ **12**: without
sans cesse (adv.) ▶ **29**: constantly
santé (n.f.) ▶ **47**: health
sapeur-pompier (n.m.) ▶ **67**: fire-man
sarrasin (n.m.) ▶ **64**: buck-wheat
satellite (n.m.) ▶ **79**: satellite
satisfait (adj.) ▶ **39**: pleased with
sauce (n.f.) ▶ **47**: sauce; gravy
sauf (prép.) ▶ **52**: except
sauter (v.) ▶ **4**: to jump
sauvage (adj.) ▶ **20**: wild
sauveteur (n.m.) ▶ **63**: rescuer
savane (n.f.) ▶ **79**: savannah
saveur (n.f.) ▶ **46**: flavour
savoir (v.) ▶ **6**: to know
savoureux/euse (adj.) ▶ **47**: tasty

Savoyard(e) (n.) ▶ 26 : Savoyard
scène (n.f.) ▶ 5 : stage
science (n.f.) ▶ 7 : science
scientifique (adj.) ▶ 33 : scientific
séance (n.f.) ▶ 53 : session
sec (adv. ; temp.) ▶ 21 : dry
sec / sèche (adj.) ▶ 66 : dry
sécheresse (n.f.) ▶ 65 : drought
seconde (n.f.) ▶ 42 : second
seconder (v.) ▶ 72 : to assist
secours (n.m.) ▶ 67 : help
secteur (n.m.) ▶ 61 : sector
section (n.f.) ▶ 62 : section
sécurité civile (n.f.) ▶ 67 : civil security
séducteur/trice (adj./n.) ▶ 6 : seducive; seducer/seductress
se frotter (à qq'n) (v.) ▶ 73 : to cross swords with
seigle (n.m.) ▶ 64 : rye
séjour (= salle de ˙) (n.m.) ▶ 15 : living room
séjour (n.m.) ▶ 36 : stay
s'élancer (v.) ▶ 67 : to soar
s'éloigner (v.) ▶ 79 : to move away from
semaine (n.f.) ▶ 10 : week
sembler (v.) ▶ 63 : to seem
s'en aller (v.) ▶ 41 : to leave
s'en sortir (v.) ▶ 72 : to get out of sth
sensibiliser (v.) ▶ 66 : to make sb aware of sth
s'entendre (bien avec qq'n) (v.) ▶ 50 : to get on well with sb
sentimental (adj.) ▶ 5 : sentimental
sentir (se ˙ bien) (v.) ▶ 11 : to feel good
sentir (v.) ▶ 49 : to smell
s'envoler (v.) ▶ 50 : to fly away
se plaire (à faire qqch.) (v.) ▶ 75 : to take pleasure in doing
septembre (n.m.) ▶ 8 : September
se rendre (= aller) (v.) ▶ 66 : to go
sérénité (n.f.) ▶ 75 : serenity
sérieusement (adv.) ▶ 73 : seriously
serre (n.f.) ▶ 78 : greenhouse
serveur/euse (n.) ▶ 39 : waiter / waitress
service (n.m.) ▶ 48 : (lunch) service
services (n.m.pl.) ▶ 60 : services
servir (à qqch.) (v.) ▶ 22 : to be used for
servir (de qqch.) (v.) ▶ 23 : to be used as
servir (se ˙ de qqch.) (v.) ▶ 23 : to use
servir (qqch. à qq'n) (v.) ▶ 41 : to serve
se signaler (v.) ▶ 68 : to be indicated
se souvenir (v.) ▶ 70 : to remember
se trouver (v.) ▶ 79 : to be situated
seul (adj.) ▶ 17 : alone
seulement (adv.) ▶ 24 : only
s'évaporer (v.) ▶ 75 : to evaporate
si (= oui) (adv.) ▶ 12 : yes
si (adv.) ▶ 4 : so
si (conj.) ▶ 23 : if
si... que (conj.) ▶ 34 : so... that
siècle (n.m.) ▶ 22 : century
signer (v.) ▶ 72 : to sign

s'il vous plaît (adv.) ▶ 1 : please
silhouette (n.f.) ▶ 5 : silhouette
simple (adj.) ▶ 21 : simple
simplicité (n.f.) ▶ 46 : simplicity
sinistre (adj.) ▶ 42 : sinister
sinistre (n.m.) ▶ 65 : disaster
sinon (conj.) ▶ 48 : if not
s'inquiéter (v.) ▶ 52 : to worry about
site (n.m.) ▶ 36 : site
situation (n.f.) ▶ 67 : situation
situé (adj.) ▶ 36 : situated
ski (n.m.) ▶ 28 : ski
ski alpin (n.m.) ▶ 27 : downhill skiing
ski de fond (n.m.) ▶ 21 : langlauf
ski de randonnée (n.m.) ▶ 28 : cross-country skiing
skieur/euse (n.) ▶ 28 : skier
skier (v.) ▶ 27 : to ski
smoking (n.m.) ▶ 57 : tuxedo
s'occuper (v.) ▶ 69 : to take care of
société (n.f.) ▶ 62 : company
société (n.f.) ▶ 76 : society
sœur (n.f.) ▶ 9 : sister
soie (n.f.) ▶ 59 : silk
soigner (v.) ▶ 32 : to treat
soin (n.m.) ▶ 63 : (medical) care
soir (n.m.) ▶ 12 : evening
soirée (n.f.) ▶ 59 : party
soit... soit... (conj.) ▶ 68 : either... or...
sol (n.m.) ▶ 64 : ground
solde (n.m.) ▶ 68 : balance
soleil (n.m.) ▶ 10 : sun
solitaire (adj.) ▶ 62 : lonely
solitude (n.f.) ▶ 75 : solitude
solution (n.f.) ▶ 28 : solution
sommet (n.m.) ▶ 28 : summit; top
somptueux/euse (adj.) ▶ 42 : lavish
sonnerie (n.f.) ▶ 68 : ringing
sorte (n.f.) ▶ 16 : kind
sortie (d'école) (n.f;) ▶ 19 : after school
sortir (v.) ▶ 5 : to come out
souci (n.m.) ▶ 69 : worry
souffle (n.m.) ▶ 75 : breath
souhaiter (v.) ▶ 31 : to wish
soulever (v.) ▶ 51 : to send up
souper (v.) ▶ 51 : supper
souplesse (n.f.) ▶ 49 : smoothness
source (fig.) (n.f.) ▶ 78 : source
souriant (adj.) ▶ 36 : cheerful
sourire (n.m.) ▶ 6 : smile
sourire (v.) ▶ 11 : to smile
souris (n.f.) ▶ 56 : mouse
sous (prép.) ▶ 7 : under
sous-marin (adj.) ▶ 7 : submarine; underwater
sous prétexte de (conj.) ▶ 73 : on the pretext of
souvenir (n.m.) ▶ 23 : souvenir
souvenir (se ') (v.) ▶ 54 : to remember
souvent (adv.) ▶ 10 : often
spatial (adj.) ▶ 79 : space
spécial (adj.) ▶ 36 : special
spécialité (n.f.) ▶ 40 : speciality
spectacle (n.m.) ▶ 5 : show
spectaculaire (adj.) ▶ 78 : spectacular
spectateurs/trices (n.pl.) ▶ 39 : audience
splendide (adj.) ▶ 14 : magnificent
sponsor (n.m.) ▶ 35 : sponsor
sport (n.m.) ▶ 64 : sport

sportif/tive (adj.) ▶ 21 : sporting
sports d'hiver (n.m.pl.) ▶ 25 : winter sports
squelettique (adj.) ▶ 5 : scrawny
stade (n.m.) ▶ 73 : stadium
star (n.f.) ▶ 58 : star
starlette (n.f.) ▶ 57 : starlet
station (de ski) (n.f.) ▶ 28 : resort
stocker (v.) ▶ 46 : to stock
studio (T.V.) (n.m.) ▶ 69 : studio
style (n.m.) ▶ 55 : style
styliste (n.m./f.) ▶ 1 : designer
sud (n.m.) ▶ 15 : south
Suédois(e) (n.) ▶ 26 : Swedish
suffire (v.) ▶ 17 : to be enough
suggérer (v.) ▶ 40 : to suggest
suite (n.f.) ▶ 51 : continuation
suivant (adj.) ▶ 13 : following
suivre (v.) ▶ 34 : to follow
super (adv.) ▶ 51 : super
superbe (adj.) ▶ 30 : superb
superficie (n.f.) ▶ 15 : area
supplémentaire (adj.) ▶ 54 : additional
supporter (v.) ▶ 31 : to put up with
sur (prép.) ▶ 10 : on
sur place (adv.) ▶ 28 : right here
sûrement (adv.) ▶ 50 : certainly
surface (n.f.) ▶ 42 : surface
surgélation (n.f.) ▶ 47 : frozen food
surprenant (adj.) ▶ 72 : surprising
surtout (adv.) ▶ 4 : especially
survitrage (n.m.) ▶ 15 : double-glazing
survoler (v.) ▶ 67 : to fly over
sympathique (adj.) ▶ 6 : friendly
système (n.m.) ▶ 7 : system
table (n.f.) ▶ 13 : table
tableau (n.m.) ▶ 42 : painting
tache (n.f.) ▶ 55 : stain
tactique (n.f.) ▶ 67 : tactics
tahitien/tienne (adj.) ▶ 41 : Tahitian
taille (n.f.) ▶ 56 : size
tailleur (n.m.) ▶ 3 : costume
tamponner (v.) ▶ 37 : to stamp
tant de... que de... (adv.) ▶ 76 : ...as well as...
tante (n.f.) ▶ 9 : aunt
tard (adv.) ▶ 15 : late
tarte (n.f.) ▶ 51 : tart
tartine (n.f.) ▶ 16 : slice of bread
technique (n.f.) ▶ 47 : technique
technologie (n.f.) ▶ 76 : technology
technopole (n.f.) ▶ 76 : technopole
télécarte (n.f.) ▶ 68 : telecard
télécommunication (n.f.) ▶ 68 : telecommunications
téléphérique (n.m.) ▶ 27 : cable-car
téléphone (n.m.) ▶ 68 : telephone
téléphoner (v.) ▶ 28 : to make a phone call
téléviseur (n.m.) ▶ 69 : television set
témoignage (n.m.) ▶ 78 : landmark
temps (météo) (n.m.) ▶ 29 : weather

temps (chron.) (n.m.) ▶ 46 : time
tendre (adj.) ▶ 6 : tender
tendrement (adv.) ▶ 29 : tenderly
tenir (son journal) (v.) ▶ 16 : to keep (a diary)
tentation (n.f.) ▶ 13 : temptation
tente (n.f.) ▶ 21 : tent
tenter (v.) ▶ 25 : to try
tenue (n.f.) ▶ 33 : clothes; gear
tenue de soirée (n.f.) ▶ 59 : evening dress
terme (n.m.) ▶ 60 : term
terminé (adj.) ▶ 68 : finished
terrain (n.m.) ▶ 15 : section
terrasse (de café) (n.f.) ▶ 11 : sidewalk café
terrasse (de maison) (n.f.) ▶ 15 : terrace
terre (n.f.) ▶ 7 : earth
terrestre (adj.) ▶ 40 : earthly
terrible (adj.) ▶ 32 : terrible
terriblement (adv.) ▶ 5 : terribly
tête (n.f.) ▶ 13 : head
thé (n.m.) ▶ 1 : tea
théâtre (n.m.) ▶ 39 : theatre
thématique (adj.) ▶ 78 : thematic
thème (n.m.) ▶ 78 : theme
thermoreliure (n.f.) ▶ 61 : thermobinding
thon (n.m.) ▶ 42 : tuna (fish)
timbre (n.m.) ▶ 44 : stamp
tir (n.m.) ▶ 79 : blast off
tirage au sort (n.m.) ▶ 73 : drawing lots
toile (n.f.) ▶ 62 : canvas
toilettes (= pièce) (n.f.pl.) ▶ 15 : toilet
toit (n.m.) ▶ 22 : roof
tolérable (adj.) ▶ 63 : tolerable
tomate (n.f.) ▶ 18 : tomato
tomber (v.) ▶ 34 : to fall
tomber malade (v.) ▶ 73 : to fall ill
tondeur (n.m.) ▶ 24 : shearer
tondre (v.) ▶ 24 : to shear
tonte (n.f.) ▶ 24 : shearing
torche (n.f.) ▶ 71 : torch
torrent (n.m.) ▶ 34 : torrent
tôt (adv.) ▶ 31 : early
total (adj.) ▶ 63 : total
toujours (adv.) ▶ 7 : always
tourbillon (n.m.) ▶ 51 : whirl
tourisme (n.m.) ▶ 21 : tourism
touriste (n.) ▶ 21 : tourist
touristique (adj.) ▶ 12 : tourist
tournage (n.m.) ▶ 57 : shooting
tournée (n.f.) ▶ 50 : round
tourner (v.) ▶ 49 : to swirl around
tourner le dos (à qqch.) (v.) ▶ 39 : to turn one's back on
tous / toutes (adj.pl.) ▶ 3 : all
tout (adj. sing.) ▶ 9 : whole
tout (adv.) ▶ 23 : quite; very
tout à coup (adv.) ▶ 42 : suddenly
tout à l'heure (adv.) ▶ 38 : a short while ago
tout de suite (adv.) ▶ 33 : immediately
trace (n.f.) ▶ 34 : tracks
tracteur (n.m.) ▶ 23 : tractor
tradition (n.f.) ▶ 26 : tradition
traditionnel/elle (adj.) ▶ 32 : traditional
traduction (n.f.) ▶ 13 : translation
traduire (v.) ▶ 13 : to translate
train (n.m.) ▶ 36 : train

traînée (n.f.) ▶ **75** : drag
trajet (n.m.) ▶ **37** : way
trampoline (n.m.) ▶ **75** : trampoline
tranquille (adj.) ▶ **16** : quiet; calm
tranquillement (adv.) ▶ **74** : calmly
transformation (n.f.) ▶ **76** : transformation
transformer (v.) ▶ **15** : to transform
transition (n.f.) ▶ **78** : transition
transmettre (se •) (v.) ▶ **39** : to be handed down
transmission (n.f.) ▶ **69** : transmission
travail (n.m.) ▶ **7** : work
travailler (v.) ▶ **1** : to work
traverser (v.) ▶ **26** : to cross
trembler (v.) ▶ **73** : to tremble
très (adv.) ▶ **5** : very; much
trésor (n.m.) ▶ **39** : treasure
trimaran (n.m.) ▶ **75** : trimaran
trimestriel/elle (adj.) ▶ **60** : quarterly
triomphal (adj.) ▶ **79** : triumphant
troisième (adj.) ▶ **13** : third
tronc (n.m.) ▶ **34** : trunk
trop (de) (adv.) ▶ **12** : too many
tropical (adj.) ▶ **42** : tropical
trou (n.m.) ▶ **71** : hole
troupe (n.f.) ▶ **39** : company
trouver (qqch.) (v.) ▶ **13** : to find
trouver (du travail) (v.) ▶ **25** : to find (a job)
trouver (se •) (v.) ▶ **14** : to be
truand (n.m.) ▶ **6** : crook
truite saumonée (n.f.) ▶ **48** : salmon trout
tu (pron.) ▶ **4** : you
type (n.m.) ▶ **20** : type
typique (adj.) ▶ **48** : typical

ultra (adv.) ▶ **41** : ultra
un peu (adv.) ▶ **10** : a little
un(e) autre (pron.) ▶ **56** : another
une fois (prép.) ▶ **68** : once
une fois que (conj.) ▶ **68** : once
uniquement (adv.) ▶ **26** : only
unir (s'•) (v.) ▶ **8** : to be joined together
unité (n.f.) ▶ **68** : unit
univers (n.m.) ▶ **78** : universe
universitaire (n.) ▶ **33** : university professors
université (n.f.) ▶ **9** : university
urgence (n.f.) ▶ **63** : emergency
usé (adj.) ▶ **31** : worn
usine (n.f.) ▶ **6** : factory
utilisateur/trice (n.) ▶ **68** : caller
utiliser (v.) ▶ **20** : to use

vacances (n.f.pl.) ▶ **10** : holiday(s)
vacataire (n.m.) ▶ **63** : a person on a temporary contract
vaccin (n.m.) ▶ **64** : vaccine
vaccination (n.f.) ▶ **32** : vaccination
vache (n.f.) ▶ **14** : cow
vaisseau (sang.) (n.m.) ▶ **64** : vessel
vaisselle (n.f.) ▶ **19** : dishes
valise (n.f.) ▶ **30** : (suit)case
vallée (n.f.) ▶ **26** : valley
vaste (adj.) ▶ **42** : immense
vedette = bateau (n.f.) ▶ **41** : launch

végétation (n.f.) ▶ 42 : vegetation
véhicule (n.m.) ▶ 67 : vehicle
veillée (n.f.) ▶ 25 : evening gathering
velours (adj.) ▶ 59 : velvet
« vendeur » (adj.) ▶ 53 : enticing
vendre (v.) ▶ 55 : to sell
venir de (v.) ▶ 9 : to come from
venir (v.) ▶ 10 : to come
vent (n.m.) ▶ 51 : wind
vente (n.f.) ▶ 60 : sale
ventre (n.m.) ▶ 42 : stomach
vérifier (v.) ▶ 33 : to check
véritable (adj.) ▶ 68 : real
vérité (n.f.) ▶ 46 : truth
verre (n.m.) ▶ 49 : glass
vers (n.m.) ▶ 64 : line
vers (prép.) ▶ 24 : towards
version (n.f.) ▶ 53 : version
vert (adj.) ▶ 46 : green
veste (n.f.) ▶ 59 : jacket
vestiaire (n.m.) ▶ 48 : coats
vêtement (n.m.) ▶ 31 : garment
viande (n.f.) ▶ 17 : meat
victime (n.f.) ▶ 63 : victim
victoire (n.f.) ▶ 2 : victory
vide (adj.) ▶ 49 : empty
vie (n.f.) ▶ 7 : life
vieux / vieille (adj.) ▶ 22 : old
vigilance (n.f.) ▶ 65 : vigilance
vigneron (n.m.) ▶ 49 : wine grower
vignoble (n.m.) ▶ 49 : vineyard(s)
village (n.m.) ▶ 14 : village
ville (n.f.) ▶ 11 : town; city
vin (n.m.) ▶ 43 : wine
vingtaine (n.f.) ▶ 26 : twenty or so
violette (n.f.) ▶ 49 : violet
visa (n.m.) ▶ 32 : visa
visible (adj.) ▶ 67 : visible
visiblement (adv.) ▶ 75 : obviously
visite (n.f.) ▶ 7 : visit
visite (médicale) (n.f.) ▶ 64 : medical examination
visiter (v.) ▶ 10 : to visit
vitamine (n.f.) ▶ 64 : vitamin
vite (adv.) ▶ 37 : quickly
vivant (adj.) ▶ 25 : lively
vivre (v.) ▶ 10 : to live
vocation (n.f.) ▶ 63 : vocation
voici (adv.) ▶ 8 : here is/are
voilà (adv.) ▶ 24 : there is/are
voile (n.f.) ▶ 74 : sailing
voilier (n.m.) ▶ 75 : sailing ship/boat
voir (v.) ▶ 11 : to see
voir (se ') (v.) ▶ 56 : to be noticed
voire (adv.) ▶ 65 : even
voisin(e) (n.) ▶ 4 : neighbour
voiture (n.f.) ▶ 12 : car
voix (n.f.) ▶ 5 : voice
vol (avion) (n.m.) ▶ 37 : flight
volaille (n.f.) ▶ 46 : poultry
volet (n.m.) ▶ 68 : shutter
volontiers (adv.) ▶ 12 : with pleasure
vouloir (v.) ▶ 7 : to want
vouloir bien (v.) ▶ 48 : to be happy to
vous (pron.) ▶ 1 : you
voyage (n.m.) ▶ 30 : trip
voyager (v.) ▶ 31 : to travel
vrai (adj.) ▶ 5 : true
vraiment (adv.) ▶ 12 : really
vu (prép.) ▶ 55 : considering
vue (n.f.) ▶ 14 : view

y compris (prép.) ▶ 68 : including
zénith (n.m.) ▶ 75 : zenith

TABLEAUX GRAMMATICAUX

ARTICLE DÉFINI

singulier		*pluriel*
masculin	le	
	l' (+ voyelle h muet)	les
féminin	la	

le journaliste / la championne — le bateau / la voiture
l'informaticien / l'étudiante — l'arbre / l'école
l'homme / l'hôtesse de l'air — l'hôpital / l'huile

ARTICLE INDÉFINI

singulier		*pluriel*
masculin	un	des
féminin	une	

un ami / une artiste — un arbre / une université
un pilote / une chanteuse — un mouton / une fleur
un homme / une hôtesse — des immeubles /
des enfants / des garçons — des chapeaux
des actrices / des filles — des oranges / des pièces

ARTICLE PARTITIF

masculin	*féminin*
du	de la
de l' (+ voyelle ou h muet)	

du pain / de la peinture
de l'argent / de l'eau
de l'humour / de l'huile

PRONOM DÉMONSTRATIF

	singulier	*pluriel*
masculin *féminin*	celui celle	ceux celles

le voisin de Marc → celui de Marc
la voiture de mes parents → celle de mes parents
les enfants des Dumont → ceux des Dumont
les informations de la radio → celles de la radio

ADJECTIF DÉMONSTRATIF

	singulier	*pluriel*
masculin	ce cet (+ voy. ou h muet)	ces
féminin	cette	

ce monsieur / cet ami / cet homme
ce studio / cet endroit

cette dame / cette amie
cette pièce / cette avenue
ces garçons / ces filles

ADJECTIF POSSESSIF

personne	***« objet »***		
une personne	*masculin singulier*	*féminin singulier*	*fém./masc. pluriel*
1 *2* *3*	mon ton son	ma ta sa	mes tes ses

personne	*« objet »*	
plusieurs personnes	*masc./fém. singulier*	*masc./fém. pluriel*
1 *2* *3*	notre votre leur	nos vos leurs

mon chat / ma chambre / mes livres
ton ami / ta femme / tes enfants
son pays / sa ville / ses habitudes
notre mère / nos vacances
votre maison / vos chaussures
leur rue / leurs papiers
Devant voyelle : ma / ta / sa → mon / ton / son
ex : mon amie

PRONOM POSSESSIF

personne	*« objet »*			
une personne	*masculin singulier*	*féminin singulier*	*masculin pluriel*	*féminin pluriel*
1 *2* *3*	le mien le tien le sien	la mienne la tienne la sienne	les miens les tiens les siens	les miennes les tiennes les siennes

personne	*« objet »*		
plusieurs personnes	*masculin singulier*	*féminin singulier*	*masc./fém. pluriel*
1 *2* *3*	le nôtre le vôtre le leur	la nôtre la vôtre la leur	les nôtres les vôtres les leurs

fonction	*personnes*	*choses*
SUJET	qui	qui
COD	que	que
COI	à qui	auquel/à laquelle auxquels/ auxquelles
COI[2]	dont	dont
CC (prép.)	avec/chez qui	sur lequel/ laquelle*
	pour/sans qui	sous lesquels/ lesquelles
	etc.	etc.
CC DE LIEU		où

* grâce à → grâce auquel / à laquelle / auxquels / auxquelles
près de → près duquel / de laquelle / desquels / desquelles

	cardinaux	*ordinaux*
1	un / une	premier / première
2	deux	deuxième
3	trois	troisième
4	quatre	quatrième
5	cinq	cinquième
6	six	six
7	sept	septième
8	huit	huitième
9	neuf	neuvième
10	dix	dixième
11	onze	onzième
12	douze	douzième
13	treize	treizième
14	quatorze	quatorzième
15	quinze	quinzième
16	seize	seizième
17	dix-sept	dix-septième
18	dix-huit	dix-huitième
19	dix-neuf	dix-neuvième
20	vingt	vingtième
21	vingt et un / une	vingt et unième
22	vingt-deux	vingt-deuxième
...		
30	trente	trentième
31	trente et un	trente et unième
32	trente-deux	trente-deuxième
...		
40	quarante	quarantième
50	cinquante	cinquantième
60	soixante	soixantième
70	soixante-dix	soixante-dixième
71	soixante et onze	soixante et onzième
80	quatre-vingts	quatre-vingtième
81	quatre-vingt-un	quatre-vingt-unième
90	quatre-vingt-dix	quatre-vingt-dixième
91	quatre-vingt-onze	quatre-vingt-onzième
...		

100	cent	centième
101	cent un / une	cent unième
110	cent dix	cent dixième
200	deux cents	deux centième
201	deux cent un / une	deux cent unième
300	trois cents	trois centième
...		
1000	mille	millième
1001	mille (et) un / une	mille et unième
1100	mille cent / onze cents	
1200	mille deux cents / douze cents	
...		
2000	deux mille	
2001	deux mille un	
2100	deux mille cent	
3000	trois mille	
...		
10000	dix mille	
11000	onze mille	
17000	dix sept mille	
70000	soixante dix mille	
100000	cent mille	

1000 : mille / un millier	
10^6 : un million	10^7 : un milliard
10^8 : un billion	10^9 : un billiard
10^{10} : un trillion	10^{11} : un trilliard
...	

En Suisse et en Belgique :

70	septante
80	octante
90	nonante

ÊTRE

INFINITIF : *être*

INDICATIF

présent	*futur*	*imparfait*
je suis tu es il / elle est nous sommes vous êtes ils / elles sont	je serai tu seras il / elle sera nous serons vous serez ils / elles seront	j'étais tu étais il / elle était nous étions vous étiez ils/elles étaient
passé composé	*futur antérieur*	*plus-que-parfait*
j'ai été tu as été il / elle a été nous avons été vous avez été ils / elles ont été	j'aurai été tu auras été il / elle aura été nous aurons été vous aurez été ils / elles auront été	j'avais été tu avais été il / elle avait été nous avions été vous aviez été ils / elles avaient été

SUBJONCTIF

simple	*composé*
que je sois que tu sois qu'il / elle soit que nous soyons que vous soyez qu'ils / elles soient	que j'aie été que tu aies été qu'il / elle ait été que nous ayons été que vous ayez été qu'ils / elles aient été

CONDITIONNEL

simple	*composé*
je serais tu serais il / elle serait nous serions vous seriez ils / elles seraient	j'aurais été tu aurais été il / elle aurait été nous aurions été vous auriez été ils / elles auraient été

IMPÉRATIF

que je sois sois qu'il / elle soit	soyons soyez qu'ils/elles soient

PARTICIPE

présent	*passé*
étant	été

INFINITIF : *avoir*

INDICATIF

présent	*futur*	*imparfait*
j'ai tu as il / elle a nous avons vous avez ils / elles ont	j'aurai tu auras il / elle aura nous aurons vous aurez ils / elles auront	j'avais tu avais il / elle avait nous avions vous aviez ils / elles avaient
passé composé	*futur antérieur*	*plus-que-parfait*
j'ai eu tu as eu il / elle a eu nous avons eu vous avez eu ils / elles ont eu	j'aurai eu tu auras eu il / elle aura eu nous aurons eu vous aurez eu ils / elles auront eu	j'avais eu tu avais eu il / elle avait eu nous avions eu vous aviez eu ils / elles avaient eu

SUBJONCTIF

simple	*composé*
que j'aie que tu aies qu'il / elle ait que nous ayons que vous ayez qu'ils / elles aient	que j'aie eu que tu aies eu qu'il / elle ait eu que nous ayons eu que vous ayez eu qu'ils / elles aient eu

CONDITIONNEL

simple	*composé*
j'aurais tu aurais il / elle aurait nous aurions vous auriez ils / elles auraient	j'aurais eu tu aurais eu il / elle aurait eu nous aurions eu vous auriez eu ils / elles auraient eu

IMPÉRATIF

que j'aie aie qu'il / elle ait	ayons ayez qu'ils / elles aient

PARTICIPE

présent	*passé*
ayant	eu

Verbes du premier groupe

AIMER

INFINITIF : *aimer*

INDICATIF

présent	*futur*	*imparfait*
j'aime tu aimes il / elle aime nous aimons vous aimez ils / elles aiment	j'aimerai tu aimeras il / elle aimera nous aimerons vous aimerez ils / elles aime-ront	j'aimais tu aimais il / elle aimait nous aimions vous aimiez ils / elles aimaient
passé composé	*futur antérieur*	*plus-que-parfait*
j'ai aimé tu as aimé il / elle a aimé nous avons aimé vous avez aimé ils / elles ont aimé	j'aurai aimé tu auras aimé il / elle aura aimé nous aurons ai-mé vous aurez aimé ils / elles auront aimé	j'avais aimé tu avais aimé il / elle avait aimé nous avions aimé vous aviez aimé ils / elles avaient aimé

SUBJONCTIF

simple	*composé*
que j'aime que tu aimes qu'il / elle aime que nous aimions que vous aimiez qu'ils / elles aiment	que j'aie aimé que tu aies aimé qu'il / elle ait aimé que nous ayons aimé que vous ayez aimé qu'ils / elles aient aimé

CONDITIONNEL

simple	*composé*
je serais tu serais il / elle serait nous serions vous seriez ils / elles seraient	j'aurais aimé tu aurais aimé il / elle aurait aimé nous aurions aimé vous auriez aimé ils / elles auraient aimé

IMPÉRATIF

que j'aime sois qu'il / elle aime	aimons aimez qu'ils / elles aiment

PARTICIPE

présent	*passé*
aimant	aimé

CONJUGAISON PASSIVE

présent :	je suis aimé(e)...
futur :	je serai aimé(e)...
imparfait :	j'étais aimé(e)...
passé composé :	j'ai été aimé(e)...
futur antérieur :	je serai aimé(e)...
plus-que-parfait :	j'avais été aimé(e)...
subjonctif simple :	que je sois aimé(e)...
subjonctif composé :	que j'aie été aimé(e)...
conditionnel simple :	je serais aimé(e)
conditionnel composé :	j'aurais été aimé(e)

Verbes irréguliers du premier groupe

ALLER

INFINITIF : *aller*

INDICATIF

présent	*futur*	*imparfait*
je vais tu vas il / elle va nous allons vous allez ils / elles vont	j'irai tu iras il / elle ira nous irons vous irez ils / elles iront	j'allais tu allais il / elle allait nous allions vous alliez ils / elles allaient
passé composé	*futur antérieur*	*plus-que-parfait*
je suis allé(e) tu es allé(e) il / elle est allé(e) nous sommes allé(e)s vous êtes allé(e)s ils / elles sont allé(e)s	je serai allé(e) tu seras allé(e) il / elle sera allé(e) nous serons allé(e)s vous serez allé(e)s ils / elles seront allé(e)s	j'étais allé(e) tu étais allé(e) il / elle était allé(e) nous étions allé(e)s vous étiez allé(e)s ils / elles étaient allé(e)s

SUBJONCTIF

simple	*composé*
que j'aille que tu ailles qu'il / elle aille que nous allions que vous alliez qu'ils / elles aillent	que je sois allé(e) que tu sois allé(e) qu'il / elle soit allé(e) que nous soyons allé(e)s que vous soyez allé(e)s qu'ils / elles soient allé(e)s

CONDITIONNEL

simple	*composé*
j'irais tu irais il / elle irait nous irions vous iriez ils / elles iraient	je serais allé(e) tu serais allé(e) il / elle serait allé(e) nous serions allé(e)s vous seriez allé(e)s ils / elles seraient allé(e)s

IMPÉRATIF

que j'aille va qu'il / elle aille	allons allez qu'ils / elles aillent

PARTICIPE

présent	*passé*
allant	allé

Verbes du deuxième groupe

FINIR

INFINITIF : *finir*

INDICATIF

présent	*futur*	*imparfait*
je finis tu finis il / elle finit nous finissons vous finissez ils / elles finissent	je finirai tu finiras il / elle finira nous finirons vous finirez ils / elles finiront	je finissais tu finissais il / elle finissait nous finissions vous finissiez ils / elles finissaient
passé composé	*futur antérieur*	*plus-que-parfait*
j'ai fini tu as fini il / elle a fini nous avons fini vous avez fini ils / elles ont fini	j'aurai fini tu auras fini il / elle aura fini nous aurons fini vous aurez fini ils / elles auront fini	j'avais fini tu avais fini il / elle avait fini nous avions fini vous aviez fini ils / elles avaient fini

SUBJONCTIF

simple	*composé*
que je finisse que tu finisses qu'il / elle finisse que nous finissions que vous finissiez qu'ils / elles finissent	que j'aie fini que tu aies fini qu'il / elle ait fini que nous ayons fini que vous ayez fini qu'ils / elles aient fini

CONDITIONNEL

simple	*composé*
je finirais tu finirais il / elle finirait nous finirions vous finiriez ils / elles finiraient	j'aurais fini tu aurais fini il / elle aurait fini nous aurions fini vous auriez fini ils / elles auraient fini

IMPÉRATIF

que je finisse finis qu'il / elle finisse	finissons finissez qu'ils /e lles finissent

PARTICIPE

présent	*passé*
finissant	fini

Verbes du troisième groupe

Infinitif	*devoir*	*vouloir*	*pouvoir*
Ind. prés.	je dois	je veux	je peux
	il doit	il veut	il peut
	nous devons	nous voulons	nous pouvons
Ind. imp.	je devais	je voulais	je pouvais
Ind. fut.	je devrai	je voudrai	je pourrai
Ind. pass.comp.	j'ai dû	j'ai voulu	j'ai pu
Ind. p.-q.-parft.	j'avais dû	j'avais voulu	j'avais pu
Ind. fut. ant.	j'aurai dû	j'aurai voulu	j'aurai pu
Subj. simple	que je doive	que je veuille	que je puisse
Subj. comp.	que j'aie dû	que j'aie voulu	que j'aie pu
Cond. simple	je devrais	je voudrais	je pourrais
Cond. comp.	j'aurais dû	j'aurais voulu	j'aurais pu

Infinitif	*voir*	*savoir*	*s'asseoir*
Ind. prés.	je vois	je sais	je m'assieds
	il voit	il sait	il s'assied
	nous voyons	nous savons	nous nous asseyons
Ind. imp.	je voyais	je savais	je m'asseyais
Ind. fut.	je verrai	je saurai	je m'assiérai
Ind. pass.comp.	j'ai vu	j'ai su	je me suis assis(e)
Ind. p.-q.-parft.	j'avais vu	j'avais su	je m'étais assis(e)
Ind. fut. ant.	j'aurai vu	j'aurai su	je me serai assis(e)
Subj. simple	que je voie	que je sache	que je m'asseye
Subj. comp.	que j'aie vu	que j'aie su	que je me sois assis
Cond. simple	je verrais	je saurais	je m'assiérais
Cond. comp.	j'aurais vu	j'aurais su	je me serais assis

Infinitif	*ouvrir*	*courir*	*partir*
Ind. prés.	j'ouvre	je cours	je pars
	il ouvre	il court	il part
	nous ouvrons	nous courons	nous partons
Ind. imp.	j'ouvrais	je courais	je partais
Ind. fut.	j'ouvrirai	je courrai	je partirai
Ind. pass.comp.	j'ai ouvert	j'ai couru	je suis parti(e)
Ind. p.-q.-parft.	j'avais ouvert	j'avais couru	j'étais parti(e)
Ind. fut. ant.	j'aurai ouvert	j'aurai couru	je serai parti(e)
Subj. simple	que j'ouvre	que je coure	que je parte
Subj. comp.	que j'aie ouvert	que j'aie couru	que je sois parti(e)
Cond. simple	j'ouvrirais	je courrais	je partirais
Cond. comp.	j'aurais ouvert	j'aurais couru	je serais parti(e)

Infinitif	*tenir*	*servir*	*dormir*
Ind. prés.	je tiens	je sers	je dors
	il tient	il sert	il dort
	nous tenons	nous servons	nous dormons
Ind. imp.	je tenais	je servais	je dormais
Ind. fut.	je tiendrai	je servirai	je dormirai
Ind. pass.comp.	j'ai tenu	j'ai servi	j'ai dormi
Ind. p.-q.-parft.	j'avais tenu	j'avais servi	j'avais dormi
Ind. fut. ant.	j'aurai tenu	j'aurai servi	j'aurai dormi
Subj. simple	que je tienne	que je serve	que je dorme
Subj. comp.	que j'aie tenu	que j'aie servi	que j'aie dormi
Cond. simple	je tiendrais	je servirais	je dormirais
Cond. comp.	j'aurais tenu	j'aurais servi	j'aurais dormi

Infinitif	*mettre*	*prendre*	*vivre*
Ind. prés.	je mets	je prends	je vis
	il met	il prend	il vit
	nous mettons	nous prenons	nous vivons
Ind. imp.	je mettais	je prenais	je vivais
Ind. fut.	je mettrai	je prendrai	je vivrai
Ind. pass.comp.	j'ai mis	j'ai pris	j'ai vécu
Ind. p.-q.-parft.	j'avais mis	j'avais pris	j'avais vécu
Ind. fut. ant.	j'aurai mis	j'aurai pris	j'aurai vécu
Subj. simple	que je mette	que je prenne	que je vive
Subj. comp.	que j'aie mis	que j'aie pris	que j'aie vécu
Cond. simple	je mettrais	je prendrais	je vivrais
Cond. comp.	j'aurais mis	j'aurais pris	j'aurais vécu

Infinitif	*faire*	*connaître*	*boire*
Ind. prés.	je fais	je connais	je bois
	il fait	il connaît	il boit
	nous faisons	nous connaissons	nous buvons
Ind. imp.	je faisais	je connaissais	je buvais
Ind. fut.	je ferai	je connaîtrai	je boirai
Ind. pass.comp.	j'ai fait	j'ai connu	j'ai bu
Ind. p.-q.-parft.	j'avais fait	j'avais connu	j'avais bu
Ind. fut. ant.	j'aurai fait	j'aurai connu	j'aurai bu
Subj. simple	que je fasse	que je connaisse	que je boive
Subj. comp.	que j'aie fait	que j'aie connu	que j'aie bu
Cond. simple	je ferais	je connaîtrais	je boirais
Cond. comp.	j'aurais fait	j'aurais connu	j'aurais bu

INDEX GRAMMATICAL

ARTICULATIONS LOGIQUES

CAUSE

Cause (explicative : le participe présent) ▶ 66 : — Le président, *se rendant* dans le Vaucluse, avait lancé la campagne.

Cause (intensive : *à force de* **+ infinitif)** ▶ 71 : — *A force de chercher*, il a trouvé la solution.

Cause (intensive : *d'autant plus / moins que***)** ▶ 72 : — Nous pourrons nous en sortir, *d'autant plus que* la situation n'est pas désespérée !

Cause (niée : *non pas que* **+ subjonctif)** ▶ 73 : — *Non pas que* les Milanais *tremblent*.

Cause (supposée : *sous prétexte de* **+ infinitif /** *sous prétexte que* **+ indicatif)** ▶ 73 : — ... *sous prétexte de* devoir affronter l'OM.

Cause (intensive : *d'autant que***)** ▶ 75 : — ...*d'autant que* le vent se plaît à faire des tourbillons.

Cause (participe en apposition) ▶ 75 : — *Visiblement exténuée*, elle peine à reprendre les écoutes.

Cause (exprimée par un verbe : *favoriser / permettre / entraîner / inciter***)** ▶ 76 : — La faculté de médecine *a favorisé* la création d'un centre de recherches.

CHOIX

Choix *(n'importe...)* ▶ 40 : — Nous pouvons voyager *n'importe quand*.

Choix *(soit... soit...)* ▶ 68 : — Elles coûtent *soit* 50 francs, *soit* 96 francs.

Choix *(tant de* **+ nom,** *que de* **+ nom /** *aussi bien de* **+ nom,** *que de* **+ nom /** *de* **+ nom,** *comme de* **+ nom)** ▶ 76 : — La création de nouveaux départements *tant de* recherche *que de* coopération.

COMPARAISON

Comparaison *(comme = en qualité de)* ▶ 23 : — Je travaille *comme* berger.

Comparatif (de *bien***)** ▶ 13 : — J'aime *mieux* un kir.

Comparatif (de *bon***)** ▶ 13 : — La traduction est *meilleure que* l'original.

Comparatif (du *nom***)** ▶ 13 : — A Athènes, il y a *moins de tentations*...

CONSÉQUENCE

Conséquence (*si* **+ [adjectif / adverbe] +** *que...***)** ▶ 34 : — La neige tombait *si fort que* nous avons dû nous abriter.

Conséquence (verbe + *tellement que...***)** ▶ 34 : — *J'ai tellement mangé que* j'ai mal au ventre.

Conséquence ([*assez / trop***] + adjectif +** *pour* **+ infinitif)** ▶ 50 : — Elle est *assez grande pour se débrouiller*.

Conséquence / finalité (*de manière que* + [**indicatif / subjonctif**]) ▶ 60 : — Nous avons organisé nos services *de manière que* nos clients *soient* vite servis.

Conséquence ([*tellement / tant*] *de* + **nom** + *que)* ▶ 60 : — Nous avons reçu *tellement de courrier que* le catalogue est devenu obligatoire.

Conséquence *(d'où / de là)* ▶ 60 : — Une demande des particuliers..., *d'où* ce catalogue.

Conséquence (mise en relief : *c'est pourquoi*) ▶ 61 : — Le matériel est bon marché, *c'est pourquoi* cette activité tente les collectivités.

Conséquence ([*trop / assez*] + [*adjectif / adverbe*] + *pour que* + **subjonctif)** ▶ 62 : — Les articles sont *assez nombreux pour qu*'**un catalogue** *soit* **créé**.

Conséquence (*finir par* + **infinitif)** ▶ 71 : — *J'ai fini par être* sûr qu'il existe.

CONSTRUCTIONS VERBALES

Construction verbale *(faire / être)* ▶ 1 : — Qu'est-ce que vous *faites*? — Je *suis* journaliste.

Construction verbale (*venir de* + **pays)** ▶ 9 : — Ils *viennent du* Maghreb.

Construction verbale (*avoir... de* + **infinitif)** ▶ 11 : — *J'ai envie de* sourire.

Construction verbale (*faire* + **temps)** ▶ 21 : — En été, *il fait chaud* et sec.

Construction verbale (*servir*) ▶ 23 : — La bergerie nous *sert de* garage.

Construction verbale (*c'est / ce sont*) ▶ 25 : — *C'étaient* des gens courageux).

Construction verbale (*pouvoir* + **infinitif)** ▶ 28 : — Vous *pouvez venir* en caravane.

Construction verbale *(changer de)* ▶ 31 : — *Je change* vingt fois *de* modèle.

Construction verbale *(quitter)* ▶ 31 : — Tu as *quitté ton pays*, le Danemark.

Construction verbale (*avoir qqch. à* + **infinitif)** ▶ 32 : — Nous *aurons* beaucoup de problèmes *à régler*.

Construction verbale (*n'avoir qu'à* + **infinitif)** ▶ 34 : — Nous *n'avons qu'à attendre*.

Construction verbale (*laisser* + **infinitif)** ▶ 49 : — *Laissez venir* les mots.

Construction verbale (*espérer* + **indicatif ≠ souhaiter + subjonctif)** ▶ 50 : — *J'espère qu'elle est* heureuse.

Construction verbale *(entendre dire que)* ▶ 52 : — *J'ai entendu dire qu'*il y a plein d'animaux sauvages.

Construction verbale (*se faire* + infinitif) ▶ 57 : — Le cinéma *s'est fait* un « look ».

DÉFINITION

Définition (infinitif + *c'est* + infinitif) ▶ 10 : — *Vivre* à Paris *c'est habiter* le 5e.

Définition (*assez* + adjectif) ▶ 12 : — C'est souvent *assez bruyant*.

Définition *(il s'agit de)* ▶ 20 : — *Il s'agit d'*une commune rurale.

Définition (*il est* + adjectif + *de* + infinitif + X (COD)) → (X (sujet) *est* + adjectif + *à* + infinitif) ▶ 43 : — Votre île *est fascinante à visiter*.

DOUBLES PRONOMS

Doubles pronoms compléments ▶ 40 : — Je *vous le* réserve ?

Doubles pronoms compléments (suite 1) ▶ 41 : — Le jardin ? On *vous y* servira les repas.

Doubles pronoms compléments (suite 2) ▶ 42 : — Des fruits ? La femme de chambre *lui en* apporte.

Doubles pronoms compléments (à l'impératif) ▶ 43 : — Du vin blanc ? *Apportez-nous en* une bouteille. / L'apéritif ? *Donnez-le-moi* tout de suite.

Doubles pronoms compléments (+ infinitif) ▶ 59 : — Le blouson et la jupe ? Je peux *te les prêter*.

QUANTITÉ

Expression de quantité (+ *de* + nom) ▶ 12 : — Vous avez *combien de pièces* ?

Expression de quantité (négative) ▶ 17 : — Je *n'*achète *jamais de* légumes.

FINALITÉ

Finalité (mise en relief : *Si... c'est pour* + infinitif) ▶ 61 : — *S'*il travaille tant, *c'est pour* gagner beaucoup d'argent.

Finalité (*pour que* + subjonctif) ▶ 65 : — *Pour que* le feu ne *fasse* pas trop de dégâts.

Finalité (*afin de* + infinitif / *afin que* + subjonctif) ▶ 72 : — M. B. m'a contacté *afin de savoir* si je serais d'accord.

Finalité (mise en relief : *la seule / la meilleure chose* (*que* + subjonctif) *pour* + infinitif, *c'est de...*) ▶ 74 : — La solution *la plus facile pour être* seule, *c'est de partir* en mer.

FUTUR

Futur proche ▶ 16 : — Ce soir, *nous allons fêter* leur arrivée.

Futur simple ▶ 24 : — Il vous *montrera* la bergerie.

Futur (8 verbes irréguliers) ▶ 32 : — Demain, *j'irai* à l'ambassade.

Futur antérieur ▶ 48 : — Dès que *tu auras pris* leur vestiaire, tu les conduiras.

Futur (révision et verbes irréguliers) ▶ 46 : — *Tu sauras* éviter les complications inutiles.

HYPOTHESE

Hypothèse (*si* **+ présent,** *pouvoir* **[présent])** ▶ 21 : — *Si vous aimez* la vie sauvage, *vous pouvez* dormir sous la tente.

Hypothèse (*si* **+ présent, futur)** ▶ 24 : — *Si* le lait *est* riche, les prix *monteront.*

Hypothèse (*si* **+ présent, impératif)** ▶ 28 : — *Si vous aimez* le soleil, *allez* dans les Alpes du Sud.

Hypothèse *(sinon)* ▶ 48 : — *Sinon,* tu leur en proposeras une.

Hypothèse (*si* **+ imparfait, conditionnel = irréel du présent)** ▶ 51 : — *Si vous pouviez* me voir, *vous ne me reconnaîtriez pas!*

Hypothèse (*si* **+ imparfait, conditionnel = éventuel)** ▶ 52 : — *Si je passais* les vacances au Québec, *on partirait* camper.

Hypothèse (*au cas où* **+ conditionnel, conditionnel)** ▶ 54 : — *Au cas où vous prendriez* ce parfum, *je vous ferais* une réduction.

Hypothèse (conditionnel passé, conditionnel passé) ▶ 56 : — *Tu aurais vu* la tête du marchand, *tu aurais ri.*

Hypothèse (*en cas de* **+ nom)** ▶ 63 : — *En cas d'urgence,* on peut obtenir les pompiers.

Hypothèse (*si* **+ présent, présent)** ▶ 63 : — *Si* le cas *semble* bénin, le médecin nous *rappelle.*

Hypothèse (*quel* **+** *que* **+** *être* **au subjonctif + sujet)** ▶ 69 : — *Quel que soit l'âge* du téléviseur, il peut recevoir le câble.

Hypothèse (*quoi* **+** *que* **+ verbe au subjonctif)** ▶ 69 : — Vous êtes, *quoi qu'il arrive,* branché sur le futur !

Hypothèse (*si* **+ plus-que-parfait, conditionnel passé)** ▶ 71 : — *Si j'avais prévu, j'aurais apporté* la torche de mon père.

Hypothèse *(sauf si)* ▶ 73 : — Marseille a ses chances, *sauf si* le leader de l'équipe tombe malade.

IMPARFAIT

Imparfait ▶ 25 : — Avant ? La vie *était* très différente de celle d'aujourd'hui.

INFINITIF

Infinitif (révision et valeurs) ▶ 46 : — *Réduire* les temps de cuisson.

Infinitif (de généralité) ▶ 48 : — Je ne suis pas sûr de savoir *comment faire.*

INTERROGATION

Interrogation (les 3 formes) ▶ 2 : — Vous vous appelez *comment ?* / — *Comment est-ce que* vous vous appelez ? / — *Comment* vous appelez-vous ?

Interrogation *(quel ?)* ▶ 2 : — *Quelle* est votre date de naissance ?

Interrogation *(qui est-ce ? / qu'est-ce que c'est ?)* ▶ 7 : — *Qui est-ce ?* — C'est Alain Prost. / — *Qu'est-ce que c'est ?* — C'est un film de Gabin.

MISE EN RELIEF

Mise en relief *(Ce qui est* **+ adjectif,** *c'est* **+ nom)** ▶ 15 : — *Ce qui est* très agréable, *c'est* la terrasse.

Mise en relief (du pronom sujet) ▶ 23 : — *C'est lui qui* dirige la ferme.

Mise en relief (du COD) ▶ 42 : —*Ce que* nous apprécions le plus *c'est* la corbeille de fruits.

Mise en relief (phrases nominales) ▶ 63 : — *Pas une vocation.*

Mise en relief (de l'infinitif : *ce que* **+ verbe,** *c'est* **+ COD)** ▶ 67 : — *Ce qu'*il faut, *c'est revoir* le dispositif.

Mise en relief (du COI[2] : *ce dont... c'est de* **+ nom / infinitif)** ▶ 70 : — *Ce dont* vous aurez envie, *c'est de* vous promener.

MOYEN

Moyen (gérondif) ▶ 64 : — Chassez la fatigue *en vous allongeant.*

Moyen (*le mieux c'est de* **+ infinitif)** ▶ 64 : — Vaisseaux disgracieux ? *Le mieux c'est d'*aller voir votre médecin.

NÉGATION

Négation *(ne... pas)* ▶ 4 : — Tu *n'es pas* en classe ?

Négation *(ne... rien)* ▶ 31 : — Je *ne* connaissais *rien* à la haute couture.

Négation (*ne pas* **+ infinitif)** ▶ 38 : — *Ne pas* parler au conducteur.

Négation (absolue : *ni... ni...***)** ▶ 49 : — Le vin ne doit avoir *ni* acidité *ni* « dureté ».

Négation (moyenne : *ni... ni...*) ▶ 70 : — *Ni* trop petites *ni* trop hautes.

OPPOSITION

Opposition (*même si* + proposition, proposition) ▶ 37 : — *Même si* je leur rapporte des cadeaux, ça ne suffit pas toujours.

Opposition *(quand même)* ▶ 51 : — Il faisait glacial ; nous sommes *quand même* sortis.

Opposition (*avoir beau* + infinitif) ▶ 52 : — *Il a beau faire froid*, on vit beaucoup dehors.

Opposition *(sauf)* ▶ 52 : — La nature est belle, *sauf* du côté des usines de Jonquière.

Opposition *(si..., par contre)* ▶ 57 : — *Si* la mode est descendue dans la rue, *par contre* elle a déserté les plateaux.

Opposition (*bien que* + subjonctif) ▶ 58 : — La mode s'internationalise, *bien que* Paris en *soit* la capitale.

Opposition (*malgré* + nom) ▶ 65 : — *Malgré la sécheresse*, le feu avait épargné la forêt.

PASSÉ COMPOSÉ

Passé composé (avec *avoir*) ▶ 22 : — *Ils ont construit* la ferme en pierre.

Passé composé (avec *être*) ▶ 35 : — *Je suis allé* au Japon.

Passé composé (des verbes pronominaux) ▶ 36 : — *Vous vous êtes* beaucoup *promené* ?

Passé composé négatif (sujet + *ne* + (pronom) + auxiliaire + *pas* + participe) ▶ 36 : — *Je ne suis pas allé* au Japon pour faire un reportage.

PASSÉ RÉCENT

Passé récent ▶ 19 : — *Je viens de conduire* ma fille à l'école.

PASSIF

Passif ▶ 20 : — Les Causses *sont coupés par* des gorges.

Passif aux temps composés ▶ 35 : — Une association *a été créée par* un Français.

Passif accompli ▶ 41 : — *Votre réservation est faite.*

Passif pronominal ▶ 49 : — Un bon vin, *ça se regarde !*

Passif (révision à tous les temps) ▶ 57 : — Fanny Ardant *était habillée* par Saint-Laurent.

PLUS-QUE-PARFAIT

Plus-que-parfait ▶ 56 : — Une souris qui *s'était installée* là.

PRÉFIXES

Préfixe *(in-)* ▶ 58 : — ... la capitale *incontestée.*

Préfixe *(dis-/dé-)* ▶ 64 : — La peau *déshydratée.*

Préfixe *(re-)* ▶ 63 : — L'ambulance de *réanimation.*

PRÉPOSITIONS

Prépositions (*à* + article défini) ▶ 9 : — Ils vont *au* mariage de Claire.

Préposition (*vivre à* + ville) ▶ 10 : — Irène *vit à* Athènes.

Préposition (*sans* + nom) ▶ 12 : — *Sans ascenseur,* bien sûr !

Prépositions complexes ▶ 15 : — *A côté de* la maison, il y a un petit bois.

Prépositions (*à/dans* + départements) ▶ 21 : — Beaucoup de touristes viennent *en Lozère.*

Prépositions (*au/en* + pays) ▶ 30 : — J'étais *au Maroc.*

PRONOMS

Pronom sujet *(je/il/elle/vous/ils/elles)* ▶ 1 à 7

Pronom sujet *(tu)* ▶ 4 : — Bonjour, Gavroche ; *tu* vas bien ?

Pronom sujet *(nous)* ▶ 14 : — *On met (nous mettons)* 30 minutes en voiture.

Pronoms toniques ▶ 16 : — Café *pour moi.*

Pronom COD ▶ 17 : — Le petit déjeuner ? Je *le* prépare.

Pronom COD (neutre : *en*) ▶ 18 : — *Des tomates* ? Je n'*en* prends pas.

Pronom COD (neutre : *le*) ▶ 30 : — Ce n'est pas aussi drôle que les gens *le* pensent.

Pronoms COI ▶ 33 : — Nous *lui* expliquerons notre circuit

Pronom COI² (*parler de* + COI²) ▶ 38 : — Les interviews ? Je vous demande d'*en parler. / Parlez-en.*

Pronom CC (de lieu : *y*) ▶ 14 : — On met 30 minutes pour *y* aller.

Pronoms (+ infinitif) ▶ 19 : — Ma fille ? J'aime *la prendre* à la sortie.

Pronom indéfini *(certains)* ▶ 26 : — *Certains* de ces Savoyards ont même été en Amérique.

Pronom indéfini (*quelque chose/quelqu'un de* + adjectif) ▶ 36 : — Vous avez été frappé par *quelque chose de particulier* ?

Pronom indéfini ([*personne/rien*] *de* + adjectif) ▶ 38 : — Je ne rencontrais *personne d'intéressant.*

Pronom / adjectif indéfini *(autre)* ▶ 56 : — *Une autre* boutique.

Pronom relatif (sujet : *qui*) ▶ 20 :

— Le calcaire est une roche *qui* boit l'eau.

Pronom relatif (COD : *que*) ▶ 29 : — **La maison *que* nous louons** est au centre du village.

Pronom relatif *(dont)* ▶ 54 : — La boutique *dont* Jacques m'a parlé.

Pronom relatif (CC : *où*) ▶ 30 : — Ils cherchent le soleil dans les pays *où* il brille.

Pronoms démonstratifs ▶ 21 : — Ce département est *celui des* grands espaces. / — *Ceux qui* pratiquent le ski vont dans le Cantal.

Pronoms possessifs ▶ 58 : — Une maison de couture ? Coco Chanel dirige *la sienne.*

STYLE INDIRECT

Style indirect ▶ 23 : — Monsieur B. nous explique *à quoi ils servent.*

Style indirect *(dites-moi...)* ▶ 38 : — *Dites-moi* pourquoi vous aimez ce métier.

Style indirect *(demander si...)* ▶ 41 : — On vous *demandera si* vous avez votre billet de retour.

Style indirect *(demander ce que)* ▶ 42 : — *Nous ne savons pas ce qu'*il faut admirer le plus.

Style indirect *(demander ce qui)* ▶ 48 : — Les clients *demandent* souvent *ce qui* est typique de la région.

Style indirect (au passé) ▶ 55 : — On *savait* qu'on ne l'*achèterait* pas.

SUBJONCTIF

Subjonctif (1/2/3PS et 3PP) ▶ 31 : — Il faut que *j'habite* en France.

Subjonctif (1PP et 2PP) ▶ 32 : — Il faudra que *nous obtenions* les visas.

Subjonctif composé ▶ 54 : — L'équipage attendra que tout le monde *se soit présenté.*

Subjonctif (de *être*) ▶ 42 : — **J'aimerais que** *vous soyez* avec nous.

Subjonctif (révision et verbes irréguliers) ▶ 47 : — **Il faut que** *tu raccourcisses* la carte.

SUGGESTION

Suggestion (conditionnel seul) ▶ 40 : — *J'aimerais* être conseillé.

Suggestion (adjectif au comparatif ? / conditionnel) ▶ 53 : — Plus capiteux ? Z *serait insolent !*

Suggestion (passé composé ?, futur proche) ▶ *53 :* — Vous *avez aimé* Azur ? Vous *allez aimer* Z !

Suggestion (si + imparfait ?) ▶ 53 : — Et *si*, justement, *on l'appelait* « Si... » ?

Suggestion (*si* + passé composé futur) ▶ 53 : — *Si vous avez aimé* Azur, *vous adorerez* Z !

Suggestion (substantif ? / impératif) ▶ 53 : — *Envie* d'une seconde peau ? *Essayez* Z !

Suggestion (conditionnel + subjonctif) ▶ 59 : — *J'aimerais* y aller.

SUPERLATIF

Superlatif ▶ 27 : — La piste *la plus longue* se trouve à l'Alpe-d'Huez.

Superlatif sélectif ▶ 42 : — Cette île est *(l') une des plus belles.*

Superlatif (verbe + *le plus*) ▶ 42 : — Que faut-il *admirer le plus*?

Superlatif (préfixes *hyper* / *ultra* / *extra*) ▶ 66 : — Un sol *hyper*-déshydraté.

Superlatif (suffixe *-issime*) ▶ 74 : — C'est *rarissime.*

TEMPS

Temps (*depuis* + nom) ▶ 10 : — *Depuis 25 ans,* je viens tous les ans.

Temps (*tous les* + nom) ▶ 10 : — Je viens *tous les ans.*

Temps (*avant de* + infinitif) ▶ 11 : — *Avant de rentrer,* je reprends un café.

Temps (*pendant* + nom, présent) ▶ 20 : — *Pendant plusieurs mois, il ne pleut* pas.

Temps (*pendant* + nom, passé composé) ▶ 24 : — *Pendant des siècles, on a collecté* le lait à la main.

Temps (opposition imparfait / présent) ▶ 25 : — Avant, je ne *buvais* pas de vin ; maintenant, *j'en bois* comme les Français.

Temps (*depuis* + nom, présent) ▶ 26 : — *Depuis* les années 60, les jeunes *restent* au pays.

Temps (*depuis que* + passé composé + présent) ▶ 26 : — *Depuis que* les sports d'hiver *ont commencé* à devenir populaires, les jeunes *restent* au pays.

Temps (*pendant* + nom, futur) ▶ 32 : — Nous *aurons* du beau temps *pendant trois mois.*

Temps (*gérondif* : simultanéité) ▶ 34 : — Nous remontons la vallée, *en suivant* le torrent.

Temps ([*ça fait / il y a*] + expression de temps + *que* + proposition) ▶ 37 : — *Ça fait 20 ans qu'*il fait ce métier.

Temps (*dans* + durée future) ▶ 37 : — Je repars *dans une semaine* pour le Tchad.

Temps (passé composé + *pendant* + durée) ▶ 37 : — *Je ne me suis pas couché pendant treize heures.*

Temps (passé composé + *il y a* + expression de temps) ▶ 39 : —

Leur troupe *est* déjà *venue il y a dix ans.*

Temps *(pendant que* **+ imparfait + passé composé)** ▶ 39 : — *Pendant que* le Japon *s'ouvrait,* la tradition *a continué.*

Temps (*en* **+ expression de temps)** ▶ 41 : — Une vedette vous conduira à Bora-Bora *en 20 minutes.*

Temps (*être en train de* **+ infinitif)** ▶ 43 : — Ils sont *en train de s'installer.*

Temps (simultanéité) ▶ 49 : — *...à l'instant où* vous aurez fait le vide.

Temps (*pour* **+ expression de durée)** ▶ 50 : — Elle est au Québec *pour cinq mois.*

Temps (imparfait / passé composé / présent) ▶ 51 : — Je me *sentais* « niaiseuse » ; je me *suis* vite *habituée* ; maintenant *je me débrouille.*

Temps (*avant que* **+ subjonctif)** ▶ 62 : — *Avant que* ces mots (ne) *fassent* partie du jargon.

Temps (l'infinitif passé) ▶ 67 : — *Après avoir survolé* le massif, j'ai mesuré l'ampleur du désastre.

Temps (*pendant que* **+ imparfait, passé composé)** ▶ 67 : — Je suis arrivé *pendant que* les sapeurs-pompiers *disposaient* leurs véhicules.

Temps (futur antérieur absolu) ▶ 69 : — France Telecom, *dans quelques mois, aura câblé* votre immeuble.

Temps (*une fois que* **+ temps composé, temps simple)** ▶ 68 : — *Une fois que vous êtes entré,* il suffit de suivre les indications.

Temps (évolution parallèle : *plus... plus... / moins... moins...***)** ▶ 75 : — *Plus* le soleil brûlant s'approche du zénith, *plus* l'espoir revient.

VERBES

Verbe *(être)* ▶ 1 : — Vous *êtes* française ?

Verbes *(en -er)* ▶ 1 : — Vous *habitez* à Paris ?

Verbe *(avoir)* ▶ 2 : — Quel âge *avez*-vous ?

Verbe *(s'appeler)* ▶ 2 : — Je *m'appelle* Alain Prost.

Verbes pronominaux ▶ 11 : — *Je me prépare* un café.

Verbes (+ subjonctif) ▶ 31 : — L'agence *veut que je pose.*

Verbes (en *-indre***)** ▶ 44 : — Ne *craignez* rien.

Verbe → nom / nom → verbe ▶ 69 : — Un cerveau qui peut tout *recevoir,* tout *produire,* tout *retransmettre.*

VOLONTÉ

Composition réalisée par COMPOFAC - PARIS

IMPRIMÉ EN FRANCE PAR BRODARD ET TAUPIN
Usine de La Flèche (Sarthe).
LIBRAIRIE GÉNÉRALE FRANÇAISE - 6, rue Pierre-Sarrazin - 75006 Paris.
ISBN : 2 - 253 - 05807 - 6